Das Buch

»Ich starre auf diesen Mann mit dem erloschenen Gesicht. Ich kenne ihn nicht. Aber ich erkenne mich in ihm. Seine Augen sind meine Augen, ich weiß, daß ich ihm ähnlich sehe. Ich wäre nicht ich ohne ihn. Und was weiß ich über ihn? Nichts weiß ich.«
Als Wibke Bruhns in einer Fernsehdokumentation über den 20. Juli 1944 Aufnahmen ihres Vaters, des wegen Hoch- und Landesverrats am 15. August 1944 angeklagten und elf Tage später hingerichteten Abwehroffiziers Hans Georg Klamroth sieht, beschließt sie, sich auf die Suche nach dem fremden Vater zu machen. Sie taucht ein in die Vergangenheit und geht zurück nach Halberstadt, wo ihre Vorfahren, die Klamroths, über Generationen hinweg Landhandel betrieben. Bei ihren Recherchen stößt sie auf unzählige Fotos, Briefe und Tagebücher, die das Schicksal der angesehenen Kaufmannsfamilie dokumentieren – vom Kaiserreich bis zur Kapitulation. Dieser Fundus bildet die Grundlage für ein einzigartiges Familienepos, das durch die emotionale und politische Auseinandersetzung der engagierten Journalistin mit der eigenen Familie besticht. Geschichte, die unter die Haut geht – grandios erzählt.

Die Autorin

Wibke Bruhns wurde 1938 in Halberstadt geboren. Als erste Frau präsentierte sie 1971 die »heute«-Nachrichten. Später ging sie als *stern*-Korrespondentin nach Israel und in die USA und wurde schließlich Kulturchefin des ORB. Heute lebt sie als freie Autorin in Berlin. *Meines Vaters Land* wurde ein großer Bestseller.

Wibke Bruhns

Meines Vaters Land

Geschichte einer deutschen Familie

Ullstein

Für Annika und Meike

PROLOG

ICH HABE EIN FOTO VON MEINEM VATER GEFUNDEN. Es gibt Hunderte – in Alben, in Umschlägen, verstreut zwischen Tagebüchern, Zeugnissen, Briefen. Hans Georg als Kind, als ernsthafter Halbwüchsiger, in Uniform im Ersten und im Zweiten Weltkrieg, als Ehemann, als Kaufmann, als Vater mit uns Kindern. Dies hier war weggesperrt in einer der Miniaturen, die auf dem Nachttisch meiner Mutter standen.

Nach ihrem Tod hatte ich die drei Bildchen mitgenommen: meine dänische Großmutter Dagmar mit dem unvermeidlichen Blumenhut, Hans Georg in Jagdmontur sitzend auf der Terrassentreppe in Halberstadt, vor sich den erlegten Bock, und meine Mutter Else als kleines Mädchen im weißen Spitzenkleidchen, mit Lackschuhen und schiefen Strümpfen. Alle drei – die zauberhafte alte Dame, der zufriedene Jäger, das skeptische Kind – lächeln mich an seit 15 Jahren auf meinem Schreibtisch, verhalten eher, distanziert aus den kostbaren kleinen Rahmen, derentwegen ich sie da hingestellt habe, und weil sie zu Elses Schlafzimmer gehörten.

Jetzt war sie verrutscht, die Kleinkind-Else, und als ich den Rahmen öffnete, um sie zurück an ihren Platz zu bringen, kam mir Hans Georg entgegen. Verborgen hinter ihrem Kinderportrait hatte Else ihn, einen todtraurigen Mann um die 30 – so verloren guckt er auf keinem Foto außer auf den letzten vor dem Volksgerichtshof. Ich habe das Else-Kind erst mal hinter ihm versteckt, aber lange halte ich das nicht aus, dieses hoffnungslose Gesicht. Vielleicht hatte auch Else ihn deshalb zugedeckt mit ihrer Erinnerung an die ganz frühe Kindheit. Ihr Foto muß um 1900 aufgenommen worden sein, da ist sie kaum zwei – behütet, umsorgt, geliebt. Alles schien möglich damals, nichts war vorhersehbar von dem, was dann wirklich kam.

Warum überhaupt hat sie dieses verlorene Gesicht ihres damals noch jungen Mannes zurechtgeschnitten für das Oval in dem kleinen, festlichen Rahmen? Die beiden haben viel gelacht zu der Zeit, als dieses Bild von Hans Georg entstand. Sie waren berühmt im Freundeskreis für Schlagfertigkeit und Witz. Und wann hat sie die Fotos gewechselt – nach seinem Tod in Plötzensee? Oder schon vorher, als die jahrelange Trennung im Krieg sie einander entfremdete, als jeder an seinem Platz funktionierte, aber die Gemeinsamkeit verschlissen war? Als Hans Georg Else betrog?

Ich lese seit Monaten in fremden Leben herum, in Briefen, Tagebüchern, in Schriftlichem aus mehr als 100 Jahren, das ich zusammengetragen habe aus den Katakomben der weitverzweigten Sippe. Es gibt sie schon so lange, die Klamroths, und immer haben sie sich als Klan verstanden, auch heute noch, obwohl das Zentrum ihres Bürgerstolzes – Halberstadt – im Krieg für sie verlorengegangen ist. Es ist nicht wirklich fremd, was ich da lese. Ich weiß, wer die Leute sind. Aber ich kenne sie nicht. Hans Georg hatte schon in den 30er Jahren eine 16mm-Kamera und nahm die Feste der Sippe auf: Reitjagden durch den Harz, Boccia im Garten und die großen, damals noch kleinen Kinder auf der Schaukel. Als ich neulich die digitalisierte Fassung der Filme bekam, habe ich jeden erkannt, der dort zu sehen ist, obwohl ich vielen nie oder höchstens als Kleinkind begegnet bin.

Ich sehe Fräcke – mein Gott, was trug man Frack! – und die aufwendig gestylten Damen und frage mich, warum Else so geschmacklos angezogen war, wo sie doch Suli Woolnough hatte, die Schneiderin, deren Eleganz in Halberstadt ein Exotikum war. Prächtig kostümierte Aufführungen bei Polterabenden und zu Großmutter Gertruds 60. Geburtstag haben sie veranstaltet, es tritt auf »Benno Nachtigall«, die familieneigene Balladen- und Moritaten–Band, in meinem Schrank lagern die Bänkellieder und Schüttelverse. Fremde Leben.

Ich finde Bilder von Hans Georg am Klavier – er hat immer gesungen, alle haben sie gesungen in dieser Familie, mehrstimmig, dauernd, und sie haben Instrumente gespielt, der ganze Klan. Er singt also, der Vater – Kantaten, Gassenhauer, den ganzen Zupfgeigenhansl rauf und runter, nicht zu vergessen die vielen Familienlieder. Aber ich kenne seine Stimme nicht. Nie gehört, behaupte ich, obwohl das nicht sein kann, er wird schon mal was gesagt haben zu mir, dem kleinen Mädchen. Er hat mir bestimmt auch was vorgesungen, wenn er – mal – nach Hause kam aus dem Krieg.

Ich weiß auch nicht, wie der Mann, der mein Vater war, geredet hat. Das wäre wichtig jetzt, wo ich versuche, ihn mir zurechtzulegen. Zappelt er mit den Händen, wie ich, ist er laut, impulsiv? Wenn er schreibt, und er schreibt viel, klingt er überlegt. Er verschreibt sich nie, auch mit der Maschine nicht. Er muß sich nicht korrigieren, weder im Satzbau, noch in der Orthographie, schon gar nicht in seinen Gedanken. Sehr aufgeräumt, das Ganze. Und die Schrift erst – klein gestochen leserlich sowohl in Sütterlin als auch in Latein. Er schreibt wie sein Vater – überhaupt mein Großvater, ob es sonst noch jemand gibt, vor dem er so viel Respekt hatte? Allein wie sie Fotoalben anlegen, alle beide – weiße Tinte, akkurate Randlinien um jedes Bild gezogen, minutiös beschriftet.

Und dann Else: Chaos im Kopf und in der Schrift, überbordend, ausladend, durcheinander. Riesige Buchstaben, auf- und absteigende Zeilen, durchgestrichen, drübergeschrieben. Wenn sie Formulare mit der Hand ausfüllt, tobt ihre Schrift wie ein gefangener Hund im Käfig. Es gibt ein großes Haushaltsheft – Etatplanung und Kostenübersichten für die Jahre 1938 bis 1943. Da haben sie beide abwechselnd Buch geführt – Hans Georg in schnurgeraden Zahlenkolonnen, kein Rechenfehler, nie ein Zweifel. Else trabt durch die Spalten, setzt zügig Fragezeichen, Fußnoten – lange Jahre nach dem Krieg hat sie noch mit solchen Abrechnungen gekämpft. Sie haben nie gestimmt, Else war immer verzweifelt, sie wäre so gern ordentlich gewesen.

In ihren Briefen – auch sie hat viel geschrieben – wirbelt sie von einem Thema ins nächste, beutelt die Grammatik und die Interpunktion, die Seiten sind übersät mit zweifelhaften Korrekturen. Sie lacht und weint ohne Übergang, moralische Aufrüstung für die aushäusigen Töchter mischt sich mit Schilderungen ihrer vielfältigen Beschäftigung als Managerin des großen Hauses mit vielen Gästen. Der Kampf mit 20 Zentnern Erbsen und widerspenstigen Weckgläsern führt sie direkt zu der Feststellung, daß Gottes Ratschluß selten überzeuge, irgend jemand »zum Donnerwetter« den Silberschrankschlüssel vermüllt habe und daß außerdem sie, Else, sich mit Hegel doch gern »über das eine und andere mal auseinandergesetzt« hätte.

Sie haben gelacht über diese scheinbare Unvereinbarkeit, jeder über den anderen und beide miteinander. Dabei war Else später, als ich sie als Mensch wahrgenommen habe und nicht mehr als Mutter, eher pathetisch, hochgradig sentimental, vor allem traurig. Sie wäre gern viel eher gestorben, fast 90 war sie 1987 und hatte schon 25 Jahre vorher, nachdem die Sorge um ihre fünf Kinder sich überlebt hatte, keine Lust mehr. Früher, lange vor meiner Zeit oder vielleicht auch noch in meinen ersten Kindertagen, müssen beide – Else und Hans Georg – ein Genuß gewesen sein. Freunde von damals haben mir vorgeschwärmt von beider Witz, ihrer Zugewandtheit, ihrer Fähigkeit, Menschen um sich zu scharen und sie zu halten.

Kinder, behaupte ich, interessieren sich für ihre Eltern nur als Ressource. Das Verhältnis ist Ich-bezogen: Wie weit werde ich beschützt, versorgt, gefördert. Wer die Eltern sind, was sie fühlen, ob sie glücklich sind, geht an Kindern vorbei. Der Mensch, den Freunde erkannt, geliebt, begleitet haben – das Kind kennt ihn nicht. Bis nach dem Tod der Eltern – vielleicht –, wenn Nachfrage nicht mehr Indiskretion und Grenzüberschreitung bedeutet. Kinder, auch meine Kinder, werden bei aller Zärtlichkeit auf Distanz gehalten, suchen ihrerseits die Distanz. Die Verstörung der Eltern ist immer eine Bedrohung. Eltern muten sie ihren Kindern nicht zu, und was erwachsene Kinder dem Freund erlauben, die Belastung mit dessen persönlichem Scheitern etwa, bei Eltern fürchten sie sich davor.

In meiner Psychoanalyse, Anfang der 90er Jahre, kam ich an die Eltern nicht wirklich heran. Ich war und bin auch heute nicht bereit, meiner Mutter kindliche oder auch spätere Probleme anzulasten – sie war nervig, natürlich, sie war überfordert und ich in Folge ziemlich allein. Hätte sie das ändern können? Für den Vater hatte ich mir eine unverfängliche Position gesucht: Ich habe ihn nicht gekannt, folglich ging er mich nichts an. Er hat mir nie gefehlt – Millionen Töchter meiner Generation sind aufgewachsen ohne Väter. Ich hielt ihn mir vom Hals. Ich wollte nichts über ihn wissen. Er war eine offene Wunde im Leben meiner Mutter, und ich habe ihn erfahren als ihren Verlust. Sie hat darüber geschwiegen. Heute weiß ich, daß viele der 20. Juli-Witwen gegenüber ihren Kindern geschwiegen haben. Es war ein Schweigen, wo Fragen sich verbot. Die Zumutung wurde von beiden Seiten vermieden.

1979 bereitete ich unseren Umzug nach Jerusalem vor. Ich fuhr mit dem Auto da runter, von Ancona nach Haifa mit dem Schiff, schon die Einfuhr-Formalitäten im Hafen ließen keinen Zweifel offen: Hier bin ich in einem orientalischen Land. Ich fand ein Haus auf dem Mount Scopus in der Nähe der Hebräischen Universität mit weitem Blick über die karstige Wüste, weit unten ein arabisches Dorf. Die englische Schule für die Kinder war vor 100 Jahren ein anglikanisches Missionskrankenhaus gewesen. Als ich zum ersten Mal durch den weitläufigen Garten ging, vorbei an Oleanderhecken und Feigenbäumen, stand für mich fest, es ist ganz egal, ob die Töchter hier Mathematik und Satzbau lernen oder nicht. Die ausgetretenen Stufen und schiefen Sandsteinwände, die wuchernden Geranien, das Gewusel von Kindern aus 40 Nationen von tiefschwarz bis strohblond würden später eine leuchtende Erinnerung an ihre Schulzeit abgeben – so war es dann auch.

Ich recherchierte gleichzeitig eine Geschichte über eine palästinensische Familie in Hebron im Westjordanland, und hier erfuhr ich, was unser Alltag werden würde: abgrundtiefer Haß zwischen der arabischen Bevölkerung und den israelischen

Siedlern aus Kiryat Arba gleich nebenan. Ich stand einen »curfew« durch mit meinen Gastgebern, die tagelange Ausgangssperre, während der nur ich auf die Straße durfte, um für die vielköpfige Familie Lebensmittel einzukaufen. Die Geschäfte waren verrammelt, ich gelangte durch die Hintertür hinein, und draußen führten die jungen Schnösel aus der Siedlung ihre Kalaschnikows und Uzis spazieren. In Jerusalem, wo jeder Stein Geschichte ist, tauchte ich ein in das damals noch fast friedliche Nebeneinander von Nationalitäten und Religionen, in den aberwitzigen Krach auf den Märkten und die Besitz ergreifende Zuwendung wildfremder Menschen. Ich schlug mich mit Behörden herum wegen unseres Zuzugs, kämpfte um meine Akkreditierung, brauchte Stunden auf der Bank, um etwas so Simples wie zwei konvertierbare Konten einzurichten. Es waren sechs prallvolle Wochen, während derer ständig die Sorge an mir nagte, wie meine behüteten Kinder wohl den Wechsel aus dem ordentlichen Hamburg in dieses exotische Durcheinander verkraften würden. Sie waren damals 12 und elf, und sie haben sich erstaunlich schnell akklimatisiert.

Bei einem der zahlreichen Telefonate nach Hause erzählte mir die Kinderfrau, es liefen Dokumentationen über den 20. Juli im Fernsehen, und eher beiläufig bat ich sie, beim nächsten Mal doch eine Video-Kassette einzulegen. Ich flog zurück, verspätet, auf dem Flughafen hatte es Bombenalarm gegeben, auch daran würde ich mich gewöhnen. In der Maschine hielt eine Gruppe orthodoxer Juden eine lautstarke Betstunde ab, stehend im Gang und mit schwarzen Hüten über ihren Schläfenlocken. Staunend betrachtete ich ihre dafür vorgeschriebene Ausstattung, den »Tallit«, den Gebetsmantel, und die »Tefillin«, die um Stirn und Arm gewickelten Gebetsriemen. Auch wunderte ich mich über die wippenden Bewegungen ihrer Oberkörper – ich würde noch viel lernen müssen.

Tief in der Nacht kam ich in Hamburg an, küßte die schlaftrunkenen Kinder, ließ mir erzählen, wie das Leben gewesen sei in der Zeit, als ich in der verwirrenden Fremde war. Irgendwann morgens um drei, ich war hundemüde, goß ich mir einen

Whisky ein und versuchte, mich zurechtzufinden in dem Kontrast zwischen meinem aufgeräumten Rothenbaum-Ambiente und dieser wilden, wirren, seit Tausenden von Jahren heiligen Stadt, die unser Zuhause werden sollte.

Auf dem Fernseher lag eine Kassette. Ich schob sie in den Recorder, ahnungslos. Da stand mein Vater vor dem Volksgerichtshof. Kerzengerade, elend in einem zu großen Anzug, stumm steht er da in einer kurzen Sequenz, während die Stimme des Vorsitzenden Roland Freisler keift und tobt. Ich sehe mich sitzen, fassungslos. 35 Jahre war das her damals, ein Lidschlag in der Geschichte. Vor 35 Jahren – da war der Vater 45 Jahre alt, knapp fünf Jahre älter als ich auf diesem Sofa in Hamburg. Sein Leben, seine Hoffnungen, alles war vorbei. Große Teile Deutschlands lagen in Trümmern. Der Krieg war verloren, auch wenn er sich noch ein quälendes Jahr lang hinzog. Die Welt der Menschen dieser Zeit war zu Ende. Nie wieder würden die Deutschen, so schien es, den Fluch, die Scham ihrer Jahre überwinden können. Sie zahlten für ihre Hybris mit dem Verlust der Zukunft.

35 kurze Jahre. Und da komme ich, das jüngste Kind dieses todgeweihten Mannes dort im Fernseher – tatsächlich im Fernseher! auf Video! –, da komme ich von einer prallbunten Reise aus dem Vorderen Orient zurück, aus einem jüdischen Land – ausgerechnet! Ich trinke Whisky – Whisky! – aus böhmischem Kristall, um mich herum Bücher, Bilder, schöne Möbel. 35 Jahre. Ich starre auf diesen Mann mit dem erloschenen Gesicht – elf Tage nach diesen Bildern wird er tot sein, aufgehängt am Fleischerhaken in Plötzensee. Ich kenne ihn nicht, nicht den Schatten einer Erinnerung gibt es in mir. Ich war ein knappes Jahr alt, als der Krieg begann. Von da an war der Vater so gut wie nie zu Hause. Aber ich erkenne mich in ihm – seine Augen sind meine Augen, ich weiß, daß ich ihm ähnlich sehe. Ich kneife mich in den Unterarm: Diese Haut gäbe es nicht ohne ihn. Ich wäre nicht ich ohne ihn. Und was weiß ich über ihn? Nichts weiß ich.

Warum weiß ich nichts? Was bedeutet diese diffuse Familien-Übereinkunft des Nicht-Redens über all die Jahre, wieso hat niemand dem Vater hinterhergespürt? Eltern werden von Kindern gemolken: Nahrung, Wärme, Spaß, Trost, Schutz, vor allem Liebe werden abgerufen, und da der Vater in dieser Hinsicht ausschied – war es das? Das mag für mich gelten, vielleicht. Doch wie war das für die älteren Geschwister, immerhin so gut wie erwachsen, als er starb – war er für die auch kein Thema? Doch. Als Legende. Sie haben sich gewappnet mit den immer gleichen Anekdoten über den Witz des Vaters, über seine Pedanterie. Es gab stets dieses für den Vater reservierte liebevolle Gelächter.

Aber dieser Mann da vor mir, nächtens im Fernseher, der ist keine Legende. Das ist ein Mensch aus Fleisch und Blut. Da steht er im großen Saal des Berliner Kammergerichts, um sich herum uniformierte Zuschauer, und er weiß, er wird binnen kurzem einen grauenhaften, jämmerlich einsamen Tod sterben. Haltung war dabei angesagt, Tapferkeit. Sie sind »männlich« gestorben, hieß es hinterher. Großer Gott! Das kann nicht sein. Jemand muß dich an die Hand nehmen, dich begleiten nicht nur in die Hinrichtungsstätte in Plötzensee. Denn bis dahin hast du gelebt – und wer weiß das noch? Wie war denn dein Leben jenseits der Gedenktafeln, die heute im Berliner Kammergericht oder im Bundesverteidigungsministerium hängen, in Plötzensee oder in Halberstadt, wie warst du jenseits der Bücher, in denen der Name auftaucht unter K wie Klamroth? Dein Tod hat mir die Wahrnehmung verstellt. Du warst nicht du – du warst immer dein Tod. Dabei bist du mehr als die sorgfältig umschiffte Schmerzzone in der Psyche meiner Mutter. Ich will dich nicht über Umwege. Ich will dich. Ich bin dein Kind. In dieser Nacht der Rückkehr aus Jerusalem habe ich mir versprochen: Ich kümmere mich um dich.

Natürlich habe ich sie gefragt – Else habe ich gefragt, andere, die ihn noch gekannt hatten. Doch da war es schon viel zu spät, die Sprachregelung längst gefunden. Die hatte etwas zu tun mit den in staatlichen Gedenkreden apostrophierten Helden des Widerstands; dazuzugehören, und sei es auch nur als

Kind, war Ehre. Privat teilte Else ihr Leben ein in vorher und nachher: Vorher war Glanz, nachher war Fron. Der Verlust des einen und die Mühsal der anderen wurden mit Haltung ertragen, die Trauer über beides dem Kind gegenüber als Tabu manifestiert. Erst Jahrzehnte später, als die Mutter längst der töchterlichen Fürsorge bedurfte, habe ich begriffen, daß sie ihr ganzes Elend abgeladen hatte bei meiner ältesten Schwester, angefangen mit der Tatsache, daß Else 1944 der 21jährigen Tochter, damals Chemie-Studentin, die Beschaffung von Gift für uns alle auftrug.

Wenn Else erschöpft gewesen war ob meiner pubertären Renitenz, hat sie manchmal Hans Georg hervorgeholt als eine Art schwarzen Mann. »Das hättest du dich nie getraut, wenn dein Vater noch lebte«, hieß es dann, und ich habe geschnaubt vor Verachtung, wenn meine müde Mutter zu Argumenten griff, die mich nicht erreichten. Süße, hinreißende, geschundene, zermürbte Mutter – hättest du mir doch erzählt, was ich heute weiß: daß deine Ehe verschlissen war, daß der Vater dich betrogen hat, daß ihr beide Hitler angebetet habt in den ersten Jahren, du vermutlich länger als er. Daß auch du, wenn schon nicht »männlich«, wie das damals hieß, deinerseits unendlich »tapfer« warst und in dieser allenthalben eingeforderten Haltung dein Entsetzen über diesen Tod nie herausschreien konntest, auch nicht deine Trauer über das Scheitern eures gemeinsamen Lebens.

Ich bin Else dankbar, daß sie mir das nicht erzählt hat. Ich hätte damit nicht umgehen können. Ich hätte mich nicht zurechtgefunden in den Trümmern ihrer Seele, wenn eine Art Entscheidung nötig gewesen wäre zwischen dem Mann, dessen Tod ihn unangreifbar machte, und der Frau, die ich lieben wollte, mich meinetwegen an ihr reiben. Bemitleiden wollte ich sie nicht. Damals nicht. In meinen jungen Jahren war die Mutter die Meßlatte, an der ich wuchs, gegen die ich meine eigene Kraft erprobte. Ich hätte nicht ringen mögen mit den Schatten der Vergangenheit und denke, ich war zufrieden mit der Tabuzone, die mir das ersparte.

Hans Georg wird hingerichtet am 26. August 1944, er geht den Weg vom »Todeshaus« in Plötzensee vermutlich wie alle anderen in Sträflingskleidung, die Hände auf dem Rücken gefesselt, die nackten Füße in Holzpantinen. Es ist ein strahlender Sommertag, 32 Grad, nahezu wolkenlos. Der Tod wird um 12.44 Uhr festgestellt, eingetragen beim Standesamt Berlin-Charlottenburg »auf mündliche Anzeige des Hilfsaufsehers Paul Dürrhauer, wohnhaft Berlin, Manteuffelstraße 10«. Der Anzeigende, so wird vermerkt, sei »bekannt und erklärte, er sei vom Tode aus eigener Wissenschaft unterrichtet«. Ich habe Paul Dürrhauer nicht fragen können. Er ist 1976 gestorben. Ich muß ihn auch nicht fragen. Der Standesbeamte Gluck hat am 28. August 1944 »in Vertretung« unterschrieben: »Todesursache: Erhängen«.

Ein Irrtum? Und wenn ja, wessen Irrtum? Hans Georg und Else waren beide Parteigenossen, er eingetreten 1933, sie 1937, er war Mitglied der SS, sie war Ortsgruppenführerin der NS-Frauenschaft. Im Aufnahmeantrag hat sie bestätigt, sie sei »deutsch-arischer Abstammung und frei von jüdischem oder farbigem Rasseeinschlag«, und ihre Unterschrift auf dem Formular ist ausladend und selbstbewußt wie immer.

Wer sich in Gefahr begibt, kommt darin um. So steht es im Alten Testament. Neben den Eltern mußten Millionen Deutsche das bitter erfahren. Haben sie begriffen, daß die Gefahr nicht in erster Linie die Kriegsgegner waren, sondern sie selber? Else erst mal nicht. 1947 noch schreibt sie in die Tagebücher, die sie für jedes Kind führt von der Geburt bis zur Konfirmation: »Ich sah voll Grauen auf die sinnlose Zerstörung und das Hinopfern des Volkes, nur weil ein Mann zu feige war einzugestehen, daß er gescheitert war.« Ein Mann? Gescheitert? War nicht schon der Beginn ein Höllentanz?

Nicht für Else. Jubelnd schreibt sie 1942 einem Freund an der Ostfront: »Es geht ja wunderbar vorwärts – 80 km von Stalingrad entfernt! Sind wir dort, ist die Zange doch zu!« Im selben Jahr in einem ihrer Sonntagsbriefe: »Wenn wir wirklich nach Alexandria kommen, wo bleibt dann England mit der

Flotte? Wenn sie raus müssen, gehört uns das Mittelmeer!!!«
Gehört uns? So war das. Es ging um Lebensraum. Hans Georg
schreibt zwar von der Front in Rußland 1942, man müsse die
unterworfenen Völker gewinnen: »Wer ein Volk führen will,
muß seine Sprache beherrschen, da er sonst nicht bis zu seiner
Seele vordringt, und die gilt es zu erobern – mit der Knechtung des Leibes ist es nicht getan!« An der Legitimität der
»Knechtung« aber und an dem Führungsanspruch besteht kein
Zweifel.

Wann hat er verstanden, in welchem Strudel er sich befand?
Wann ist Hans Georgs Bewußtsein für das entsetzliche Unrecht
dieses Dritten Reiches entstanden, wenn überhaupt? Wann hast
du erkannt, daß du betrogen wurdest? Im Urteil des Volksgerichtshofs heißt es, Hans Georg habe am 10. Juli 1944 von der
Verschwörung erfahren und die Beteiligten nicht angezeigt.
Dafür mußte er hängen. Das Urteil sagt aber auch, er und sein
Schwiegersohn Bernhard Klamroth seien unter den sechs
Angeklagten diejenigen, die »dem Mordanschlag unmittelbar
selbst am nächsten« gestanden hätten – wie paßt das zusammen?

Ich weiß die Wahrheit nicht. Es spricht vieles dafür, daß Hans
Georg als erfahrener Abwehrmann die Vernehmer in Ernst
Kaltenbrunners Reichssicherheitshauptamt getäuscht, daß er,
wie einige andere Männer des 20. Juli auch, bis unmittelbar
vor seiner Hinrichtung hoch gepokert und verloren hat. Er
kannte zu viele aus dem Verschwörerkreis, als daß er bis zehn
Tage vor dem Attentat ahnungslos gewesen sein kann. Zum
Teil waren das Beziehungen noch aus der Fahnenjunker-Ausbildung im Ersten Weltkrieg wie zu Wolf-Heinrich Graf Helldorf und Michael Graf Matuschka, Hans Georg nannte Ewald
von Kleist seinen »Onkel«, für Axel von dem Bussche war er
ein väterlicher Freund – und Hans Georg hat Freundschaften,
Verbindungen, Netzwerke sein Leben lang gepflegt.

Mehr als 20 der Verschwörer haben bei den Vernehmungen
durch die Gestapo und vor Gericht die Judenverfolgung als
Grund für ihre Beteiligung angegeben, die »Morde in Polen«,

die Behandlung der Kriegsgefangenen sowie der Zivilbevölkerung in den eroberten Gebieten. Doch spielte auch bei ihnen militärische Empörung mit. Diese Offiziere wollten ein zweites Versailles vermeiden, sie opponierten gegen Hitlers Inkompetenz als Oberster Kriegsherr, es ging ihnen um ein erträgliches Kriegsende, nicht um Sühne für untilgbare Schuld. Die Größe Deutschlands, die deutsche Ehre standen auf dem Spiel, diese gottverdammte Fahne, die sie besudelt sahen.

Die Schweinereien, das waren für die Militärs die der anderen. Die deutsche Wehrmacht war sauber, nicht wahr? Noch Helmut Kohl schwadronierte von dem Unrecht, »das in deutschem Namen begangen worden« sei, als wären die Gremlins gekommen, schwarzweißrote Banner vorne weg, und hätten gemordet, geplündert, vergast, enteignet, verwüstet, als hätten Außerirdische deutsches Blut und deutschen Boden erfunden, »minderwertige« Rassen kurzerhand ausgerottet, hätten »ein Volk, ein Reich, ein Führer« gegrölt und »heute gehört uns Deutschland und morgen die ganze Welt«.

Also gut. Hans Georg nicht. Der grölte nicht. Der sang. Aber er machte alles, was er machte, für »eine bessere Zukunft unserer Kinder«. Wo denn? In diesem »Lauselande«, wie er Rußland nennt? Und wieso überhaupt? Es ging den Kindern blendend, ihm auch. Was wollte er denn noch? Es gab eine anständige Familie, eine anständige Firma, anständige Freunde, er selbst ist als ein anständiger Deutscher um die halbe Welt gereist. Ob er zugesehen hat auf seiner Wolke, als ich mit elf in meiner Schule in Stockholm geschnitten wurde von den anderen, die mit einem deutschen Kind nicht spielen durften? Hat er meinen Kummer verstanden, wenn an unserem Weihnachtsbaum keine Nationalfähnchen hängen konnten wie üblich in Dänemark oder Schweden, wo Fahne und Staat kein Grund zum Schämen sind? Ist er bei mir gewesen, als ich Korrespondentin in Israel wurde und mich mühsam gegen mein Land behaupten lernte?

»Komm, Wibke, jetzt gehen wir zu Vater, uns die Gnade zu holen«, hat meine älteste Schwester mit letzter Entschlossenheit von mir verlangt. Das war unmittelbar vor ihrem Tod 1990. Vier Jahrzehnte lang hatte sie den toten Hans Georg bei Else vertreten, hatte sie geordnet, geglättet, die Sturmschäden im Leben unserer Mutter geflickt und die immer wieder aus dem Ruder laufenden Geschwister auf Kurs gehalten. Sie selbst und was sie hätte werden können waren von den Anforderungen dieser Familie zugeschüttet worden. Jetzt wollte sie, daß der übermächtige Hans Georg, der gemordete Vater ihr die Absolution erteilt.

Wie bitte?! Um sicherzugehen, habe ich nachgefragt: ob sie den Herrgott meine oder tatsächlich den Vater. Doch. Den wollte sie. Seine Gnade. Gütiger Gott, oder wer auch immer, ich danke dir, daß ich das nicht muß. Ich kann den Vater betrachten, ich kann versuchen, ihn zu verstehen, vielleicht kann ich ihn lieben, und ich würde ihn gern trösten. Ich habe Glück gehabt.

Einfach Glück war es schließlich, daß ich mich nie entscheiden mußte. Mir hat man keine Jungmädel-Uniform angezogen. Das einzige, was ich aushalten mußte, waren diese gräßlichen Rotkäppchen-Kleider, die nach Kriegsende aus den Hakenkreuzfahnen genäht wurden. Ich habe mich nie etwas trauen müssen, wenn ich denn dagegen gewesen wäre. Wäre ich? Eine ganze Generation hat mir etwas vorgelebt, was in meinem Leben niemals stattfinden durfte. Das Erbe all dieser Väter war auszuschlagen. Ich bin der kollektiven Hörigkeit entkommen.

Die große Schwester nicht. Empörtes Mitgefühl überfällt mich beim Lesen ihrer Tagebücher. Im November 1944 schreibt sie, da ist sie 21: »Ich kann nicht von ihm lassen und von meinem Glauben an ihn, dem ich gedient habe und dienen wollte mein Leben lang. So sehr gehöre ich dem an, der meinen Vater gemordet hat, daß noch kein klarer Gedanke gegen ihn aufzustehen gewagt hat.« Und wenig später: »Mein Führer, ich war eine der Treuesten. Noch bin ich nicht los von Dir, mein Führer – noch wünsche ich, vor Dir zu stehen, von Deinem Blick festgehalten, und dann befiehl mir, was Du willst, ich werde sterben für Dich.« Und dann: »Ich habe geglaubt und bin betrogen. Ich habe gearbeitet für den Teufel – ich habe geliebt, mein Führer! Zum ersten Mal spüre ich, daß ich hassen könnte ... ein wilder Haß, der wildere Liebe war. Haß und Vernichtung dem, der uns vernichtet hat, und wenn ich sterben soll, so will ich sterben im Kampf gegen Dich! Mörder meines Vaters!«

Wenn ich da das Pathos rausnehme und die hirnrissige Hingabe, mit der die Schwester nicht alleinstand, spüre ich dahinter nichts, was diese junge Frau hätte bewahren können vor dem Anheimfallen. Da steht sie 11jährig mit Freunden und Geschwistern rund um den Flügel im Oktober 1933. Der Vater haut in die Tasten, die Kinder recken strahlend die Arme zum Hitlergruß in die Luft. Die Mutter auch. »Wir singen Hitlerlieder mit Vater«, schreibt Else ins Kindertagebuch – sie konnte doch gar nicht singen, verdammt noch mal. Sie war die Krähe unter all den Lerchen in der Familie, die einzige, die nie den Ton traf.

Ständig ist in diesen Tagebüchern die Rede von »hochpolitischen und erhebenden Zeiten«, von Hitlers »genialem Gespür« für den richtigen Zeitpunkt wofür auch immer. Hans Georg beschreibt mehrfach in seinen Sonntagsbriefen von der Ostfront, wie die Führer-Reden im Radio »Offiziere, Unteroffiziere und Männer« zusammenschweißen, auch wenn »in wirklich ekelhafter Nähe die schweren Brocken eines Feindfliegerangriffs niedergehen«. Draußen kracht die Welt in Trümmer, »aber alles übertönt die Stimme des Führers, der alle Männer unbeirrt und hingegeben lauschen«.

Solche Briefe erreichen auch die Kinder – neun Durchschläge schafft die Schreibmaschine, jeder kriegt seinen eigenen, wöchentliche Bestärkung, daß rundum alles richtig und gut sei. Selbst meine nächstältere Schwester – bei Hans Georgs Tod gerade elf – ist einbezogen. Mitleid artikuliert sich noch 1947, als Else die Zeit seit dem Attentat für sie beschreibt: »Für Dich war es am schwersten, Ihr seid mit der Erziehung zur Liebe und Bewunderung für Hitler groß geworden, und Du liebtest Deinen Vater so sehr. Wie sollte das zusammenstimmen?« Ja, wie denn? Else erklärt es dem Kind mit einem vollbesetzten Zug, der auf einen Abgrund zurase. Die Männer des 20. Juli hätten in dem Anschlag ein Mittel gesehen, den Zug noch aufzuhalten. Für Außenstehende habe es so ausgesehen, als wollten sie den Absturz beschleunigen, deshalb hätten sie unehrenhaft sterben müssen. Die wahre Ehre aber liege in dem Versuch, die Katastrophe aufzuhalten, und die könne dem Vater keiner nehmen. Das Kind war getröstet – schreibt Else.

Ehre. Unehrenhaft sterben. Die Katastrophe. Erst wir Nachkommen haben uns mit der Katastrophe herumgeschlagen, die unser Land anderen zugefügt hat. Für die Eltern war die Katastrophe der verlorene Krieg, die Zerschlagung Deutschlands und dessen, wofür es stand. Meine Schwester erzählte mir, wie Else nach dem Krieg von den Vernichtungslagern erfahren hat. Weiß wie die Wand habe sie in der Tür gestanden und gesagt: »Das wird man uns Deutschen nie verzeihen.« Uns Deutschen. Auschwitz – eine Hypothek. Kein Wort, nie, in all den Jahren nicht, über die Opfer.

So komme ich nicht weiter. Wer bin ich denn, heute zu urteilen, wo es darum geht, Früheres zu begreifen? Hans Georg und Else haben bezahlt, jeder für sich. Ich habe da keine Rechnungen aufzumachen und muß meinen Hochmut zügeln. »Ihr, die ihr auftauchen werdet aus der Flut, in der wir untergegangen sind, gedenkt, wenn ihr von unseren Schwächen sprecht, auch der finsteren Zeit, der ihr entronnen seid«, mahnt Bertolt Brecht die Nachgeborenen. 60 Jahre später kann ich hier nicht sitzen ohne Erbarmen und »recht haben«. Mein Glück war die Zäsur. Ich habe angefangen, als alles aufgehört hatte. Was ist mit denen, die beides gelebt haben? Sollten sie, wie von DDR-Bürgern oft verlangt, die ersten 40 Jahre ihres Lebens für ungültig erklären? Immerzu Buße?

Das kann es nicht sein. Verstehen will ich, wie entstanden ist, was meine, die Generation der Nachgeborenen so beschädigt hat. Dazu muß ich zurück in die Geschichte derer, die meine Geschichte geschrieben haben, zurück also zu den Altvorderen in der Familie. Ich muß nach Halberstadt.

Vater und Sohn beim Morgenritt

EINS

ICH KANN VERSINKEN IN DEN FRÜHEN FOTOS – Fachwerk, Barock, schiefwinklige Ställe, Innenhöfe. 43 000 Einwohner hatte die Stadt um 1900, die Bilder signalisieren Wohlstand, vor allem: Emsigkeit. Geschäfte überall, Märkte, Markisen vor den Läden. Die Conditorei Kaiserhof am Fischmarkt bediente die Kundschaft unter Sonnenschirmen auf einer Terrasse im ersten Stock. Ab 1887 gab es eine Pferdebahn, abgelöst 1903 von der Elektrischen. Seit 1888 konnten die Halberstädter telefonieren. Karl der Große höchstselbst hatte im Jahr 804 das Bistum eingerichtet, noch heute fahre ich über das unglaublich platte Börde-Land auf Halberstadt zu und sehe von ganz weit her Kirchen, jede Menge Kirchen.

Für mich ist Halberstadt Metapher. Halberstadt ist »früher«. Meine Erinnerung an die Stadt, in der ich geboren wurde, die Stadt meiner Kleinkind-Zeit, setzt ein am 8. April 1945, Sonntag nach Ostern, vormittags um 11 Uhr 25. Alliierte Bomber, 215 sollen es gewesen sein, legten 82 Prozent der Altstadt in Schutt und Asche. Da war ich sechs. Alles davor ist in meinem Gedächtnis verschüttet unter Trümmern, verbrannt in der tagelangen Feuersbrunst. Danach weiß ich von schwieriger Nachkriegszeit überall und nirgendwo – das war der Beginn dessen, was mein Leben wurde. Halberstadt gehört nicht dazu. Wann immer ich später dahin fuhr, war grauer, verfallender DDR-Alltag, aufgehellt durch familiäre Freunde, trotzdem fremd. Heute ist Halberstadt Vergnügen. Die Stadt rappelt sich, wie sie sich gerappelt hat nach den Zerstörungen durch Heinrich den Löwen, Bauernkrieg und Reformation, 30jährigem Krieg, Franzosenherrschaft und Kosakensturm.

Irgendwann zwischendurch tauchten die Klamroths auf. »Denn als der Ahne aus den Wäldern kam nach Börnecke am Harz, schrumm schrumm«, sangen sie später auf den Familientagen. Der Ahne erschien um 1500. In der Folgezeit gab es in den Harz-Dörfern Klamroths als kursächsische Förster und Sattlermeister, Brauherren und immerhin schon einen Stadtdeputierten in Ermsleben. Spannend wurde es mit Johann Gottlieb. Der war gelernter Kaufmann, wanderte mit einem Zertifikat der »ehrsamen Kramer- und Leinwandsschneidergilde« von Quedlinburg nach Halberstadt und gründete »ebenda« 1790 die Firma I. G. Klamroth. Da war er 22; mit dem heute noch von uns allen verwendeten Familienwappen siegelte er erstmals 1788.

Es gab für mich eine verläßliche Methode, Else in Empörung zu versetzen. Wie alle Angeheirateten war sie überzeugte Konvertitin: Die Ehre der Familie Klamroth war ihr heilig. Wenn ich diese Familie – gar nicht verkehrt – mit den Buddenbrooks verglich, schäumte Else. Beschrieb ich die Firma – diese Firma! – als einen Laden, der Hopfenstangen und Jute-Säcke vertrieb, gab es ernsthaft Krach. Dabei ist auch das nicht verkehrt.

Johann Gottlieb betrieb eine »Material- und Viktualienhandlung«. So fing das an. Er hatte eine Frisur wie Napoleon – wie machten die das damals, lange bevor das Haarspray erfunden wurde? Sah der morgens, wenn er aus dem Bett kam, schon so aus wie auf seinem Ölbild? Wie oft wurden diese Spitzengewölle unterm Samtkragen gewaschen? Und trug er die auch schon im »Comptoir«? Nichts weiß man wirklich.

Er hatte 1802 vernünftigerweise in einen florierenden Lederhandel eingeheiratet. Der Schwiegervater war gestorben, und Johann Gottlieb verlegte sein Geschäft in dessen Domizil an der Woort 3 – »brauberechtigtes Haus, worin 5 Stuben, 8 Kammern, 2 Alcofen, 1 Gips- und 2 Dielenboden und 2 gewölbte Keller, welches insgesamt zu 2011 Thaler 14 Gr. gerichtlich gewürdigt«. In den Trümmern dieser vielfach umgebauten, schließlich zerbombten Herrlichkeit hat die Firma noch nach dem Zweiten Weltkrieg vegetiert.

Für Johann Gottlieb und seine quirlige Frau Johanne ging es ständig bergauf. Keine lähmenden Zunft- und Gildezwänge mehr, sondern Gewerbefreiheit. Bauernbefreiung 1807 durch Friedrich Wilhelm III. und seinen Freiherrn vom Stein. Heringsfässer und Pflanzhölzer waren irgendwie nicht mehr zeitgemäß. Jetzt wurde mit Erbsen und Weizen, mit Mohn und Hanf gehandelt, und zwar weit über Halberstadts Grenzen hinaus. Emsigkeit! Es ist ein Fest, den Spuren dieser altvorderen Unternehmer zu folgen, die jeden wirtschaftlichen Wandel virtuos abfederten, jede Innovation am Horizont rechtzeitig spürten und umsetzten.

Sohn Louis trat 1828 mit 25 Jahren in Johann Gottliebs Firma ein. Er war häßlich wie die Nacht und ein begnadeter Kaufmann. Mit wechselnden Teilhabern und einem Geflecht ineinander verwobener Firmen vertrieb er aus ganz Europa herbeigeschafftes Saatgut, landwirtschaftliche Geräte, Getreide und Düngemittel. Er produzierte in eigenen Fabriken Rübenzucker, Spiritus, Schnellessig, handelte mit Zement, mit Wein, auch mit Geld. Sein florierendes Leihhaus versilberte den Kunden ihren Familienschmuck und gewährte ihnen Kredite zu günstigen Konditionen.

Louis kaufte Ackerland, das er den eigenen Fabriken für den Zuckerrüben-Anbau verpachtete. Er besaß Häuser, Grundstükke, Wirtschaftshöfe, ein Rittergut. Seine Speditionsfirma sorgte für den Transport der Waren von der neuen Eisenbahn zum Abnehmer, in Lagerhäusern stapelten sich die landwirtschaftlichen Produkte zum Verkauf auch jenseits der preußischen Grenzen. Seine Fabriken und Betriebe versah er als einer der ersten mit den neuen Dampfmaschinen, Saat- und Erntegeräten – Louis war ein Technik-Freak. In seinem Privatkontor stand schon 1840 ein Arbeitspult mit eingebauter Kopierpresse, auf die er besonders stolz war, weil er seine vertraulichen Briefe jetzt nicht mehr den Lehrlingen zum Abschreiben überlassen mußte.

Louis Klamroth beriet die Landwirte der Gegend über die Vorzüge von »Victoria- oder Riesensaaterbsen (16-18 Berliner Scheffel pro Magdeburger Morgen Ertrag, das weichere, längere Stroh sehr gesundes Futter)« und von »ungarischem Saatmais (hat sich auch in letzter Erndte als für unsere climatischen Verhältnisse am Passendsten erwiesen)«, führte »Rotklee, Schaafsschwingel und Thymotheegras« im Sortiment sowie »englische Rüttelsiebe«.

In jungen Jahren besuchte Louis seine Geschäftsfreunde in Leipzig und Frankfurt am Main zu Pferde, weil ihm die Schnellpost zu langsam war. Dabei trug er größere Summen Bares in einer um den Leib geschnallten »Geldkatze« mit sich. Ob er auch eine Waffe dabeihatte, ist nicht überliefert, aber das mit den Pferden hat sich in der Familie gehalten. 1861 wurde Louis Klamroth – eigentlich hieß er Wilhelm Ludwig – zum Königlich Preußischen Kommerzienrat ernannt, und als er 20 Jahre später starb, hinterließ er ein fürstliches Vermögen. Ich war beeindruckt, als ich sein mit Ehefrau Bertha gemeinschaftlich verfaßtes Testament in die Finger kriegte. Allein ihre minderjährige Enkelin Martha Löbbecke, deren Mutter im Kindbett gestorben war, bekam 330 000 Mark zugesprochen, das war damals richtig Geld – und Sohn Gustav, der nächste in der Firma, zahlte die Summe in einem Aufwasch aus. Auch seine drei lebenden Geschwister konnte Gustav aus dem väterlichen Erbe entsprechend bedienen, und nirgendwo ist die Rede davon, er oder die Firma seien dabei in die Knie gegangen.

Gustav wird ausgebildet wie ein Kronprinz – ein Jahr am renommierten Beyerschen Handelsinstitut in Braunschweig, vier Jahre Lehrzeit im Im- und Exportgeschäft derer von Fischer in Bremen, ausgedehnte Hospitanzen bei befreundeten Firmen in London und Paris. Mit 24 Jahren endlich kommt er 1861 als Teilhaber in die Firma. Neue Besen kehren gut, und wie zuvor schon der Vater sorgt jetzt Sohn Gustav für den rasanten Aufschwung des ohnehin stattlichen Unternehmens.

Gustav bewundert den Chemiker Justus von Liebig, der mit seinem Kunstdünger die Landwirtschaft revolutionierte. Keine drei Jahre in der Firma und viel früher als die zögerliche Konkurrenz beginnt der Junior mit der Herstellung von Superphosphaten, was sehr schnell zu einer äußerst profitablen Düngerfabrik in Nienburg an der Weser führt. Liebig strahlte noch in meine Kindheit hinein: In der Bibliothek der Eltern standen imposante Alben mit Sammelbildchen von Liebigs Fleischextrakt, und was ich weiß über die Artus-Sage oder die Schlacht bei Königgrätz, habe ich aus diesen Fortsetzungsgeschichten.

Der Krieg von 1866 – Preußen gegen den Rest der deutschen Welt – war in Königgrätz nach knapp vier Wochen entschieden. Kriege dauerten zu der Zeit nicht lange. Zwei, drei große Schlachten – ich stelle mir das vor wie ein Fußballendspiel-Spektakel. Bunte Uniformen, schäumende Pferde, Banner, Fahnen. Auf dem Feldherrenhügel Wilhelm I. und sein ledergesichtiger General Helmuth von Moltke. »Getrennt marschieren, vereint schlagen« war sein Credo: Drei preußische Armeen kamen aus unterschiedlichen Richtungen, zur Verblüffung der Österreicher und der Sachsen.

Am 3. Juli 1866 geht das los. Die Parteien formieren sich auf freiem Feld – die Stadt Königgrätz war ein ganzes Ende weg vom Getümmel –, eine Trompete pfeift das Ganze an, und es beginnt ein mörderisches Hauen und Stechen, bis abends reitende Boten mit weißen Fahnen auftauchen, und der Spuk ist vorüber. Ein Tag. Das war's. So jedenfalls sah »die größte Schlacht des Jahrhunderts«, wie sie seither genannt wurde, auf Liebigs Fleischextrakt-Bildern aus.

Bei I. G. Klamroth herrschte helle Aufregung. Das Königreich Hannover kämpfte an der Seite Österreichs gegen Preußen, und zwischen dem preußischen Halberstadt und dem hannoverschen Nienburg ging gar nichts mehr. Banken kündigten Kredite, Importe aus England hingen auf der Weser fest, hannoversche Eisenbahnwaggons kamen nicht mehr über die Grenze, die von Halberstädter Kürassieren argwöhnisch bewacht wurde. Louis und der junge Gustav gingen mit sorgenvollen Mienen umher, während im Woorthaus Päckchen für Böhmen gepackt und »Charpie« gezupft wurde, zerrupftes Leinzeug, das als Verbandsmull diente. Doch Hannover wurde von Preußen geschluckt, und ziemlich bald war wieder jedermann jedermanns Freund.

29

Es entstand Bismarcks Norddeutscher Bund, Zoll- und Mautlinien fielen – ein Segen fürs Geschäft. Gustav nutzte, was immer sich nutzen ließ: Es wurden Dampf-Pflüge angeschafft, es gab einen Dampf-Drescher, Ehefrau Anna bekam, lange bevor eine Industrie daraus wurde, eine mechanische Nähmaschine. Aber Gustav nutzte auch anderen: 1867 wurde er Stadtverordneter und blieb das bis 1904. Er betrieb die Gründung der Handelskammer Halberstadt, deren zweiter Präsident er war. Im Provinzial-Landtag und im Provinzialrat vertrat er die Belange Halberstadts, und er war aktives Mitglied der »Nationalliberalen Partei«, jahrelang eine der parlamentarischen Stützen Bismarcks.

Gustav spendierte der reformierten Liebfrauenkirche in Halberstadt bemalte Fenster und dem Königlichen Dom-Gymnasium ein überaus prächtiges Banner. Er kaufte repräsentative Grundstücke für einen Neubau der kaiserlichen Post, schenkte dem späteren Cecilienstift ein Erholungsheim und dem Kleinkinderschulverein sein Schulgebäude. Er war im Vorstand des »Vaterländischen Frauenvereins« – was er da wohl gemacht hat? –, des Vereins »Herberge zur Heimat« – was mag das gewesen sein? – und des Halberstädter Kunstvereins. Zum 100jährigen Jubiläum der Firma 1890 bekam die Stadt 30 000 Mark zur Gründung einer »Klamroth-Säcular-Stiftung« zugunsten verarmter Kaufleute und Gustav nun auch den Titel »Königlicher Kommerzienrath«.

Er war ein grundgütiger Mann. Selbst auf den späten Patriarchen-Fotos um die Jahrhundertwende ist diese Wärme zu spüren, in die seine Frau und die fünf überlebenden Kinder eingebettet waren. In Gustavs Buchführung tauchen immer wieder Sonderzuwendungen für die Mitarbeiter der Firma und das Hauspersonal auf, Geschenke, Belohnungen. Gustav war fürsorglich. Ständig war irgend jemand krank in der großen Familie, und Frau Anna beschreibt, wie der Mann mit Kleinkindern auf dem Arm tröstend durchs nächtliche Haus wandert. Zwei Söhne sind sehr jung gestorben, in Gustavs Haushaltsbuch habe ich für 1868 unter der Rubrik »Außerdem«

2 Taler 15 Silbergroschen für einen Kindersarg gefunden. Das Grabkreuz für Johannes Gottfried kostete 25 Taler. Gustavs Frau Anna schrieb ihrem Sohn auf eben dieses Kreuz:

> Kurz war dein Lauf hinieden,
> Doch reich an Qual und Schmerz,
> Ruh aus in Gottes Frieden,
> Du armes kleines Herz.

Anna war tief religiös, dabei trotz der Trauer um die toten Söhne und eigener schwerer Krankheiten von großer Heiterkeit. Zauberhafte Kindergeschichten hat sie verfaßt in ihrer malerischen Schrift, vier geprägte Lederbändchen sind mir erhalten, darin auch Liebesgedichte an Gustav. Als sie mal wieder lebensbedrohlich krank ist, gesteht sie ihm Verzweiflungstränen zu für den Fall ihres Todes, bittet aber:

> Doch hast dem Schmerze du sein Recht gegeben,
> so kehre wieder dich dem Leben zu,
> den Kindern eine Mutter bald zu geben,
> dir eine Frau zu wählen trachte du.

> Nicht einsam soll der Mensch auf Erden wandern,
> ein treues Herz muß ihm zur Seite gehn,
> es folgt ein Lenz zu seiner Zeit dem andern
> und neues Liebesglück wird dir erstehn.

Sie war gerade 50, als sie 1890 starb, und Gustav hat sie nicht ersetzt. Er lebte noch 15 Jahre allein, umsorgt und bewundert von seinen Kindern, den Freunden und Honoratioren der Stadt, ein kluger Mann und Mahner, der die Absetzung des »Friedenskanzlers« Bismarck durch Wilhelm II. mit Sorge sah. Die Reichsgründung 1871 hatten beide bejubelt; als die siegreichen Truppen zurückkehrten, war auch in Halberstadt die Euphorie nicht zu bremsen. Annas Verse zum Empfang der Halberstädter Kürassiere wurden auf allen Straßen gesungen: »Hoch flattert die Standarte im wilden Kriegestanz voran den kühnen Reitern zu Sieg und Ruhmesglanz.«

Die Geschäfte gingen fortan blendend. Bei I. G. Klamroth wurde arrondiert und expandiert. Die Firmen-Chronik, verfaßt 1908, verzeichnet von 1871 bis 1880 steil nach oben führende Umsätze, von den schweren Rückschlägen in der Gründerkrise 1873 blieb man verschont. Der Autor, Gustavs Sohn und Nachfolger Kurt, beschreibt enthusiastisch »die Aufrichtung des Deutschen Reiches, das mit seinem patriotischen Schwung alle schlummernden Kräfte der Volkswirtschaft erweckte«. Denn, so heißt es weiter, »die fünf Milliarden des Jahres 1871« – gemeint ist die von Frankreich zu zahlende Kriegsentschädigung, neuer Treibriemen der alten deutsch-französischen Feindschaft – »waren gleichsam das Öl, mit dem die starren Massen der Volkskraft in lebendige Kraft verwandelt wurden, sie brachten die große Maschine in Gang und nun arbeitete sie mit Volldampf.« Kurt sei verziehen. Er hat die erste Hälfte seines Lebens in nationalem Pathos zugebracht. 16 war er 1888, als Wilhelm II. den Thron bestieg – wie kann es denn anders sein.

Ich merke, wie ich mich allmählich der Schmerzgrenze nähere. Auf dem Weg zu Hans Georg hätte ich mich gern noch bei Louis und Gustav aufgehalten, mich in diesem wunderbaren Jahrhundert in diesem kühlen Preußen bewegt, als die Welt sich den Altvorderen wie ein reifes Zuckerrübenfeld darbot. Wenn du deine Hausaufgaben gemacht hattest, brauchtest du nur zu ernten. Kurt also. Ich habe ihn noch erlebt. Der Großvater starb 1947 – ein gebrochener Mann, dessen Sohn und Erbe als Hochverräter gehenkt worden war, dessen stolze Firma in Trümmern lag, dessen Land, dessen Vaterstadt in Schutt und Asche versunken waren. In seinem prächtigen Haus war die Familie in den Dienstboten-Zimmern zusammengepfercht, während Sowjetsoldaten seine Schlafzimmer, seine Badezimmer besetzt hielten und in den Gesellschaftsräumen mit verdreckten Stiefeln auf den Chippendale-Sofas tanzten.

An der Wiege ist ihm das nicht gesungen worden. Die stand

1872 in der Woort, wo die Familie seit nunmehr drei Generationen über dem Geschäft wohnte. Mittags wurden die jungen Leute, die als Lehrlinge ebenfalls im Hause lebten, am gemeinsamen Eßtisch verköstigt und erzogen, umwabert von beißendem Guanodunst, der aus den Lagerräumen durch alle Ritzen drang. Erst Kurt bricht mit der Familientradition. Als er 1897 heiratet und – jetzt die vierte Generation – wenig später Teilhaber von I. G. Klamroth wird, sucht er sich ein Domizil außerhalb, ein Haus in der Magdeburger Straße. Lehrlinge werden dort weder verköstigt noch erzogen. Kurt war gar nicht gemeint als Erbe. Gustavs ältester Sohn Johannes Gottlieb sollte es sein, deshalb bekam der die Vornamen mit den Initialen J. G., wie die alte Firma es jetzt verlangte und wie das die Söhne der Nachkommenden erdulden mußten. Aber Johannes hat keine Lust, er will lieber Landwirt werden, und Vater Gustav, liberal wie er ist, läßt ihn gewähren.

Kurt ist die Notlösung und ein Glücksfall. Mit großer Umsicht tritt er in Vater Gustavs Spuren, wird Stadtverordneter, Kirchenvorstand, Mäzen, führt die Firma souverän durch mancherlei Gefährdungen immer wieder in sicheres Fahrwasser. Aber so weit sind wir noch nicht. Erst mal besucht Kurt das Domgymnasium in Halberstadt bis zu dem, was wir heute Mittlere Reife nennen, und geht anschließend in die Lehre beim Halberstädter Bankhaus Vogler. Dessen Inhaber Ernst Vogler ist ein enger Freund und im Stadtrat politischer Mitstreiter von Vater Gustav. Später wird er auch noch Kurts Schwiegervater – die Klamroth-Söhne hatten ein Händchen dafür, die Töchter ihrer Lehrherren zu heiraten.

Vor diesen Erfolg setzten die Götter allerdings höchst wilhelminischen Schweiß. Das prüde England der gestrengen Königin Victoria muß ein heiteres Lotterland gewesen sein im Vergleich zum puritanischen Halberstadt, wo Frischverliebte strikte gesellschaftliche Auflagen zu befolgen hatten. Seufzend beschreibt Kurt 1896 in seinem Londoner Ausbildungsjahr, mit welcher Selbstverständlichkeit sich dort bei einem Ball die jungen, unverlobten Paare in eigens dafür hergerichtete »abge-

dunkelte Plauderecken oder -zimmer« begeben, um »unbeob-
achtet miteinander zu reden, ohne daß sich irgend jemand
etwas dabei denkt«.

Davon ist in Halberstadt nicht die Rede. Kurt und Gertrud
Vogler kennen sich zwar von klein auf, da die Familien
befreundet sind. Sie haben wahrscheinlich im Sandkasten
zusammen gespielt, auf Kindergeburtstagen miteinander Blödsinn gemacht und sich ohne Probleme geduzt. Jetzt ist das »Sie«
die offizielle Anrede, Einladungen zum Tennisspielen im Ster-
nenhaus-Garten, der familiären Sommer-Residenz vor den
Toren der Stadt, richtet Kurt an das »sehr verehrte gnädige
Fräulein«, und auf Tanzfesten hat Gertrud eine »Ehrendame«.

Das Dumme ist nur: Die jungen Menschen haben sich ineinander verguckt und sind seit November 1893 heimlich »versprochen«. Anders ging das ja nicht mit dem Vergucken. Kurt
ist zu der Zeit 21, Gertrud 18. Und Kurt ist noch nichts. Zwar
hat Bankier Vogler ihn persönlich für seinen Job als künftigen
Inhaber der Firma I. G. Klamroth ausgebildet und ihm im
Zeugnis bescheinigt, er berechtige zu den schönsten Hoffnungen. Aber das heißt ja nicht, daß der junge Mann seiner Tochter zu nahe kommen darf. Jedenfalls jetzt noch nicht – und
damit beginnt für die beiden Verliebten eine fast vierjährige
Leidenszeit.

Kurt wird zu Ausbildungszwecken in die Welt geschickt, und
wenn er in Halberstadt ist, gibt es im Hause Vogler Konversation zum »Thee« und einen Handkuß für das Fräulein Braut,
die jedoch von niemandem als solche zur Kenntnis genommen
wird. Natürlich kennen die Eltern das »Geheimnis«, aber sie
sprechen nicht darüber. Mama Vogler hat ihrer Tochter zu verstehen gegeben, daß sie nicht öfter als alle zwei Wochen einen
Brief von Kurt im Haus sehen will. Also werden verschwiege-
ne Freundinnen und entfernte Vettern beauftragt, Umschläge
in eigener Handschrift an Gertrud zu adressieren, die Kurt
dann horten und für seine unerlaubten Episteln verwenden
kann. Es ist schwer vorstellbar, daß Mutter Vogler den Trick
nicht durchschaut. Aber irgendein Schein bleibt gewahrt.

Sich zu widersetzen, geht nicht. Woanders ist das durchaus möglich, wie Kurt in London erfährt. Seine gleichaltrigen Freunde, schreibt er an Gertrud, Söhne »erster Häuser«, gingen mit ihren Eltern »respektvoll, aber gleichberechtigt« um: »Es ist nicht das Unterordnen und pietätvolle Ausführen der Wünsche der Eltern wie bei uns.« Wenn dem Sohn »der Wunsch des Vaters nicht paßt, so erklärt er demselben dies in aller Ruhe«. Jeder sei eben »sein eigener Herr und thut, was er will«.

Nicht so Kurt. Zwar bäumt sich der folgsame Sohn schon mal auf – jedenfalls brieflich. Doch als er zurück ist in Halberstadt – die Verlobung ist immer noch nicht offiziell, weil Kurt sich erst als Firmen-Junior etablieren soll – verläßt Gertrud fluchtartig die Stadt für mehrere Wochen, damit ihnen nicht aus Versehen bei gemeinsam besuchten Einladungen oder Theaterabenden ein vertraulicher faux pas passiert, der beide ins Gerede bringen könnte. Maulend schreibt Kurt: »Was für entsetzliche Schranken und welche Rücksichtnahmen uns die moderne (!) Gesellschaft aufzwingt!« und er bewundert sein »verständiges Trudelchen, die tapfer die Zähne aufeinander beißt und das thut, was unter den verdrehten Umständen, die sich leider nicht ändern lassen, das Richtige ist«.

Derlei Krampf ist hundertmal beschrieben worden in der Literatur – wir kennen das nicht nur aus »Effi Briest«. Doch hier handelt es sich nicht um Kunstfiguren. Es sind richtige Menschen, deren Alter sich mit meiner frühen Kindheit noch gerade überlappt. Ich sehe Gertruds pfiffige Braut-Fotos, als es 1897 endlich soweit ist, und ich höre den schrillen Alte-Damen-Sopran, mit dem nach dem Krieg die Großmutter uns am Harmonium in die Karwoche scheuchte: »Als Jesus von seiner Mutter ging und die große heilige Woche anfing«. An dem weißen Seidenband, mit dem Gertrud die Briefe ihres Bräutigams gebündelt hatte, ahne ich einen schwach süßlichen Geruch, den ich mir als ihr Jugend-Parfum vorstellen möchte.

Kurt hätte ich gern gekannt – damals. Der Großvater konnte nämlich zaubern, was er zu meiner Zeit nicht mehr tat. Es gehen die Legenden in der Familie, wie er mit brennender

Zigarre im Mund vom 5-Meter-Turm ins Halberstädter Sommerbad sprang und nach dem Auftauchen noch im Wasser munter weiterrauchte. Auf Gesellschaften in Hamburg und in London zauberte er Kaninchen aus dem Hut und ließ Uhren an Goldketten verschwinden. Natürlich war er Mitglied im »Magischen Zirkel«, einer landesweiten Vereinigung deutscher Amateur-Zauberer, die sich innerhalb der Zunft mit »hollahoppla« begrüßten.

Er gehörte zum Luftflottenverein Halberstadt und zum Magdeburger Verein für Luftschiffahrt, mit deren Ballons und in Begleitung vieler Honoratioren er über den Harz fuhr und im Juni 1911 immerhin eine erfolgreiche Nachtfahrt von Halberstadt bis nach Torgau unternahm. Er war Vorstand im Airdale-Verein, und seine Hunde waren preisgekrönte Zucht-Rüden. Es wurden die großen Harz-Ritte von ihm veranstaltet und die ungezählten Jagden im Herbst. Kurt war Vorsitzender oder Stellvertreter in genealogischen Vereinigungen, und wenn sich später die Laudationes für ein Vierteljahrhundert emsiger Tätigkeit in irgendeiner Handelskammer oder einem der vielen Verbände häufen, wird mir schwindelig, wenn ich darüber nachdenke, wie ein Mann neben Firma, Frau und vier Kindern für alles dieses Zeit und vor allem Lust erübrigte.

Bei Kurt macht das Sinn. Ich sehe bei ihm kein Protest-Potential. Statt dessen spüre ich die Dringlichkeit in seinem Bedürfnis nach tätiger Zugehörigkeit zur kaiserlich-wilhelminischen Gesellschaft. Die gab es auch weit weg von Berlin in Halberstadt. Wichtigster Schlüssel dazu war die Armee. Kurt ist der erste Klamroth, der gedient hat, und wenn ich mir früher die albernen Fotos des Großvaters in seiner weißen Gala-Uniform ansah, die schnörkelig handgeschriebenen, mit königlich-preußischen Siegeln verzierten »Besitzzeugnisse« für seine vielen Auszeichnungen, dann habe ich immer gedacht, der hatte einen Knall.

Man mußte nämlich nicht. Die allgemeine Wehrpflicht in Preußen war so allgemein nicht. Der Adel, die höhere Beamtenschaft, das Lehrpersonal an den Universitäten, aber auch die Einwohner größerer Städte waren befreit. Kaufleute und Fabrikanten, deren Vermögen 10 000 Reichstaler betrug – das sind im Kaiserreich 30 000 Mark, etwa Kurts Portokasse –, durften ebenfalls zu Hause bleiben. Man konnte aber. Wo für die nachgeborenen Söhne des Adels das Berufs-Militär gesellschaftlich nahezu Pflicht war – was sollten die sonst auch machen, wenn der Älteste den Landbesitz geerbt hatte? –, mußten die Söhne des gehobenen Bürgertums allerdings einiges investieren, um zugelassen zu werden. Sofern sie die Obersekunda-Reife hatten, gab es die Möglichkeit, sich als »Einjährig-Freiwillige« zum Offizier der Reserve ausbilden zu lassen. Dafür verpflichtete man sich, für Unterbringung, Verpflegung, Bekleidung und Ausrüstung selbst aufzukommen. Ich wüßte gern, was Papa Gustav dafür bezahlt hat.

Denn Kurt diente nicht irgendwo, sondern bei den Halberstädter Kürassieren – genauer: in der 3. Eskadron des Königlich-Preußischen Kürassier-Regiments von Seydlitz (Magdeburgisches) Nr. 7, das 1815 eingerichtet worden und dessen Chef in seinen letzten Jahren der alte Fürst Bismarck war. Zu dessen 80. Geburtstag 1895 ist Kurt andächtig in Friedrichsruh dabei, als Kaiser und Regiment dem alten Herrn ihre Aufwartung machen.

Aber einmal Andacht macht solchen Aufwand nicht wett: Pferde, Gala-Uniformen, Kasino-Besuche, Waffen – alles mußte bezahlt werden. Selbst mit der Lanze zu kämpfen, hat der junge Mann gelernt – er wird sie mit eigenem Geld gekauft haben. Wozu also? Weil die jungen Leute, waren sie einmal zum Leutnant befördert – auf Kurts Verlobungsanzeige (endlich!) hieß das noch »Sekond-Lieutenant der Reserve« – mittels dieses militärischen Dienstgrades den Anspruch auf den Titel »Hochwohlgeboren« hatten, der sonst den Adligen vorbehalten war.

Das war nicht lächerlich. Während der Antrittsbesuche als seines Vaters Juniorpartner auf den anhaltinischen Gütern – wir sind im Jahr 1896 – wird Kurt zum Beispiel von »den feinen Herren Baronen auf Berssel und Stötterlingenburg auf sehr rüpelhafte Weise« abgewiesen, als er die Karte »der altehrwürdigen Firma I. G. Klamroth« abgibt. Zornbebend schreibt er an Gertrud: »Hätte ich statt dessen die lumpige Reservelieutenant-Karte vorgezeigt, hätten sich die Thüren willig geöffnet«.

So war das. Die Kaufleute saßen zwischen den Stühlen von Adel, Akademikern und Offizierskorps, und selbst ein »lumpiger Reservelieutnant« galt etwas. Fontane sagt: »Das Hauptidol, der Vitzliputzli des preußischen Cultus ist der Leutnant, der Reserveoffizier« und Carl Zuckmayer läßt in seinem »Hauptmann von Köpenick« den Uniformschneider Wormser schwadronieren: »Der Doktor ist die Visitenkarte, der Reserveoffizier ist die offene Tür, das is mal so.«

Bürgersöhne, die studierten und genügend Geld mitbrachten, verschafften sich das Entrée in die höheren Kreise über die »richtigen« schlagenden Verbindungen. Alternativ zur Offiziers-Ausbildung besorgten die auf ihren Paukböden jene Ehrenkodex-Erziehung, die unerläßlich war für die Zugehörigkeit zur Oberschicht in der wilhelminischen Gesellschaft. Sie machte den Couleur-Studenten den Weg frei in die kaiserliche Verwaltungs- oder Universitätshierarchie. Kurt konnte nicht studieren, weil er in der Firma gebraucht wurde, und so erfolgreich er war, hätte er in der strenggegliederten Gesellschaft des Kaiserreichs noch nicht mal in der zweiten Liga mitspielen können, wäre er nicht Reserve-Offizier in einem renommierten Regiment geworden.

Das war zu Louis' und zu Gustavs Zeiten noch nicht nötig. Das städtische Bürgertum in Preußen war stark und selbstbewußt, sein politischer Einfluß durch das Dreiklassenwahlrecht komfortabel abgesichert und die Abgrenzung zum Adel durchaus wechselseitig. Aber in der wachsenden Macht der Industriearbeiterschaft im Kaiserreich entstand eine neue Front, die von Bismarck ständig beschworene »rote Gefahr«, vor der große Teile des gehobenen Bürgertums sich furchtsam an die Seite des Adels drängelten. Die Großbürger »verjunkerten«, wie die Opposition das hämisch kommentierte.

Der Einlaßcode in die höheren Kreise hieß Satisfaktionsfähigkeit. Sich zu duellieren, war zwar verboten im kaiserlichen Deutschland, aber die Staatsgewalt drückte beide Augen zu. Schließlich gehörten ihre Vertreter ebenfalls zur satisfaktionsfähigen Gesellschaft und hatten keine Lust, ihre Vorrangstellung in Frage zu stellen. Es kam nur darauf an, daß die Heimlichkeit gewahrt wurde. Blieb einer der Kontrahenten auf der Strecke, fand sich immer ein – satisfaktionsfähiger – Arzt, der einen natürlichen Tod bescheinigte, und der Überlebende verschwand für eine Weile im Ausland, bis Gras über die Sache gewachsen war.

Ich kann mir Kurt schwer vorstellen, wie er im Frühnebel in den Harz kutschiert, um sich mit irgendeinem anhaltinischen Gutslümmel eine Schießerei zu liefern. Die diesbezügliche Gefährdung war vermutlich in Halberstadt nicht groß, und darauf kam es auch nicht an. Es kam an auf einen Platz auf der richtigen Seite der Scheidelinie zwischen Spreu und Weizen in der wilhelminischen Gesellschaft, wo die Oberschicht sich abgeschottet hatte. Dazu gehörten die Adeligen, bürgerliche Offiziere in »anständigen« Regimentern, höhere Staatsbeamte, Akademiker, sofern sie Alte Herren schlagender Verbindungen waren. Alle diese Personen galten als satisfaktionsfähig.

Kaufleute wie Juden, wie reich sie immer sein mochten, waren es nicht. Ohnehin galt nur geerbtes oder angeheiratetes Geld als standesgemäß. Durch Arbeit erworbenes Vermögen zählte nicht. Kurt hatte sowohl als auch und nicht zu knapp, doch umging er dieses an sich erfreuliche Handicap in hautengen weißen Hosen und hohen Stiefeln, mit Säbel, Schärpen und Troddeln, mit der silbernen Pickelhaube auf dem Kopf und sich häufenden Auszeichnungen an der Brust. Später wird die Beförderung zum Rittmeister vom Kaiser höchstselbst unterschrieben.

Geheiratet haben Kurt und Gertrud am 9. Oktober 1897. Da ist er 25, sie 22, blutjung sehen sie aus auf den Fotos, so viel Energie in den Gesichtern und so gedrosselt in der allgegenwärtigen Konvention. Kurts verbotene Brautbriefe sind für mich eine Fundgrube – wäre ich Gertrud gewesen, ich wäre erfroren. Da wird alles und jedes aus seinem Umfeld beschrieben, nur nicht seine Leidenschaft für sie. Keine Zärtlichkeit, außer in Anrede und Unterschrift: »Dein Dich liebender Kurt Klamroth«.

Zur Hochzeit gibt es eine aufwendige Speisenfolge von Rebhühnern mit Trüffeln, Stangenspargel (im Oktober!), Straßburger Gänseleberterrine, Rheinsalm mit Sauce Béarnaise, auch Mastkalbsrücken mit Champignon-Sauce und Bratkartoffeln. Dazu trank man 74er Chateau Parveil oder 89er Hochheimer Domdechant, zu den französischen Poularden Pommery und Greno. Mir sieht das nach einem Buffet aus, denn hintereinander mag man so was ja weder essen noch trinken. Kurt heiratet in Zivil, aber es spielt das Musik-Corps der Halberstädter Kürassiere unter anderem den »Großen Triumphmarsch aus der Oper Aida (Solo mit Benutzung der thebanischen Tromben)« – was immer das sein mag. In den launigen Liedern auf die Frischvermählten werden sie kräftig gelobt für ihre Geduld in der vierjährigen Wartezeit: »Doch glänzend endet der heutige Tag die Trennung so schmerzlicher Jahre, und selige Freude erblühen nun mag dem jungen, dem glücklichen Paare.«

Und was macht dieses »junge, glückliche Paar«? Es geht auf Hochzeitsreise nach England, wo Kurt so viel freizügige Lebensart kennengelernt hat, und er füllt ein goldgeprägtes Fotoalbum »Unsere Hochzeitsreise 1897« im DIN-A 3 Format mit – jawohl: Landschaftsaufnahmen. Mag man sich das vorstellen? Sie führen ein Hochzeitsreise-Tagebuch, wo sie im Wechsel jeden königlichen Rhododendron-Busch, jedes Museum, jeden Meerblick beschreiben (»wir blieben hauptsächlich am Strand und auf der Pier, wo wir mit Begeisterung deutsche Lieder übers englische Meer sangen«), auch das Essen auf dem Dampfer »Kaiser Wilhelm der Große« wird beschrieben (Steinbutt, Persille-Sauce, zerlassene Butter, Kalbskopf à la Cavour). Kein Wort über die endlich errungene Zweisamkeit, nichts über Glück, Pläne, Zukunft.

Aber irgendwie wird der Sohn Hans Georg schon entstanden sein – in meinem Kopf heißt er übrigens HG. Neun Tage nach seiner Geburt 1898 schreibt der überglückliche Vater in das Kindertagebuch, wie er »voll von stolzer Vaterfreude unserem Gott für seinen gnädigen Schutz und seine unendliche Güte dankte«. Sonst steht in diesen Kindertagebüchern, die es für alle Klamroth-Sprößlinge gibt, in der Regel nicht viel drin: erste Zähne und die Abneigung gegen Spinat, Geburtstage mit Topfschlagen und Blindekuh, nichts über die Zeit, in der die Kinder aufwuchsen, nichts »Erwachsenes«, obwohl sie das doch als ziemlich Erwachsene lesen werden.

Also steht in HGs Kindertagebuch auch nicht, daß in seinem Geburtsjahr der Deutsche Flottenverein gegründet wurde, eine erstaunliche PR-Maschine, die ein paar Jahre später schon von Millionen Mitgliedern – unter ihnen natürlich Kurt – getragen wurde. Ihr Ziel war es, die Weltgeltung der deutschen Seestreitkräfte, das »Riesenspielzeug« von Wilhelm II. und Großadmiral Alfred von Tirpitz, zur urdeutschen Angelegenheit zu machen.

HG, sein Bruder und alle kleinen Jungs im Kaiserreich trugen arglos dazu bei, indem sie sonntags weiße Matrosen-Anzüge anzogen. Wir kennen diese Fotos aus der Zeit: überall uniforme Kinderlein im Seemanns-Look. Für die Wochentage gab es die dunkelblaue Version, auch kleinen Mädchen wurde die Scheußlichkeit verpaßt – die Firma Bleyle hat sich daran gesundgestoßen.

Sonst entnehme ich HGs Kindertagebuch, daß wir uns heute gar nicht mehr klarmachen, wie schwierig das Leben ohne Antibiotika und Rundum-Impfungen war. Immerzu sind nicht nur die Kinder krank, und zwar wochenlang. Jede Erkältung, jeder entzündete Ratscher am Bein ist eine veritable Gefahrenquelle, der Tod lauert um die Ecke, und die von langen Nachtwachen erschöpften Mütter – erschöpft trotz Personals – müssen mitsamt den Rekonvaleszenten häufiger zur Kur nach Pyrmont oder Badgastein. Ich lese in Gertruds eiliger Sütterlinschrift im Herbst 1900, daß »Tage ohne Haue« selten sind, da ist HG gerade zwei. Um seinen sechsten Geburtstag herum wird resümiert: »Leider sind die Böcke recht häufig und oft, oft mußte die Rute kommen und einem bösen Hauskonzert den rechten Grund geben.« Die Ohrfeige, »damit Du weißt, warum Du heulst!«, hörte erst in der Generation meiner Kinder auf, wenn überhaupt.

HG ist ein gefräßiges Kind – Mutter Gertrud schreibt über den Vierjährigen, wie er eines Morgens aufwacht und strahlend erzählt: »Ich habe geträumt, ich hätte immerzu essen dürfen und wäre ganz satt geworden.« Nie ist er satt, und er schlingt so viel in sich hinein mit anschließendem »Magen-Fieber«, daß dies dauernd Thema ist im Kindertagebuch. Ob die Eltern mal nach einem Bandwurm geguckt haben? Jedenfalls hat das HG in seinem späteren Leben nicht geschadet – ich kenne nur Fotos, wo der Junge schlank ist, und auf den Bildern aus der Schwimmstaffel beeindruckt sein Waschbrettbauch.

Mit drei Jahren schon ist HG ein Pedant. Wer aus dem Garten kommt, muß die Schuhe abputzen, und verläßt jemand ein Zimmer, macht der Junge hinter ihm das Licht aus. Jeden Morgen kontrolliert er die im Haus befindlichen Kalender, er erträgt es nicht, schreibt Vater Kurt, wenn ein Kalender »einen Tag zurückgeht«. Er zählt die Kerzen auf den Weihnachtsbäumen – fünf sind es im großen Saal auf der Woort bei den Großeltern –, und wenn HG feststellt, daß ein Baum weniger Kerzen hat als der andere, quengelt er, daß dies ausgeglichen werden soll. Zahlen sind seine Leidenschaft lange vor der Schulzeit, und beide Eltern sehen beglückt auf den vielversprechenden Erben I. G. K.

Mit dem Namen ist das so eine Sache. Getauft ist mein Vater Johannes Georg, genannt wird er Hans Georg mit der Betonung auf der zweiten Silbe – also nicht Georg wie Büchner oder der Heilige. Und dieses Doppel-Ding verkürzt sich zeit seines Lebens nicht auf eins von beiden oder etwas Drittes. Denn HG hatte keinen Spitznamen, in der Schule nicht, nicht beim Militär oder in der Ausbildung. Seine Schwester Anna Marie hieß immer »Annie«, die andere Schwester Erika kannte jeder nur als »Ka'chen«. Die ist übrigens die einzige, die HG gelegentlich »Nonno« nennt, aber durchgesetzt hat sich das nicht. Der Kronprinz schlägt sich schon in der Baby-Sprache mit seinem Namen herum: »Hann-Org« nennt er sich selbst laut Kindertagebuch. Ich stelle mir vor, wie unhandlich es gewesen sein muß, hinter ihm her zu rufen. »Hans Ge-ohorg!« – das läuft ja nicht. Ich probiere, den kantigen Namen mit Zärtlichkeit auszupolstern. Das wird auch nichts Richtiges. Doch für seine spätere Frau Else hat er immer so geheißen.

Die Familie – Eltern, vier Kinder, zahlreiches Personal und fünf Pferde – zieht 1911 um an den Bismarckplatz in ein von dem damaligen Mode-Architekten Hermann Muthesius aufwendig gebautes »Landhaus« mit riesigem Garten. Dort gab es das sandstein-ummauerte Goldfisch-Becken, in das jedes der Kinder und Enkel – ich auch – irgendwann mal reingefallen ist. Es gab einen Rasen zum Boccia-Spielen, groß wie ein Fußballfeld, jedenfalls sah ich das damals so. Ich bin geboren in diesem Haus, und auf dem Balkon vor meinem Zimmer ist mein Kaninchen gestorben. Es gab hinter hohen Silberpappeln ein Tennishaus und einen Tennisplatz – in der Besatzungszeit hatte die sowjetische Kommandantur dort ihre Briketts gelagert, die wir nächtens klauten.

Es gab einen Spielplatz mit Schaukel, Sandkiste und Turngeräten – Ringe für Riesenwellen und einen Barren. Das hatte man damals. Es gab das Baumhaus unterhalb der Krone einer mächtigen Kiefer, und es gab den Longierplatz für die Pferde. Es gab Stachelbeerbüsche und einen Rosengarten, dessen Beete in der Form der englischen Flagge angelegt waren. An seiner Ecke stand – und steht heute noch – das »Tempelchen« mit Kuppeldach und Bogenfenstern. Das Haus hat den Bombenkrieg überlebt und war zu DDR-Zeiten und ist heute wieder ein Hotel – dazwischen liegen Welten.

Entlang prachtvoller Staudenbeete stand in Großeltern Kurt und Gertruds Garten eine weiß gestrichene Holz-Pergola, überwuchert von wildem Wein. Ich bin drei Zeitalter später, als Margariten und Rittersporn längst durch Schnittbohnen und Rotkohl ersetzt waren, beim Klettern auf dem Gestänge eingebrochen – die morschen Streben hielten selbst ein Kind nicht mehr aus. Es gab – und gibt noch – die mit »Paderborner Riemchen« weiß gepflasterte Terrasse rund ums Haus mit ihren ausladenden Sandsteinmauern, über die man sich lehnte, um ein paar Meter tiefer Garten und Goldfischbecken zu betrachten.

Auf dieser Terrasse haben die Kinder, auch ich, Wettrennen mit Holzfahrzeugen veranstaltet – »Holländer« hießen die und wurden mit Handhebeln bewegt. Fotos zeigen den jungen HG, wie er ein kompliziertes Segelgefährt auf dieser Terrasse in Gang setzt. Fotografiert worden sind hier auch die zum Spalier angetretenen Hilfs-Frauen, zehn, zwölf an der Zahl in schwarzen Kleidern mit Spitzenhäubchen, die sich bei den vielen Festen um das Wohl der Gäste kümmerten. Hier standen im Sommer riesige Hortensien in Holzkübeln, die in einer »Orangerie« in der Firma überwinterten. In die Rhododendronhecke jenseits der Mauer habe ich nach dem Krieg die von mir verabscheuten, in Zeiten der Mangelernährung so kostbaren Lebertran-Kapseln entsorgt und wurde dafür furchtbar verprügelt.

Das Haus selbst: Zimmer über Zimmer, Kutscherwohnung, komfortable Dienstbotenunterkünfte, herrschaftliche Küche mit Anrichten, Speisekammern, Waschküchen, Vorratskellern. Remise, Pferdeställe, Heuboden. Bei Kriegsende 1945 kampierten hier inklusive Flüchtlingen und ausgebombten Verwandten 58 Menschen, darunter fast 20 Kinder. Außen Sandstein mit Balkonen, einer »Luftbad« genannten Loggia, liebevoll gestalteten, detailgenauen Simsen, Fledermausgauben, Biberschwänzen auf dem Dach. Innen Jugendstil in Mahagoni, Wandschränke, Abseiten, Stauraum hinter jeder Holzverkleidung. Hermann Muthesius hatte das Repräsentative mit dem Praktischen kongenial verbunden.

Im Eßzimmer konnten 40 Personen tafeln, die Stuckdecken in den Damenzimmern waren von zierlicher Eleganz. Bei den Herren dominierte Eiche an den getäfelten Wänden, in die große Diele mündete die geschwungene Sonntagstreppe. In einer Nische mit Säulen und Seitenbänkchen stand dort – steht immer noch und erschreckt mich jedesmal – der schwere Kamin, der Kurts Faible für Schüttelreime in Stein gemeißelt dokumentiert. Unterm Familienwappen steht da: »Warmer Herd Harm er wehrt«.

Standesgemäßer ging es nicht, jedenfalls nicht für einen Kaufmann in Halberstadt. Kurt war schon Anfang des Jahrhunderts und zehn Jahre vor seinem Hausbau angekommen in jenen gesellschaftlichen Verhältnissen, über die der Publizist Bernhard Guttmann schrieb: »Sich dem freiheitlichen Gedanken zuliebe Richtungen anzuschließen, die ihren Söhnen den Eintritt ins Offizierkorps der Reserve und ihren Töchtern das Tanzen mit Leutnants verwehrt hätte, waren die großen Bürgerlichen nicht geneigt.« Walter Rathenau, selbst Industrieller, urteilte 1919 schärfer und bitterer. Das Großbürgertum habe »um den Preis des Reserveleutnants, des Korpsstudenten, des Regierungsassessors ... und des Kommerzienrats die Quellen der Demokratie nicht nur verstopft, sondern vergiftet«.

Auch Kurt wurde wie sein Vater und der Großvater zum preußischen Kommerzienrat ernannt, 1912 bekam er zudem den roten Adlerorden, so etwas wie ein preußisches Bundesverdienstkreuz. Auf jedem offiziellen Foto, bis in die 40er Jahre hinein, trägt der alte Herr ihn am zivilen Revers. Aber daß er nun die Quellen der Demokratie vergiftet hätte – er wußte doch gar nicht, was das ist: Demokratie. Wozu auch? Seinen zahlreichen Arbeitern und Angestellten ging es gut, die meisten von ihnen blieben über Jahrzehnte bei der Firma. Wenn sie ausschieden, bekamen sie ein Ruhegeld, und ihren Witwen und Nachkommen war die tätige Fürsorge des Patriarchen gewiß. Verantwortung für Untergebene war in Kurts kleinteiligem Kosmos nicht nur Pflicht, sondern Neigung, und daß ein Unterschied bestehen könne zwischen Gewährung und verbrieftem Anspruch war Kurt wie vielen seinesgleichen nicht einsichtig.

Außerdem, wo hätte er Demokratie lernen sollen? Im Halberstädter Stadtverordneten-Kollegium saßen die betuchten Honoratioren beisammen, hatten unabhängig und überparteilich das Wohl des Gemeinwesens im Sinn, und wenn es Anlaß zu Streit gab, vertrug man sich wieder über guten Zigarren. Das Reich war ein nahezu absolutistisches System, wo der Kaiser den Kanzler bestimmte und beide die Richtlinien der Politik. Sie waren vom Reichstag weder ein- noch absetzbar, die Regierung unterstand keiner ernsthaften parlamentarischen Kontrolle. Der Reichstag durfte Gesetze abnicken und den Haushalt »mitbestimmen«. Er war ein Löwe ohne Zähne, und Wilhelm II. schmähte das Parlament nicht ohne Grund als »Schwatzbude«.

Auch Kurt überließ die Politik gern denen, die sie schon immer betrieben hatten, und dies nicht zu seinem Schaden. Er war schließlich aus Überzeugung »verjunkert«, aus Überzeugung Offizier geworden. Den beispiellosen wirtschaftlichen Aufschwung von 1895 bis 1914, wovon er wie viele andere Unternehmer profitierte, dankte er nicht zu Unrecht Wilhelm II. und seiner Regierung. Allein die »vaterlandslosen Gesellen« der Sozialdemokratie bedeuteten eine Gefahr, gegen die das Militär die tradierten Werte hochhielt und verteidigte.

Es war Ehre und Pflicht, dem Vaterland zu dienen, und die Regeln der Klasse waren Gottesfurcht, Mannesmut und Selbstbeherrschung. HG und seinen Bruder dahingehend zu erziehen, war Gertrud entschlossen angetreten. HG sei ängstlich, moniert sie 1904, eine »kleine feige Memme«, die sich vor Hunden, vor Feuer, vor Spinnen fürchtet. Ein Jahr später heißt es, er sei ein Aufschneider, wo es nichts koste, daß er aber immer wieder Zipperlein vortäusche, wenn es ernst werde. »Heulsuse, Feigling und Angeber« nennt ihn die Mutter besorgt – und Vater Kurt setzt in seiner gestochenen Handschrift dazu: »Hoffen wir, daß Du mal ein tapferer, tüchtiger Mann wirst. Gott gebe es!« Ich kann das Wort »tapfer« nicht ohne Auflehnung hören. Aber wie sollte Kurt denn ahnen, wie viel »Tapferkeit«, wie viel »Mann« von seinem Sohn in Plötzensee gefordert werden würde?

Es ist überhaupt oft von »Leistung« die Rede im Kindertagebuch, von »Übung für später« im Spiel – das kennen wir doch. Das Spielzeug vom Vorläufer des »Memory« bis zu »Pullock«, etwas Ähnlichem wie später »Scrabble«, ist genauso pädagogisch wie heutiges Lernmaterial. Es tauchen allerdings die Vokabeln »brav«, »artig«, »folgsam« häufiger auf, als wir sie benutzen würden, und Lob wird verteilt, wenn der Junge es den Eltern recht macht. Ohnehin wünschen beide immer wieder, der Sohn möge seinen Eltern und Großeltern »viel Freude bereiten« – es ist nicht wirklich festgehalten, daß er selbst sich an seinem Leben freuen solle.

Ich denke mal, das ist nicht herzlos – jedenfalls nicht so gemeint. Es ist diese Zeit, die Eltern so sprechen läßt. Es ist die Angst, »kleine Männer« zu verzärteln, und der Mangel an Knuddel-Wärme ist allgegenwärtig in den wilhelminischen Jahren. »Schneidig« sollten die Kerle sein, getreu Nietzsches Zarathustra »Gelobt sei, was hart macht« – bei Hitler hieß das später »hart wie Krupp-Stahl«. Ehre war wichtiger als Liebe, es sei denn die für Kaiser und Vaterland, und dem Tod sah man wenig später »freudig ins Auge«. Ich fürchte, das waren nicht nur Floskeln.

HG wird schon früh für diese Welt trainiert. Er ist gerade zwei, da steht im Kindertagebuch, daß im Garten unter Kurts Anleitung »mit Gewehr und Fahne marschieren geübt« wird. Auch »Kaiser-Parade« darf er spielen – der Steppke reitet auf Vaters Schultern, Gertrud mimt den Kaiser, und der Junge salutiert vor ihr. Zu Weihnachten 1907 werden beide Söhne in Kürassier- und Ulanenuniformen herausgeputzt, und das königliche Domgymnasium veranstaltet groß angelegte »Kriegsspiele« im Gelände, wo Kurt als »Unparteiischer« zwischen den Fronten hin- und herreitet.

Kriegsspiele sind auch die Hauptbeschäftigung während der jährlichen Sommerferien auf der Nordsee-Insel Juist, wo immer eine Menge Vettern, Kusinen und Freunde versammelt sind. Vater Kurt zeichnet komplizierte Einsatzpläne der »blauen Compagnie« gegen die »rote«, und die vielen Kinder in ihren unvermeidlichen Matrosen-Anzügen »patrouillieren, erstürmen, verteidigen« den »Lembkehain« vor dem Frühstück,

schwer bewaffnet mit von Kurt »aus Hannover« herbeige-
schafften Heureka-Gewehren und -Pistolen. Das sind Waffen,
aus denen Pfeile mit Gummikappen abgeschossen werden –
die können schon mal ins Auge gehen. Nach getanem Feld-
dienst »marschieren die jungen Krieger im Takt von Querflö-
te und Trommel zum Strande«, wo es dann endlich Frühstück
gibt.

Auch die halbwüchsigen Mädchen sind organisiert. Auf
einem Foto in HGs Sommertagebuch vom Juli 1913 paradiert
»das Grüne Amazonenkorps« in eindrucksvoller Formation
am Strand. Uniformen, Fahnen, Appelle, mindestens vier Stunden »Dienst« am Tag halten die Kinder-Soldaten auf Trab, und
auf den Bildern sind Scharen von Erwachsenen zu sehen, die
in ihrem Urlaub offenbar nichts Besseres zu tun haben als
Geländespiele und Paraden zu veranstalten. Vater Kurt wird
»Ehrenkommandeur« und »muß von allen gegrüßt werden«,
wie sein Sohn voll Stolz notiert.

Sie spielen tatsächlich Krieg. Der letzte liegt mehr als 40 Jahre zurück. Er war kurz, verlustarm und siegreich gewesen, er
begründete das Kaiserreich und Deutschlands Größe. Keiner
der Spieler hatte ihn anders erlebt als in den gewaltigen Fah-
nen-Aufmärschen am Sedanstag – was ist schlecht am Krieg?
Wer konnte ahnen, daß nun ein Krieg im Werden begriffen
war, der vier Jahre dauern sollte, 1,8 Millionen Deutsche das
Leben kosten – darunter drei von HGs Vettern und Juister
Spielkameraden, noch halbe Kinder – und 4,25 Millionen Verwundete zurücklassen würde? Wer wollte sich vorstellen, daß
am Ende dieses Krieges in vier Kaiserreichen die Monarchie
untergehen, die deutschen Könige, Herzöge und Fürsten in der
Versenkung verschwinden könnten? Daß ihre schwarzweißrote Fahne, hinter der Kurt und seine Lieben so glücklich her-
marschierten, jemals durch das ihnen so suspekte Schwarzrotgold von 1848 abgelöst werden würde?

Sie lebten in ihrer Ewigkeit. Für Kurt und die Seinen war sie
fest gemauert im neuen Sandsteinhaus am Bismarckplatz, worin die Familie anfangs wie Murmeln herumgetrudelt sein muß,

denn in diesen Dimensionen waren neue Kommunikationswege gefragt. Ich kenne das Haus nur hoffnungslos überfüllt mit Flüchtlingen und den ausgebombten Verwandten, und selbst zu der Zeit gab es Winkel und Schlüpfe, wo man sich verstecken konnte. Ich mag die Vorstellung, daß Kurts vier Kinder in der häuslichen Weitläufigkeit verschwinden und niemand sie auftreiben kann, denn auch sie werden die Fluchtmöglichkeiten über Tapetentüren und verborgene Treppen erkundet haben. Aber ob sie die auch nutzten?

Es war ja nicht so wie heute, wo Kinder nach dem – vielleicht – gemeinsamen Abendessen in ihre Zimmer retirieren, um ihre Fernseher, Computer, Videospiele anzuwerfen. Damals hieß »du gehst auf dein Zimmer!« Strafe, Ausschluß. Die Regel und familiäre Harmonie war die Gemeinsamkeit um den Wohnzimmertisch – Vorlesen, Spiele, Gespräche. Und das hatte nicht nur damit zu tun, daß in vielen Haushalten lediglich ein Raum geheizt war und man sich im Schlafzimmer eine blaue Nase fror. In HGs und meinem späteren Elternhaus gab es von Anfang an Zentralheizung, die, wenn denn Kohlen aufzutreiben waren, bis 1995 funktionierte und es wahrscheinlich noch Jahre getan hätte, wäre nicht statt Kohle Erdgas installiert worden. Man fror also nicht in seinem Zimmer – oder doch. Man war nicht zugelassen, geächtet, vereinsamt. Und das war schlimm.

HG allerdings hat sich eine Zeitlang selbst so abgeschottet. Er hat früh stark pubertiert – Gertrud hätte das zwar nie so ausgedrückt. Aber sie beklagt sein »verschlossenes, wenig liebenswürdiges Wesen«, macht sich Sorgen um »finstere Falten auf Deiner Stirn«, und ein Foto des knapp 15jährigen zeigt in der Tat ein kläglich zerrissenes Kerlchen mit erstem Bart-Schatten und deutlichen Akne-Spuren. Dagegen hilft Sport, vor allem Reiten. Er besitzt ein Doppelpony – HG ist klein und wird auch als Erwachsener nicht größer als ein Meter 75 –, und mit diesem Pferd geht er oft allein ins Gelände. Am schönsten aber sind offenbar die Ritte vor Tau und Tag mit dem Vater. Da reden die beiden über Gott und die Welt, die Kurt dem Junior geduldig erklärt. Die »Welt« ist vorwiegend die Firma, aber auch Fauna und Flora der Harzer Gegend, Jagd-regeln und Kurts Erfahrungen in den USA, im bewunderten England und in der Karibik, wo I. G. Klamroth an einer Phos-phatmine beteiligt ist.

Der Sohn erfährt, daß die klassenkämpferischen Theater-stücke Gerhart Hauptmanns Gift fürs Volk seien, Kurt lenkt sein Augenmerk auf den Maler Adolph Menzel – »im Gegen-satz zu Max Liebermann«, und den Spötter Heinrich Heine »muß er wirklich nicht lesen«. Ich kann nicht beurteilen, ob Kurt damit gezielt zwei Juden beiseite geschoben hat – Juden waren in seiner Diktion »die Verwandten Abrahams«. Der erwachsene HG jedenfalls hat sowohl Liebermann wie Heine geliebt.

Auch der schwierige Umgang mit Mädchen wird bespro-chen, die auf HG einen angstbesetzten Reiz ausüben, und bei einem solchen Frühritt wird er von seinem Vater aufgeklärt. Das war 1909, HG ist elf und er beschreibt nach dem Krieg in einer Gedenkschrift für seine drei gefallenen Vettern, wie er den älteren Jungs im gemeinsamen Schlafraum auf Juist durch seine Kenntnisse imponieren konnte. Eine Zeitlang reden Vater und Sohn zu Pferde eine Art Küchen-Latein – »in silva copia fossarum est. Aqua est in fossis. Aqua puerum delectat. Puer bestiis in silva insidias parat«. Na bitte. HG war monatelang krank gewesen und hatte in der Schule viel versäumt, und die »Bestien«, denen er hier lateinisch einen Hinterhalt bereitet, sind Salamander, die er aus den »fossis« = Gräben fischt für sein Aquarium.

Kurt war ein fordernder, aber auch ein zugewandter Vater, und aus der über Jahre währenden morgendlichen Zweisamkeit wuchs HGs tiefe, durch großen Respekt bestimmte Liebe zu ihm, um dessen Anerkennung er zeit seines Lebens warb. Er kopiert ihn von der Handschrift bis hin zur Körperspra-che – Kurts jüngste Schwester beschreibt den »großen und den kleinen Mann«, wie sie nebeneinander »ein Ei dem andern gleich in männlichem Wiegeschritt durch den Garten flanieren«.

Noch Weihnachten 1921 – HG ist 23 und hat immerhin drei Jahre Kriegsdienst, Lehrzeit und einen längeren Aufenthalt in der Phosphat-Besitzung Curaçao hinter sich – schickt er dem Vater Gereimtes:

> Ach wüßtest du doch, wie ich mich bemühe,
> dein Sohn zu werden, nicht nur, wie ich's bin
> nach Fleisch und Blut; nein – daß mich kräftig ziehe
> dein Wesen immer mehr nach oben hin.

Rittmeister Kurt Klamroth

ZWEI

JETZT IST KRIEG. Heute ist kaum mehr nachzuvollziehen, weshalb eine alte Kumpanei mit Österreich Deutschland in einen derart heillosen Flächenbrand getrieben hat. Tatsache ist: Jeder wollte diesen Krieg aus unterschiedlichen Gründen, und Krieg – in der Erfahrung des vorangegangenen Jahrhunderts jeweils kurz, nicht schmerzfrei, aber irgendwie »reinigend« – war in der Vorstellung aller Beteiligten nichts anderes als der Weg zu einem schnellen und profitablen Sieg. Trotzdem bleibt zu staunen über den unbeschreiblichen Jubel, den der Beginn dieses verheerenden Waffengangs überall in Europa ausgelöst hat. Auch bei Kurt, auch bei dem knapp 16jährigen HG.

Mobilmachung ist am 1. August 1914, ein Sonntag. Kurt, Rittmeister der Reserve, geht mit all seinen Lieben vormittags noch in die Kirche, zum Mittagessen ist er schon im »feldgrauen Rock«, anschließend fährt er »mit drei Hurras auf Kaiser und Vaterland« zum Tor hinaus. So steht es in seinem Kriegstagebuch, und da lese ich auch, daß »sich unser Kaiser, von heiliger Friedensliebe beseelt, bemüht hat, Europa vor den Schrecken dieses Krieges zu bewahren«. Das ist ziemlich richtig, nur war Wilhelm II. nicht mehr wirklich Herr im eigenen Haus. Das war auch Reichskanzler Theobald von Bethmann Hollweg nicht. Das Sagen hatten die Generäle, und die hatten diesen Krieg über Jahre vorbereitet: »Deutschlands in langer Friedensarbeit geschliffenes Schwert« – so Kurt – »fliegt aus der Scheide, um das Vaterland zu schützen.«

Unterwegs zu seinem Mobilmachungsort Berlin werden Kurt und sein Fahrer immer wieder aufgehalten von jubelnden Menschen, die dem Uniformträger Blumen ins Auto reichen, von Fahnen und spontanen Umzügen auf den Straßen. In Berlin wartet die erste Enttäuschung auf ihn. Er wird eingeteilt als Führer einer Versorgungseinheit – Etappen Train Escadron Nr. 1, Garde –, die in Eile zusammengestellt wird und sofort nach Belgien soll. Kurt »hatte sich immer gewünscht, in einem Feldzuge einmal mit meinem alten Regiment, den Halberstädter Kürassieren, kämpfen zu können, aber eigene Wünsche müssen schweigen« – außerdem ist er 42.

Belgien wird ohne Kriegserklärung überfallen, und die empörte Bevölkerung greift hinter der Front zu Küchenmessern und Gift. Das trifft vor allem die langsame Etappe, und jetzt ist es vorbei mit allem, was Kurt aus Manövern und den kriegerischen Gesellschaftsspielen mit den Kindern auf Juist kennt. Entgeistert notiert er in seinem Tagebuch, daß »belgische Bauernweiber« Brunnen kontaminieren, Feldköche mit unter der Schürze verborgenem Schlachtgerät massakrieren und der deutschen Einquartierung, die nachts ihre Schlafzimmer okkupiert, im Morgengrauen die Kehlen durchschneiden.

Mit der Haager Landkriegsordnung hat das wenig zu tun. Auch nicht das »Franctireurs-Pack«, Freischärler, die in Wäldern und unübersichtlichen Schluchten Hinterhalte legen, oder jene »gebildeten Leute!! Rechtsanwälte, Apotheker«, deren Mansarden in Kleinstädten zu Schießständen werden. Kurt stellt selbst bei in Belgien requirierten Pferden einen schlechten Charakter fest: Ein Wallach beißt einem seiner Soldaten ein Ohr ab, zwei andere Gäule keilen derart rabiat, daß sich niemand an sie herantraut und sie erschossen werden müssen. Hat Kurt tatsächlich erwartet, daß die in ihrer Souveränität verletzten Belgier freundlich die Straßen freimachen, wenn riesige Armeen durch ihre Städte ziehen, ihre Bahnlinien und Kanäle für Truppentransporte beschlagnahmen, ihre Keller und Scheunen leeren für die Verpflegung von zig Tausenden hungriger Soldaten? Hat er wohl. Denn Kurt findet die Belgier »gemein«.

»Gemein« findet er auch seine vormals geliebten Engländer,

die gar nicht anders können als gegen Deutschland in den Krieg zu ziehen wegen der Verletzung der belgischen Neutralität. Zwar »kämpfen die wie die Teufel«, muß Kurt anerkennen, sie »hissen aber auch mal die weiße Fahne, um dann deutsche Soldaten, die ihnen arglos entgegenkommen, mit ihren Maschinengewehren reihenweise nieder zu mähen«. Außerdem verwende »das perfide Albion« Dum-Dum-Geschosse, gruselige in der Nähe von Kalkutta gefertigte Splittermunition, die schwer heilbare Muskelverletzungen bewirkt und durch die Haager Konvention streng verboten ist. Kurt schickt mehrfach solche Höllenklöpse als Andenken nach Halberstadt.

Sein Glaube an die Reinheit des Krieges ist gestört. Es geht eben nicht mehr nach irgendwelchen Regeln – der Krieg als Männerspiel mit verläßlichen Verabredungen ist Geschichte. »Dies ist eine harte Schule«, findet Kurt. »Der Krieg enthüllt die niedrigsten und hinterhältigsten Charaktere« – das gilt, hier spricht enttäuschte Liebe, vor allem für die Engländer. Doch »er setzt auch die höchsten Instinkte im Menschen frei«, damit meint Kurt seine Soldaten. »Ich freue mich täglich über meine Kerle«, schreibt er an Gertrud. »Gewiß ist mancher darunter, der daheim ein Sozi war. Aber der Krieg hat gewirkt, ein läuterndes Feuer: Die Schlacken sind gefallen, das edle Erz ist geblieben. Heil Deutschland! Der Sieg muß Dein sein, da Du solche Männer in den Krieg schickst.« Kurt ist froh, daß er »dabei sein darf und ein klein bißchen dabei helfen kann!« Und jetzt ist Gertrud dran: »Du nicht auch, meine Liebe? Sei mit mir froh darüber! Du deutsche Frau! Du Mutter deutscher Kinder, die einer großen Zukunft entgegensehen.«

Der Vater dieser Kinder hält »deutsche Kultur« hoch, indem er peinlich darauf achtet, daß in französischen Städtchen, wo er als Standort-Kommandant bestallt ist, »endlich mal die Straßen gesäubert«, daß Sitz-Klos gebaut werden statt der mit zwei Trittstufen versehenen Boden-Kloaken. Als Tourist im Landesinneren wäre Kurt wahrscheinlich heute noch verloren. Er sorgt für Müll-Sammelstellen und die Liquidierung der

Brieftauben als mögliche Feind-Informanten. Die besetzten Franzosen halten ihn vermutlich für bekloppt.

Der Tod ist überall, auch hinter der Front. Auf einem Feld scheut Kurts Pferd vor zwei toten Franzosen, »ein blutjunger und ein etwa 30jähriger. Sie hielten sich noch im Tode umschlungen.« Kurt muß denken »an die Mutter, die noch nicht weiß, daß sie ihren Sohn verloren, an das junge Weib, die vielleicht jetzt mit ihren unschuldigen Kindern spielt und nicht ahnt, daß sie Witwe geworden ist«. Der »Jammer des Krieges« packt ihn »unmittelbar ans Herz«, und er wird »manchmal schwach, aber ich überwinde es immer wieder«. Da lehnt sich nichts auf in seiner Seele. Ohne den Anflug eines Entsetzens schreibt er beim »Heldentod« eines Neffen ins Kriegstagebuch, daß dessen Vater seiner Frau von der Front telegrafiert habe: »Mutig sein! Siegen tut not, leben nicht!« Sind die verrückt? Was ist das für eine grenzenlose Hybris, die Deutschland und die Deutschen über den Tod der Söhne stellt?

Kurt 1914 aus Frankreich an seinen gerade 16jährigen Sohn HG: »Ist es nicht merkwürdig, wie viele tüchtige, wunderbare Männer Gott in dieser schweren Zeit in unserem Volk erweckt hat? Hat ein anderes Volk einen Hindenburg? Können sich French, Kitchener, Joffre« – das sind die durchaus erfolgreichen Kriegsherren der Gegenseite – »messen mit unseren Heerführern, von denen auch nicht einer versagte? Die Engländer und die Franzosen kämpfen wie die Löwen, aber am Mark der Völker zehrt die Schuld; ihr Kampf wird vergeblich sein.«

Und weiter: »Soeben trifft die Nachricht vom ersten Seegefecht ein. Hurrah! Das ist herrlich! Unsere brave Marine! England – diese Großschnauzen! Beherrscher des Meeres a. D. Nun noch ein paar Zeppelin-Bomben auf London – gerade auf die ›Bank of England‹! Das wäre schön!« Was ist bloß in ihn gefahren? Ausgerechnet England, das ihm immer so gut gefallen hat! Heißt denn Krieg, den Verstand zu verlieren? Ich weiß das nicht, den Irrungen der Vorfahren sei Dank. In meinem Leben fand so ein Krieg nicht statt, und ich habe mich nie aufplustern müssen für irgend etwas Nationales, noch nicht mal für eine Fußballmannschaft.

Kurts Söhne – HG und der kleine Bruder Kurt d. J. – wollen zu Hause auch ihren Krieg. Sie machen sich bei der Hilfstruppe der Pfadfinder nützlich. Kurt junior in steifem Sütterlin an den Vater: »Hier gibt es sehr viel zu tun. Vormittags bin ich auf dem Schützenwall gewesen und habe den Soldaten Hemden, Hosen und Stiefel rangeschleppt. Gestern morgen waren Hans Georg und ich (Hans Georg ist auch Pfadfinder) auf der Polizeiwache Kühlingerstraße. Wir mußten Briefe austragen, und ich holte Hans Georgs Rad. Hans Georg fuhr auf Deinem Rade, und ich fuhr auf seinem. Am Nachmittag hatten wir dasselbe Amt. Heute Vormittag war ich auf dem Rathause und holte den Polizisten Bier oder ich machte Wege für sie, oder ich zeigte Soldaten den Weg. Hier merke ich eigentlich recht wenig vom Krieg, bloß daß manchmal einer verhaftet und totgeschossen wird. Neulich war hier großes Geschrei und Geschieße, und es wurde gemeldet, daß es ein Russe sei, der Telegraphendrähte durchschneiden wollte. Es ist ihm aber nicht gelungen. Mehr weiß ich nicht zu schreiben. Es grüßt Dich herzlich Dein Sohn Kurt Klamroth.«

Der Junge ist zehn, und er wird sich das nicht ausgedacht haben. Wie habe ich mir das vorzustellen? Wir sind im Herbst 1914 in einer Kleinstadt mitten in Deutschland. Der Krieg ist gerade drei Monate alt, seine Schauplätze sind weit weg, und daß kleine Jungs ihren patriotischen Eifer beim Bierholen für Polizisten austoben dürfen, dagegen spricht ja nichts. Aber wer wird warum verhaftet und totgeschossen ausgerechnet in Halberstadt, und wie kommt ein russischer Saboteur in die Magdeburger Börde?

Gertrud leitet die Rotkreuz-Hilfe im Lazarett. Jetzt schon wird da jede Hand gebraucht, weil täglich neue Verwundeten-Transporte eintreffen. In Halberstadt! Tausend Kilometer sind es Ost wie West zur jeweiligen Front, wie mag es da erst in Ostpreußen oder im Rheinland aussehen? Kurt muß mit seinen Pferdewagen häufig Hunderte von Verwundeten zu Bahnstationen schaffen und schreibt von riesigen Gefangenen-Zahlen – 90 000 Russen nach der Schlacht bei Tannenberg, viele Zehntausende Engländer und Franzosen an der Westfront. »Daß die alle ernährt werden müssen«, so Kurt, »verschärft die Lage bei dem schleppenden Verpflegungsnachschub immer mehr.« Hunger – schon im Winter 1914/15 ist dieser Kriegsgegner am Horizont erkennbar und wird die Deutschen über die Jahre immer stärker unter Druck setzen.

Auch am Bismarckplatz haben sie Einquartierung. Gertrud schreibt von zwei jungen Leutnants, die ärgerlicherweise nie das Licht ausmachen und außerdem ihren Hausmädchen »nachstellen«. Sie müsse »sehr streng« mit ihnen sein – man wüßte ja gern, ob die jungen Damen Mittel und Wege gefunden haben, solche Strenge zu umgehen. Im übrigen werden Lebensmittel gehortet, vor allem Liebesgaben gepackt für die Front – zu Weihnachten gehen 120 Päckchen raus, für jeden in Kurts Kolonne eins. Nur kommen sie nicht an. Auch die Pakete für Kurt erreichen selten ihr Ziel, und ihm »läuft das Wasser im Mund zusammen, wenn ich die Inhaltsangaben sehe«. Die kennt er aus der normalen Feldpost, und so weiß er jetzt, »wie es Tantalus ging. Er hat mein Mitgefühl.«

Kurt und seine Männer werden an die Ostfront verlegt: »Hindenburg braucht Kolonnen.« Jubel löst die Nachricht nicht aus, »aber der Soldat tut überall mit gleicher Freudigkeit seine Pflicht«. Behauptet Kurt. Die Soldaten bekommen Pelze, warme Unterwäsche und gefütterte Stiefel, »so daß jeder Einzelne das Gefühl hatte, die Heeresleitung versorgt uns gut, und dieses Gefühl verlieh jedem Sicherheit und Zuversicht«. Sagt Kurt. Nach 1300 Kilometern Marschleistung im Westen, mit 60 Fahrzeugen, 162 Pferden, minus vier Mann – einer ist vermißt, drei liegen im Feldlazarett – geht es ab nach Osten. Es ist der 30. November 1914.

Und es ist, wie es immer ist in Rußland. Kurt und seine Leute versinken wie weiland Napoleon und später Hitlers Truppen im unergründlichen Schlamm der endlosen Ebenen. Gemessen daran sind die deutsch-österreichischen Erfolge erstaunlich. Ende September 1915 verläuft die Frontlinie von der Bukowina bis zur Rigaer Bucht, das heißt, ein Areal mehrfach größer als die alte Bundesrepublik ist besetzt.

Kurt bekommen die Strapazen nicht – eine alte Amöben-Ruhr, die er sich vor Jahren in Curaçao geholt hatte, bricht wieder auf, und zu Pfingsten 1915 muß er sich operieren lassen. Er läßt das in Halberstadt machen, und auf dem Weg dahin staunt er über die Veränderungen in der Heimat. »Deutscher war alles geworden«, schreibt er ins Kriegstagebuch. »Da prangte nicht mehr über dem Prachtbau am Potsdamer Platz das goldene Schild ›Café Piccadilly‹, statt dessen hieß das jetzt schlicht ›Vaterland‹«. In der »Elektrischen« taten statt Schaffner jetzt Schaffnerinnen Dienst, und »aus dem Postgebäude ergoß sich eine Schar fröhlich schwatzender weiblicher Briefboten«.

Zu Hause angekommen erfährt er mitten in der Nacht einen schönen Triumph: »Nie werde ich vergessen, liebe Frau, wie ich den Mantel auszog und Du auf meiner Brust das Kreuz von Eisen sahst – wie Du mich da anschautest!« Die Nachricht, daß ihm das EK II verliehen worden war, war nicht bis nach Halberstadt durchgedrungen. Jetzt hilft ihm Gertruds Stolz über Operation und Rekonvaleszenz hinweg. Im übrigen betrachtet er mit Sorge die fortschreitende Mangelwirtschaft. Die britische Seeblockade greift nahezu perfekt und soll wie im Burenkrieg die Zivilbevölkerung in Deutschland aushungern. Brot und viele andere Lebensmittel sind rationiert, es gibt keine Schokolade mehr und keine Seife, und Kurt, der schließlich selbst mit Injurien gegen »die früheren Vettern von jenseits des Kanals« nicht geizt, ist verblüfft über »das Ausmaß an Erbitterung, das überall zu spüren ist«.

Sein Ältester, HG, mittlerweile 16, erschreckt ihn, als er ihm mit aller Wut und allem Pathos den »Haßgesang gegen England« von Ernst Lissauer vorträgt. Das war ein Berliner Schriftsteller, den bis dahin kaum jemand wahrgenommen hatte und heute zu Recht keiner mehr kennt. Sein »Haßgesang« war damals in aller Munde. Letzte Strophe:

Dich werden wir hassen mit langem Haß
Wir werden nicht lassen von unserm Haß,
Haß zu Wasser und Haß zu Land
Haß der Hämmer und Haß der Kronen,
Drosselnder Haß von siebzig Millionen,
Sie lieben vereint, sie hassen vereint,
sie haben alle nur einen Feind:
ENGLAND

Von diesem Machwerk hat sich Lissauer übrigens später in aller Form distanziert – nach dem Krieg.

HG scharrt mit den Füßen. Die Abiturienten-Jahrgänge im Halberstädter Domgymnasium haben sich nahezu komplett freiwillig zur Truppe gemeldet. Ständig stolzieren junge Männer, Schulfreunde, in Uniform durch die Stadt. Dazu kommt, daß der Direktor der Schule gewechselt hat. Während der frühere den jungen HG wohlwollend begleitet hatte, kennt sich der Neue in der Hierarchie der Stadt nicht aus und besteht buchhalterisch auf Latein und Mathematik. Soll HG sich damit beschäftigen, wo die Welt brennt und er sich für das Vaterland in den Kampf werfen könnte? Soll er, spricht Vater Kurt: »Du wirst Deine Pflicht tun da, wo es gefordert ist. Das Land braucht gut ausgebildete Männer!«

Es ist nicht überliefert, ob HG mault. Aber mit Sicherheit kränkt es ihn, daß der Vater ihn mit knapp 17 Jahren für zu jung und vor allem für nicht fit genug hält, Soldat zu werden. Er vermutet, wahrscheinlich zu Recht, daß die Eltern in dieser Hinsicht mit ihrem langjährigen Hausarzt unter einer Decke stecken, und so trainiert HG heimlich, was das Zeug hält: Schwimmen, Fußmärsche, Radfahren. Kurt aber fährt zurück nach Rußland »mit dem Trost«, schreibt er an Gertrud, »den Jungen zuhause behütet und an Deiner Seite zu wissen«.

Im April 1916 wird Kurt versetzt nach Grodno an der Memel. Dorthin ist der Halberstädter Bürgermeister Hans Weissenborn als Stadthauptmann kommandiert worden, und

Kurt, sein Stadtverordneten-Vorsteher, soll ihm helfen, eine deutsche Verwaltung in der vom Krieg gebeutelten Stadt aufzubauen. Grodno heißt heute Hrodna und liegt in Weißrußland unmittelbar östlich der Grenze zu Polen und Litauen. Damals gehörte es zum zaristischen Rußland und war gerade von den Deutschen eingenommen worden. Daß dort eine deutsche Verwaltung eingerichtet werden sollte, hatte etwas damit zu tun, daß es in diesem Krieg natürlich nicht nur um Landesverteidigung ging. Da kursierten die verwegensten Pläne um weitläufige Gebietsgewinne – ganz Belgien zum Beispiel sollte es sein und große Teile im Westen Rußlands, im Klartext: wieder mal Polen. Hitlers Pläne 20 Jahre später waren so neu also nicht.

Ob auch Kurt solchen Großmachtträumen nachhängt, sagt er nicht. Zunächst mal versinken er und sein Bürgermeister in einem Faß ohne Boden. Die abziehenden Russen haben alle Akten und die Gemeindekasse mitgenommen – hier ist eine Stadt, ein entzückendes Städtchen offenbar, an beiden Ufern der Memel, mit 24 460 Einwohnern, die in einem verwaltungstechnischen Vakuum herumtrudeln, Lebensmittel ergaunern müssen, ihre Kinder nicht in Schulen schicken, ihre Patienten nicht ins Krankenhaus bringen können. Zugang zu Strom und Wasser gibt es nur noch nach Mauscheleien mit den Leuten, die an der Quelle sitzen.

31 Deutsche, 21 Letten, 113 Litauer, 67 Esten, 465 Weißrussen, 570 »andere« Russen, 7 609 Polen, 15 583 Juden und 1 Grieche (den hätte ich gern gekannt!): Das macht zusammen tatsächlich 24 460 Menschen – ach, Kurt! Dem Halberstädter Kaufmann entwischt kein polnisches Kind und kein betagter Chassid. All diese Leute haben sich seit der Eroberung durch die Deutschen mit großem Geschick den Anordnungen der neuen Militärhoheit widersetzt. Ein Chaos. Aber ein gut dokumentiertes – Kurt schreibt alles auf, und mir wird schwindelig, weil er doch von Juden – Ostjuden auch noch – wirklich keine Ahnung hat.

In Halberstadt gab es eine bedeutende jüdische Gemeinde.

Ihre Honoratioren waren mindestens so wohlhabend wie die Klamroths, ihre internationalen Geschäftsverbindungen denen der Klamroths weit überlegen. Juden waren Mitglieder im Stadtrat wie Kurts Vater Gustav und wie Kurt selbst, einflußreiche Mäzene und Wohltäter der Stadt. Im privaten Leben von Kurts Familie kamen sie nicht vor. Ich habe in den Gäste- und Gesellschaftsbüchern des Hauses Klamroth nicht einen von ihnen gefunden, nicht im »Spielbuch« des Tennishauses oder auf den Teilnehmerlisten der Harzritte.

Nun gut: Die Halberstädter Juden, orthodox wie sie waren, sind wahrscheinlich weder geritten, noch spielten sie Tennis. Sie konnten nicht von Klamroths nicht koscherem Geschirr essen oder von deren nicht koscherem Wein trinken. Doch es gibt auch sonst nicht den kleinsten Hinweis darauf, daß sie miteinander umgegangen wären – nicht bei Konzerten, Empfängen, in der Handelskammer oder in Gemeindeangelegenheiten, und das in einer so kleinen Stadt, wo die oberen Zehntausend allenfalls hundert waren, Juden wie Nichtjuden. Die Abgrenzung aber, so denke ich, war durchaus wechselseitig.

Kurt und sein Bürgermeister ertrinken in Arbeit, also holen sie sich von überallher aus der Armee Halberstädter Spezis nach Grodno. Kurt läßt seinen jungen Buchhalter Willy Lodahl aus der Firma I. G. Klamroth irgendwo im Schützengraben auf dem Balkan auftreiben, und schon Anfang Juni ist der da, um fortan die Stadtkasse auf Vordermann zu bringen. Der Chefredakteur der Grodnoer Zeitung kommt aus Halberstadt. Ins Grodnoer Krankenhaus wird eine resolute Oberschwester aus dem Halberstädter Cecilienstift verpflichtet, die kein Wort der in Grodno heimischen Sprachen spricht, aber den Betrieb in Windeseile nach deutscher Diakonissenart organisiert. Für die Wasserversorgung rückt der Landsturmmann Sinning in Grodno ein, der in Friedenszeiten Stadtbaurat in Halberstadt war, und als Sachwalter der Zivilgerichtsbarkeit erscheint ein tüchtiger Amtsgerichtsrat aus Quedlinburg.

Sie führen einen Zweifrontenkrieg gegen die anarchischen Zustände in der Stadt und gegen die deutsche Militärverwaltung. Generalfeldmarschall Paul von Hindenburg, Oberbefehlshaber Ost, und sein Generalstabschef Erich Ludendorff hatten unmißverständlichen Befehl gegeben. Hindenburg: »Die rücksichtslose Ausnutzung des Landes für eine geregelte Verpflegung von Heer, Bevölkerung und Deutschland ist die vornehmste Aufgabe der Verwaltung. Wenn gedarbt werden muß, darbt zuerst die Bevölkerung des besetzten Gebietes. Ich erwarte energisches Erfassen der Vorräte durch die dazu berufenen Mitglieder der Verwaltung unter Zurückstellung lokaler Interessen vor den Lebensinteressen des deutschen Volkes.«

Während Kurt pro Woche 70 000 Eier und faßweise Butter – regulär bezahlt – nach Deutschland schickt, versucht er, den Spagat zwischen Anordnungen der Militärhoheit und Nöten der Bevölkerung mittels öffentlicher Suppenküchen zu bewältigen. Für deren Organisation spannt er jüdische Kaufleute ein, die sich aus der Zusammenarbeit mit der deutschen Zivilverwaltung einen langfristigen Vorteil versprechen. Denn natürlich gibt es den streng verbotenen Schwarzhandel und inoffizielle Bezugsquellen für alles. Also entlohnt Kurt die Händler samt deren kochende Ehefrauen – Kurt an Gertrud: »Man lernt hier levantinische Sitten« – mit einem nur schmalen Obolus aus der Stadtkasse, dafür hat er angeblich keine Ahnung, woher die Zutaten für die Suppenküche und die sonst kursierenden Schwarzwaren kommen. Die Händler maulen, es müsse zu viel Fleisch in den Topf. Zitat Kurt – »Nu, woas kenn mer machen, woas kenn mer tun?!«

Es reicht allerdings nirgendwo. Kurt bekommt verzweifelte Briefe, anonym: »Mir tut nur leid das Kind. Es weint und schreit: Mama, Mama, gib mir Brot! Ach, woher will ich das Brot kriegen? Wenn gibt's noch irgendwo, so kostet 60 Pfennig der Pfund. Und das Geld? Woher sollen wir kriegen? Und dabei noch verlangt man den ›Kopfsteuer‹, als ob wir seien gar keine Leute, sondern Vieh. Ja, nur die Deutschen sind die Leute, restlichen Bevölkerung der ganzen Europa ist das Vieh! Das ist den Ihren Helmen entsprechend, den grauen, grausamen, mittelalterlichen Helmen.«

Kurt geht das schon an die Nieren. Aber eigentlich findet er es gerecht, daß besetzte Gebiete für Deutschland bluten sollen, »leidet doch Deutschland selbst Mangel aufgrund der Aushungerungsversuche der Engländer«. Das hört er von seiner Frau Gertrud, die täglich schreibt, und die Post dauert zwischen Halberstadt und dem so endlos entfernten Grodno selbst in diesen wirren Zeiten nur zwei Tage.

Zu Hause gibt es inzwischen vier Ziegen auf dem weitläufigen Gartenrasen, und Gertrud verteilt Milch an die Mütter von Neugeborenen in der Nachbarschaft. Hühner sind ins Haus gekommen und ein paar Kaninchen, die HG versorgt und auch »ohne Hemmungen« schlachten will. Gertrud kämpft gegen Raupen im Feldgarten – »die haben genausoviel Hunger wie wir« –, und sie kann nicht einmachen, weil kein Zucker zu bekommen ist. Die Fleischration ist laut Lebensmittelkarten auf ein Pfund pro Woche pro Person herabgesetzt worden, manchmal auch nur ein halbes, ohne Knochen, und keineswegs immer verfügbar. Die große Wäsche machen Gertrud und ihre immer noch präsenten Haushaltshilfen ohne Seife – »die Sonne wird es schon bleichen«. Wir sind im Frühsommer 1916.

Kurt begreift schnell, daß er ohne »den eingeführten jüdischen Handel« nichts werden kann. Kollegen-Offiziere in benachbarten Landkreisen versuchen das und scheitern kläglich. Sie »mißtrauen den Juden zutiefst und versuchen, die Waren mittels ihrer Polizeigewalt und zu staatlich festgesetzten Preisen beizutreiben«. Also sind dort plötzlich weder Eier noch Butter mehr auf dem Markt. Kurt hingegen macht mit den jüdischen Händlern – Kaufleute unter sich – einen Deal aus. Er importiert aus Deutschland Waren, die deutsche Hersteller dringend loswerden wollen und die der Grodnoer Markt und das Hinterland aufsaugen wie lang entbehrte Luft: »billige Taschenmesser, Kämme, Glashalsketten, Heiligenbilder, Spielkarten, Taschenspiegel, billige Schmucksachen und ähnliches«. Das klingt fatal nach der Exportwirtschaft in die neuen afrikanischen Kolonien. Offensichtlich hat es funktioniert.

Auf die Preise schlägt Kurt zehn Prozent für die Stadtkasse auf, er bekommt durch diesen Handel seine von »Oberost« geforderten Kriegsrohstoffe und Lebensmittel, und beide Seiten sind zufrieden. Die Grodnoer Juden, ohne deren Hilfe Kurt seinen Schnitt nicht machen könnte, sind ihm dennoch unheimlich, und er mag sie nicht. Auch nicht die Vertreter von deren Oberschicht, über die er schreibt: »Diese Ostjuden haben durchaus kein Gefühl für Anstand im geschäftlichen Verkehr. Sie halten für Geschäftsgewandtheit und kaufmännische Klugheit, was wir für gemeine Gaunerei halten. Deshalb ist für uns jeder Verkehr mit ihnen unmöglich.«

An anderer Stelle notiert Kurt: »Weissenborn war sehr erstaunt, als er eines Tages dazu kam, wie ich einem jüdischen Kaufmann, der mich gar zu arg beschuppen wollte, mit meiner Reitpeitsche die Quittung für sein Betragen auf den Rücken schrieb. Das Verfahren erschien dem Herrn Stadthauptmann doch etwas bedenklich.« Aber der Bürgermeister ist lernfähig. Kurt: »Wenige Tage darauf sah ich ihn das gleiche Verfahren gegenüber einem Fischhändler anwenden, der die arme Bevölkerung entgegen einer kurz vorher erlassenen Verordnung schamlos ausbeutete.«

Kurt hatte diese Auftritte »nach russischer Gutsherren-Art« von polnischen Geschäftspartnern empfohlen bekommen. Zu Hause in Halberstadt wäre ihm nie eingefallen, »daß der Jude solche Behandlung für ganz gerecht empfindet und daß sie besser wirkt als Geldstrafen, die ihm für die Übertretung von Verordnungen auferlegt werden. So war denn auch der von mir gezüchtigte Händler schon anderen Tages wieder auf meinem Amtszimmer mit neuen Offerten. Diese uns so fremde Art des Juden macht ihn uns so unsympathisch.«

»Der« Jude – der Singularis für eine Gattung. Wie »der Regenwurm«. Die Abgrenzung gegen Unbekanntes geht Hand in Hand mit Hochmut – »was kann aus diesem Lande werden, wenn erst deutsche Kultur den Boden erschließt«. Was Kurt kränkt, ist die fehlende Bereitschaft, die »Überlegenheit« der deutschen Kultur als Sehnsucht zu empfinden. Er kapiert nicht die Autarkie dieser jüdischen Lebenswelt, die sich arrangiert mit den vielfältigen Zwängen äußerer Einflußnahmen, aber dieses Außen nicht eindringen, geschweige denn zum Maßstab der eigenen jüdischen Identität werden läßt.

Kurt bewundert das »innige jüdische Familienleben« und die »streng sittliche Lebensführung der jüdischen Frauen und Mädchen«. Auch »die jüdische Wohltätigkeit« imponiert ihm – er erlebt die Geschlossenheit einer ostjüdischen Kommune, die ihre jeweilige Außenwelt benutzt fürs eigene Überleben. Auch er und die gesamte deutsche Verwaltung, so wie vorher die russische und davor die polnische, werden benutzt ohne Verbrüderung. Es geht um Vorteile, Abwendung von Gefahr, Existenzsicherung in einem in der Regel feindlichen Umfeld. Noch jede jüdische Gruppierung ist irgendwann gescheitert, wenn sie sich auf das Wohlwollen der Umwelt verlassen hat. Buhlen schützt nicht – vor russischen Pogromen nicht und nicht vor Hitlers Vernichtungslagern.

Kurt versteht gar nichts. Woher denn auch – in seiner Generation ist in Deutschland Assimilation angesagt. Wilhelm II. hatte seine »Kaiserjuden« wie den Industriellen Walther Rathenau, den Reeder Albert Ballin und den Bankier Max Warburg. Er schätzte deren wirtschaftliche Kompetenz. Konservativ-christlich geprägt wie er war, blieb er jedoch zeit seines Lebens Antisemit. Ungetaufte Juden in den wilhelminischen Jahrzehnten waren trotz aller formalen Gleichberechtigung Bürger zweiter Klasse. In der Oberschicht waren sie allenfalls geduldet, der Zugang wurde ihnen, ein Akt des Großmuts, gewährt – übrigens nicht beim Reserveoffizierkorps, in den »richtigen« Studentenverbindungen oder in der höheren Verwaltung, den wichtigsten Eingangsschleusen zu gesellschaftlicher Akzeptanz. Das Gefälle war klar zwischen denen, die sich bemühten – den Juden – und denen, die zuließen. Oder auch nicht.

In Grodno 1916 gibt es dieses Gefälle nicht. Hier stehen sich zwei unterschiedliche Formationen in Augenhöhe gegenüber, Reitgerten mal außen vor. Beide brauchen einander. Beide machen Deals auf Gegenseitigkeit. Die jüdischen Händler tricksen die deutsche Besatzungsmacht aus, wo immer sie können, und Kurt ist nicht gewillt, sich in puncto Schlitzohrigkeit von wem auch immer etwas vormachen zu lassen. Er hat Aufträge: Butter und Eier für Deutschland, Kriegsrohstoffe, Kopfsteuer. Die Bevölkerung in Grodno hungert, und die Stadtkasse ist labil. Jetzt braucht er Gold.

Die Goldreserven der Reichsbank bedürfen dringend der Auffrischung, und überall im Land werden die Menschen aufgerufen, sich – freiwillig und gegen Bezahlung – von ihren Beständen zu trennen. Faksimilierte Handschriften tauchen als Kleinanzeigen in den Zeitungen auf – »Wer Gold behält, verkennt die Stunde – Ludendorff« und »Unser Gold gehört im Kriege dem Vaterlande – von Hindenburg«. Die propagierte Mode, von nun an Eisenschmuck zu tragen, hat sich allerdings nicht wirklich durchgesetzt. Doch die Damen erscheinen nur noch mit ihren Trauringen in der Öffentlichkeit – anderer Schmuck ist politisch nicht mehr korrekt.

Kurt in Grodno erntet großäugiges Erstaunen, als er seine Handelspartner um Gold angeht. »Das haben alles schon die Russen eingesammelt«, soll er glauben und sinnt auf Abhilfe. Er läßt sich von »Oberost« das Branntwein-Monopol für Stadt und Landkreis übertragen, und als er am ersten Tag die langen Schlangen vor der Verkaufsstelle sieht, »schloß ich den Laden, heftete einen Zettel an die Tür, daß die geringen Bestände, die noch zu verkaufen seien, ab nächsten Tag nur noch flaschenweise und gegen die Umwechslung eines Goldstücks verkauft würden. Am Morgen darauf begann der Goldregen und wenig später konnte ich die ersten 20 000 Rubel in barem Goldgelde der Reichsbank zusenden.« Bei aller Schlitzohrigkeit bleibt Kurt korrekt. Die Kunden, meist jene Händler, die unlängst so gar nichts mehr hatten, bekommen den regulären Umtauschsatz für ihr Gold und zahlen geringfügig weniger für den Schnaps, als von »Oberost« festgelegt: »Die sollen ja wiederkommen mit neuem Gold.«

Für Gertrud in Halberstadt liegen die Dinge nicht ganz so einfach. Sie ist im Juni 1916 in den Ehren-Ausschuß der Gold-

sammlung berufen worden und findet es unsinnig, daß Trau-
ringe ausgenommen sind, »um dem Ausland unsere Not nicht
zu deutlich zu machen«. Es müsse statt dessen »Ehrenpflicht«
werden, schmale silberne Ringe zu tragen, dann hätte man
von Millionen Eheringen den reinen Goldwert, ohne sich auch
noch mit dem Kunstwert anderer Schmuckstücke herum-
schlagen zu müssen, die außerdem in der Regel mit so vielen
persönlichen Erinnerungen behaftet seien.

Niemand fragt sie, also kämpft Gertrud jetzt selbst mit der
Entscheidung, was sie abliefern soll: Kurts Uhrkette muß wohl
sein, aber soll HGs Uhrkette, die er vom Großvater geerbt hat,
etwa auch weg? Kurts Manschettenknöpfe – »doch, das geht«
– ihre eigene lange Kette mit dem Taufdukaten – »das fällt
mir schwer«. Soll sie das »Schellengeläut« abgeben, ein Bril-
lantarmband, das ihr Kurt zum zehnten Hochzeitstag
geschenkt hat? »Wir müssen natürlich mit gutem Beispiel
voran gehen, es ist ja auch so wenig, sein Gold zu geben, wenn
andere ihr Leben fürs Vaterland hingeben sollen«, doch sau-
er wird es ihr, und sie hat Gewissensbisse deswegen.

Gertrud trennt sich schließlich vom »Schellengeläut« und
erhält dafür eine mit schwarzweißrot verschlungenem Lorbeer
bekränzte Urkunde. »Um den Goldschatz der Reichsbank und
damit die finanzielle Wehrkraft unseres deutschen Vaterlandes
zu stärken«, habe sie das Schmuckstück abgeliefert. Es sei im
September 1916 von der »Diamanten-Regie« für 850 RM nach
Kopenhagen verkauft worden, die sie bei der Städtischen Spar-
kasse abzuholen die Güte haben wolle. Kurt notiert später auf
der Urkunde, das Armband habe 1500 RM gekostet – beides
war damals eine Menge Geld. Immerhin haben sich durch diese Aktion die Goldbestände der Reichsbank um rund eine
Milliarde Mark fast verdoppelt.

Es wird nicht nur Gold, es wird alles und jedes gesammelt.
Kinder sammeln, Eltern sammeln, Lehrer, Betriebe, Büros,
Krankenhäuser sammeln – es gibt spezielle Sammelwochen für
Hindenburgs Geburtstag, Wildgemüse-Wochen, Wochen der
Kerne. Gertrud gerät in den Vorstand des »Abfall-Verwer-

tungs-Ausschusses Halberstadt«, in dessen Tätigkeitsbericht als Ergebnis neben vielem anderem 520 Kilo Eierschalen, 319 Kilo Frauenhaar, 22 148 Kilo Scherben, 10 Odolflaschen, 1 Zigarrenspitze und 8950 dänische Milchflaschen auftauchen – wieso dänische? In den Stoßzeiten strömen mehr als 300 Kinder pro Tag in die Sammelstelle, die für ihre Schätze – Kronenkorken, Bucheckern, Fischgräten – Gutscheine bekommen für Kinovorstellungen oder Lose, mit denen sie lebende Kaninchen gewinnen können.

Gertrud beruhigt aufgeregte Mütter, die ihre Kochtöpfe und Kinderwäsche in den Sammelbeständen suchen – die Sprößlinge schleppen alles ab. Gertrud an Kurt: »Ich habe den beiden Kleinen streng aufgetragen, nichts wegzubringen, was Schneemann oder ich nicht gesehen haben« – Schneemann ist die Haushälterin –, »ich denke, daß es wirkt.« Im übrigen ist sie intensiv damit beschäftigt, die umschichtig kranken Kinder zu versorgen, nur HG ist fit, doch mißgelaunt, weil Vettern und Freunde das Notabitur machen und abrücken in ihre Fahnenjunker-Ausbildung. Wir sind im Juni 1916.

Der Junge ist jetzt 17, und er hat die Schule gründlich satt. Er hat auch keine Lust mehr, bei den Pfadfindern Wehrersatzübungen abzuleisten, und macht sich Sorgen, »daß das Leben und der Krieg an mir vorbeigehen«. Das schreibt er in einem Brief an einen Vetter, dessen Notabiturfeier und Abschied vom Zivilleben er zähneknirschend erträgt, was für Gertrud nicht zu erkennen ist: »Hans Georg hat sich beim Abitur, Fritz' Abschiedsfeier etc. sehr verständig benommen – ich habe mich über ihn gefreut.« Seinem Vater Kurt gegenüber wird HG deutlicher: »Das hätte ich jetzt auch alles haben können, und ich hätte aus vollem Herzen mitfeiern können. Gefeiert habe ich zwar auch so, und da ist es das erste Mal in meinem Leben vorgekommen, daß ich nicht mehr so ganz sicher auf den Beinen war. Na, so was muß man auch lernen.«

Dabei ist er ein solches Milchgesicht – ich hatte vergessen, wie klein »große Jungs« sind. Glatt, konturenlos, Dreijährige zeigen mehr Charakter. Auch HG in seinen Kleinkindzeiten, da brachen Zorn und Spaß noch ungefiltert durch. Jetzt ist er – wie jeder mit 17 – ein Produkt von Erwartungshaltungen, den eigenen und denen anderer. Er ist »erzogen«, sitzt da ernsthaft in Konfirmanden-Klamotten, als habe er gerade Hegel verstanden, oder lümmelt im Jagd-Outfit herum wie ein Schmalspur-John-Wayne, wenn es den damals schon gegeben hätte. Nett, das Kind, aber noch nicht trocken hinter den Ohren. Man möchte ihm die Nase putzen und eine Mütze aufsetzen gegen den rauhen Wind, und ich kann verstehen, daß Gertrud diesen Buben nicht in den Krieg ziehen lassen will.

Doch so ist es ja gar nicht. Sie wird zusehends unruhig, und ich brauche eine Weile, bis ich begreife, warum sie es plötzlich so eilig hat. Es geht ihr darum, einer möglichen Einberufung zuvorzukommen, und die steht für den Jahrgang 1898 bald an, so hoch, wie die Verluste an der Front allenthalben sind. Eine Einberufung könnte bedeuten, daß HG – Gott behüte – zur Infanterie muß oder zu den Pionieren, »brave« Leute, gewiß. Dem Vaterland dienen, natürlich, aber doch nicht überall. HG hätte möglicherweise nicht von vornherein Fahnenjunker, sprich Offiziersanwärter werden können. Nicht nur ist der »Junker« ein Muß für einen Klamroth aus Halberstadt, Pferde müssen es sein, Kavallerie bitteschön – Kürassiere, Dragoner, Husaren, Ulanen. Das »richtige« Regiment. Krieg her oder hin, das hier ist eine Frage des gesellschaftlichen Status. Hier werden die Weichen für die Zukunft gestellt. Ein Rittmeister wie Vater Kurt ist irgendwie feiner als ein Hauptmann – Pferde sind adlig. Wir sind in Preußen.

Das Procedere geht so: Erst muß so ein junger Mann felddiensttauglich sein, dann braucht er ein Regiment, das den Freiwilligen aufnimmt. Wenn er das hat, und nur dann, kann er sein Notabitur machen, denn die Schule steht dem vaterländischen Dienst nicht im Wege. Selbstverständlich nicht. Das Regiment nimmt den Möchtegern-Junker nur, wenn er sein Abitur wirklich hat – also gibt es gewisse Zwänge. Für den Abiturienten und für die Schule. Und es gibt Schulen, das

Domgymnasium zum Beispiel, dessen neuer Direktor das Abitur nicht durchs Vaterland korrumpieren lassen will. »Sozi« nennen sie ihn hinter vorgehaltener Hand in Halberstadt. Ist er gar nicht, er gehört wohl eher zu den »Demokraten«, aber HG hat seine liebe Not mit ihm.

Doch erst mal sind da seine Eltern. Vater Kurt hat den Krieg – in der Etappe, aber immerhin – in finsterer Grausamkeit erlebt, und er will bei allem Patriotismus seinen Sohn da raushalten. Bitte nicht: »Siegen tut not, leben nicht«, wie der Vetter beim »Heldentod« seines Sohnes an dessen Mutter telegraphiert hatte. Gertrud in Halberstadt tickt da anders, und sie guckt durch HGs sehnsüchtige Augen. In homöopathischen Dosen bringt sie Kurt in Grodno die Dringlichkeit einer Entscheidung bei: »In Baden haben sie den Jahrgang 98 einberufen« oder »In der Schule wird Hans Georg immer wieder gefragt nach dem Notexamen« oder » Jeder erwartet doch, daß ein Jüngling, sobald er irgend kann, sich jetzt dem Vaterlande zur Verfügung stellt. Und daß man ihn möglichst nicht Infanterist werden lassen will, kann wohl keiner uns Eltern verdenken«. Und dazwischen immer wieder: »Macht Deine Frau es richtig?« oder »Wenn Du doch hier wärst und die Dinge entscheiden könntest«. Am besten: »Mütter taugen nicht für große Jungen. Ich kann ihn nicht zurückhalten, da braucht es den Vater.« Die hat was, die Frau Großmutter.

Und dann ist da der 11. Juli 1916: »Mein geliebter Mann! Gestern kam Hans Georg ganz selig nach Hause: ›Paul Springorum‹ – das ist der Hausarzt – ›hat mich felddiensttauglich befunden.‹ Heimlich hatte er sich angemeldet und war heimlich hingegangen. Nun wollte Paul noch mal mit mir sprechen, ich will nachmittags zu ihm gehen. Lieber Alter, ich habe nicht anders handeln können. Mir sagte Hans Georg: ›Mutter, Vater sieht das aus der Ferne anders – es geht doch um meine Ehre‹. Den Ausschlag gab wohl besonders, daß der schmale, schwächliche Kühne aus seiner Klasse jetzt ein Regiment gefunden hat. Ich schrieb Dir ja, daß ich Paul gesagt hatte, wie Du darüber dächtest und daß er nach Möglichkeit den

Jungen zurückhalten möchte, wenn er noch irgendeine Schwäche an ihm fände. Wenn Paul selbst ihm jetzt sagt, Du bist gesund und militärdiensttauglich, dann können wir auch fest überzeugt sein, daß es so ist.«

Und weiter: »Nun ist natürlich die Folge, daß er sich gleich nach den Ferien zum Examen melden möchte. Darüber, daß er noch Soldat werden muß, d. h. daß der Krieg länger dauert, als wir H.-G. bestenfalls hinhalten könnten, ist wohl leider kein Zweifel mehr. Dir wird nun das Schwerste sein, daß er nicht Kürassier werden kann« – die Halberstädter Kürassiere, Kurts Regiment, haben Aufnahme-Stop – »denn natürlich muß er zum Notexamen den Annahmeschein als Junker haben. Es sind aber in der Praxis doch viel mehr Regimenter noch bereit, Junker anzunehmen, als es in der Theorie immer heißt.«

Gertrud übernimmt das Kommando. Ihrem Mann in Grodno gegenüber ist sie aber ganz die kleine Frau: »Lieber Mann, es tut mir so schrecklich leid, daß dies alles nun doch kommt und Du allein (!) in der Ferne entscheiden mußt. Aber du kennst ja Deinen Jungen und wirst es Dir wohl doch schon allmählich überlegt haben. Daß ich über jeden Tag froh wäre, den ich ihn länger noch zuhause hätte, weißt Du – aber wir wollen doch dankbar sein, daß er ganz gesund ist«. Das soll ja auch so bleiben, und wenn Kurt den Krieg für gesundheitsschädlich hält, ist das schließlich nicht verkehrt. Das sagt er natürlich nicht. »Freudig«, nicht wahr, soll der Soldat seine Pflicht erfüllen und dabei Leib und Leben riskieren. Aber muß es der eigene Sohn sein? Kurt kann nicht wissen, daß HG nur wenig in diesem Krieg passieren wird, jedenfalls physisch. Es passiert eine Menge in seiner Seele, und deren Abwehr- und Verdrängungsreflexe haben ihn begleitet für den Rest seines Lebens – haben ihn geformt und verformt. Der »große Junge« war wirklich noch sehr klein, als er hineingeriet in diesen Krieg.

Von HG bekommt Kurt erst eine kurze Notiz »Hurra! Hurra! Felddiensttauglich!!! Dein froher Sohn H.-G.« und am Tag drauf den Brief unter den Stahlstich-Initialen H. G. K.: »Lieber Vater! Nun habe ich es also endlich erreicht, das Ziel der Militärtauglichkeit. Ich denke, Du freust Dich nicht weniger als ich und Mutter. Ich habe aber auch auf diesen Lohn hin gearbeitet, habe meinem Körper viel zugemutet seit Monaten und gesehen, daß ich alles, alles aushalte. Und daß nun nicht nur ich es weiß, sondern daß es auch ärztlich anerkannt ist, daß mein Körper nach allen Seiten hin leistungsfähig ist, das war mir eine so große Freude!«

»Nun hast Du doch auch nichts mehr dagegen, kannst ja nichts mehr dagegen haben, lieber Vater, daß ich jetzt Soldat werde. Ich hoffe, Deine Bedenken darüber, daß ich durch ein längeres Offiziersein zum Kaufmann verdorben würde, beseitigt zu haben. Ich bin mir bewußt, daß ich durch mein jetziges Eintreten ein Kriegsopfer an kostbarer Zeit bringe, und nicht nur ich bringe es, sondern leider trifft es auch Dich mindestens ebenso sehr. Denn vielleicht wird dadurch der Zeitpunkt etwas hinausgeschoben, wo ich Dir in der Firma an die Seite treten kann. Ich denke aber, dieses Opfer an Zeit muß man doch ebenso freudig tragen, wie andere viel schwerere Opfer auf sich nehmen.«

Sieh mal an: Das Milchgesicht tritt gegen den Vater an mit dessen Waffen. Hat Kurt nicht Schwulst über Schwulst in seinem Kriegstagebuch abgelassen darüber, wie wichtig es sei, Vaterlandsliebe und Deutschtum in alle Lande zu tragen, hat er nicht Frau Gertrud gepriesen als deutsche Mutter deutscher Kinder und die Opferbereitschaft aller als höchste Tugend dargestellt? HG hat die ersten Teile dieses Kriegstagebuches gelesen, denn er hat die Fotos eingeklebt. Und jetzt hat Kurt offenbar den Sohn mit seinen und der Firma Bedürfnissen auf Halberstädter Belange herunterzuschrauben versucht. Das macht man nicht ungestraft mit einem Jungen, der »drei Hurras auf Kaiser und Vaterland« mit der Muttermilch einsaugen mußte.

Leutnant Hans-Georg Klamroth

DREI

Es startet eine flächendeckende Suche nach Reiter-Regimentern in ganz Deutschland. Die 16. Dragoner Allenstein werden angeschrieben und die Husaren in Leobschütz, die 12. Jäger zu Pferde in St. Avold und die Insterburger Ulanen. Die Züllichauer Ulanen sagen gleich ab, auch die Kavalleriebrigade in Saarbrücken hat keinen Platz. Das gleiche gilt für die Riesenberger Kürassiere. Gertrud hat das minutiös vorbereitet. Jeder ehemalige Tennispartner, jeder Schwager eines Onkels einer früheren Freundin aus der Haushaltsschule, jeder, der jemanden kennt, der Pferde kommandiert, wird eingespannt. Gertrud und HG dibbern. Gertrud, weil sie den Sohn prestigeträchtig unterbringen will, wogegen auch HG nichts hat. Aber dringlicher ist ihm, gleich nach den Ferien sein Notabitur ablegen zu können, weil dann – so HG an den Vater Kurt – »drei Eingezogene aus meiner Klasse Examen machen müssen, denen könnte ich mich anschließen und wäre bei dem neuen Direktor nicht so allein im Examen«.

Und das klappt. Zwei Tage nach Ende der Sommerferien 1916 kommt die erlösende Nachricht, daß HG als Fahnenjunker angenommen ist beim Dragoner-Regiment Prinz Albrecht von Preußen (Litthauisches) Nr. 1 in Königsberg – »ein gutes Regiment«, sagt Kurt. Mittels Depesche erteilt er sein Einverständnis, und am nächsten Morgen schreibt HG seinen Abitur-Aufsatz zu dem Thema: »Steh zu deinem Volk. Es ist dein angeborener Platz«. Das hat der Junge gelernt von klein auf, und HG findet das denn auch »ziemlich einfach«. Der Tag drauf bringt ihn ins Schwitzen: »Sie haben mich in Latein, Mathematik und Geschichte geprüft, und zwar besonders von

Seiten des Chefs ziemlich gemein, über eine Stunde lang. Ich wünsche keinem Menschen so ein Mündliches.«

Was mag den Direktor geritten haben? Menschenliebe, weil er junge Männer daran hindern wollte, im Schlachtengetümmel zu krepieren? Oder war es eine Art Trotz: Im Krieg müssen nicht auch noch die Bildungsstandards vor die Hunde gehen? HG schafft das Abitur nur ziemlich knapp, doch danach kräht hinterher kein Hahn mehr. Er kommt mit Lorbeer bekränzt nach Hause, er ist »mulus« und hat ein halbes Jahr Schule gespart. Er ist Fahnenjunker, und die Mutter singt Schubert am Harmonium: »Nun muß sich alles, alles wenden«.

HG soll acht Tage später in Königsberg antreten, und Gertrud bekommt jetzt doch Angst vor ihrer mütterlichen Courage. Königsberg ist nicht um die Ecke, Grodno liegt da schon näher. »Hast Du Dir überlegt«, barmt sie im Brief an Kurt, »daß der Junge sich dann ganz allein in der wildfremden Stadt, in der man noch nicht mal ein Hotel kennt, zurechtfinden soll? Er muß doch gewiß gleich eine Wohnung nehmen, denn in die Kaserne darf er doch nur das Nötigste mitnehmen«. Soll denn nicht wenigstens einer von ihnen mitfahren? »Man muß hier morgens um 4 Uhr fort, um abends 8 Uhr in Königsberg zu sein, oder man fährt nachmittags um 3.55 ab, nimmt von Berlin den Zug um 11 Uhr 3, dann kommt man morgens um 8.35 an. Dann könntest Du ihn doch dort vielleicht in Empfang nehmen und sorgen, daß er sich erst tüchtig ausruht und nicht käsebleich beim Regiment erscheint.«

Kurt macht das. Er verbindet die Reise mit einem Einkaufstrip für seine Grodnoer Ramsch-Waren und liefert den Junior nach einer letzten komfortablen Nacht im Hotel am 7. September 1916 in der Kaserne Königsberg-Rotenstein ab. Mit HGs neuem Chef, Major von Mandelsloh, wechselt er vorher noch ein Wort unter Offizieren. Das bewährt sich – in Zukunft wird der Major dem Kameraden Rittmeister regelmäßig Berichte über HGs Fortkommen schicken.

Die ersten Wochen sind nicht einfach. HG ist der einzige Junker am Ort, nicht Fisch, nicht Fleisch. Mit den Mannschaften soll er möglichst nur dienstlich verkehren – wie denn, wenn er mit denen gemeinsam »auf Stube liegt«. Ins Offizierskasino zum Essen darf er nicht, weil er noch keiner ist, und mit den anderen geht das auch nicht – Kurt warnt ihn: »Ganz selbstverständlich darfst Du als Junker nicht regelmäßig mit dem Eßnapf antreten. Geschieht das mal in einem Ausnahmefall, dann wird niemand was dabei finden, aber ja nicht öfter« – er müsse sich außerhalb verpflegen. Das macht er allein, denn weder die einen noch die anderen können ihn begleiten.

Daß er zu Hause täglich reitet, solle er auch nicht erzählen – Kurt: »Da findet schon jemand die Gelegenheit, Dich als Stümper vorzuführen« – und er müsse darauf achten, daß er seine Uniformen öfter aufbügeln lasse, »ein Junker hat immer picobello auszusehen«. Die Uniformen sind übrigens in Halberstadt genäht, auch die Stiefel werden dort hergestellt, schwierig, weil es keine Stoffe und kein Leder gibt. Aber es ist auch im Krieg noch so, daß die Offiziere, auch die Anwärter, über die Basisausstattung hinaus ihre Klamotten zu Lasten von Papas Portemonnaie mitbringen müssen. Das hat sich übrigens gehalten: Obwohl das Dienstanzüge sind, zahlen die Offiziere der Bundeswehr ihre Uniformen selbst, sieht man von einem Garderoben-Zuschuß von stolzen 15 Euro im Monat ab.

Beide Eltern flattern brieflich um HG herum. Gertrud: »Hier kommt frische Wäsche. In den Karton packst Du Dein schmutziges Zeug, eine frankierte Paketkarte lege ich dazu, den Bindfaden kannst Du wieder verwenden.« Kurt: »Wenn Du meinst, Du seist dem Unteroffizier L. ›über‹ und Du würdest ihm als Vorbild hingestellt, so wird das keineswegs die Kameradschaft fördern. Vorbilder sind einem gewöhnlich unangenehm. Also Vorsicht!« Gertrud: »Schläfst Du oben oder unten« – im Etagenbett – »und kannst Du Deinen Koffer vielleicht unters Bett schieben?« Kurt: »Du solltest den Major ruhig bitten, Dich vom Stalldienst zu befreien« – HG muß täglich zehn Pferde putzen. Gertrud: »Hoffentlich haben Deine Kameraden eine gute Kinderstube.« So sieht das aus, wenn man den Sohn »in die Selbständigkeit entläßt«. Gertrud weiter: »Brauchst Du

Hirschtalg? Bist du durchgeritten? Geh rechtzeitig ins Bett und rauch nicht so viel!" Tatsächlich hat HG auf jedem Foto eine Zigarette im Mund.

Nach knapp vier Wochen ist das Kasernenleben vorbei, und HG bezieht zwei möblierte Zimmer in der Nähe. Die Zimmerwirtin kocht das Essen, Vater Kurt zahlt. Jetzt geht HG morgens zum Dienst wie andere ins Büro, hat seinen Koffer auspacken können und dort Unterhosen und von Gertrud versteckte Kekse gefunden. Er bekommt aus Halberstadt Eimerchen mit Pflaumenmus geschickt und versorgt Gertrud mit Seife, die es in Königsberg noch zu kaufen gibt.

Anfang Oktober 1916 wird HG in Halberstadt zur Musterung bestellt – das war also knapp, und Gertrud ist »doch froh, daß Du schon Soldat bist. Wer weiß, wohin es Dich verschlagen hätte.« Da ist Königsberg schon eine passable Ecke, vor allem, weil die familiären Beziehungen genügend Landgüter und Herrenhäuser in der Umgebung zutage fördern, wo der junge Mann seine Wochenenden verbringt, der gnädigen Frau die Hand küßt und mit dem Hausherrn Enten schießt. Daß HG in der Kaserne beauftragt wird, Remonten (Jungpferde) zu reiten, spricht für seine Sattelfestigkeit, und Ende November, jetzt ist er 18, wird er zum Gefreiten befördert. Gertrud: »Wir freuen uns, daß Du den höchsten Grad der Gemeinheit (!) so schnell überwunden hast. Aber gleich 12 bis 15 Rekruten kommandieren – alle Achtung. Ich möchte Dich mal sehen dabei.«

Kurt ist Ende 1916 von Grodno nach Magdeburg beordert worden, wo er im Range eines Regimentskommandeurs Leiter der neu eingerichteten Kriegsamtstelle wird. Das war ein Instrument des »totalen Krieges«, auch wenn das damals noch nicht so hieß. Dazu muß man wissen, daß die militärische Situation Deutschlands 1916 alles andere als rosig war: die Hölle von Verdun, fünf Monate mörderische Schlacht an der Somme, Verluste in Italien, der Durchbruch Rußlands in der Bukowina, Rumäniens Eintritt in den Krieg, die nichtsnutzige Seeschlacht im Skagerrak, nichtsnutzig deshalb, weil die Deutschen gegen die Engländer taktisch zwar erfolgreich waren – gut fürs reichsdeutsche Ego! –, aber strategisch ging die Metzelei aus wie das Hornberger Schießen. Die Deutschen und ihre Verbündeten hielten sich überall, aber zu welchem Preis!

Am 29. August 1916 übernahmen Hindenburg und sein Erster Generalquartiermeister Ludendorff die Oberste Heeresleitung, und das war im Grunde der Beginn einer Militärdiktatur. Ab jetzt galt in Deutschland der militärische »Belagerungszustand« mit Pressezensur, der Kontrolle von Versammlungen, willkürlichen Verhaftungen und Standgerichten. Verantwortlich waren die Stellvertretenden Generalkommandos, die praktisch die zivile Verwaltung ablösten. Es ging um die Mobilmachung der Heimatfront, und die war in der Tat »total«. Der »Hindenburg-Plan« sah vor, die letzten Reserven an Menschen und Material an den Fronten einzusetzen, und so sollte die kriegswichtige Produktion noch weiter hochgefahren und jeder wehrtaugliche Mann aus den Fabriken in die Armee abgezogen werden.

Ersatz war aus der Bevölkerung zu rekrutieren, und das diesbezügliche »Gesetz betr. Einziehung zum vaterländischen Hilfsdienst während des Krieges« verpflichtete jeden Mann vom 17. bis zum 60. Lebensjahr zum Dienst bei Behörden, zur Arbeit in der Kriegsindustrie, in der Landwirtschaft, in der Krankenpflege, im Transportwesen oder wo immer eingezogene Arbeitskräfte ersetzt werden mußten. Das durchzusetzen, die Energieversorgung nach Möglichkeit sicherzustellen und gleichzeitig für ausreichende Ernährung der Kriegsarbeiter zu sorgen, war Aufgabe der Kriegsamtstellen.

Besondere Aufmerksamkeit wird den Frauen gewidmet, die in den Rüstungsbetrieben nunmehr Männerarbeit leisten sollen. Bei Leuna in Merseburg etwa werden 3000 Frauen »zur Erdbewegung« eingesetzt, in den Sprengstoff-Werken Reinsdorf oder der Munitionsanstalt in Gerwisch arbeiten jeweils 5000. Kurt richtet in seiner Kriegsamtstelle ein eigenes Referat für Frauen ein, das sich um Kinderkrippen, Still-Zeiten, Pausen und »frauengemäße Belastung« kümmert, vor allem aber um die Abwendung sittlicher Gefährdung.

In die Etappe, wo Frauen als Schreibkräfte, Köchinnen, Telefonistinnen arbeiten, damit die Männer an der Front eingesetzt werden können, schickt Kurt ziemlich bald jeweils eine Aufsichts-Frau mit. Die hat darüber zu wachen, daß die Damen nicht ohne Begleitung unterwegs sind und sich nach Dienstschluß in ihren Unterkünften aufhalten. Kurt: »Es hatten sich sehr viele ungeeignete Mädchen beworben, die aus Abenteuer-Lust oder schlechteren Motiven versuchten, in die Etappe zu kommen. Daraufhin wurde disziplinarische Bestrafung und Rücksendung sittlich ungeeigneter Mädchen eingeführt.« Arbeiten sollen sie, aber Spaß ist nicht erlaubt, und in Magdeburg wird zudem akribisch aufgepaßt, daß Etappenhengste sich nicht ihre Freundinnen nachkommen lassen – Kurt gönnt rein gar nichts.

Gertrud ist inzwischen voll beschäftigt mit ihrem Feldgarten, den Ziegen und Kaninchen, jeder Menge Hühnern und seit neuestem mästet sie auch ein Schwein. Der Kutscher ist an der Front, der Hausmeister auch, die kriegswichtigen Angestellten in der Firma, die mal zupacken könnten, sind um die Hälfte reduziert. Sie hat neben den Hausmädchen nur noch einen alten rheumatischen Gärtner, und der Alltag ist bestimmt von Mangel, na gut: Mangel auf hohem Niveau. Gertrud klagt auch nicht, sie erzählt.

Sie bekommt keine Stärke mehr – »was mache ich mit Euren Hemden?« –, sie rebbelt alte Strümpfe auf, um Stopfgarn zu gewinnen –, »in einem Deiner Stiefel muß ein Nagel sein, das Loch ist immer an der gleichen Stelle«, schimpft sie mit HG. Sie will seine Aktentasche haben für Kurt junior, damit sie dessen Ranzen an einen Erstklässler verschenken kann – »man bekommt nirgendwo mehr Schulmappen«. Die zehnjährige Tochter Erika war im Sommer als »tapferes deutsches Mädel« wochenlang barfuß herumgelaufen, weil Schuhe so schwer zu bekommen sind. Im Haus läßt Gertrud Öfen setzen, nur drei für fast dreißig Räume, das ist nicht viel, wo die Halberstädter Winter – damals noch – knallkalt sind, wochenlang minus 10 Grad und drunter. Aber die Kohlezuteilung reicht nicht mehr für die Zentralheizung, und die kupfernen Dachrinnen werden durch Zinkrinnen ersetzt – Kupfer ist kriegswichtig.

HG trabt durch die ostpreußische Hauptstadt, um Kunsthonig aufzutreiben für die Halberstädter Weihnachtsbäckerei, er schickt gelegentlich ein bejubeltes Kommißbrot und ergattert auch mal Königsberger Marzipan, das seine Schwestern zu Hause andächtig mit Messer und Gabel essen. Für den Vater findet er tatsächlich ein Kistchen Zigarren – in Magdeburg oder Halberstadt werden sie inzwischen einzeln verkauft. Im übrigen bemüht er sich auf den Landgütern der Gegend an den Wochenenden um Jagd-Fortune und beglückt die Lieben daheim mit Hasen oder Schnepfen – wie gut, daß die Post immer noch so schnell ist.

Kurt in Magdeburg organisiert einen Fabrikküchen-Ausschuß, der jeden Mittag telefonisch für Klagen der Arbeiter über die Qualität des Werkskantinen-Essens greifbar ist und bei Bedarf an Ort und Stelle kontrolliert. Seit es diesen Ausschuß gibt, werden die Klagen weniger – entweder kochen die Kantinen-Köche besser oder aber, so vermutet Kurt, waren die Beschwerden Ergebnisse »von Hetzern, die Unruhe in der Arbeiterschaft schüren wollten«. Alles zerrt an den Nerven. Die Bevölkerung ist gereizt, weil sich die Stromsperren häufen und es nur noch Steckrüben-Marmelade zu kaufen gibt. Die Militärs reiben sich an den zivilen Beamten. Jeder hat jemanden an der Front, um den er bangt. Selbst in Kurts Kriegsamtstelle werden immer wieder Prüfungen wegen möglicher Felddiensttauglichkeit durchgeführt, besonders die Älteren zittern, daß es sie tatsächlich noch erwischen könnte. Da ist 1916 die Weihnachtsbotschaft Kaiser Wilhelms an die Kriegsgegner Balsam für wunde Seelen. Er bietet Frieden an und gibt, als das Angebot abgelehnt wird, der Bevölkerung immerhin das Gefühl, »an uns liegt es nicht«.

Dieses kaiserliche Friedensangebot war keineswegs unangefochten. In Deutschland ist ein erbitterter Streit entbrannt über die Kriegsziele: »Verständigungsfrieden« einerseits, »Siegfrieden« andererseits. Vor allem Sozialdemokraten und Zentrum wollen »einen Frieden der Verständigung und der dauernden Aussöhnung der Völker. Mit einem solchen Frieden sind erzwungene Gebietsabtretungen und politische, wirtschaftliche oder finanzielle Vergewaltigungen unvereinbar.« Der Kaiser habe in seiner Thronrede zum Kriegsbeginn am 4. August 1914 gesagt: »Uns treibt nicht Eroberungssucht« – und so solle es bleiben. Konservative und National-Liberale dagegen, die völkischen »Alldeutschen« und viele hundert reaktionäre Hochschullehrer, gestützt auf Großadmiral von Tirpitz und den Scharfmacher Erich Ludendorff, verlangen »Lebensraum« für die deutsche Bevölkerung und ein »großgermanisches Mitteleuropa« – Hitler konnte nahtlos anknüpfen.

Kurt, zu Anfang des Krieges noch der Eroberer schlechthin, tendiert in seinen Briefen an HG inzwischen vorsichtig zu einem Verständigungsfrieden, »ehrenwert natürlich und den deutschen Siegen angemessen«. Aber die hohen Verluste an der Front und vor allem seine Erfahrung in der Kriegsamtstelle mit dem Elend der Zivilbevölkerung lassen ihn wünschen, »daß ein gerechtes Ende werde«. Der Ton zwischen Vater und Sohn hat sich verändert. Kurt schreibt an den Junior inzwischen von Mann zu Mann, auch von Soldat zu Soldat. HG ist mittlerweile auf einem Fahnenjunker-Lehrgang in Döberitz bei Potsdam. Endlich erübrigen sich die schwierigen Protokollfragen der Militärhierarchie, hier sitzen Gleichrangige aus ganz Deutschland im selben Boot. HG wird am 20. März 1917 zum Unteroffizier befördert, das geht ja nun wirklich schnell, und in Döberitz schließt er mit einer ganzen Reihe von Jung-Männern Freundschaft, die sich bis in den Zweiten Weltkrieg und in die Kreise des Widerstands hinein hält. Anschließend, und das ist jetzt der Juli 1917, zieht er um zur Schlußausbildung in eine Kaserne nach Tilsit, liegt eine Weile mit schwerer Darminfektion im Lazarett, und dann beginnt für HG der Krieg.

Nach der deutschen Besetzung 1915 war zwei Jahre lang Ruhe gewesen in Kurland – weiß jemand, was Kurland ist? Das liegt im Süden Lettlands und hat etwas mit der Geschichte des Deutschen Ordens zu tun. Jetzt war es der nördlichste

Punkt der Besetzungslinie Bukowina-Rigaer Bucht. Die Stadt Riga war nicht eingenommen, und darum ging es nun plötzlich. Die Oberste Heeresleitung mußte an der Ostfront den Rücken frei bekommen, seit die USA im Frühjahr 1917 in den Krieg eingetreten waren. Also sollte ein Separatfrieden mit Rußland her, das ohnehin geschwächt war. Einmal hatte dort im März eine erste Revolution den Zaren Nikolaus hinweggefegt, zum anderen erlaubte Ludendorff drei Tage nach der amerikanischen Kriegserklärung dem Mann, der sich Lenin nannte, aus der Schweiz quer durch Deutschland nach St. Petersburg zu reisen. Der und seine bolschewistische Revolution, so Ludendorffs Plan, sollten Rußland vollends destabilisieren und der Frieden den Deutschen wie ein reifer Apfel in den Schoß fallen.

Vor einem Friedensvertrag will Ludendorff schnell noch Riga und die Inseln vor der Bucht einsacken – das geht schon mal in die richtige Richtung, St. Petersburg liegt um die Ecke. Die erfolgreiche Schlacht um Riga dauert vom 1. September bis zum 5. September 1917 und ist HGs erstes Gefecht. Der ferne Vater schreibt mit einer gewissen Sehnsucht: »Wie freue ich mich für Dich, daß Du dabei sein kannst. Daß Du in eine solche nette Zeit hineinkommst« – er meint tatsächlich den Kampf – »gönne ich Dir von Herzen. Das ist ja das Schönste, was einem jungen Kavalleristen passieren kann. Aber denke dran, daß bei allem Schneid und Wagemut kein unnötiges Sich-aufs-Spiel-Setzen vorkommen soll. Hauptsache ist bei dem Erkunden der Kavalleriespitzen, daß Meldungen richtig zurück kommen, und dieser Zweck wird nur erreicht, wenn der Führer sich nicht unnützerweise abknallen läßt.« Wo er recht hat, hat er recht.

Abknallen läßt HG sich nicht, aber schon am zweiten Tag wird er verwundet. Ihn trifft ein Schulterdurchschuß, abgemildert durch den Umstand, daß die Kugel zunächst sein Fernglas zertrümmert. HG paßt diese Verwundung gar nicht. Endlich ist Krieg, und er fällt gleich zu Anfang aus. Er will schnellstens zurück zur Truppe, weil er sonst wieder mal das

Gefühl hat, das Leben gehe an ihm vorbei. Mutter Gertrud und Schwester Annie machen sich sofort auf den Weg ins ferne Tilsit, wo der junge Krieger im Lazarett liegt, Kurt zeigt brieflich Mitgefühl: »Schade, daß sie Dich so schnell erwischt haben. Denn der geschlagenen 12. Armee« – der russischen – »so als Kavallerist auf den Fersen zu bleiben, ist eine famose, wenn auch rasend anstrengende Aufgabe.« Immerhin schreibt er dann: »Ich danke Gott, daß er Dich so gnädig beschützt hat.«

Keine drei Wochen danach bekommt HG das Eiserne Kreuz II. Klasse – entweder wird das im Fortgang des Krieges inzwischen inflationär verteilt, oder der Junge hat sich bis zu seiner Verwundung tatsächlich in der Schlacht hervorgetan. Die Eltern sind jedenfalls stolz, Vater Kurt ein bißchen spitz: »Ich habe viel länger darauf warten müssen.« Aber er war schließlich auch nur in der Etappe. »Du hast ganz recht«, schreibt er mit einem Anflug von Bedauern, »ich bin nie so toll im Feuer gewesen.«

Was geht bloß vor in diesen Männern? In fast jedem Brief ist die Rede davon, daß jemand aus dem Freundeskreis oder aus der Familie gefallen ist. Drei der Vettern, mit denen HG aufgewachsen ist, sind tot. Einer von ihnen hat in Flandern vorausgesehen, daß er die Schlacht bei Ypern nicht überleben wird, und ergreifende Abschiedsbriefe an seine Eltern hinterlassen: »Hoffentlich bleibt mir ein allzu schwerer Todeskampf gnädig erspart. Schade nur, daß der Tod so bald eintreten muß, nachdem das Leben seit meiner Offiziersbeförderung angefangen hat, wirklich schön zu werden. Trauert nicht um mich, denn Ihr könnt auch nicht wissen, wozu mein früher Tod gut gewesen ist. Lebt wohl, Gott schütze Deutschland und tröste Euch über Euren Schmerz.« Vetter Albrecht war 21 Jahre alt.

Kurt schreibt über die Beerdigung eilig in zwei Absätzen – »es hat mich tief ergriffen«, um dann übergangslos »noch zwei Notizen« anzuhängen: »Man ißt jetzt hier im Excelsior-Hotel sehr gut« – Kurt ist in Berlin – »Suppe, ein Gang und Speise für vier Mark. Ich war überrascht, wie gut das Essen war. Dann habe ich eine neue kleine Weinstube kennen gelernt, ›Pfuhl‹ in der Königgrätzer Straße, am Eingang steht ein grünes Schild ›Naturreine Weine‹. Sehr zu empfehlen.« Was mache ich mit einem solchen Brief? Schlimmer: Was macht HG damit? Er hat den Vetter geliebt! Oder das hier: »Wie ist es denn jetzt mit der russischen Artillerie, schießen die jetzt auch mit Gas-Granaten? Wir haben da ja jetzt prachtvolle neue Dinger, die uns in Flandern sehr gut genützt haben.« Das schreibt derselbe Mann, der sich darüber empört hatte, daß die »perfiden Engländer« Dumdumgeschosse verwenden.

Acht Wochen – September/Oktober 1917 – steckt HG im Stellungskrieg an der Düna. Viel später wird er sagen, das sei »eklig gefährlich« gewesen, und »ich wundere mich immer noch, daß ich da heil rausgekommen bin«. Jetzt schreibt er: »Jede Nacht kommen irgendwelche Polski-Trupps und wollen uns überfallen. Im Großen und Ganzen freue ich mich aber kolossal, noch so viel Krieg mitmachen zu dürfen, nur wäre mir ein großer Krieg bedeutend lieber als diese Rumkriecherei in Wäldern und Sümpfen.« Zur Erholung wird HG danach mit acht Leuten irgendwo ins Hinterland von Wilna in den Wald geschickt und übt dort, Vorgesetzter zu sein. »Bandenbekämpfung in Litauen« steht für diese Zeit in seinen Militärpapieren, aber davon sieht und hört er nichts. Er ist inzwischen 19, und er langweilt sich zu Tode, weil sich nichts tut außer Pferde putzen.

Gertrud versucht, ihn zu trösten: »Du hast doch gleich zuerst solch fröhliches (!) Stück Krieg erlebt und bist so gnädig behütet worden!« Natürlich ist sie erleichtert, daß die Gefahr einer weiteren Kugel für ihn erst mal gebannt ist, und fröhlich schwatzt sie ihre mütterliche Fürsorge aufs Papier: »Kerzen bekommst Du, aber denk an Deine Augen und lies nicht bei zu trübem Licht. Versuch bitte, Dich dem Trinken zu entziehen. Und paßt Du auch auf Deinen Darm auf – mit so was ist nicht zu spaßen. Hüte Dich vor schlechtem Wasser!« Daß HG Wölfe jagt, erschreckt sie ein bißchen, »aber Du bist ja ein guter Schütze«.

Die Langeweile vertreibt sich HG mit beinahe täglichen Briefen nach Hause, und wenn es nach ihm ginge, so lese ich da, dann sähe die Politik ganz anders aus. Kurz vor Weihnachten 1917 beginnen die Friedensverhandlungen von Brest-Litowsk, und HG wütet: »Kühlmann ist doch ein Weichling erster Klasse.« Richard von Kühlmann, Chef des Auswärtigen Amts, vertritt dort die deutsche Seite und versucht – vergeblich – gegen den Widerstand Ludendorffs, die Zeit nach dem Krieg im Blick zu behalten, wo man Rußland als Partner noch brauchen würde. »Verräter an der deutschen Sache«, beschimpft ihn HG, »Kühlmann ist der einzige Mensch, den ich mit Vergnügen an den nächsten Baum stellen lassen würde, obgleich eine ehrliche (!) deutsche Soldatenkugel eigentlich noch viel zu schade dazu ist.«

Kurt, wirklich ein geduldiger Vater, antwortet auf drei engbeschriebenen Seiten, wenn auch mit mildem Spott: »Leute, die auf dem Berge stehen, sehen in der Regel weiter als die im litauischen Tale hocken. Und so kannst Du ruhig annehmen, daß Kühlmann und die ihm Anweisungen geben, einen besseren Gesamtüberblick haben.« Er erklärt dem Sohn die prekäre Lage Deutschlands trotz früherer militärischer Erfolge und bekennt: »Noch hoffe ich auf einen einigermaßen günstigen Verständigungsfrieden.« Zum Schluß mahnt er den Naseweis: »Durchhalten ist in Deinem litauischen Nest da draußen leichter als hier in Deutschland.«

Das ist wohl wahr. An einem weiteren Etappen-Ort – Gut Dobuski, das ich auf keiner Karte gefunden habe – ist HG mit einem Leutnant und drei weiteren Unteroffizieren für 30 Soldaten zuständig, und auch hier keine »Banden« weit und breit. Dafür »wache ich gewöhnlich um acht Uhr auf, wenn Armutat meine Stiefel holt« – das ist sein »Putzer«, wohl so etwas wie ein Pferdepfleger, aber seine Funktion scheint die eines Burschen zu sein. Der Junge »knallt seine Hacken zusammen, flüstert ›Herr Junker befehlen?‹, schürt das Feuer im Ofen und bringt heißes Wasser. Dann stelle ich ein furchtbares Geplansche vor meinem von Armutat gebauten Waschtisch an, so daß die beiden Bauernmädchen von nebenan meinen Putzer schon ganz erstaunt gefragt haben, ob ich mich denn jeden Tag wüsche.«

Danach frühstückt der junge Herr – »Milch, Eier, Wurst und Brot – der Leutnant schläft noch. Von 10 bis 11 ist gewöhnlich Fußdienst, da habe ich jetzt einen Halbzug zugewiesen bekommen, mit dem ich ganz allein herummanövriere und mich im Kommandieren übe. Um halb zwölf essen wir zu Mittag, und zwar Feldküche, die großartig ist. Nach Tisch versinken der Leutnant und ich in die tiefen Polstersessel im Wohnzimmer (wo die herkommen, wissen die Götter!) und erwarten rauchend den Postreiter. Dann reite ich ein bißchen – es sind 20 Grad minus draußen – oder laufe Schneeschuh bis zum Tee um vier Uhr. Nachher wird geschrieben oder gelesen bis zum Abendbrot um sieben Uhr. Heute abend haben wir Karbonade mit Bratkartoffeln, gestern gab es Rührei. Getrunken wird wieder Milch. Um halb neun empfehle ich mich und gehe zu Bett, während der Leutnant noch bis tief in die Nacht liest.«

Das ist ein Drohnenleben verglichen mit dem wahrhaft mörderischen Dienst der Truppe im Westen oder dem Überlebenskampf der geschundenen Bevölkerung zu Hause. So sieht das auch HG. Zwar hat er zweimal in der Woche Nachtdienst und muß angezogen schlafen. Er reitet ab und an nächtlich auf Patrouille in andere Dörfer, wo sie Häuser und Ställe nach »Banden« durchsuchen und die Bewohner mit ihren Karabinern erschrecken. Gelegentlich gibt es unerwartet angesetzte Übungen, bei denen es darauf ankommt, in Windeseile marschbereit zu sein, aber eine sinnvolle Beschäftigung ist das alles nicht. HG hat sich seine Schulbücher schicken lassen und lernt wieder Englisch und Geschichte. Er studiert militärische Fachliteratur und liest mehrere Zeitungen, seit ihm Kurt geschrieben hat, seine unreifen politischen Ansichten entstünden aus Mangel an Information. Doch das reicht ihm nicht – er fühlt sich überflüssig.

Am 8. Februar 1918 schreibt HG an Kurt: »Ich fühle die

Kraft in mir, etwas zu leisten. Im Westen erwirbt sich einer meiner Döberitzer Kameraden nach dem anderen das E.K.I, und ich bin zur Untätigkeit gezwungen. Ich glaube, Vater, ich halte das nicht mehr allzu lange aus. Meine erste Begeisterung und mein erster Blutdurst (!) sind gestillt, so was verschwindet merkwürdig rasch, durch die erste Feuertaufe schon. Sie haben der ruhigen, vernünftigen Überlegung Platz gemacht, daß, wo Kraft vorhanden ist, sie auch ausgenutzt werden muß. Die 1. Kavallerie-Division« – HGs Regiment – »bleibt aber unwiderruflich hier als Polizei-Truppe bis zum Friedensschluß, da sie die meisten litauisch und polnisch sprechenden Unteroffiziere und Mannschaften hat.«

»In den nächsten Wochen muß es sich entscheiden, ob mit Rußland der Krieg noch mal beginnt. Sollte das nicht der Fall sein, hättest Du dann grundsätzlich etwas dagegen, daß ich mich zu einem anderen Regiment im Westen melde? Ich werde in den nächsten Tagen Fähnrich werden. Die Offiziersbeförderung könnte sofort erfolgen, sobald ich mich mit ihr gleichzeitig versetzen lasse. Es würde mir schwer werden, mein jetziges Regiment, dem ich nun schon über anderthalb Jahre angehöre, zu verlassen, aber sentimentale Gefühle darf man mit dem großen Zweck im Auge nicht aufkommen lassen. Ich denke im stillen schon an ein bestimmtes Regiment, das an einer Stelle liegt, wo es leicht wäre, sich auszuzeichnen, noch leichter seine Pflicht zu tun. Aber erst bitte ich natürlich um Deine Ansicht.«

Der weiß doch, was auf ihn zukäme. Das eigene Leben riskieren für ein lächerliches Stück Blech, das hier in der litauischen Pampa nicht zu holen ist? Da sind die Vettern gefallen, sein Lieblingsfreund aus der Junkerschule in Döberitz, Horst von Rosenberg, dessen Tod HG fürchterlich umtreibt. Trotzdem steht bei ihm dann immer wieder dieser blödsinnige Satz »Dulce et decorum est pro patria mori« (süß und ehrenvoll ist es, fürs Vaterland zu sterben). Das ist schon bei Horaz Quatsch. »Decorum« – ehrenvoll – mag ja sein. Vielleicht. Aber dulce – süß? Seit wann ist es süß, auf einem regennassen, durchgepflügten Schlachtfeld an einem Bauchschuß zu krepieren? HG setzt noch einen drauf. »Der Glückliche!« steht in solchen Fällen in seinen Briefen. Der spinnt. Aber Kurt war ja genauso.

Jetzt nicht mehr. Jetzt horcht er aus HGs Pflicht- und Kraft-Gedröhn heraus, was der Junge eigentlich will: Litzen, Spangen, Ärmelstreifen. Und das erlaubt er ihm nicht. Er könne ihm nachfühlen, daß er das E.K.I erwerben und bald Offizier werden möchte. Aber: »1. zweifelt niemand an Deinem Mut und an Deinem Diensteifer. Du hast das bei Riga und nachher bewiesen. 2. Das E.K.I ist ein erstrebenswertes Ziel, aber nicht so sehr, daß dahinter alle anderen ruhigen Erwägungen zurücktreten dürfen.« Bravo, Kurt.

»3. Du hast bei Deinem Regiment durch Dein Blut bewiesen, daß Du Dein Leben für's Vaterland zu geben bereit bist. Wenn Dein Regiment wieder eingesetzt wird, dann wirst Du es wieder tun, und wenn Gott es so will, dann werden wir Eltern uns Seinem Willen beugen und selbst das Schwerste tragen. Wenn ich mir aber vorstelle, daß ich Dir meine Einwilligung gegeben hätte, Dich ohne jede Notlage (!), ja ohne moralische Notwendigkeit dem jetzt bevorstehenden Kampf im Westen, der furchtbar werden wird, auszusetzen und Dir passierte etwas, Du würdest vielleicht zum Krüppel, vielleicht blind geschossen, dann würde der Gedanke, daß ich das hätte verhindern können, mich nie zur Ruhe kommen lassen. 4. Bedenke nur immer, lieber Junge, daß Du nicht Berufssoldat bleiben wirst, sondern daß Dich noch eine sehr große und auch schöne Aufgabe bei der alten Firma Deiner Väter erwartet, die Du nicht im Stich lassen darfst.«

Muß ich mich jetzt empören, weil der Vater den Elternwunsch vor den Wunsch des Sohnes stellt? Als HG Kind war, ging das ähnlich: »Du sollst Deinen Eltern Freude machen.« Muß ich wüten, daß er HG die militärische Karriere vermasselt, aber eben auch seinen möglichen frühen Tod? Ich bin jetzt mal nett und behaupte einfach, daß Kurt sich etwas dabei gedacht hat, als er HG sagte, deine Meldung auf die Schlachtfelder im Westen ist nicht gut für uns, die Eltern. Hätte er gesagt, HGs hirnrissige Idee sei nicht gut für ihn, den Sohn, hätte das Bürschchen endlos darauf herumgeritten, daß er schließlich erwachsen sei. So hat er dem Vater gehorcht, wie immer. Ich finde das in Ordnung. Und auch noch weitsichtig. Denn wenig später geht es tatsächlich »los« im Osten. Die Baltendeutschen, seit Kriegsbeginn von Rußland drangsaliert, werden befreit, erst die russische Armee, dann Lenins rote Garden geschlagen. Und HG ist dabei und wird endlich Leutnant. Aber vorher muß noch anderes erzählt werden.

Daß HG die Familie zu Hause mit Lebensmitteln versorgt zum Beispiel. Mit seinem Putzer Armutat streift er über die litauischen Dörfer und kauft, was er kriegen kann. Zu Gertruds Geburtstag Ende Januar kommt eine Kiste mit Kalbfleisch, einer Gans, Butter, Kommißbrot, Mehl, Tee und Dörrgemüse. HG lernt es und hat dafür meine volle Bewunderung, Eier so zu verpacken, daß sie fast immer heil bleiben. Er wickelt 30-Pfund-Schinken und ganze Speckseiten in fabrikneue Scheuertücher und alte Kopfkissenbezüge und schießt mit einer erbeuteten Jagdflinte Hasen, die auch des Fells wegen in Halberstadt begehrt sind.

Land und Leute lernt HG kennen auf seinen Patrouillenritten: »Gestern geriet ich in eine Leichenfeier. Die Leiche, eine alte Frau, lag in der sauber ausgefegten Stube aufgebahrt. Drumherum standen vier sauber weiß gedeckte Tische mit den erlesensten Speisen – Schinken, Speck, Kartoffeln, Kapuste (Sauerkraut), Brot, Butter u.s.w. Dazu gab es Alaus, das ist ein fabelhaftes selbstgebrautes Bier. Ich mußte mehr davon trinken, als mir lieb war, denn es enthält sehr viel Alkohol und ist von entsprechender Wirkung. Alle Panjes kamen mit tiefer Verbeugung und ihrem ›Nastroviak, Pani!‹ auf mich zu. Überhaupt schoben sie mir ganz gegen meinen Willen so eine Art Vorsitz bei der Feierlichkeit zu, während sie meine drei Dragoner kaum beachteten. Komisches Volk.«

»Zum Schluß kam der Leichenkuß, gegen den ich mich aber entschieden sträubte, was glücklicherweise auch ihr Verständnis fand; und der allgemeine Trosteskuß, den ich zum Teil mitmachte, weil eine Menge sehr niedlicher Paninkas da war. Dann wurde die Leiche unter fürchterlichem Klagegeschrei auf den Schlitten gelegt und der Kirchendiener brauste allein mit ihr los. Alles andere fing sofort zu tanzen an. So ein richtiger Krakowiak ist doch was ganz anderes als unsere deutschen Tänze; das klickt und klackt, klatscht und klirrt, daß es eine Freude ist. Die Mädels sahen ganz reizend aus in ihren bunten Kostümen. Wir germanski soldieri waren natürlich gesuchte Tänzer, und auch ich, ›pan Unteroffizier‹, mußte oft genug dran glauben, obgleich ich mit den einfachen Panjes eigentlich nicht gern tanze, weil es die Disziplin schädigt.«

Die Disziplin – gemeint ist wohl das Fraternisierungsverbot für die deutschen Truppen. Warum eigentlich, wenn das doch alles deutsches Gebiet bleiben soll? HGs Disziplin im Hinblick auf Mädchen ist ohnehin ein heikles Thema: »Auf einer Patrouille in tiefem Schnee entdeckte ich in einem Waldwärterhäuschen eine ganz märchenhaft hübsche saubere Polenjungfrau, die sehr nett zu mir war. Stellenweise ist es allerdings fast nicht mehr schön, wie sich die Weiber hier an unsereinen herandrängen in ihrer einfachen, tierischen Not nach dem Manne!«

Das hätte er wohl gern, und es würde ihm sicher gut gefallen, den Wohltäter zu spielen. Vater Kurt ahnt den Tripper: »Nun habe ich die Stelle auf der Karte gefunden, wo Du die Gegend nach hübschen Polenmädchen abpatrouillierst. Daß Du dabei eine ›saubere‹ gefunden hast, nimmt mich Wunder. Oder meinst Du das nicht im buchstäblichen, sondern im übertragenen Sinne des Wortes? Ich habe eine reingewaschene Polenjungfrau meines Erinnerns nicht getroffen. Im übrigen sieh Dich bloß vor! Ich habe traurige Sachen gesehen, während ich draußen war. Na, darüber weißt Du ja Bescheid.«

»Männlicher Druck« macht dem jungen Mann zu schaffen. Er betreibt Sport, nimmt kalte Bäder, reitet bis zur Erschöpfung und schreibt dem Vater: »Du wirst doch auch aus Erfahrung wissen, daß in meinem Alter der Körper dringend solche Ablenkung gebraucht, und auch so verlangt er noch oft genug schreiend nach Entspannung.« Das ist dem vielbeschäftigten Vater denn doch eine geklaute Bürostunde wert, und er antwortet: »Deine körperlichen Nöte verstehe ich vollkommen und kann sie Dir nachfühlen. Sie werden gesteigert durch das reichliche Essen und dadurch, daß Du keine ausreichende Beschäftigung hast.«

»Ich habe in Deinen Jahren die Erfahrung gemacht, daß man durch Umgang mit jungen Mädchen aus guten Kreisen am leichtesten in der Enthaltsamkeit in venere« – im Fleische – »unterstützt wird. Dabei spielen auch die Freuden in bacho eine entscheidende Rolle. Mußt Du noch so viel trinken? Das sollte mir leid tun, denn das Trinken regt den Körper auch mächtig auf. Gute Lektüre unterstützt die Gedankendisziplin wesentlich. Turnen und Sport allein tun's nicht. Auch Ablenkung der Gedanken von allem Erotischen ist nötig. Dann kommst Du über solche Anfechtungen hinweg, die auch den heißblütigen Luther heimsuchten und ihn zum Tintenfaßwurf gegen den Versucher veranlaßten. Für den Körper ist Enthaltsamkeit in venere keinesfalls schädlich; da helfen schon die natürlichen Pollutionen. Also sei auch in dieser Beziehung tapfer und stark. Du wirst dann später um so dankbarer sein, wenn Du Vater einer gesunden Kinderschar sein wirst, was Gott mich noch erleben lassen wolle. Herzlichst – Dein Alter, der Dir immer ein Freund sein will.«

Kurt geht ein auf den Junior so wie früher bei den gesprächigen Morgenritten. HG fragt Anfang Januar: »Wovon leben wir eigentlich jetzt, Vater? Du gibst doch sicher monatlich Hunderte aus, Mutters Ausgaben gehen sicher in die Tausende, und mir gibst Du auch noch 300 monatlich. Von Deinem Rittmeistergehalt geht das nicht, und wie ist es mit dem Geschäft? Wirft das in diesen schweren Zeiten überhaupt etwas ab? Kann die Fabrik noch arbeiten?« Sechs Tage später ist die Antwort da, diesmal vier eng beschriebene Doppelbögen – Kurt hat sich Zeit genommen.

Nein, in der Tat wäre das Leben der Familie, die Gehälter der Firmen-Angestellten, die Kosten für den immer noch vorhandenen Fuhrpark, Lagerkapazitäten, Silos und zahlreiche Latifundien nicht von dem Rittmeistergehalt zu bestreiten. Kurt hat bei seiner Rückkehr nach Deutschland alle Auslandszulagen verloren, es gibt keine Spesen mehr, die Wohnung in Magdeburg muß er selbst bezahlen und sich selbst ernähren. Aber die Firma blüht und gedeiht. 127 Jahre gibt es die jetzt schon, und sie macht erhebliche Gewinne dank der tatkräftigen Leitung von Kurts Schwager Heinrich Schulz, der verheiratet ist mit Gertruds Schwester. Kurt hatte ihn noch kurz vor dem Krieg zum Gesellschafter gemacht: »Ein Prokurist hätte nie das leisten können, was er als Teilhaber geschafft hat.«

Kurt listet sein erhebliches Vermögen auf, die Beteiligungsverhältnisse in der Firma, die Gelder von Mutter Gertrud, die nicht zu knapp im väterlichen Bankgeschäft Gewinne machen. Er erklärt dem Sohn, wie das Erbe für dessen Geschwister dermaleinst zu finanzieren ist, listet Steuerbelastungen und Abschreibungen, stille Reserven und Kapitalinvestitionen auf – der Vater behandelt den sehr jungen Sohn wie den Partner, der er einmal werden soll.

So ist Kurt mit seinem Sohn. Auch. Er sagt nie, »das geht dich nichts an«, oder »red nicht von Dingen, von denen du nichts verstehst«. Er möchte, daß HG versteht. Er ist nicht ungeduldig, auch nicht hochmütig gegenüber diesem naseweisen Kerlchen im fernen Litauen. Während etwa der Vater Verständnis hat für die Erschöpfung der kriegsmüden Bevölkerung, kräht HG Beifall, als in Berlin Streikende zusammengeschossen werden: »Hoffentlich bleibt die Regierung hart. Die sollen doch mal sehen, wer hier Herr im Hause ist!« Antwort Kurt: »Und wer baut das Haus? Außerdem, mein lieber Junge, hast Du noch nie gehungert.« HG schämt sich sofort: »Vielleicht sehe ich das von hier aus nicht immer richtig.«

HG mit »Lenin« und »Trotzki«

VIER

PLÖTZLICH WIRD ES HEKTISCH FÜR HG. Am 10. Februar 1918 hatte der russische Unterhändler Leo Trotzki die Friedensverhandlungen in Brest-Litowsk abgebrochen. Ludendorff nahm das zum Anlaß, die lang gehegten Pläne zur Eroberung Estlands und Livlands durchzuführen, offiziell um die Baltendeutschen aus den Fängen der Roten Armee zu befreien, aber eigentlich weil er die Gebiete immer schon haben wollte – Petersburg liegt von der Narowa-Mündung knappe 150 Kilometer entfernt. Was ist denn nun schon wieder Livland? Ich weiß es inzwischen – Livland gibt es offiziell nicht mehr, es liegt an der Ostseeküste, war ganz früher deutsch, dann polnisch, auch mal schwedisch und ab 1721 friedliche 200 Jahre lang eine der russischen Ostsee-Provinzen mit der Hauptstadt Riga. Nach dem Ersten Weltkrieg wurde es zwischen Lettland und Estland aufgeteilt.

Hier also soll die 8. Armee vorstoßen und zwar schnell. Für den Fall, daß die Friedensverhandlungen wieder aufgenommen werden, wollte Ludendorff auf Nummer Sicher gehen, und was man hat, das hat man, nicht wahr? »Es wird großartig werden«, freut sich HG und legt alle Versetzungswünsche nach dem Westen ad acta. Er ist Fähnrich der Kavallerie geworden und macht sich flugs als Vorgesetzter ans Werk. In elf Tagesmärschen von 50 Kilometern in tiefem Schnee schaffen sie die Strecke von Riga bis zum Finnischen Meerbusen – »daß die Pferde das ausgehalten haben, ist fast unbegreiflich«. Der ganze Vormarsch »verlief für uns« – schreibt HG – »ohne jeden Zusammenstoß mit den Russen, die immer dicht vor uns ausrissen. Bis auf vorgestern«. Mit einer starken Patrouille, zehn

Mann, überrumpeln sie in einem Dorf eine ganze russische Schwadron. 40 Offiziere und 72 Mann mit allem Zubehör werden entwaffnet und gefangengenommen. »Als wir mit der Verhaftung beinahe fertig waren, kam eine russische Offizierspatrouille über die Brücke geritten, gänzlich ahnungslos.«

HG tut, was er gelernt hat: «Auf 30 Schritt rief ich den Offizier an: ›Stoi!‹ Das dumme Gesicht von dem Mann hättet ihr sehen sollen, es war zum Malen! Aber er war doch nicht so feige wie die anderen, sondern nach einem Augenblick der Überlegung riß er sein Pferd herum und zog dabei die Pistole, um sich mit mir zu verunreinigen (!). Darauf hatte ich bloß gewartet, und schon knallte meine gute Parabellum zweimal, worauf er links vom Sattel sank, aber vom Pferde noch über die Brücke zurückgeschleift wurde. Dort fanden wir ihn, es war der Rittmeister, beide Kugeln hatte er in der linken Lunge. Der erste Mensch, den ich bewußt getötet habe; Krieg!«

Es gibt nie wieder einen Hinweis auf dieses Ereignis. Nicht von HG, und auch Kurt und Gertrud gehen mit keinem einzigen Wort darauf ein, es sei denn, man will Gertruds Satz – »wir freuen uns mit Dir an Deinen vielen herrlichen Erlebnissen« – als Kommentar verstehen. Niemand moniert den unsäglichen Ton, niemand verbittet sich diese präpotente Attitüde – als habe HG hier nicht einen Menschen getötet, sondern irgendwas – ja, was denn? Er hat eine Trophäe geschossen, einen Zwölfender, aber jeder Jäger bezeugt dem erlegten Tier mehr Respekt.

In HGs Brief geht es übergangslos weiter: Er habe sich aus der Beute einen Regenmantel und mehrere Paar Strümpfe gesichert, denn als sie nach Riga verladen wurden, sei der Offiziersgepäckwagen ausgeraubt worden, und nun habe er gar nichts mehr anzuziehen. Im Ton wird der Junge wieder zivilisiert, und nur daraus kann ich schließen, wie ihn dieser Tod des russischen Offiziers beutelt und daß er sich nur mit Unflätigkeit davor retten kann. Und niemand spricht mit ihm. Niemand hilft ihm aus dieser gottverdammten »Männlichkeit«. Es wird noch mehr Tote geben in HGs Leben, an deren Sterben er beteiligt ist. Aber nur einen Tod wird er an sich heranlassen.

Im Norden Estlands werden die Soldaten mit einem Wald deutscher Fahnen und großem Jubel empfangen – »willkommen, ihr deutschen Befreier!« Das müssen Bilder gewesen sein wie beim Einmarsch Hitler-Deutschlands 20 Jahre später in Wien. Die baltischen Ritter, in deren Schlössern und Gütern die Deutschen Quartier beziehen, erzählen von furchtbaren Greueltaten der Roten Garden, und Gertrud in Halberstadt maltraitiert wieder Schubert am Harmonium, »Nun muß sich alles, alles wenden!« Sie ist mindestens so begeistert wie ihr Sohn: »Ein Glück, daß den Russen noch mal ordentlich gezeigt wird, mit wem sie es zu tun haben.«

Das findet HG auch, aber noch mehr bewegt ihn die Begeisterung in der baltischen Bevölkerung – er, der kleine Soldat, plötzlich in der Rolle des Heilsbringers: »Man lebt hier vollkommen in Deutschland unter Deutschen, und das gilt auch für die Esten, die wie Deutsche sind bloß mit einem unverständlichen Dialekt. Es wäre der schwerste Fehler und zugleich die denkbar größte Gemeinheit und Frivolität, wenn die deutsche Regierung aus irgendeiner Gefühlsduselei gegenüber Rußland diese treuen, deutschgesinnten Menschen, die seit Jahrzehnten nach deutscher Herrschaft und deutscher Fürsorge gehungert haben, wieder von sich stoßen wollte, nachdem ihnen die Erfüllung ihrer Wünsche so nahe schien.« HG beschwört die Lieben daheim: »Du kannst hier fragen, wen immer Du willst, kannst es auf estnisch, lettisch, deutsch und russisch hören: bloß keine Selbständigkeit! Wir wollen ganz zu Deutschland!« Er kann sich gar nicht beruhigen. Die »idealen Deutschen« erlebe er hier, denn »so etwas von Liebenswürdigkeit, Gastfreundschaft und Hilfsbereitschaft, Berufstüchtigkeit und Liebe zum fernen Vaterlande wird man bei uns bei wenigen Menschen vereint finden!«

Gertrud strahlt mit: »Voller Begeisterung stürzt man sich täglich auf den Heeresbericht. Was sind das für große herrliche Tage, daß Ihr den Deutschen dort die Freiheit bringt.« Nur Kurt ist zurückhaltender: »Du schreibst, daß alle dort, auch die Esten und Letten, den Anschluß an Deutschland wünschen, und ich glaube auch gern, daß sie Dir nichts anderes sagen werden. Aber im neutralen Auslande hört man von estnischen und lettischen Vertretern, daß die meisten Menschen im Land ein autonomes Staatsgebilde wünschten. Also lassen wir die Sache erstmal etwas abklären, denn jetzt kann man noch gar nicht urteilen.«

Von Abklären ist bei HG nicht die Rede. Die Deutschen etablieren eine Zivilverwaltung, und plötzlich findet sich der junge Mann in einer ähnlichen Rolle wieder wie sein Vater in Grodno. Die Russen haben bei ihrem Abzug alle Akten und die Stadtkasse des Städtchens Arroküll mitgenommen, und HG sitzt hinter einer Bürotür im Schloß, auf der unter der Bezeichnung Ortskommandantur Abt II angeschlagen steht, was er alles bearbeitet, oder vielleicht muß man sagen, bearbeiten sollte: Waffenscheine, Beute, Maschinen, Forstwirtschaft, Ernährung der Landeseinwohner, Verteilung der Vorräte, Ordnungspolizei, Sanitäre und Veterinäre Angelegenheiten, Nachrichtendienst. Ob das Kurt nicht vertraut vorkomme, fragt der Sohn und findet: »Jedenfalls bin ich ziemlich unentbehrlich.« Kurt lakonisch: »Dümmer wirst Du davon nicht.«

Die Deutschen richten sich ein auf eine längere Zeit am Ort, zumal der Frieden von Brest-Litowsk im März 1918 nach strapaziösem Hin und Her schließlich unterschrieben worden ist. Erwartungsgemäß gingen Livland und Estland, Litauen sowieso, für Rußland verloren. Die Russen hatten den Knebelvertrag unterzeichnet, weil Lenin im eigenen Land den Rücken frei haben wollte für die Revolution und er im übrigen erwartete, daß dieses Vertragswerk bei der Schwäche der Deutschen und Österreicher sowieso nicht lange Bestand haben würde. Damit lag er nicht falsch. Doch niemand hatte auf der Rechnung, wie chaotisch sich die russischen Verhältnisse gestalten würden, und so gibt es – anders als in Litauen – jetzt tatsächlich Banden von Jugendlichen, die sich »neurevolutionäre Armee« nennen und die deutschen Soldaten beschäftigen. HG kann seinen Grundkurs in Verwaltung erstmal aufgeben und lauert wie alle anderen in voller Montur irgendwo im Schnee:

»Wir warten, um die ›neurevolutionäre Armee‹, wenn sie sich etwa dumm benimmt, gehörig zu empfangen. Genügend Stricke halten wir auch schon bereit, denn von diesen Friedensbrechern, den Judenlümmels der Roten Garde, wird jeder aufgebaumelt, der das Glück hat, uns in die Hände zu fallen. Vor einigen Tagen baumelten übrigens auch in unserem Dorf drei rote Gardisten, Schwerverbrecher, die einen Gutsbesitzer aufs grausamste gequält und dann ermordet hatten. Schade, daß keine Sonne zum Photographieren war, die Kerls machten sich gut, nebeneinander an dem Ast einer großen Fichte. Jetzt hören wir aber, daß die Bolschewiki sich doch noch besonnen haben, ihre ›Truppen‹ aus der längs der Narowa vereinbarten neutralen Zone zurückzunehmen und sich zur Ratifikation des Friedens bereit erklärten. Damit sparen sie unseren Pferden den Gewaltmarsch nach Petersburg.«

Lasse ich die »Judenlümmel« unkommentiert? Das Wort ist zu dieser Zeit noch nicht das Synonym für Mord und Vernichtung, es ist erst der sich anbahnende Weg dorthin. In HGs halbstarker Überheblichkeit ist der Begriff eine Floskel für die Furcht vor den »anderen«, derer man sich am besten im Schutz des Elite-Denkens in der eigenen Gruppe erwehrt – »Nigger« ist so etwas in Amerika, »Zecken« nennen die rechten Schlägertrupps von heute ihre Gegner. Aber da ist er wieder, dieser Ton. Nicht ganz so schlimm wie beim Tod des russischen Rittmeisters, denn vermutlich wird HG die Männer nicht selbst »aufgebaumelt« haben. Das läßt man Soldaten machen. Doch ich spüre die für HG ungewöhnliche Pöbelei, seinen Versuch, sich das Ganze vom Hals zu halten. Ich spüre die Kraftmeierei und die Angst.

Die verliert sich in HGs normalem Tageslauf, wo er morgens um vier mit baltischen Rittern auf Auerhähne ansitzt und nach einem fürstlichen Frühstück in sein Kommandantur-Büro geht zu Volks- und Viehzählung, Ernährungsplänen für Bevölkerung und Truppe und einem zufriedenen Rittmeister. Mit dem gemeinsam genießt er die Katalogisierung aller Verwaltungsvorgänge – »der ist auch so ein Ordnungsfatzke, der jedes

Schrank- und Regalfach mit einem Etikett bezeichnet«. HG schwelgt in »Tageb.-Nr.« und »Akten-Zeichen«, in Abkürzungen wie »Abw.«, »Fa.«, »Ben«, »Sa«, »Fo«, »Rei«, »Esr« und ähnlich Unverständlichem: »Das habe ich ja von jeher gern gemacht, nur hatte ich in so großem Maßstab bisher noch keine Gelegenheit dazu.« Er ist wirklich der Sohn seines Vaters, die gleiche gradlinige Handschrift, die gleiche Ordnung im Kopf mit erstens, zweitens, drittens. Arme Else! Meine Mutter in ihrem Chaos war umstellt von rechten Winkeln.

Doch Else ist noch nicht dran. Der junge Mann aber, mit dem sie sich knapp drei Jahre später verloben wird, ist nicht mehr der, den ich bis hierhin begleitet habe. Sein Chaos bricht aus am 22. April 1918, da ist HG 19. Drei Tage später schreibt er an Kurt: »Lieber Vater! Durch meinen Rittmeister wirst Du inzwischen schon von dem Vorfall gehört haben, der mich wohl für mein ganzes Leben zu einem anderen Menschen machen wird. Der Tatbestand ist kurz folgender: An Deinem Geburtstage, dem 22. IV. nachmittags, erbot ich mich freiwillig zu einer Patrouille, da ich den ganzen Tag im Büro gearbeitet hatte und mich nun auf einem schönen Spazierritt erholen wollte. Es war die Nachricht gekommen, daß in einem Dorfe durch zwei Deutsche und einen estnischen Soldaten ein Schwein gestohlen war. Ich ritt hin, unterwegs mußte ich aber die beiden Dragoner, die ich mitgenommen hatte, zurücklassen, da sich das Pferd des einen schwer verletzt hatte. So ritt ich denn allein weiter, nur von unserem Dolmetscher Hoffmann begleitet, der ja aber als militärische Kraft nicht in Betracht kam.«

»Am Tatort angekommen stellte ich nach kurzer Zeit die Diebe, zwei deutsche Infanteristen, von denen der eine, der Anführer, angetrunken und deshalb doppelt gefährlich war. Nach meiner ersten Aufforderung, die Waffen abzugeben (Pistole, Seitengewehr, Messer), drohte mir dieser, er werde mich und alle Umstehenden niederstechen und niederschießen, falls ich ihn festnehmen wolle. Ich hatte von da an schon die feststehende Überzeugung, daß er oder ich auf dem Platze bleiben mußte. Trotzdem versuchte ich es noch etwa 3/4 Stunden im

Guten, bis ich merkte, daß die Gefahr für mich immer größer wurde.«

»Ich hatte ihn im Lauf des Gesprächs aufs freie Feld hinausbugsiert, da ich im Walde, wo er sofort in Deckung springen und mich beschießen konnte, gänzlich machtlos war. Alle Versuche, seinen Namen und seine Kompagnie im Gespräch von ihm zu erfahren, schlugen fehl. Statt dessen drohte er mir mehrmals, er werde sich bis zum Äußersten wehren, wenn ich ihm etwas tun wolle. Da machte ich, ohne daß er es merkte, meine Pistole fertig, um ihn unmittelbar zu zwingen, mir seine Waffen auszuliefern. Während ich mit ihm über eine freie Fläche ging, sprang ich nach rechts zur Seite, zog die Pistole und schrie ihn an: ›Waffen weg!‹ Darauf er: ›Du Hund hast mich betrogen!‹«

»Bei diesen Worten griff er zur Pistole mit derart angreifender Gebärde, daß ich mir darüber klar war, daß er sofort schießen würde, wenn er die Pistole auf mich anschlagen konnte. Deshalb schoß ich; da der erste Schuß vorbei ging und der Kerl darauf schrie: ›Du Hund, ich schieß dich tot!‹ schoß ich sofort noch einmal. Darauf sank er um und blieb auch gleich still liegen. Ich lief darauf schnell auf den anderen Infanteristen zu, mit dessen Festnahme der Dolmetscher beschäftigt war. Der wehrte sich gar nicht.«

»Wie es gleich darauf in mir aussah, kannst Du Dir gar nicht vorstellen, denn Du hast noch nie einen Menschen erschossen. Es fehlte wirklich nicht viel, lieber Vater, und ich hätte mir selber auch eine Kugel durch den Kopf geschossen. Der Gedanke, daß einer aus der Familie Klamroth als Mörder vor dem Kriegsgericht stehen soll, war und ist mir furchtbar. – Heute, nachdem die ersten gerichtlichen Vernehmungen vorbei sind, bin ich etwas ruhiger. Ich sage mir jetzt, daß ich erstens als dienstlich ausgeschickter Patrouillenführer gehandelt habe. Zweitens stellte sich bei der Zeugenvernehmung heraus, daß ich tatsächlich im allerletzten Augenblick geschossen habe. Denn mehrere Zeugen sagten übereinstimmend aus, daß der Infanterist, kurz ehe ich zur Tat schritt, ohne daß ich es bemerkte, die Pistole entsichert hat. Es hätte also wahrscheinlich nur noch wenige Augenblicke gedauert, und es wäre umgekehrt gekommen.«

»Wenn die Kriegsgerichtssitzung vorbei ist, hoffe ich auf Urlaub, um Dir alles mündlich erzählen zu können. Ich hoffe, daß das Gericht mich freispricht. Und wenn nicht, kann ich dann noch Dein Sohn sein? Dein Hans Georg«.

Er kann. Kurt schreibt: »Mein lieber guter Junge! Ja, das ist ein schweres Erlebnis, das Du durchgemacht hast, und ich erlebe Deine seelischen Kämpfe mit Dir. Meine Ansicht ist, daß Du Dich der Situation gewachsen gezeigt hast und keinerlei Grund hast, jetzt den Kopf hängen zu lassen. Und für den Mann ist es auch so besser, als wenn er Dich erst angeschossen hätte. Dann wäre er wegen Widerstands gegen einen Vorgesetzten mit der Waffe auf den Sandhaufen gestellt und standgerichtlich erschossen worden. Komm nur her, lieber Junge, wir nehmen Dich offenen Herzens auf und wollen Dir helfen, über die schweren Eindrücke hinwegzukommen. Dein Dich um so mehr liebender Vater Kurt Klamroth«.

Mutter Gertrud schreibt: »Denke daran – ›es kann mir nichts geschehen, als was Er hat versehen und was mir selig ist‹ – und ich hoffe doch, Du sagst Dir auch, daß es um solch aufwieglerischen Patron nicht schade ist. Gott sei Dank, daß es nicht umgekehrt war. Heute kam wieder ein so schönes Butterpaket von Dir, wir alle danken Dir und von der anderen Sache erfährt einstweilen niemand.«

Der Rittmeister schreibt an Kurt: »Ich kann Ihnen nur versichern, daß Hans Georg in der ganzen Angelegenheit als äußerst besonnener, ruhig handelnder, tatkräftiger Mensch und Soldat gehandelt hat. In diesem Sinne habe ich auch zu meiner Freude an das Regiment berichten können. Ich hoffe sehr, daß er die seelische Niedergeschlagenheit bald überwinden wird.«

Der Kommandeur der 1. Kavallerie Division erläßt folgenden Tagesbefehl: »Ich spreche dem Fähnrich Klamroth (Drag.1) meine Anerkennung aus für sein umsichtiges und energisches Verhalten gelegentlich der Festnahme zweier Militärpersonen, die in Sallotak einen Diebstahl begangen hatten. Vorstehendes ist dem Fähnrich Klamroth bekannt zu geben.«

Doch, das alles hilft HG. Aber es heilt ihn nicht. Über die Jahrzehnte läßt der Schütze Franz Vitt ihn nicht los, der Mann, den er am 22. April 1918 erschossen hat. Er taucht in seinen Tagebüchern auf, in Briefen an die Braut, später die Ehefrau Else. Im Frühjahr 1942, gleich nachdem HG im Rußlandfeldzug als Abwehroffizier nach Pleskau versetzt worden ist, fährt er Hunderte Kilometer weiter nach Sallotak, sucht und findet den Bauernhof, wo das Schwein geklaut wurde, geht über das Feld, wo er den Franz Vitt getötet hat. Was ist passiert mit ihm?

Daß der Schütze Vitt ein Mensch war – HG an Kurt: »Du hast noch nie einen Menschen erschossen« – und der russische Offizier eine Trophäe, muß ich irgendwie hinnehmen. Der Tod des Russen stört mich weniger – im Krieg ist das so. Mich empört der Ton hinterher, die aufgesetzte Verachtung, das Nachtreten. Franz Vitt jedoch war für HG »einer von uns«, ein Deutscher, kein Feind. Er hat sich aufgeführt wie ein Feind, genau wie der russische Rittmeister. Beide wollten HG erschießen. In beiden Fällen war es eine Frage von Sekunden, die er schneller war.

Dem toten Franz Vitt wird nicht hinterhergepöbelt, im Gegenteil. HG bittet Vater Kurt herauszufinden, ob die Familie des Schützen Vitt Unterstützung braucht, und ihr Geld zu schicken aus seinen, HGs, Ersparnissen: »Gewöhnlich ist ja mit Geld nicht zu helfen, aber vielleicht in diesem Falle doch. Du wirst verstehen, daß ich jetzt noch nicht an sie schreiben möchte; ein etwa daraus entstehender Briefwechsel wäre sicher für beide Seiten nicht gut.« Kurt macht sich eine Notiz »z.d.A« (zu den Akten) auf HGs Brief: »Ich unternehme zunächst nichts. Die Familie könnte die Unterstützung falsch auffassen und Erpressung versuchen. Der Staat muß für die Familie sorgen, falls sie in Not ist und der Erschossene ihre einzige Stütze war.« Das Versorgungsverfahren für die Familie Vitt kommt erst im August 1920 in Gang, fast zwei Jahre nach dem Krieg – wovon die wohl gelebt haben so lange?

Warum treibt diese Geschichte HG so um? »Du Hund hast

mich betrogen«, schreit Vitt, als HG ihm auf dem Feld mit gezogener Pistole befiehlt, die Waffen rauszugeben. Das ist ja richtig. In den Vernehmungsprotokollen ist zu lesen, daß HG sich zum Schein auf einen Handel mit Vitt einließ, ihm Geld abnahm – 100 Mark –, um dem Bauern das gestohlene Schwein im nachhinein abzukaufen. Dann schlug HG vor, das Geschäft mit Schnaps zu begießen, und forderte Franz Vitt auf, ihn zur Destille zu begleiten. Auf diese Weise lockte er ihn aus dem Wald. HGs Vorgesetzte hielten das für umsichtig und tatkräftig, denn sein Auftrag lautete eindeutig, den Delinquenten festzunehmen. Schütze Vitt jedoch wird geglaubt haben, er sei der für ihn ausweglosen Situation mit 100 Mark entkommen. Er war vermutlich arglos, als er den schützenden Wald verließ, und außer sich, als er begriff, die Rechnung geht nicht auf. War es die Täuschung, die HG so quälte?

Zunächst mal ist er trotz der Knoten in seiner Seele schlicht glücklich, daß er lebt: »Wenn ich mir die wunderschöne Welt ansehe, dann bin ich doch von Herzen froh, daß ich mit meinem Schuß nicht zögerte. Das Leben scheint mir wie neu geschenkt, und das wird es hoffentlich auch wirklich sein, nach der Gerichtsverhandlung.« Dazu kam es gar nicht. Die Vernehmungen von HG wurden als Zeugenaussagen gewertet ebenso wie die vielen anderen, die der Bauern, von Dorfbewohnern, des Dolmetschers. Alle haben sie natürlich zugunsten von HG ausgesagt, wie denn auch nicht. Franz Vitt war schließlich tot.

Trotz des neu geschenkten Lebens faßt HG schwer wieder Tritt. Er erleidet einen Reitunfall, bei dem ihm sein Pferd den Kiefer zertrümmert und mehrere Zähne ausschlägt. Ich halte das nicht für Zufall – wiederholt wird der Junge, wenn er Schwierigkeiten macht oder in sie hineingerät, von seinen Pferden gröblichst abgestraft. HG muß sich in Königsberg langwierig und schmerzhaft den Kopf wieder herrichten lassen, und dort flippt er offenbar völlig aus. Er säuft, treibt sich mit »kleinen Schauspielerinnen« herum, wobei »es nicht zum Letzten gekommen ist«. Kurt nimmt das dankbar zur Kenntnis, fühlt sich indes veranlaßt zu der Warnung: »Alkohol und Frühling in loser Damengesellschaft machen leicht die besten Vorsätze zuschanden.«

Mehr beunruhigt ihn, was HG an seine Schwester schreibt, nämlich daß er daran denkt, »selbst Schluß zu machen und mit meinem Leben die Tat zu sühnen«. Eine andere Variante ist »die freiwillige Meldung an die gefährlichste Stelle der West-front«. Kurt: »Zum Donnerwetter, habe ich denn umsonst mei-nen Kindern aus dem Klamroth-Archiv so oft der Urahnen Wort vorgelesen: ›Wenn, indem dein kleiner Kahn auf dem Ozean dieser Welt fähret, rauhe Stürme und widrige Winde deinen Schrecken rege machen – so erinnere dich nur an Gott!‹ Alter Junge, hast Du denn ganz Deinen Herrgott und seine Gebote vergessen, daß Du anstatt an Ihn zu denken, Dir einen falschen Altar eines überspannten und irreführenden Ehren-kodex' aufrichtest? Daß Dir in Deiner schwarzen Stunde nicht christliche Überzeugung, nicht Dein Glaube die rettende Hand entgegenstreckte, sondern daß Du taumelnd Halt suchst, ohne ihn zu finden, das macht mich sehr traurig.«

HG taumelt wahrlich und dreht auch ins andere Extrem: »Ich stürze mich mit Anstrengung in den Trubel des Vergnü-gens und des Sich-Auslebens, um mir schnell mal zu zeigen, was alles genossen werden kann und wie selbst durch diese leichtere Hälfte das Leben lebenswert ist«, schreibt er an die Schwester.

Daß HG in diesen anstrengenden Exerzitien noch nicht mal Pause macht, als Mutter und kleiner Bruder nachts im Hotel auf ihn warten, veranlaßt Kurt zu einer brieflichen Philippika: »So geht das nicht. Du kommst mir vor wie ein guter Wein, der Bodensatz hat, und der durch eine harte Faust durchein-ander geschüttelt ist. Du bist durch den Vorfall vom 22. April und durch die ganze Kriegszeit völlig durcheinander gekom-men. Das muß sich erst wieder in Dir ›setzen‹, dann kommt die Klarheit, die ich jetzt in Dir vermisse.«

Die Klarheit kommt mit einem Marschbefehl von HGs Ritt-meister. Am 5. Juni 1918 fährt der junge Mann seinem Regiment hinterher nach Odessa. Wieso die Ukraine? Die hatte sich nach der Russischen Revolution für unabhängig erklärt und bei den Verhandlungen von Brest-Litowsk Anfang Februar 1918 einen Sonderfrieden mit den Mittelmächten abgeschlossen. Das interessiert die Bolschewiki überhaupt nicht, die sich das kostbare Land für ihr Sowjet-System zurückholen wollen. Eilig besetzen sie Kiew und vertreiben die junge Regierung, die daraufhin die neuen Freunde zu Hilfe ruft. Die kommen auch prompt, immerhin 400 000 Mann. Einer von ihnen ist HG.

Er fährt vier Tage und vier Nächte bis Kiew, versehen mit Schlackwurst, Sandkuchen und einer Flasche Rotwein von seinen ostpreußischen Herrenhaus-Freunden. Dann noch mal 20 Stunden im offenen Viehwaggon bis Myrgorod – das ist aber auch weit! Ich habe mir das staunend im Atlas angesehen, staunend, weil das Deutsche Reich nach vier Jahren pausenlosem Krieg noch ein paar 100 000 Mann übrig hat, die mit aller dazugehörigen Logistik, mit Pferden, Wagen, Geschützen, Lazaretten, Feldküchen, Biwaks und was noch alles gebraucht wird, hierher in die ukrainische Steppe geschickt werden. Die Oberste Heeresleitung träumt außerdem mal wieder von einem »deutschen Siedlungsgebiet, einer deutschen Kolonie am Schwarzen Meer« – so der zweite Mann aus Hindenburgs Führungsriege, Erich Ludendorff.

»Steppe klingt so hungrig«, bangt Mutter Gertrud kurz nach seiner Ankunft in einem Brief an HG. Bei näherem Hinsehen ist es weniger die Sorge um seine Verpflegung, die sie umtreibt, als die Hoffnung, der Sohn möge auch hier irgendwo Mehl, Grieß und Reis finden für die Halberstädter Küche. »Du könntest eine Kiste mit Papier auslegen, das Mehl hineinschütten und in das Mehl Eier vergraben, wenn Du welche hast«, schlägt sie vor. Denn zu Hause sind gerade acht Hühner an Cholera eingegangen – was es alles gibt! Die restlichen acht haben sie schnell geschlachtet, aber Gertrud traut sich nicht, sie der Familie zum Essen anzubieten: »Gehen Cholera-Bazillen beim Kochen ein?«

HG entzieht sich der Antwort auf eine so schwierige Frage, verspricht aber, Eier zu schicken, wenn er denn eine Kiste auftreiben kann. Er muß sich erst mal zurechtfinden, was ihm schwerfällt in einem gottverlassenen Kaff, wo er umgeben ist von Dorfbewohnern, die »diesen hinterlistigen slawischen Ausdruck im Gesicht haben«. Seine Vorgesetzten haben ihn freundlich empfangen, »sogar mit Anerkennung und Respekt« wegen der Geschichte mit dem Schützen Vitt. Die Angelegenheit sei aus seinen Papieren nunmehr vollständig getilgt.

HG ist deswegen erleichtert, aber er fühlt sich nicht wohl: »Das hier ist wirklich eine üble Art von Krieg.« Deutsche Soldaten auf den Straßen werden meuchlings erschossen, und die Truppen können sich nur noch im Geleitzug bewegen, weil die Mehrheit der Bevölkerung die Fremden keineswegs als Verbündete, sondern als Besatzungsmacht betrachtet. HG sitzt mit seiner Schwadron weitab von jeder Zivilisation unter glühender Sonne, geht täglich mit den Pferden schwimmen in einem nahe gelegenen Fluß – »die Tiere wußten zu Anfang gar nicht, warum sie da rein sollten. Jetzt wollen sie gar nicht wieder raus« –, langweilt sich und hat Heimweh: »Ich habe jetzt dauernd eine unsagbare Sehnsucht nach Hause. Das ist ja unmännlich (!), man sollte es deshalb gar nicht schreiben und kräftig dagegen ankämpfen.«

Außerdem quält ihn der Tod des Schützen Vitt. »Äußerlich ist die Geschichte ja nun erledigt«, schreibt HG an Mutter Gertrud, »nun muß ich auch innerlich damit fertig werden.« Doch Gertrud antwortet: »Daß die unangenehme Sache vom 22. April nun ganz aus der Welt geschafft ist und Dir sogar noch Lob eingetragen hat, hat uns sehr, sehr gefreut, lieber Junge. Nun kann es Dir gar nicht mehr schwer werden, auch innerlich damit fertig zu werden, wenn Du Dich auf den richtigen militärischen Standpunkt stellst und Dein Gefühl unter die Pflicht zwingst.«

Was für ein Quatsch! Heißt der »richtige militärische Standpunkt«, daß einer sich gefälligst nicht so anstellen soll, wenn er jemanden erschossen hat, der im Suff ein Schwein geklaut hat? Verbietet die »Pflicht«, sich Gedanken zu machen, was der eigene Anteil ist an diesem Verhängnis? Kurt und Gertrud sorgen sich um mögliche äußere Folgen von HGs »Mißge-schick«: Kriegsgericht, Karrierestop – was immer. Den Tumult in seinem Innern können oder wollen sie nicht sehen. Als es zum ersten Mal wirklich ernst wird in seinem Leben, verwei-gern sich beide Eltern ihrem hilfesuchenden Sohn. HG bleibt mit dem Schützen Vitt allein.

Das wird ihn in den heißen Nächten belastet haben. HG kann nicht schlafen in der drückenden Luft, die ständige Alarmbereitschaft wegen marodierender Banden strengt an, seine Dragoner sind nervös. HG hat »ein altes Harmonium auf-getrieben, das nur einen großen Nachteil hat: Sämtliche Cs und Gs fehlen, die Tasten sind heraus gebrochen, und man muß die Töne immer dazwischen singen.« Ich stelle mir das gern vor, wie HGs Singsang durch die Hitze der ukrainischen Nacht klingt – Harmonium an sich ist ja schon heftig. Not schult: HG spielt nur noch in A-Dur, da braucht er keine C's und G's, und bald kann er auch schon »Nun muß sich alles, alles wen-den« intonieren.

Darauf hoffen inzwischen alle. HG kommt mit der diffusen Atmosphäre in seinem Gastland schwer zurecht. Gertrud beschwört zwar ihrer aller Tapferkeit – »Deutschland wird doch jetzt nicht noch versagen«, aber sie räumt ein: »Wir sind alle manchmal müde!« Kurt grämt sich über die »hungrige, erschöpfte, unterernährte Bevölkerung« und stellt fest: »Ge-schäftlich sieht es flau aus. Wir haben keine Rohstoffe mehr, und so wird uns der Krieg jetzt auch noch geschäftlich treffen. Ich hoffe nur, daß wir nicht auch noch mit Curaçao böse Über-raschungen erleben. Das würde mich sehr treffen.« Er hat die I. G. Klamroth-Anteile rechtzeitig ins neutrale Holland trans-feriert, doch in dem Konsortium sitzen auch Engländer und Amerikaner, »und wer weiß, wie die sich verhalten werden«. Wehmütig erinnert sich Kurt: »Weißt Du noch, wie wir in Juist Krieg spielten? Das waren doch schöne Zeiten!«

Die geschäftlichen Sorgen in Halberstadt veranlassen HG, dem Vater anzubieten, sich von der teuren Kavallerie in ein In-fanterie-Regiment versetzen zu lassen, wo das Kasinoleben weniger aufwendig ist und das schmale Gehalt nicht für Sättel, Trensen und ähnliches Zubehör draufgeht. Kurt allerdings wiegelt ab, das Geld für den Sohn falle bei seinen sonstigen Kosten kaum ins Gewicht. Der Hugo-Stinnes-Konzern habe ihm ein Angebot gemacht, »die Nienburger Fabrik und das Gesamtgeschäft an sie zu verkaufen und zwar für einen sehr hohen Preis. Ich hätte aber von dem Gewinn horrende Steuern zahlen müssen, und ich will und muß doch die Firma der Väter für meine Söhne erhalten. Also haben wir abgelehnt. Du kannst aber daran sehen, wie man die Aussichten unserer Industrie für die Zeit nach dem Kriege bewertet. Jedenfalls bleibst Du bei Deinem Regiment, solange es geht.« Die prestige-trächtige Kavallerie verläßt einer nur im Notfall, man muß schließlich an später denken. Außerdem kämpft die Infanterie im Westen, und da will Kurt seinen Sohn unbedingt raushalten.

Er nimmt den Junior noch in die Firmenpflicht. Am 1. Juli 1918 sei der Prokurist Alexander Busse 40 Jahre bei I. G. Klamroth: »Schreibe ihm bitte einen Glückwunsch. Wir schenken ihm 5000.– Mark Kriegsanleihe und ich habe für ihn den Kronenorden 4. Klasse und das Verdienstkreuz beantragt.« Vier Jahrzehnte – das sind 20 Jahre länger, als Kurt dabei ist, und solche Jubiläen sind in der Firma keine Ausnahme. In einer Feierstunde überreicht Gertrud dem verdienten Mitarbeiter Orden und Kreuz. Von der Kriegsanleihe hat er wohl nicht mehr viel gehabt.

Gertrud verordnet dem Sohn gelegentlich Exerzitien zur Selbstbeherrschung: Der Vetter, dessen Notabitur HG vor zwei Jahren grimmig und mit viel Alkohol gefeiert hatte, Vetter Fritz also »hat in Frankreich das EK I bekommen. Bitte freu Dich neidlos mit ihm!« Im übrigen bekümmert sie sich um HGs geistige Entwicklung: »Nutz doch die Zeit, um Russisch zu lernen. Hast Du auch gute Bücher zum Lesen?« Die Sprache fliegt den Jungen an wie vorher schon Estnisch. Nach ein paar Monaten braucht er keinen Dolmetscher mehr, kann auch kyrillische Texte lesen. 24 Jahre später an der Ostfront im Zweiten Weltkrieg holt er die Schätze der Vergangenheit aus seinem

Gedächtnis hervor, um sich nach dem Ende offizieller Verhöre stundenlang ohne Übersetzer mit sowjetischen Kriegsgefangenen ideologisch auseinanderzusetzen.

Was den Geist betrifft – nun ja. HG bittet die Mutter, ihm »das letzte Werk« der Alice Berend zu schicken: »Die Bräutigame der Babette Bomberling«. Ich habe das tapfer gelesen, es sind nur 155 Seiten, Fischers Bibliothek zeitgenössischer Romane aus dem Jahr 1915. Die Dame hat auch »Das verbrannte Bett« und »Der Floh und der Geiger« geschrieben – sehr beliebt zu ihrer Zeit. HG bittet um »Gartenlauben«-Literatur. Auch Agnes Günthers »Die Heilige und ihr Narr« wünscht er sich als Einöd-Lektüre. Ganz dunkel erinnere ich mich, die zwei Bände als 12jährige in der Hand gehabt zu haben, aber meine Annäherungsversuche an HG gehen nicht so weit, daß ich mir das heute noch mal zumute

In der Ukraine verschärfen sich die Spannungen zwischen den Parteien. Militär, rechtskonservative Partisanen, Bolschewiki und deutsche Truppen verkeilen sich ineinander in immer neuen Überfällen und Strafexpeditionen. Die Deutschen dürfen nur eingreifen, wenn sie direkt überfallen werden, und da bleibt HGs kleiner Vorposten erstmal verschont. Als frischgebackener Leutnant führt er zwischenzeitlich die eine und die andere Schwadron – »ich muß lernen, Befehle auch in ein mürrisches Gesicht zu geben« –, aber das ist nichts als Beschäftigungstherapie, denn es gibt nichts zu tun. Die Soldaten können nicht ausreiten, weil das zu gefährlich ist, also werden die Pferde stundenlang longiert, und die Stimmung ist im Keller.

Dazwischen beunruhigen sich widersprechende Meldungen, die Zeitungen sind Wochen alt und die Post tröpfelt nur spärlich. HG an Kurt: »Wir wissen hier nichts, und ich fühle mich untätig und ohnmächtig. Überall schwirren die Gerüchte, daß der Krieg bald zu Ende ist.« Daß er verloren sein könnte – darauf kommt HG nicht. Damit rechnet niemand weder bei den Soldaten noch in der Bevölkerung. Kriegsende bedeutet für die Deutschen Sieg oder allenfalls einen Verständigungsfrieden. Vier Jahre lang waren sie tatsächlich »im Felde unbesiegt« geblieben. Sie hatten gleichzeitig und erfolgreich gegen die Millionenheere der Engländer, Franzosen, Russen und Italiener gekämpft, eine enorme militärische Leistung. Und niemand hat sie auch nur ansatzweise auf eine Niederlage vorbereitet, der Kaiser nicht, die Regierung nicht, die Oberste Heeresleitung sowieso nicht.

Noch bis Mitte Juli 1918 hatte der allmächtige General Ludendorff den Spitzen der Regierung, auch seinen Generälen strahlende Siegesgewißheit vermittelt. Am Ende des nächsten Krieges findet sich der gleiche Realitätsverlust bei Hitler wieder. Dabei waren die Nachrichten von der Westfront düsterer denn je. Die großen Offensiven vom Frühjahr 1918 hatten sich festgefahren, doch für den Juli hatte Ludendorff den »Endsieg« prophezeit. Das kostete die Deutschen 800 000 Tote, Verwundete und Vermißte, und jetzt strömten Massen amerikanischer Soldaten nach Frankreich. Sie brachten die tödlichen »Tanks« mit, den ersten Panzerkampfwagen, und als zunächst die Franzosen, dann die Engländer und schließlich die frischen amerikanischen Truppen zur Gegenoffensive übergingen, starben von August bis November noch einmal 700 000 deutsche Soldaten. Das sind zusammen – eine Parallele zu Hitlers Inferno – rund anderthalb Millionen deutsche Opfer im letzten Dreivierteljahr des Krieges.

Und das hat keiner gewußt? Doch. Keiner hat jedoch erwartet, daß dies die Niederlage bedeutet, daß der Krieg für Deutschland »unehrenhaft« zu Ende gehen würde. Der Krieg war zwar im Land allgegenwärtig, aber die Kämpfe waren weit weg. Anders als im Zweiten Weltkrieg gab es keine fremden Truppen auf deutschem Boden, keinen Luftkrieg über deutschen Städten, keine Bombennächte in Luftschutzkellern. Wenige Monate zuvor, Anfang 1918, hatte US-Präsident Woodrow Wilson seinen 14-Punkte-Plan für eine europäische Friedensordnung nach dem Krieg vorgestellt. Deutschland sollte alle seine Eroberungen verlieren – Belgien, französische Provinzen, Elsaß-Lothringen, vom Baltikum bis zur Ukraine alles in Rußland Geraubte. Nicht nur die Oberste Heeresleitung und deren willfährige Reichsregierung hatten verächtlich abgewinkt. Für die deutsche Bevölkerung waren Wilsons Bedingungen eine Lachnummer, und auch im Reichstag hieß es: »So doch wohl nicht!« Daß diese 14 Punkte Grundlage eines Waffenstillstands-Abkommens sein würden – undenkbar!

HG in der fernen Ukraine ahnt das natürlich auch nicht, und Kurt, im Stellvertretenden Generalkommando Magdeburg besser mit Informationen versorgt, läßt ihn an seinen bösen Vorahnungen nicht teilhaben. HG schickt Einmachzucker, Blumenkohl, Eier und vor allem Mehl nach Hause, was auch bitter nötig ist. Gertrud hat gerade von der Stadtverwaltung 50 (!) Gramm pro Person in ihrem Haushalt »für die fleischlose Woche« zugeteilt bekommen. Aber sie ist nicht kleinzukriegen: »Hausputz ohne Putzmittel ist schwierig. Wir probieren es jetzt mit Sand.« Oder: »Wir haben aus den dünnen englischen Plaids Kleider für Annie und Erika genäht. Das sieht sehr hübsch aus.« Mitte September schreibt sie: »Es ist jetzt abends schon kühl. Wir können nur zwei Zimmer heizen, aber da ist die Familie eng beisammen.« Wenig später klingt das so: »Gott unterzieht unser deutsches Volk einer schweren, schweren Prüfung, aber wir werden sie mit seiner Hilfe bestehen.«

Ernsthaft beunruhigt ist Gertrud über die sich häufenden Grippe-Erkrankungen. Die jüngste Tochter Erika liegt seit Wochen im Bett: »Gottseidank ist sie nicht in Lebensgefahr. Wir haben jetzt auf dem Friedhof alle halbe Stunde eine Beerdigung.« Die Schulen sind geschlossen, öffentliche Veranstaltungen werden abgesagt, und Kurt schreibt aus Magdeburg: »Betriebe liegen still, selbst bei mir in der Kriegsamtstelle sind ein Drittel der Beamten krank, und viele Fälle verlaufen tödlich.« Was sie erleben, ist die »spanische Krankheit«, eine von Gibraltar kommende Influenza-Epidemie, durch die 1918/1919 weltweit 20 Millionen Menschen sterben. In Deutschland sind es fast 300 000 Tote. Ganze Familien werden ausgelöscht, als ob der Krieg nicht gereicht hätte. Da muß man sich hineinversetzen, wie einer die verheerenden Rückzugsgefechte in Flandern oder an der Saar übersteht, und zu Hause sind Eltern und Geschwister an Grippe eingegangen. So ist das, wenn der Herrgott zuschlägt.

»Arglos« ist wohl die richtige Beschreibung für HG in der Ukraine. Er kapiert nichts von dem Tumult, der um ihn her entbrannt ist, nicht, wer in den Bandenkämpfen gegen wen und warum zugange ist. Kann er ja gar nicht in seinem Nest aus Kuhdung-Häusern vor einem unendlichen Horizont, den sie mit Feldstechern nach Partisanen absuchen. HG hat zwei Windhunde geschenkt bekommen, die er »Lenin« und »Trotzki« nennt, und damit erschöpft sich vermutlich sein Bezug zur russischen Politik. Wie alle Soldaten überall auf der Welt wartet er darauf, daß jemand ihm sagt, was er tun soll, und solange das nicht passiert, langweilt er sich.

Er geht mit ukrainischen Großgrundbesitzern Trappen schießen. Er überlegt, ob er seines Vaters Pferde »Nelly« und »Lord« aus dem polnischen Bialystok hierher in den neuen Standort nahe Odessa holen soll – sie hatten Kurt durch Belgien, Frankreich, Rußland und in Grodno begleitet und jetzt, wo Kurt in Magdeburg sitzt, besteht Gefahr, daß sie herrenlos in den Kriegswirren untergehen. HG: »Wir sind doch die Polizei für die Ukrainskis. Da bleiben wir bestimmt noch zwei Jahre, und die Pferde würden mir hier sogar nützen.« Er versucht sich an Bach'schen Orgelwerken auf dem lädierten Harmonium und denkt wieder darüber nach, sich mit einem Freund an die Westfront zu melden – »hier bin ich völlig unnütz«. Das schreibt er am 5. Oktober 1918, und er weiß nicht, wie recht er hat.

An eben diesem Tag erfährt die völlig unvorbereitete deutsche Öffentlichkeit, daß ihr Staat nunmehr eine parlamentarische Demokratie sei, daß sie mit dem Prinzen Max von Baden einen neuen Reichskanzler habe – den dritten innerhalb von 15 Monaten –, daß ab sofort die Sozialdemokraten, das Zentrum und die Fortschrittspartei, also die bisher machtlose Reichstagsmehrheit mit in der Regierung säße. Und was tut die funkelnagelneue Regierung? Als allererstes richten diese »Jammergestalten, Miesmacher, Flaumacher, Unglücksraben und quakenden Unken aus der Tiefe«, wie ein konservatives Flugblatt sie in ihrer neuen Würde begrüßt – buchstäblich am Tag ihres Amtsantritts also richten diese Herren ein Friedens- und Waffenstillstandsgesuch an den amerikanischen Präsidenten auf der Grundlage der besagten 14 Punkte.

Ist vorstellbar, daß einem ganzen Volk das Herz stehen bleibt? Jeder sehnte das Ende des Krieges herbei, aber zu solchen Konditionen? HGs Entsetzen – zeitversetzt, denn die Zeitungen brauchen eine Weile bis in die Ukraine – wird landauf, landab in ungezählten Variationen durchgespielt: »Aller Stolz, alle Ehre, alle Lebens- und Schaffensfreude ist für unsere Generation unwiederbringlich dahin, da hilft kein Drehen und Deuteln. Haben wir nicht immer gewußt, daß diese Männer nicht stark genug sein würden, um die eherne Notwendigkeit eines für Deutschland siegreichen Krieges einzusehen?« Die Empörung HGs schrillt durch einen Brief nach dem anderen: »Ein so erniedrigendes Friedensangebot hätte man wohl nie dem deutschen Reiche zugetraut – Herausgabe Elsaß-Lothringens, Entschädigung Belgiens, Revision des Ostfriedens! Das Schlimmste aber ist: der frohe Stolz, ein Deutscher zu sein, ist für immer verloren.«

Alle kriegen was um die Ohren: »Unser Volk war der großen Zeit, die es vorübergehend erleben durfte, eben durchaus unwert und sein natürlicher Instinkt zum Frondienst bricht jetzt wieder durch. Das sieht man ja an diesen ›Vertretern des deutschen Volkes‹. Wir sind doch den ungeheuren Hekatomben« – was der so schreibt in seiner ukrainischen Kornkammer! Hekatomben sind bei Homer Altar-Opfer von 100 Stieren – also: »wir sind doch den ungeheuren Hekatomben unserer Toten schuldig, daß wir weiterkämpfen, auch wenn unser ganzes Land besetzt wäre. Was noch einen Funken Ehre im Leib hat, Männer, Frauen, Kinder (!), wird sich doch lieber totschlagen lassen als sich unterwerfen!«

Es ist nicht in Ordnung, und HG möge mir verzeihen, daß ich bei diesen Briefen lachen muß. Aber ich sehe den aufgeblasenen kleinen Leutnant – eine Woche später wird er 20 –

gemütlich vielleicht nicht, doch weit weg vom Schuß in der Ukraine sitzen und den Verlust des reichsdeutschen Traums verfluchen. Es ist wirklich nicht in Ordnung, wenn ich darüber lache – was habe ich denn rumgetönt mit 20! Für mich war es damals der Marxismus und mir das alles bitterernst. Zum Lachen – heute – ist trotzdem beides. 1918 haben die alle so geredet wie HG, so haben alle geträumt, und Millionen sind dafür gestorben.

Sie hätten leben können, hätte das Schicksal ihnen Männer wie Ludendorff erspart. Hindenburgs mächtiger Stabschef in der Obersten Heeresleitung hatte in den zwei Jahren seiner diktatorischen Herrschaft nicht nur das Kriegsgeschehen bestimmt und den möglichen »Verständigungsfrieden« wieder und wieder verhindert. Er hatte Kaiser und Regierung mitsamt dem alten Generalfeldmarschall zu Marionetten degradiert, gegen alle Bestimmungen der Verfassung selbstherrlich Reichskanzler und Außenminister ausgetauscht, Lenin nach Rußland verfrachtet und das Parlament zu einer Schattenveranstaltung gestaucht.

Dieses Parlament sollte nun die Kastanien aus dem Feuer holen und die Niederlage schultern. Dazu mußte die von Ludendorff und Konsorten so verachtete Reichstagsmehrheit in die Regierung eintreten, denn sie und unter keinen Umständen die Oberste Heeresleitung sollte das Waffenstillstandsgesuch an Wilson richten. Am Wochenende 28./29. September 1918 informierte Ludendorff den Kaiser und die Regierung. Erst am Sonntagabend erfuhr auch sein nomineller Chef Hindenburg von Ludendorffs Plan. In den nächsten beiden Tagen wurden die Stabsoffiziere der Obersten Heeresleitung und der Reichstag unterrichtet, und hier wie dort – man glaubt es kaum – fielen die Männer aus allen Wolken.

»Stöhnend und schluchzend« nahmen die hochrangigen Offiziere zur Kenntnis, daß der Krieg verloren und an der Westfront jeden Moment ein Durchbruch des Feindes zu erwarten sei. Was hatten die Herren denn bisher gemacht, daß sie so überrascht waren? Im Reichstag spielten sich ähnliche Szenen ab. Der Journalist Erich Dombrowski: »Die Abgeordneten waren ganz gebrochen. Friedrich Ebert wurde totenblaß, der Abgeordnete Stresemann sah aus, als ob ihm etwas zustoßen würde. Überall halberstickte Aufschreie, hervorquellende Tränen. Erwachen aus der Narkose, Zorn, Wut, Scham, Anklage: wir sind jahrelang von den Militärs belogen worden, und wir haben daran geglaubt wie an ein Evangelium.«

Ja, wenn das denn so ist, dann wird auch der gläubige HG empört sein dürfen. Nur ist er wütend auf die falschen Leute. Sein Zorn richtet sich gegen die Vertreter der Mitte-Links-Parteien, denen er und Millionen andere unterstellen, sie hätten, kaum waren sie in der Regierung, mit dieser plötzlichen Bitte um Waffenstillstand das Vaterland verraten. Daß Ludendorff das Waffenstillstandsgesuch verfügt und sich dafür nützliche Idioten im Reichstag gegriffen hatte, weiß schließlich keiner. Hier liegen die Wurzeln der Dolchstoß-Legende, nach der die Heimatfront, zuvörderst die »linken Volksvertreter«, dem »im Felde unbesiegten« Heer mit dem Waffenstillstandsgesuch in den Rücken gefallen seien.

Kurt übrigens hat diese Hintergründe in seiner Kriegsamtstelle inzwischen ziemlich präzise zusammentragen können. In einer seitenlangen Epistel setzt er HG Mitte Oktober ins Bild mit der Maßgabe, der Sohn möge den Brief sofort vernichten, was der dankenswerterweise nicht getan hat. Es kommt Kurt – man höre und staune! – vor allem darauf an, HGs harsches Urteil über die Volksvertreter und den neuen Reichskanzler Prinz Max von Baden zurechtzurücken: »Der Prinz erfüllt seine schwere Aufgabe in großer Treue zum Vaterland, und wir müssen den Sozialdemokraten dankbar sein, daß sie sich der Verantwortung für die Massen stellen, obwohl es parteipolitisch für sie klüger gewesen wäre, es nicht zu tun.« Das ist wohl wahr – ein Jahr später waren sie die »Novemberverbrecher«, die das »siegreiche Heer« der Niederlage ausgeliefert hatten.

Kurt weiß auch, daß nicht die »Jammergestalten und Flaumacher« der neuen Regierung, sondern die Oberste Heeresleitung selbst, also Ludendorff, den Waffenstillstand kategorisch verlangt hatte: »Sie mußten auf jeden Fall verhindern, daß der Krieg nach Deutschland eindringt.« Es fällt Kurt nicht ein, sich auch nur im stillen Kämmerlein gegen die Führer seines Staates aufzulehnen. Er leidet zwar: »In mir ist es, als ob in einem Instrument eine Saite gesprungen ist. Mir tut es fast physisch weh, wenn ich an den Zusammenbruch denke.« Sein Zorn aber richtet sich gegen US-Präsident Wilson und dessen rüde Vorbedingungen für einen Waffenstillstand: Räumung der besetzten Gebiete, Beendigung des U-Boot-Krieges, Reparationen für die alliierte Zivilbevölkerung und – Sakrileg! – Abdankung des Kaisers.

Kein Sakrileg. Es kräht kein Hahn danach, daß Wilhelm II. nach Holland verschwindet, daß alle regierenden Fürstenhäuser im Deutschen Reich sich in Luft auflösen, daß der genervte Prinz Max von Baden den heimatlichen Weinbergen zustrebt und Friedrich Ebert den Posten des Reichskanzlers übernimmt. 217 Jahre, nachdem der erste Preußenkönig gekrönt und 47 Jahre, nachdem der König von Preußen deutscher Kaiser geworden war, ist die Monarchie in Deutschland Geschichte.

Nirgendwo bei Kurt oder HG ist das Ereignis auch nur mit einem Satz erwähnt. Lediglich Gertrud schreibt am 10. November: »Heute sind wir wirklich in der Republik Deutschland aufgewacht«, und daß sie in der Kirche zum ersten Mal nicht für »unseren Kaiser« gebetet hätten. Wie ist das möglich? Da haben sie ihr ganzes Leben in Ehrfurcht vor der Monarchie verbracht. HG hat schon als Steppke für den Kaiser salutieren gelernt, Kurt in seiner Operetten-Uniform sich als glattgebügeltes Teil des kaiserlichen Ganzen gefühlt. Die drei Hurras auf Kaiser und Vaterland waren ihnen mitsamt der Fahnen und Wimpel Lebensinhalt gewesen, wofür man notfalls den Tod in Kauf nahm. Und jetzt? Nichts. Noch nicht mal ein Nachruf.

Jedenfalls nicht auf den Kaiser. Das Vaterland hält sie in diesen Wochen genügend in Atem, denn so viel Umbruch war nie. In der Kriegsamtstelle bereiten sie heimlich schon mal die Logistik für die Front-Heimkehrer vor – »das ist eine vertrauliche Information. Sprich mit niemanden darüber!« Demobilisierungs-Ausschüsse versuchen, Unterkünfte und Verpflegung für die zurückflutenden Soldaten bereitzustellen, nach Hause gebrachtes Heeresgut soll eingelagert und vor Plünderung geschützt werden. Die Rüstungsbetriebe müssen sich auf zivile Produktion umstellen – die Frage ist: welche? Die zahlreichen Frauen in den Fabriken sind anderweitig unterzubringen – die Frage ist: wo? Gertrud in Halberstadt rechnet mit Einquartierung von 12 zurückkehrenden Offizieren der Kürassiere – »hoffentlich ohne Verpflegung«. Wie sie die Zimmer heizen soll, weiß sie nicht, »aber die haben schließlich an der Front schon gefroren«.

Und Revolution ist auch noch, oder das, was in Deutschland dafür herhält. Sie bricht aus an einem Ort, wo keiner sie erwartet hatte – nicht bei den hungernden Arbeitern in Berlin, sondern weit weg auf Schillig-Reede in der Außenjade bei Wilhelmshaven, wo die kaiserliche Flotte lag. Die hatte – anders als die U-Boote – seit der Schlacht im Skagerrak 1916 untätig herumgedümpelt, einmal wegen der britischen Blockade, aber auch, weil der Kaiser sein »Riesenspielzeug« schonte. Jetzt wollten auch die zu kurz gekommenen See-Offiziere Ruhm einfahren und nicht zulassen, daß der Krieg ausschließlich das Heer glorifizierte.

Die Marine-Oberen befahlen, streng geheim, einen Kamikaze-Trip, sinnlos, zwecklos, ein gigantisches Untergangsgemetzel – die gesamte kaiserliche Flotte gegen England und damit indirekt gegen die »flaue« deutsche Regierung und ihr Waffenstillstandsgesuch. Das war eine Meuterei der Offiziere um den Flotten-Admiral Reinhard Scheer gegen alles, was in Berlin und in Spa zur Beendigung des Krieges beschlossen worden war. Man dachte sogar daran, den Kaiser einzuladen, an Bord des Flottenflaggschiffs an dem furiosen Finale teilzunehmen, Stoff für die Marinemaler kommender Generationen – Offiziere wollen nicht schmählich kapitulieren, sie wollen kämpfend sterben.

Die Mannschaften wollen das nicht. Nicht mehr in einem Krieg, der sowieso schon verloren ist. Am 29. Oktober meutern sie, zunächst nur wenige, gegen die Meuterer auf den Kommandobrücken und verhindern das Auslaufen der Flotte. Der Widerstand breitet sich aus wie ein Flächenbrand über ganz Deutschland, und er ist zunächst – wann hat es das je gegeben? – ein Aufstand nicht gegen, sondern für die Regierung. Die zivile sozialdemokratisch-bürgerliche Regierung soll gestützt werden gegen die Vorherrschaft der Militärgewalt, die den Krieg immer wieder vorangetrieben und die Zivilbevölkerung jahrelang im »Belagerungszustand« geknebelt hatte.

Am 9. November 1918 erreicht die Revolution Berlin. Von einem Fenster des Reichstags aus proklamiert Philipp Scheidemann mittags die »deutsche Republik«. Wenig später steht Karl Liebknecht, wie bei Kriegsbeginn der Kaiser, auf einem Balkon des Schlosses und verkündet seinerseits die »sozialistische Republik Deutschland«. Der künftige Krach ist programmiert. Ob und wie die Zehntausende vor dem Reichstag und vor dem Schloß beides – akustisch – verstanden haben, bleibt unklar. Es gab noch keine Megaphone. Dem Jubel hier wie dort tut das keinen Abbruch, und es ist, bis die Freikorps sie zusammenschießen, eine friedfertige, irgendwie gutmütige Revolution ohne Lynchjustiz und Tribunale. Es gibt kaum Tote, es wird nicht geplündert, und wenn die revoltierenden Soldaten und Arbeiter den Offizieren Kokarden oder Rangabzeichen abreißen und auf öffentlichen Gebäuden die rote Fahne hissen, so ist das schon der Gipfel der Ausschweifung.

Kurt in Magdeburg seufzt in sein Kriegstagebuch: »So ist denn das Schreckliche zur Tatsache geworden: Der Zusammenbruch, die Revolution ist da und nicht mehr aufzuhalten!« Mehr jammert er nicht, und er bekommt die Situation am 9. November ziemlich schnell in den Griff. Als »marodierende Fußartilleristen, Säbel schwingend – meist entwendete Offizierssäbel« in die Kriegsamtstelle eindringen, läßt er sie in sein Besprechungszimmer führen und am Verhandlungstisch Platz nehmen. Er empfiehlt, daß sie einer nach dem anderen reden sollen, »denn in dem Durcheinander könne ich nichts verstehen«, und läßt eine Anwesenheitsliste rumgehen. Sein Adjutant werde ein Protokoll anfertigen, »wie das bei allen wichtigen Konferenzen in der Kriegsamtstelle üblich sei«.

Die verdutzten Revolutionäre erklären, der Soldatenrat habe verlangt, daß alle militärischen Einrichtungen den Betrieb einzustellen hätten. Kurt: »Ich erwiderte, daß die Kriegsamtstelle, obwohl militärisch aufgezogen, wirtschaftliche Fragen zu bearbeiten habe, die keine Unterbrechung erleiden dürften, und schob ihnen einen Berg Akten hin, aus denen sie sich selbst überzeugen könnten, daß hier weitergearbeitet werden müsse. Sie waren ratlos, und einer gab die Akten an den anderen weiter.« Das war's dann, und in dem Protokoll steht wenig später, daß »die Abgesandten des Soldatenrats Magdeburg sich überzeugt hätten, daß die Kriegsamtstelle in ihrer Arbeit nicht gestört werden dürfe«. Damit werden weitere Trupps schon am Eingang abgewimmelt, und die Revolution ist hier zu Ende.

Die höheren Chargen im Magdeburger Generalkommando tun sich schwerer. Zwei Generäle hatten sich von den Sitzungen mit dem Soldatenrat der Stadt befreien lassen, weil sie fürchteten, in den Verhandlungen mit Unteroffizieren die Contenance zu verlieren. Kurt hat diese Probleme nicht, auch keine damit, daß er von einem Tag zum anderen in Zivil ins Büro geht: »Ich werde der Bande da draußen keinen Vorwand liefern.« Er bekommt einen Vertrauensmann des Arbeiter- und Soldatenrats an die Seite gestellt, einen Gewerkschaftsführer namens Bauer vom Holzarbeiterverband, dem er jeden Morgen mit ausgesuchter Höflichkeit die anstehenden Probleme vorlegt. Verstört sagt der Mann jedes Mal: »Machen Sie nur alles so, Herr Rittmeister, wie Sie es für richtig halten. Es ist ja ein Glück, daß die Herren alle weiterarbeiten. Uns wäre das alles über den Kopf gewachsen, und das Chaos wäre ausgebrochen« – schreibt Kurt.

Auch in Halberstadt kommt es nicht wirklich zu revolutionären Exzessen. Auf dem Dach des Stabsgebäudes der 27er Infanterie-Division weht eine kleine rote Fahne, eine Bäckerei hat den hungrigen Demonstranten ihren Vorrat an Brot ausgeliefert und der Belag für die Stullen ist in Heines Wurstfabrik geklaut worden. Der Arbeiter- und Soldatenrat nennt den Mundraub am nächsten Tag in der »Halberstädter Zeitung und Intelligenzblatt« einen »bedauerlichen Vorgang«, der »sich nicht wiederholen« werde. Fett gedruckt wird außerdem verkündet: »Das private Eigentum jedes Bürgers und jeder Bürgerin muß unangetastet bleiben!« So nett kann Revolution sein.

In der ersten Stadtverordneten-Sitzung danach herrscht ebenfalls business as usual. Vorsteher Kurt, trotz ständiger Abwesenheit immer neu in dieses Amt gewählt, ist eigens aus Magdeburg angereist – das erste Mal seit vier Kriegsjahren sitzt er diesem Gremium wieder vor. In einer programmatischen Rede schwört er die Kollegen Stadtväter mit einem Satz Friedrich Eberts auf das Kommende ein: »In diesem Saale sind viele, denen es schwer werden wird, mit den neuen Männern zu arbeiten, die das Reich zu leiten unternommen haben.« Und weiter: »Viele von uns sind ihrer ganzen Erziehung nach geneigt, den Blick in die Vergangenheit zu richten – in die Zukunft muß er mit ganzer Festigkeit gerichtet werden!«

Deshalb müsse es jetzt ganz normal um die Erledigung des Tagwerks gehen, und das tun die Herren dann auch: Die Abfuhrgebühren für Fäkalien werden erhöht, die Zwangsbewirtschaftung bei Ziegelsteinen bleibt bestehen, damit sie nicht – so Kurt – »für Luxusbauten verwendet werden«. Das Standesamt bekommt neue Räume, weil wegen der erhöhten Grippesterblichkeit im Land und der Todesfälle an der Front zusätzliche Mitarbeiter Platz brauchen, und der Friedhof muß erweitert werden. In der Stellenvermittlung des Arbeitsamtes werden getrennte Wartezimmer für männliche und weibliche Arbeitsuchende eingerichtet – Kurt bewahrt sich auch in wirren Zeiten den Blick für das Wesentliche.

Gertrud ist deutlich stärker gebeutelt als ihr Mann. Auch in Halberstadt sind Offizieren auf der Straße Degen, Kokarde und Achselstücke abgenommen worden. »Oh Großer«, schreibt sie an HG, »Dein Blut wird wohl kochen, wenn Du das liest, und Du wirst nicht verstehen, daß sie sich nicht bis aufs Letzte wehren. Aber überall laufen auch die Kürassiere mit roten Fahnen und Schleifen herum – mir kamen die Tränen, als ich die ersten sah.« Ihre Welt, die nicht durch Hunger, Hühner-Cholera, Heizungssorgen aus dem Lot zu bringen war – jetzt ist sie ins Taumeln geraten. Der Mann auf der Straße, bisher ein fürsorglich behandelter Angestellter oder Lohndiener, wird für sie plötzlich zur Bedrohung. Dankbar schildert Gertrud, daß Kurt »das Schlimmste, daß man ihm den Säbel weggenommen und die Achselstücke abgerissen hätte«, erspart geblieben sei, »da er mit all seinen Herren im Kriegsamt schon Zivil trug«. Das Schlimmste: für Gertrud der Verlust äußerer Insignien ihrer Klassenzugehörigkeit.

Gertrud flüchtet sich zu Schiller. »Das Alte stürzt, es ändert sich die Zeit, und neues Leben blüht aus den Ruinen«, zitiert sie »Wilhelm Tell« und hat dabei eine ziemlich präzise Vorstellung, wie dieses neue Leben aussehen sollte, nämlich »daß deutsches Wesen sich wieder durchsetzen wird«. Zur Erholung von den Schrecknissen da draußen lesen sie abends Wilhelm Raabe »Der Hungerpastor« vor, das paßt ja in die Zeit. In doppelter Hinsicht. Die antisemitischen Töne des Buches tauchen bei Kurt schon Anfang Dezember in anonymen Flugblättern wieder auf, die in Magdeburger Fabriken verteilt werden: »Es wird darin gesagt, daß in Deutschland die Verhältniszahl der Juden zur Gesamtbevölkerung anderthalb Prozent beträgt, daß aber in der gegenwärtigen Regierung 80 % Juden säßen.« Da sind sie wieder, die »Alldeutschen«, die »Vaterländische Partei« und die vielen anderen, die alle Schuld an der deutschen Niederlage einer »jüdisch-freimaurerischen Weltverschwörung« anlasten.

In die Ukraine schwappt die deutsche Geschichte mit deutlicher Zeitverzögerung. Während zu Hause riesige Demonstrationen von Soldaten und Arbeitern die Städte lahmlegen, tanzt HG auf einem Manöverball mit den Schönen des Landes. Am Tag, als der Waffenstillstand unterzeichnet wird, das ist der 11. November 1918, zieht er mit einigen Offizieren und ukrainischen Großkaufleuten in Kiew um die Häuser – seine Schilderung dieser schlüpfrigen Nacht an den Vater wird von Kurt zensiert, indem der den Brief abschreibt und entschärft, bevor er ihn an Gertrud weiterleitet: »Der Junge hat mir von Mann zu Mann geschrieben. Das ist nichts für Mütter.« Für Töchter leider auch nicht. Der Originalbrief ist verschwunden.

Erst am 21. November erwischt die Nachricht von Revolution und Umwälzung den ahnungslosen HG, als er von einem MG-Lehrgang – »so viel habe ich in meinem Leben noch nicht getrunken!« – zurück in seinen Standort kommt. Seine aufgeregten Soldaten in der Schwadron wählen ihn, den Offizier, Hals über Kopf und einstimmig in den Soldatenrat – die letzten Zeitungen sind vom 4. November, und wie Revolution eigentlich geht, weiß niemand so recht. Sie wissen nur, daß sie so schnell wie möglich nach Hause wollen. HG: »Es heißt, daß wir nicht verladen werden, sondern die ganze Strecke reiten sollen« – von Odessa nach Tilsit! – »das kann ja lieblich werden. Haltet nur mein Zivilzeug bereit, ich bleibe nicht eine Sekunde länger Soldat als ich unbedingt muß. Wenn Ihr jetzt eine Weile nichts von mir hört, so sorgt Euch nicht um mich. Ich bin unter den Kameraden der 5./D.1 sicher wie in Abrahams Schoß!«

Das ist er nicht. Ein geordneter Rückzug des deutschen Heeres aus der Ukraine ist nicht mehr möglich, und für HG ist nicht erkennbar, ob sie es mit Räuberbanden oder Militärformationen zu tun haben – jeder will ihnen ihre Waffen, ihre Munition, ihre Pferde, ihre Ausrüstung abjagen. Sie geraten in schwere Kämpfe – HG in einem der wenigen Briefe, die noch durchkommen: »Da gingen wir zu Pferde im Galopp in dichten Kolonnen durch rasendes MG-Feuer, eine haarige Sache!« Es häufen sich die Schauergeschichten von Truppenteilen, die sich im Vertrauen auf ihre ukrainischen Partner von gestern unbewaffnet in Züge haben verladen lassen und schon nach wenigen Kilometern ausgeraubt und in die Luft gesprengt wurden. HG: »Im Normalfall hätte das Krieg bedeutet«, aber in der deutschen Heeresgruppe geht gar nichts mehr.

Unter den Offizieren kursieren Gerüchte über ein bevorstehendes Deutschen-Pogrom, und HG beschreibt deprimiert eine Erfahrung fürs Leben: »Vor zwei Monaten noch waren wir hier die einzigen und unbestrittenen Herren, was ist das für ein Wandel!! Aber man hat mal wieder so recht gesehen, daß nur die Macht zum Erfolg führt, das sogenannte ›Recht‹ ist immer eine Utopie. Dem ›Recht‹ nach wollten wir hier neutral bleiben und geordnet abrücken, dabei gaben wir unvorsichtig die Macht aus der Hand, und das haben wir nun davon!«

Die Regimenter, verstärkt durch eine Abteilung Königsberger Artillerie, müssen sich buchstäblich durchschlagen. HG gerät zweimal in Nahkampf-Gefechte, die er heil übersteht, aber sein Pferd tritt beide Male nach und bricht ihm erst das Bein und dann das Schulterblatt. Wie im Frühjahr, als er den Schützen Vitt überlebte, erfährt HG auch jetzt durch einen Fußtritt seines Pferdes seine Endlichkeit. Doch er reitet weiter, Bein und Schulter notdürftig geschient, es ist bitter kalt, die Soldaten leiden unter Frostbeulen und Hunger. In den Dörfern fangen sie sich Läuse und Würmer ein.

HG wird als Dolmetscher gebraucht, wenn freie Durchmärsche geklärt werden müssen, und vor allem, wenn es darum geht, daß sie sich nicht entwaffnen lassen. Offensichtlich ist auch sein Verhandlungsgeschick gefragt. HG ist der Sohn seines Vaters, der trotz aller Empörung im Bauch den richtigen Ton trifft. Es gibt keine Briefe von ihm aus dieser Zeit, später schreibt er: »Das war Krieg, ein schmutziger, ekliger Krieg, wo wir auf dem Rückzug waren, Soldaten eines verlorenen Krieges ohne Ehre, ohne Stolz, aber auch nicht mehr bereit zu sterben.«

Nach vier harten Wochen sind sie am 23. Januar 1919 in Bialystok, einem Eisenbahnknotenpunkt, wo eine deutsche Nachhut den Transport des gesamten Rückzugs aus Osteuropa koordiniert. Erst hier kann HG seine Knochenbrüche versorgen lassen, und der Standortkommandant, ein alter Kumpel von Vater Kurt aus dessen Ostfront-Zeit, will ihn sofort nach Hause schicken, damit eventuelle Verformungen seines Körpers vermieden werden können. HG weigert sich. Er will seine Truppe nicht verlassen, und merkwürdigerweise bleiben keine Schäden bei ihm zurück.

Einen Monat später erst wird das Regiment nach Tilsit verladen – seit dem letzten Frühjahr war HG nicht mehr in Deutschland, länger als zwei Jahre nicht zu Hause in Halberstadt. Kurt begrüßt ihn sorgenvoll: »Willkommen, lieber Junge, herzlich willkommen in der Heimat. Ach, aber es ist eine so andere Rückkehr als die, die ich Dir wünschte. Du wirst Dich an vieles gewöhnen müssen, was Dir schwer werden wird. Es ist nicht mehr das alte Deutschland! Wir haben die Umwandlung langsamer durchlebt, und auch uns kam vieles noch viel zu schnell. Dir wird es schwerer werden, weil der Übergang plötzlicher sein wird.«

Das geht bei der Ankunft in Tilsit los. Früher wäre das Regiment im Triumph und mit klingendem Spiel in die Stadt gezogen, Flaggen an allen Häusern, und der Jubel der Bevölkerung hätte den Kriegern das Herz gewärmt. Jetzt kommen sie nachts an, der Zug hat deswegen eigens ein paar Stunden auf freier Strecke gehalten, und nur ein paar schlaflose Einwohner Tilsits werden die lautlosen Kolonnen auf dem Weg in ihre Kasernen bemerkt haben.

Kurt und Gertrud mit Kindern

FÜNF

DIE RÜCKKEHR INS ZIVILLEBEN BRAUCHT ZEIT. HG ist Berufs-
offizier, und die Entlassung in den Reserve-Status dauert,
zumal das Regiment ihn gern behalten hätte. Aber Kurt macht
Druck, es herrscht Lehrstellenknappheit: »Die jungen Offiziere und Fähnriche drängen in erschreckender Anzahl in die bürgerlichen Berufe, und bald werden alle guten Stellen besetzt
sein.« HGs Wunsch, seinen Burschen mit nach Halberstadt zu
bringen und ihn als Diener weiter zu beschäftigen, stößt bei
den Eltern auf mildes Entsetzen. Gertrud: »Wovon willst Du
ihn ernähren? So nett das für Dich wäre – wir haben hier
Menschen genug.« Kurt: »Ein Lehrling mit persönlichem Diener! Schlag dir das aus dem Kopf!«

Vater Kurts Beziehungen führen zu einem Platz für HG im
Speditionsgeschäft Carl Prior in Hamburg, von wo ein ah-
nungsvoller Herr Michaelsen dem »sehr verehrten Herrn
Kommerzienrat« schreibt, er gehe davon aus, »daß Ihr Herr
Sohn sich des Unterschieds zwischen einem Lehrverhältnis und
den Verantwortlichkeiten eines Offiziers bewußt ist«. Kurt
antwortet: »Daß er sich allen Anordnungen seines Lehrherrn
unterwirft und die übliche Geschäftszeit innehält, halte ich für
selbstverständlich.« Wie war das mit dem Harmonium? »Nun
muß sich alles, alles wenden« – armer Junge! Dienstbeginn ist
der 13. Mai 1919.

Ich versuche, mich da hineinzuversetzen: Etappendienst mit
Kasino-Gelagen, Manöver-Ball, Trappen-Schießen. Dragoner,
die mit den Hacken knallen, der Bursche richtet das Bade-
wasser. Dann »rasendes MG-Feuer«, die Verbündeten von
gestern drohen mit einem Deutschen-Pogrom. Scheußlicher

Rückzug, Nahkämpfe, Pistolenduelle Mann gegen Mann bei 20 Grad minus. Das Bein kaputt, die Schulter kaputt, verhandeln, verhandeln, verhandeln – knapp 2000 Männer sind abhängig davon, daß du gut bist. Auf russisch. Danach schleichst du dich nachts wie ein Hund in die Kaserne, und draußen ist eine Welt – eine deutsche Welt –, die du nicht kennst. Statt dessen die Perspektive »Anordnungen des Lehrherren«, »übliche Geschäftszeit«, Konossemente, Zoll-Abfertigung im Freihafen – und keine Pause dazwischen. Keine Zeit zum Nachdenken. Niemand, der dich in den Arm nimmt, keiner, der sagt: Komm ganz langsam an und mach dich ganz, ganz langsam auf den Weg.

HG fährt am 20. April in Zivil in knallvollen Zügen von Tilsit nach Halberstadt – die Zeit der komfortablen Sonderabteile für Offiziere ist vorbei, und kein Bursche besorgt mehr das Gepäck. Dabei wäre HG so gern wenigstens einmal als Leutnant in vollem Ornat durch die Stadt spaziert. Kurt, der inzwischen den Dienst in Magdeburg quittiert hat, tröstet brieflich: »Hier erwartet Dich ein tadelloser Einreiher-Rockanzug (Cutaway), der Dir Spaß machen wird.« Ich kenne die Fotos: HG sieht wieder aus wie ein Konfirmand. In Halberstadt feiert er Wiedersehen mit Kurts Schlachtrössern »Nelly« und »Lord«, die Kutscher Kückelmann – den gibt es auch schon seit Jahren – in der Gegend von Breslau aufgetrieben hat. Sie sehen aus, als wäre mindestens der Großvater ein Kaltblüter gewesen. Kein Wunder, daß sie den Krieg so gut überstanden haben auch ohne HGs Rettungsaktion in die Ukraine. An Morgenritte in den Spiegelsbergen ist allerdings nicht zu denken. Alles was einen »Junker«-Anstrich hat, könnte »Rowdies« auf dumme Gedanken bringen.

Denn die Revolution ist nicht mehr nett. Die Auseinandersetzungen der verschiedenen sozialistischen Gruppierungen untereinander haben sich zugespitzt. Die Gegenrevolution in Gestalt von noch nicht demobilisierten Regimentern und in aller Eile aufgestellten Freikorps steht buchstäblich Gewehr bei Fuß. Anfang Januar 1919 hatte der Sozialdemokrat Gustav Noske auf Anordnung der sozialdemokratischen Regierung Ebert mit diesen rechtsradikalen Freikorps den sogenannten Spartakus-Aufstand in Berlin zerschlagen. Am 15. Januar wurden Rosa Luxemburg und Karl Liebknecht von Regierungstruppen meuchlings ermordet. In Deutschland herrscht Bürgerkrieg.

Wie findet sich einer in dieser Chaos-Zeit zurecht, der bisher ordentlich von oben nach unten gelebt hat? Ganz einfach: Er macht weiter so wie bisher. Sowohl HG als auch seine Eltern arrangieren sich mit den Widrigkeiten der Nachkriegszeit – Hungerrationen, ungeheizte Zimmer, Zugverspätungen, wenn überhaupt einer fährt. Im übrigen findet der Bürgerkrieg woanders statt, in den Arbeitervierteln mal in Köln, vor allem in Berlin, verheerend in Bayern. In Halberstadt ist das Anlaß zu langwierigen Diskussionen, nicht zur Umwidmung bisheriger Werte. Man kann daran vorbeileben. Nicht ganz wie gehabt, aber immerhin.

Kurt kandidiert in Halberstadt für die großindustrielle »Deutsche Volkspartei« von Gustav Stresemann in den Wahlen zur Nationalversammlung und, erstmals ohne Dreiklassen-Wahlrecht, zum preußischen Landtag. Er tut das nicht begeistert, aber mit »aller Kraft gegen die Sozialdemokraten«. Damals ging es darum, das konservative Element in der Nationalversammlung gegen alles »Linke« zu stärken, und Kurt, Protagonist der alten Ordnung, fügte sich seufzend in das Drängen der verstörten Mit-Eliten in Gestalt von Zucker-Fabrikanten, Bankern, Handelsherren: »Man kann in diesen schweren Zeiten den anderen das Feld nicht überlassen.« Mußte man aber, denn die »Deutsche Volkspartei« landete wie die übrigen Konservativen unter »ferner liefen«, und Kurt konnte zu Hause bleiben. Als bei der nächsten Reichstagswahl die Rechten deutlich zulegten, war Kurt nicht mehr dabei.

HG gerät, kaum daß er angefangen hat, bei der Firma Carl Prior das Speditionsgeschäft zu lernen, in die »Hamburger Sülze-Krawalle«, eine der vielen Hunger-Unruhen des Bürgerkriegs. Das heißt, er »gerät« in gar nichts. Er wohnt in Harvestehude, und randaliert wird in Wilhelmsburg. Selbst bei seinen nun obligatorischen Geschäften im Hafen spürt er physisch nichts von den Gewaltexzessen um die Ecke. Trotzdem treibt es ihn um: »Muß ich nicht dem Vaterland zu Hilfe kommen und mich wieder bei meinem Regiment melden?« Der kluge Kurt relativiert das Vaterland: »In diesem Kampf hat keiner recht, und die Motive sind nirgendwo lauter. Ich bin froh, wenn Du Dich fern hältst. Das Vaterland braucht Männer, die die Wirtschaft ankurbeln, und Du wirst einer von ihnen sein.«

Der Sohn fügt sich, geht morgens um acht ins Kontor, in der Mittagspause von eins bis drei mampft er mitgebrachte Frühstücksstullen an der Alster – »hier gibt es jetzt ein merkwürdiges Kunstschmalz, aber mit ein bißchen Phantasie kann man das essen« –, und abends ist er selten vor sieben fertig. Dann lernt er Englisch, geht in einen Handelskurs, und er entdeckt zwei neue Leidenschaften für sich: die Großstadt und den Reiz, Geschäfte auf eigene Faust zu machen. Er verscherbelt Heringsfässer nach Ostpreußen, müht sich um den Export von Rübensamen und will landwirtschaftliche Maschinen aus den USA einführen. Er organisiert Holztransporte nach Hessen und schickt eine Ladung lebender Gänseküken nach Nürnberg – das heißt: Sie lebten, als die Reise losging. Auch sonst geht fast alles irgendwie schief, und HGs Geld, das er vorstreckt, verschwindet wie Butter in der Sonne.

Kurt sieht sich das eine Weile an, bevor er eingreift: »Rübensamen sind kontingentiert und können nur unter der Hand anderweitig verkauft werden. Das ist aber illegal, und damit befasse ich mich nicht, und Du solltest auch die Finger davon lassen. Landwirtschaftliche Maschinen aus den USA einzuführen, ist volkwirtschaftlicher Unsinn. Mit Fertigprodukten machen wir unserer einheimischen Maschinen-Industrie Konkurrenz. Dein Konto bei der Firma ist jetzt mit M 702.75 einschließlich Portokosten belastet. Ein Kaufmann, der weiß, wie schwer Geld zu verdienen ist, muß damit anders umgehen als grüne Leutnants!! Besten Gruß – Dein Alter.«

Noch könnte »der Alte« seinem Sohn ja verbieten, dummes

Zeug zu veranstalten – HG, der Offizier und bis vor wenigen Monaten Vorgesetzter von ein paar Dutzend Dragonern, wird erst im Oktober 1919 volljährig. Ohne Kurts Unterschrift kein Lehrvertrag bei der Firma Prior und ohne Vaters Placet auch kein Mietverhältnis bei der Familie Bieber in der Klosterallee, wo HG ein ungeheiztes Zimmerchen mit Familienanschluß bewohnt. Aber dieser Vater verbietet nicht. Er vertraut wie früher auf die Kraft der Argumente, wenn ihm auch manchmal der Kragen platzt. Als HG einen vorgeblichen Super-Deal mit dem Export von Brotschneidemaschinen einfädelt – HG: »Diesmal klappt es bestimmt, die Sache ist bombensicher und wir werden viel Geld verdienen!« –, muß Kurt mit mehreren tausend Mark die Zwischenfinanzierung übernehmen und einen Käufer in den USA finden, der wenigstens den Einkaufspreis bezahlt.

Kurt sarkastisch: »Ich bin entzückt über Dein kaufmännisches Interesse. Wenn es nun auch noch gepaart wäre mit der gebotenen Vorsicht und Weitsicht und der Abwägung von Gewinn- und Verlust-Chancen, wäre ich vollends begeistert. Und was machst Du, wenn einer Deiner Kunden herausbekommt, daß Du nur ein Stift in einer Speditionsfirma bist und sonst gar nichts? Was tust Du, wenn Dein Lehrherr von Deinen ›Geschäften‹ erfährt? Du hast einen Namen, den Du hüten mußt, damit Du einst in die Firma eintreten kannst als ehrbarer Kaufmann, von dem man sich keine fragwürdigen Anekdoten aus der Jugendzeit erzählt.«

Das saß. HG gelobt Abstinenz: »Ich wollte Dir zeigen daß ich in unserem Beruf mit eigenen Ideen erfolgreich sein kann, aber ich sehe, daß ich mich noch lange auf Deinen Rat verlassen muß.« Mit Kurts Rat allein ist es nicht getan. Er und Gertrud schreiten zur Konzertierten Aktion, als sie begreifen, daß HG den Versuchungen der Großstadt weit über die Kapazität seines privaten Geldbeutels hinaus erlegen ist. Gertrud: »Vater ist sehr ungehalten über die jetzt dritte Restaurantrechnung aus dem ›Vier Jahreszeiten‹, und dann auch noch Champagner! Mußt Du denn so protzen?«

Gertrud verbindet ihre Irritation über HGs aufwendigen Lebensstil einmal mehr mit der Sorge um seine geistige Nahrung : »Hörst Du nicht auch mal was Gutes im Konzert oder im Theater? Das kann man in diesen schweren Zeiten auch mal ohne Abendgarderobe. Und was liest Du eigentlich? Soll ich etwas schicken? Schläfst Du auch genug?« Als HG für sein kleines Zimmer teures Heizmaterial bestellt, versteht Kurt seinen Sohn nicht mehr: »War das absolut nötig? Kannst Du nicht in Biebers geheizten Räumen Deine Schreibereien machen, lesen u.s.w.? Ich gebe gern zu, daß es sehr unschön ist, kein eigenes warmes Zimmer zu haben. Aber das geht ja jetzt vielen Leuten so. Jetzt, während ich dies schreibe, friere ich gottsjämmerlich in meinem Kontor. Schön ist das nicht, aber was hilft's?«

Doch Kurt zahlt: Für Holz und Torf 214.50 Mark, ein Elektriker bekommt 120,– Mark – da hat sich HG in sein Zimmerchen Strom verlegen lassen. Kurt spitz: »Die Petroleumlampen reichen nicht mehr??« Der Vater besorgt Lackschuhe für den Frack und schleppt im überfüllten Zug den Smoking zum Schneider nach Hannover. Abgesehen von HGs verunglückten Investitionen in seine »Geschäfte« überweist Kurt jeden Monat 500,– Mark für Kost und Logis plus 300,– Mark Taschengeld, und alle zwei Wochen kommt ein Freßpaket aus Halberstadt.

Ich werde ganz nervös, wenn ich das so zusammenrechne – kann der Mann nicht mal auf den Tisch hauen? Der hat schließlich vier Kinder. Macht er das bei allen so? Vorsicht! Was würde ich denn tun mit meinen Kindern, wenn die gerade dem kriegerischen Unheil heil entronnen sind und überall im Freundeskreis die Trauer über den Verlust der jungen Hoffnungen ihren Schatten auf die Familien legt? Kurts Bruder Johannes hat zwei Söhne verloren, seine Schwester Gertrud einen – man kann ja nicht aufhören zu zählen. Trotzdem werde ich ärgerlich, wenn ich lese: »Hast Du übrigens gegen irgend jemanden brieflich geäußert, ich hielte Dich etwas knapp oder so ähnlich? Mir ist so etwas auf Umwegen zu

Ohren gekommen. Solltest Du Wünsche in der Beziehung haben, lieber Junge, so sprichst Du Dich wohl offen mir direkt gegenüber aus.«

Warum läuft HG in seinen ersten Hamburger Monaten so aus dem Ruder, nachdem er vorher als Soldat sich doch oft einen Kopf gemacht hat, ob das Leben als Kavallerist nicht zu teuer sei für Vaters Portemonnaie? Vielleicht hat er ja gar nicht. Vielleicht waren all seine Sorgen um die hohen Kosten für Ausrüstung, Kasinoleben, Sauf-Gelage im Regiment, HGs wiederholte Angebote, sich zur preiswerteren Artillerie versetzen zu lassen, lediglich eins von diesen üblichen Gesellschaftsspielen zwischen Söhnen und Vätern. Der Sohn gibt den Schuldbewußten, und der Vater zahlt um so leichter, wenn er das Gefühl hat, der Sohn weiß die Belastung zu schätzen? HG wußte, daß der Kürassier Kurt sich krummgelegt hätte, um seinem Sohn die Karriere-Chancen in einem Reiter-Regiment nicht zu verbauen. Er wußte außerdem, daß der Vater sich auch im Krieg nicht krummlegen mußte.

Aber jetzt? Die Verhältnisse sind schwierig, die Hunger-Blockade der Kriegsgegner greift nach wie vor, und es kommen keine Rohstoffe ins Land. Kurt erwartet von der Herrschaft der Roten »Sozialisierungen, daß uns die Augen tränen werden«. Das passiert tatsächlich nicht, doch solche Befürchtungen lähmen den unternehmerischen Elan. Das Demobilisierungsgesetz schreibt vor, daß jeder Mitarbeiter von 1914 bei vollem Lohn in der früheren Firma wieder eingestellt werden muß, auch wenn die, wie I. G. Klamroth und viele andere, kaum etwas zu tun hat. Kurts Laden beschäftigt demnach zur Zeit deutlich zu viel Personal – es geht nicht wirklich schlecht, aber nicht so gut wie sonst. Kurt muß scharf rechnen, und er findet, der Sohn und künftige Partner solle das auch. Warum also entwickelt HG ausgerechnet jetzt so etwas wie finanzielle Maßlosigkeit?

Vielleicht, weil er sich nicht zurechtfindet. Abgesehen von dem Erlebnis mit dem Schützen Vitt war seine Soldatenzeit übersichtlich. HG kannte seinen Platz, und das Dasein als Offizier mit den entsprechenden Privilegien fand er angemessen. Als Schüler in Halberstadt hat er um seinen Status sowieso nie ringen müssen. Jetzt ist er einer von mehreren schlecht bezahlten Lehrlingen unter dem übellaunigen Prokuristen Michaelsen, der in HG mitnichten die Preziose sehen will, für die der sich hält. Bei den Geschäftsfreunden seines Vaters und den ostpreußischen Junkern, wo er in Hamburg »Besuch macht« und folglich eingeladen wird, geht es zu wie zu Hause, nur daß HG das Haus in Halberstadt als adäquates Ambiente nicht zur Verfügung hat. Er kann niemanden zu Morgenritten oder Tennisspielen einladen, und so müssen statt Kunstschmalz-Schrippen in Familie Biebers kaltem Zimmerchen gelegentlich Frack-Diners im »Jahreszeiten« her.

Daß da eine Unwucht ist in seinem Leben, spürt HG offenbar schon. Nachdem er seine Volljährigkeit mit Freunden im »Atlantic« gefeiert und den verblüfften Bar-Musikern »Nun muß sich alles, alles wenden« am Flügel vorgesungen hat, überlegt er am nächsten Tag, wo es denn nun hingehen soll mit ihm. 42 Briefe hat er bekommen zum Geburtstag, Pakete, Blumen, von einer ostpreußischen Gans bis zur Schichttorte Verpflegung für die nächsten Wochen. »Ich bin wirklich einigermaßen erschlagen, wie viele Menschen an mir Anteil nehmen«, schreibt er an seine Eltern. Für das neue Jahr hat er sich »auch für mich selber etwas gewünscht, nämlich mehr ›ich selbst zu werden‹. Ich bin bisher innerlich so furchtbar anlehnungsbedürftig, und dann mache ich manches, um anderen zu gefallen, und das ist nicht immer das Richtige. Ich muß üben, selbständig zu werden.«

Wer kennt das nicht, dieses Bedürfnis, everybody's darling zu sein? Kurt wird diese Sonntagsrede als das begriffen haben, was sie ist. Aber er nimmt den Sohn auch jetzt wieder ernst. Also verfolgt er mit Wachsamkeit, wie HG vor der schwierigen Aufgabe der Selbstfindung flüchtet in die Geborgenheit der einzigen Gruppe, die er außerhalb der Familie kennt: in sein Regiment. Einige Offiziere aus Tilsit haben sich im Hamburger Exil in einem Ehemaligen-Club zusammengefunden, und in den heftigen Diskussionen nach dem Versailler Vertrag geht es darum, »ob nicht jeder, der noch einen Funken Ehre im Leib hat, dagegen mit der Waffe in der Hand zu kämpfen verpflichtet ist«. Man kann von Glück sagen, daß die jungen Leute sich nicht um die Freikorps und deren Jagd auf »Bolschewisten« kümmern. Nicht der Klassenkampf von oben ist ihr Thema, sondern der äußere Feind, in Sonderheit, wenn er Deutschland besetzen sollte. Kurt wiegelt ab: »Widerstand können wir nicht leisten, schon weil wir gar nicht in der Lage sind, unsere Truppen mit Munition und Kriegsgerät zu versehen. Der für diesen Fall von konservativen Fanatikern gepredigte Franctireurkrieg« – heute heißt das Partisanen-Kampf – »wäre der größte Blödsinn und das größte Unglück für Deutschland«.

Überhaupt sei HGs Vorstellung, er müsse das Vaterland jetzt wieder als Soldat verteidigen, den Verhältnissen nicht angemessen. »Wir werden statt dessen alle so würdig wie möglich – ich fürchte, es werden sich viele recht unwürdig benehmen – dem durch den verlorenen Krieg geschaffenen Zustand entsprechen müssen und durch unser Verhalten versuchen, die verloren gegangene Achtung wiederzugewinnen.« Ich höre Kurt 1914. Was für ein mühevoller Weg seit der Zeit, als er noch meinte, »deutsche Kultur und deutsches Wesen« in alle Welt tragen zu sollen.

Jetzt rät Kurt seinem Sohn: »Du stehst vor allem in einem Dienstverhältnis zu Deinem Chef, das Du nicht einseitig wegen eines Abenteuers mit zweifelhaftem Ausgang lösen darfst. Ein Lehrvertrag ist kein scrap paper.« Sieh mal an: Kurt robbt zurück nach England! Weiter auf deutsch: »Treu und Glauben sind im kaufmännischen Leben das, worauf sich alles aufbaut. Im Fall einer Besetzung Hamburgs durch die Engländer wird Deine Firma voraussichtlich erheblich zu tun haben, und Dein Chef würde erstaunt sein, wenn Du ihn verlassen wolltest. Hast Du mit ihm darüber gesprochen?«

Wie zuvor, als Vater Kurt dafür sorgte, daß HG sich nicht wegen des E.K. I an der Westfront den Schädel einschlagen ließ, hindert er ihn nun, im Zuge der Empörung über den Vertrag von Versailles ein Himmelfahrtskommando zu bestücken. Das heißt: Hindern kann er ihn nicht mehr. HG ist volljährig. Kurt argumentiert vielmehr, und ich höre der väterlichen Diplomatie mit Vergnügen zu: »Ich halte Deinen Entschluß, direkt zum Regiment zu reisen, für unrichtig, und es war recht voreilig, daß Du – sicher aus sehr zu achtenden vaterländischen Gefühlen heraus – schon an den Kommandeur und den Adjutanten geschrieben hast. Daß wir Dich, wenn das Vaterland in Not ist, nicht hinter dem Ofen hocken sehen wollen, sondern da, wo Du hingehörst, ist richtig. Ich bin aber nicht einer Meinung mit Dir darüber, <u>wo</u> Du hingehörst, um Deinem Vaterlande am besten zu dienen.«

Der Vater hat ein Gespür für das Wesentliche: »Prüfe Dich doch noch einmal gründlich, ob bei Deinen Entschlüssen nicht sehr viel der Wunsch Deines Herzens mitspricht, wieder in Deinem früheren Kreise zu sein, mit Deinen Kameraden zusammen das frühere Leben zu führen, das – ich gebe es zu – viel angenehmer ist als das eines Handlungsstiftes. Ich kann mir denken, daß der Vergleich mit Deinem früheren Leben sehr zum Nachteil Deines jetzigen ausfällt; aber man soll nicht in Stimmungen, die vorübergehen, über Fragen entscheiden, die auf das ganze künftige Leben entscheidenden Einfluß ausüben.«

Vermutlich hat Kurt recht in bezug auf HGs Sehnsüchte. Doch der Aufschrei nationaler Empörung in Deutschland über den Versailler Vertrag war einhellig, und nicht nur junge Hitzköpfe wie HG wollten sich die hanebüchenen Bedingungen nicht bieten lassen. In dem 440 Artikel umfassenden Konvolut springt mich nichts als Vernichtungswille an, Demütigung. Am heftigsten ging den Deutschen der Kriegsschuld-Artikel 231 an die Nieren – Deutschland und seine Verbündeten sind als »Urheber aller Verluste und aller Schäden verantwortlich« für was immer die Gegner infolge des »ihnen aufgezwungenen Krieges erlitten haben«.

Ich will gar nicht reden von den Gebietsverlusten – Danziger Korridor! – oder von der Minimierung der Reichswehr auf 100 000 Mann mit penibel abgezählten Schuß Munition. Diese Truppenstärke wäre noch nicht mal ausreichend gewesen für Schaumburg-Lippe. Die Marine wird auf 15 000 Soldaten eingedampft, U-Boote darf Deutschland überhaupt nicht mehr haben, eine Luftwaffe auch nicht, und die Hochseeflotte, Kaiser Wilhelms Riesenspielzeug, ist bis auf spärliche Reste an die Alliierten abzuliefern. Dem kommt sie eine Woche vor Vertragsunterzeichnung durch Selbstversenkung in der britischen Bucht von Scapa Flow zuvor – was die Marinemaler daraus wohl gemacht haben!

Also gut: Deutschland hat den Krieg verloren, und was das Kaiserreich den Russen beim Frieden von Brest-Litowsk diktiert hat, läßt ahnen, was passiert wäre, hätte Deutschland auch diesmal als Sieger auftreten können. Aber wer sich da in Versailles alles mit ins Boot gesetzt hat! 27 Staaten sind hier plötzlich versammelt, nicht gerechnet die Commonwealth-Länder wie Indien, Kanada, Australien, Südafrika und Neuseeland. Was haben die, was haben Kuba, was Siam, was Haiti mit dem Krieg zu tun?

Daß der König des Hedschas, heute ist das Saudi-Arabien, daß der Mann den Original-Koran zurückhaben muß, den der Schwiegersohn Mohammeds und dritte Kalif Othman um das Jahr 650 in seine jetzige Form gebracht hatte, versteht sich von selbst. Die Türken hatten den antiken Schatz in Medina geklaut, um ihn Wilhelm II. zu schenken – das macht man ja auch nicht! Aber wird der Wüsten-König deshalb zum Kriegsteilnehmer? Wenn die Liberianer keine Lust mehr dazu haben, daß bei ihnen zuhause ein (!) deutscher Zollbeamter tätig ist, wie 1911 mit dem Kaiserreich vertraglich vereinbart, ist das ein Kriegsgrund? Auf den Schädel des Sultans Makaua, der »aus Deutsch-Ostafrika weggenommen und nach Deutschland gebracht worden ist«, erheben jetzt die Briten Anspruch. Wieso die? Steht so im Vertrag.

HG und seine Dragoner-Freunde werden sich nicht im einzelnen mit dem Vertragswerk befaßt haben, und im Zweifel ist ihnen egal, wieviel Viehzeug an Frankreich und Belgien abzuliefern ist – die Franzosen bekommen 500 Hengste im Alter von drei bis sieben Jahren, die Belgier 200. Dafür will Frankreich Fohlen und Stuten haben von ardennischer, boulonnaiser oder belgischer Rasse, 30 000 insgesamt. Die Belgier bekommen nur 10 000, aber »schwere belgische Zugpferde«. Frankreich hat Ziegen bestellt (10 000), nach Belgien gehen statt dessen 15 000 Mutterschweine. Steht so im Vertrag.

Nicht egal ist es allerdings, daß ab sofort 85 Millionen Tonnen Kohle jährlich an Frankreich, Belgien, Luxemburg und Italien geliefert werden sollen, obwohl Deutschland ein Drittel seiner Kohlevorkommen eingebüßt hat. Die Besetzung der deutschen Gebiete westlich des Rheins für die Dauer von 15 Jahren ist eine Schmach, vor allem aber ist sie teuer. Denn Deutschland zahlt die Stationierungskosten – »Unterhalt von Menschen und Tieren, Einquartierung und Unterbringung, Sold und Nebenbezüge, Gehälter und Löhne, Kosten für Nachtlager, Heizung, Beleuchtung, Kleidung, Ausrüstung, Geschirr, Bewaffnung etc. etc.« So steht es im Vertrag, und die Befürchtung, Frankreich könne viel mehr Truppen als nötig hierher verlegen, um seine Armee von Deutschland finanzieren zu lassen, hat sich schnell bestätigt.

Und dann die Reparationen – jeder weiß, daß das illusorische Summen sind, ein wohlfeiles Mittel, Deutschland immer wieder mit Gebietsbesetzungen zu strafen, Lebensmittelblockaden zu verhängen, Verkehrswege zu sperren, wenn das ausgeblutete Land nicht zahlt, nicht zahlen kann – eine Fortsetzung des Krieges mit anderen Mitteln. Zunächst geht es um astronomische 269 Milliarden Goldmark plus umfangreiche Sachlieferungen wie 80 000 Lokomotiven und 150 000 Eisenbahnwaggons, Schiffe, Schwermaschinen, chemische Erzeugnisse und, und, und. Daß man die Kuh nicht schlachten soll, wenn man sie melken will, setzt sich allerdings auch bei den Siegermächten durch: Die neue Summe heißt, immer noch absurd hoch, 132 Milliarden Goldmark plus Zinsen, die erste Milliarde bitte innerhalb von 25 Tagen nach Vertragsabschluß.

Deutschland hat das Geld nicht. Deutschland aber hat Geldpressen und bald eine gigantische Inflation.

Was jetzt losgeht, sind die keineswegs goldenen 20er Jahre. Eine Regierungskrise jagt die nächste, die Wirtschaft kollabiert, die politischen Fronten von rechts bis links verkeilen sich in Streiks und Aufständen, Mörder und Schlägertrupps sind unterwegs. Die Klamroths stiefeln durch das Chaos erstaunlich ungerührt durch. Meine Aufregung über diese aberwitzige Zeit hat mit deren Leben nicht viel zu tun. Zwei Monate nach Inkrafttreten des Versailler Vertrags zum Beispiel passiert der Kapp-Putsch. 5000 Mann der Freikorps-Brigade Ehrhardt, erstmals Hakenkreuze auf den Stahlhelmen, marschieren schwer bewaffnet nach Berlin, die Regierung flieht nach Dresden, die Reichswehr krümmt keinen Finger für ihre Dienstherren Friedrich Ebert und Genossen. Die retten sich mit dem Aufruf zu einem Generalstreik, der das Land von Nord nach Süd in Flammen setzt. Der Putsch bricht zusammen, die Protagonisten – »Reichskanzler« Wolfgang Kapp, Gründer der »Deutschen Vaterlandspartei«, General Walther von Lüttwitz, »Vater der Freikorps«, der Liebknecht- und Luxemburg-Mörder Hauptmann Pabst, und – jawohl, der nun wieder: Erich Ludendorff – bringen sich mit falschen Pässen in Sicherheit.

Das war am Samstag, dem 13. März 1920. Am Mittwoch, dem 17. März 1920 – überall ist der Teufel unterwegs! – erscheinen der Fabrikbesitzer und Kommerzienrat Kurt Klamroth, sein Bruder, der Rittergutsbesitzer Johannes Klamroth und beider Ehefrauen beim Notar in Halberstadt. Und was machen die da? Ausgestattet mit Vollmachten weiterer Verwandter gründen sie den »Klamroth'schen Familienverband«. Wirklich wahr! Sie bringen ein »Grundgesetz« mit, aufwendig in Fraktur, das heißt in »deutscher Schrift« gedruckt auf 15 Seiten feinstem Bütten zur Hinterlegung beim Amtsgericht. Zweck dieses Verbandes ist der »Zusammenschluß möglichst aller Nachkommen des am 29. Januar 1689 zu Alterode (Ostharz) geborenen und am 2. Mai 1764 zu Ermsleben verstorbenen Johann Caspar Klamroth, soweit sie den Namen Klamroth tragen, und deren Ehefrauen zur Pflege gemeinsamer Familienangelegenheiten«.

Und die sind – ich kürze ab: 1. Herbeiführen eines engeren Zusammenhalts der Familienmitglieder, 2. Erhaltung und Erweiterung des Klamroth-Archivs, 3. Abhaltung von Familientagen, 4. Beaufsichtigung und Verwaltung der Familienstiftungen, 5. Unterstützung von Familienmitgliedern mit Rat und Tat, 6. Schlichtung von Zwistigkeiten zwischen Familienmitgliedern, 7. Erledigung aller derjenigen Angelegenheiten, die durch den Familienrat oder den Familientag als Familienangelegenheiten bezeichnet werden. Eigentlich also: »Seid nett zueinander«. Braucht man dazu einen Verein?

Damals offenbar. Ich kenne noch andere solche Familienverbände bürgerlicher Provenienz. Das hatte zu tun mit dem »Verjunkern« dieser Gesellschaftsschicht – sprich: Wir machen es genauso wie der Adel. Und daß die Klamroths ihren Verein aus der Taufe hoben in einer Zeit, als »die alte Ordnung« um sie herum zerbrochen war, deute ich als das Bedürfnis, die Ordnung wenigstens in der Familie zu bewahren. Wenn der lange vorbereitete Festakt dieser Großgrundbürger nun ausgerechnet mit dem Kapp-Putsch zusammenfiel, darf ich das nicht überbewerten – es war wirklich Zufall. Die Gründer-Großeltern hatten vermutlich keine Ahnung, was draußen passierte – es herrschte Generalstreik: keine Zeitungen, keine Post, kein Telefon. Wir haben schließlich unsere Zahnarzt- und Friseurtermine auch nicht abgesagt, obwohl wir wußten, daß Lübeck und Hoyerswerda brannten. Kurt jedenfalls hat ein paar Tage später getobt über »dieses Verbrechen und die unglaubliche Dummheit dieser rechts stehenden Fanatiker und Generalstäbler«.

Familie also. Ahnenforschung war Mode, und Kurt hat sich lange vor dem Krieg schon damit beschäftigt. 1908 erschien seine erste umfangreiche Familienchronik – eine wunderbare Quelle für mich! Das Familienarchiv ist sein Werk, und seine Korrespondenz mit genealogischen Gesellschaften füllt meh-

rere Ordner. Wo nahm er bloß die Zeit her!? Da wurden Kir-
chenbücher durchgeflöht, Grundbücher eingesehen, Zins-
pflichten und Lehensrollen kopiert. Es gibt einen lateinischen
Briefwechsel zwischen Kurt und einem Probst in Polen über
irgendeinen Altvorderen von Vater Gustavs Frau – so was
konnte Kurt. Mir fällt es schwer, diesen Ahnenfimmel wert-
frei zu sehen, weil wir doch wissen, wohin das geführt hat,
und weil ich weiß, daß die »makellos arischen« Stammbäume aller Klamroths nicht mal 20 Jahre später den Zuchtwert
dieser Familie darstellten.

Noch war das kein Thema. 1920 waren für die Klamroths
selbst Süddeutsche extravagant und Verbindungen mit Juden,
Schwarzen, Arabern – wem auch immer – ohnehin völlig
außerhalb des Gesichtkreises dieser Harzvorland-Sippe. Die
Juden in Halberstadt waren orthodox und lebten ihr Leben.
Den Nicht-Juden in Halberstadt fiel der Versuch einer Kumpanei nicht ein – die Welt war in Ordnung. Es ging den Familianten wohl eher um den Beleg ihres gesellschaftlichen
Ranges, um wappen-geschmückte Zugehörigkeit in einem
exklusiven Zirkel. Kurt, der Archivar, war unermüdlich. Seine akribisch geführten Folianten, 12 an der Zahl und pompös
beschriftet, tauchten nach dem Mauerfall auf dem Dachboden der Liebfrauenkirche in Halberstadt wieder auf, von wo
ich sie dankbar abgeschleppt habe.

Kurt sammelte Vorfahren wie Leute heute die Figuren aus
Überraschungs-Eiern, und seine Bestrebungen, Sippenlinien
zurückzuverfolgen bis zu Goethe oder Lucas Cranach, machen
mir immer wieder Spaß. Zumal wohl jeder von uns irgendwie
von Heinrich dem Löwen oder Störtebeker abstammt, wenn
er sich die Mühe macht. Kurt machte sich die Mühe, nachzulesen in den »Blättern für den Klamroth'schen Familienverband«, wo er unter anderen Karl den Großen stammbaum-
mäßig den Klamroths einverleibt.

Auf den Familientagen singen die Mitglieder dann – es sind
erst mal um die 60, und die Kriterien sind streng. Da kann
nicht irgendeine hergelaufene Kusine vierten Grades sich da-

zwischenmogeln. Nicht doch! Aber die, die dürfen, singen: »Tante Nettchen, welche Ehr – jumheidi, jumheida – stammt von Karl dem Großen her – jumheidiheida. Ihre Söhne, will mir scheinen, stammen von Pippin dem Kleinen – jumheidi, jumheida, jumheidifiderallala« und so weiter. Da sind Melodien, die jeder kennt, und es gibt kleine schwarze Wachstuchhefte, da sind die Texte eingeklemmt – »Gesangbuch des Klamroth'schen Familienverbandes« – und dann geht das los: »Drum ihr Alten und ihr Jungen, stimmet alle kräftig ein, denn bei Klamroths wird gesungen, anders kann's ja gar nicht sein!«

Wohl wahr. Vielstimmig, immer! Im Haus gibt es den Flügel, das Harmonium, das Klavier. Es gibt Kurt junior, der den Eingangschoral für den Familientag komponiert hat: »Wohl dem, der seiner Väter gern gedenkt«. Außerdem spielt er Geige, und wie! Da sind Lauten, Schifferklaviere, Flöten, und jeder singt. Ständig. Aus jedem arglosen Satz wird ein Kanon. Auch die Zugereisten bewegen sich mit Tonfolgen treppauf, treppab. Nur Kurt d. Ä. nicht. Der singt nicht, der spielt kein Instrument, der reimt nicht. Dafür die anderen: »Einträchtigkeit und Liebe zur Familie, das ist der Stolz der deutschen Nati-on. Die Zwietracht wuchert wie die Petersilie, wo man nicht pflegt Familientra-di-tion!«

Ich war ja nicht dabei. Der letzte Familientag der »alten Zeit« fand statt 1938, da war Else mit mir schwanger. Aber diese Lieder, das ganze Repertoire der familiären Bänkel-Band »Benno Nachtigall & Sohn«, haben sich subkutan bei mir eingeschlichen. So knüttelig die Verse sind, so rechts zwei, links zwei die Melodien, so gräßlich mir die Vorstellung ist, wie die da alle sitzen und sich mehrstimmig verbandeln – wieso eigentlich gräßlich? –, irgendwie rührt mich das an. Ich kann diese Lieder alle auswendig, der Himmel mag wissen, woher: »Ihr geliebten Anverwandten vom Famili-en-verband, Basen, Vettern, Onkel, Tanten, reichet fröhlich euch die Hand. Denn es zeigt sich wieder heute, was nicht zu verschweigen blieb: wir sind alle nette Leute, haben uns ganz herzlich lieb«.

Aber es gibt auch dieses, das singen sie 1935: »Heute steht, geeinigt, stark und jung, das Land, das uns geboren, und huldigt in Begeisterung dem Mann, den es erkoren. Drum, Klamroths, stellet Hand in Hand euch freudig in die Reihe: dem Führer Heil, Heil deutsches Land und Heil der Ahnentreue!« Lieber nicht. Man muß nicht Träumen nachhängen, wenn sie so schieflaufen. Trotzdem sind heute Familienfeste – Familientage gibt es schon lange nicht mehr – etwas ganz Schönes. Nicht eins dieser Lieder wird noch gesungen, natürlich. Aber »wir sind alle nette Leute, haben uns ganz herzlich lieb« gilt auch bei den Nachgeborenen. Ziemlich jedenfalls.

Damals war das selbstverständlich. Verweigerung war nicht im Programm. Überhaupt habe ich bisher in all dem Papierkram noch nicht einen Hinweis auf ein »schwarzes Schaf« gefunden, nichts, weswegen der Familienrat oder gar der Familientag sich hätte sorgen müssen. Kein Betrug, kein Bankrott, keine Schulden, sieht man mal von HGs gewagtem Kleinhandel ab. Kein Selbstmord, keine Scheidung, keine Heirat mit Katholiken, keine Promiskuität (jedenfalls nicht ruchbar), kein uneheliches Kind, keine Alkohol-Karriere, keine Prügeleien, nirgendwo Schimpf und Schande. Das kommt alles – nein, nicht alles! – aber ein bißchen davon kommt noch. Später. Noch ist der Niedergang nicht zu spüren.

Noch sind sie alle emsig und wohl auch glücklich, sich unterm Familienwappen aneinander festhalten zu können in diesen grimmigen Zeiten. Jedenfalls sehe ich dieses Wappen zunehmend häufiger geprägt auf den feinen Briefbögen, die in der Familie hin und her gehen. Auch bei HG, und auch der ist emsig. Er hat in Hamburg eine ganze Menge um die Ohren, doch das hindert ihn nicht, 1920 einen Sonderdruck für die »Blätter« herzustellen: »Die Familie Klamroth im Weltkriege«. 15 Männer waren im Einsatz, darunter zehn Offiziere. Drei sind tot, das waren die ganz Jungen, vier wurden verwundet, drei bleiben durch Gasverletzung und Krankheit gezeichnet. Das sind viele, zwei Drittel. Ich muß das nicht hochrechnen auf die Millionen Menschenleben, die dieser Krieg gekostet hat. Ein jedes dieser Schicksale ist entsetzlich.

HG lehnt sich nicht auf, auch jetzt nicht, wo er davonge-
kommen ist. Niemand in dieser Familie lehnt sich auf. HG
schreibt im Vorwort zu seinem Sonderdruck: »Fast fünf Jahre tobte der furchtbare Brand, und was die Vorväter in unendlichen Mühen erschaffen hatten, was durch das ganze Leben
jedes rechten Deutschen höchster Stolz und Freude gewesen
war, lag zerschmettert durch Haß und Wut von außen, Ver-
ständnislosigkeit von innen am Boden. So stehen wir wieder
am Anfang, und trotz allen Jammers und aller Not der vergangenen Zeit und der schlimmen Gegenwart wissen wir, daß
es jetzt wie vor dem Kriege, und gerade jetzt, für jeden von
uns, für unser ganzes Wollen und Wirken gilt: ›Deutschland
voran!‹ Das Ende aber ist auch für uns Klamroths nur wieder
der Anfang, und waren wir bisher Deutsche, so bindet uns
nun das Blut, das aus unserem Innersten für das deutsche
Vaterland floß, noch fester und inniger an unser deutsches
Sein.«
HG ist 22, und er meint das so. Soll ich ihn dafür steinigen?
Die haben doch alle so gedacht in Deutschland und anderswo. In einem zweiten Sonderdruck der »Blätter für den Klamroth'schen Familienverband« ein Jahr später schildert HG
seine »Erinnerungen an meine Vettern«, an jene drei, mit
denen er in den Sommerferien auf Juist Kinder-Krieg gespielt
hat und die im Krieg der Erwachsenen so kläglich umgekommen sind. Jetzt ist HG 23, und es heißt: »Sie waren von meinem, von unserem Blute. Sie vergossen dieses Blut für unser
Vaterland. Wir gedenken ihrer aller mit Liebe, jedes einzelnen
mit Treue und Stolz: Dulce et decorum est pro patria mori.«
Über diesen Unsinn habe ich mich schon empört. Das lasse
ich jetzt. Ich kann mir den Mann nicht anders backen als er
ist.
In Hamburg hat HG keine gute Zeit – wir sind immer noch
im Jahr 1920. Er quält sich durch die Lehre bei der Firma Carl
Prior, wo der cholerische Prokurist Michaelsen den jungen
Expedienten als »rot verseucht« beargwöhnt, wenn der darauf
aufmerksam macht, daß für sein Arbeitspensum ein zweiter

Mann vonnöten sei. »Rot verseucht« im Zusammenhang mit HG ist wirklich ein Witz. Er selbst sieht das anders, sein Klassenbewußtsein und seine Ehre revoltieren, und er hat keine Lust, bis Mitternacht im Kontor zu hocken, weil Michaelsen findet, daß eine billige Arbeitskraft immer noch günstiger sei als zwei billige Arbeitskräfte. HG brüllt den Lehrherrn an – Auflehnung, na endlich! –, der brüllt zurück, HG schmeißt den Job hin, dem Lehrherrn fällt Vater Kommerzienrat ein, und er verlangt von Sohn Kommerzienrat zu bleiben. Das regelt sich dank Kurts tätiger Mithilfe, aber HG stapft in den Mittagspausen grimmig um die Alster und sinnt über einen neuen Beruf nach: Senator – das wär' doch was!

Er fühlt sich sowieso nicht wohl in seiner Haut. HG wird heimgesucht von einer schweren Akne, die er mit einer schmerzhaften Teufelskur bekämpft. Das kann zunächst mal ein ganz normales Elend sein. Bei HG vermute ich eher streßbedingt Psychosomatisches, obwohl das damals noch keiner so genannt hätte. Was also geht ihm unter die Haut? Gewiß zerbeult ihm der Ärger in der Firma das Gesicht und zwar so scheußlich, daß selbst Kurt den Zusammenhang erkennt und HG ermahnt, sich einen kleinkarierten Prokuristen nicht so zu Herzen zu nehmen.

Doch vor allem wird HG vom Tod des Schützen Vitt verfolgt. Der Gerichtsoffizier des Bezirkskommandos Halberstadt schickt ihm eine Vorladung »zur Vernehmung in Sachen Vitt«, und HG werden die Knie weich. »Ich konnte nicht mehr klar denken und mein Herz raste wie toll«, schreibt er an seine Schwester Annie. Kurt geht da hin, bekommt Akteneinsicht und signalisiert Entwarnung. HG sei lediglich als Zeuge gefragt. Der Vater des Franz Vitt habe »Kriegseltern-Versorgung« beantragt, und HG solle mitteilen, ob Schütze Vitt hinlänglich betrunken gewesen sei für die Zurechnungsunfähigkeit nach § 51 StGB. Kurt an HG: »Das hat gar nichts mehr mit Dir zu tun. Du stehst in den Akten blendend da, alle Vorgesetzten sind voll des Lobes.« Aber das ist es ja nicht. HG an Annie: »Dieser Vorfall läßt mich nicht los. Ich fühle mich schuldig, und diese Schuld ist mit offiziellen Entlastungen nicht getilgt.«

Wenig später bekommt HG einen Brief von Erich Hoffmann. Das ist der baltische Medizinstudent, der in Estland als Dolmetscher in HGs Schwadron dabei war und an den HG sich »damals sehr angeschlossen hatte. Er war es, den ich in Sallotak bei der Sache Vitt mithatte, und der mir so quasi das Leben rettete, indem er mir den zweiten Marodeur vom Halse hielt.« Jetzt braucht Hoffmann Geld. Aus den Nachkriegswirren im Baltikum hatte es ihn nach Deutschland verschlagen, er macht in Königsberg sein Examen als Arzt und kann im Schluß-Semester nicht mehr nebenher verdienen. HG bittet Kurt um Hilfe: »Ich gebe mir Mühe, diese Sache möglichst rein geschäftlich zu behandeln; ginge es nach meinem Gefühl, dann würde ich meinen alten Kameraden sofort unterstützen, wenn ich die Mittel dazu hätte.«

Kurt schiebt wieder einen Riegel vor: »Es wird sich ja doch um eine ansehnliche Summe handeln, die man nicht einmal bei der Steuerdeklaration absetzen kann. Man muß sie also mit dem Privatvermögen versteuern, obwohl man nicht weiß, ob sie je zurückgezahlt werden wird. Schenkt man aber die Summe, so muß die bei Nicht-Verwandten recht hohe Schenkungssteuer von Hoffmann bezahlt werden.« HG an seinen Freund Siegfried Körte, einen Regimentskameraden, der den Dolmetscher Hoffmann in Estland auch erlebt hatte: »Ich würde ihm so gern die Unterstützung geben. Das wäre, als wenn ich etwas gut machen könnte bei Vitt. Auch der Vater von Vitt beschäftigt mich. Ich hoffe, er bekommt wenigstens die Kriegseltern-Versorgung.« Und ein paar Absätze später heißt es: »Mein Gesicht ist wieder so entzündet und geschwollen, ich wünschte, diese Sache würde mich nicht immer wieder überfallen.« Ob »diese Sache« der Schütze Vitt ist oder die Akne, schreibt er nicht. Ich denke mal, das eine bedingt das andere.

HG braucht eine Freundin. Daß sein Körper sie braucht, davon gehe ich aus, mindestens genauso dringlich braucht er sie für seine Seele. Die trudelt herum, daß es einen Hund jammern kann, und ich würde ihm wirklich die vergnügte Weltsicht gönnen, die man hat, wenn man sich verliebt. Dagegen sprechen die Zwänge dieser Zeit, die verlangen, daß einer gleich an Heirat zu denken hat, wenn er nur einen heiteren Sommer verleben möchte. Immer müssen die Glocken läuten, wenn ein Klingeln doch auch ganz schön wäre, und HG bemüht sich redlich, das Defizit in seinem Leben mit »Tiefe und Ernsthaftigkeit« aufzufüllen.

Vor mir liegt einer seiner zahlreichen Versuche, ein Tagebuch zu führen. So etwas bricht gewöhnlich ab nach Seiten und Seiten Wortakrobatik, und vor Jahren, als ich das hier zum ersten Mal las, habe ich einen gelben Zettel draufgeklebt: »Der Junge ist gräßlich. Altklug, pompös, eigentlich unerträglich.« Das ist er nicht. Ich kannte ihn nur noch nicht. Zugegeben, er schreibt einen verstörenden Stil, aber das verliert sich später, und ich merke, daß er den Versuch unternimmt, mit sich zu Rande zu kommen. Am 26. Oktober 1920 geht das los in fehlerfreier Schreibmaschinenschrift. HG ist gerade 22 geworden und eben fertig mit seiner Lehre bei der Firma Prior. Da steht: »Wenn ich im Nachfolgenden versuche, zum dritten oder vierten Male eine Art Tagebuch zu führen, so veranlaßt mich dazu der Gedanke, daß es doch von großer Wichtigkeit ist, sein eigenes Wachsen und Werden im Laufe des Erlebens zu beobachten und daraus nach Jahren einerseits die zurückliegende Entwicklung in ihren Einzelheiten wieder zu verfolgen und sich zu erklären, andererseits aber, und dies ist wohl die Hauptsache, daraus wiederum für kommende Zeiten lernen zu können.«

Schreibt er wirklich. In SEIN Tagebuch. Ich würde ihn gern schütteln: Mann, komm doch zu dir! Kann ich nicht. Statt dessen lese ich weiter: »Widerspricht es auch meinem tief in mir liegenden Sinn für Ordnung und restlose Ausführung aller begonnenen Arbeiten, so ergibt vielleicht doch – sollte dies hier Stückwerk bleiben – viel kleines Stückwerk zuguterletzt einen Bau, der, wenn auch äußerlich ärmlich und dürftig, so doch mit großer Liebe aufgeführt ist, mit der Liebe zum Erkennenwollen alles dessen, was Mensch sein, Leben haben heißt.« Auf der letzten Seite des Fragments finde ich den Schlüssel zu diesen Spreiz-Übungen: »Ich schreibe mit Durchschlag, um so gleich ein Abbild meines Lebens an die Eltern geben zu können.« Jetzt wundert mich gar nichts mehr.

HG schildert zunächst akribisch die Qual seiner Lehrzeit in Hamburg und die Unbilden durch den Stoffel Michaelsen, der ihm ein liebenswürdig gelogenes Zeugnis mit auf den Weg gibt: »Herr Hans Georg Klamroth ist am 13. Mai 1919 bei mir in die Lehre gekommen und hat es derselbe verstanden, sich in kurzer Zeit meine ganze Sympathie zu erwerben.« Anschließend lese ich, wie HG nach Halberstadt fährt und mit Vater Kurt eine Flasche Champagner auf die überstandenen »Heimsuchungen« leert. Dann hat er erst mal frei. Das muß er lernen, und bei HG klingt das so: »Aus der Überzeugung heraus, daß das Leben uns eine Pflicht ist, eine Überzeugung, die meine Eltern mir wohl in meiner Geburt mitgegeben haben und seitdem durch weise Erziehung zu fördern wußten« – Himmel! – »erschien mir bis vor kurzem und namentlich infolge der Eindrücke während der Zwangszeit in Hamburg, jede freie Minute, d. h. jede Minute, die der Mensch nicht mit produktiver äußerlicher Arbeit ausfüllte, als Luxus, und deshalb als Verschwendung.«

Im Verlaufe der nächsten faulen Wochen entspannt sich HG allerdings etwas, zumal viel los ist, unter anderem ein Ausflug mit dem neuen Auto zu Verwandten in Schlesien: »Eine herrliche Überlandfahrt war das, bei der ich mich ausnehmend wohl fühlte, und auch das mehrfache Geschrei der armseligen Fußgänger ›Schieber!‹ störte mich wenig. Wenn man nur ehrlich gegen sich selbst ist und in dieser Ehrlichkeit durchaus empfindet, daß man nichts Unrechtes getan hat und tut, dann können einem die anderen Menschen den Buckel runterrutschen.« Wer ist »man«? Das Auto gehört Kurt, und HG wird lediglich mitgenommen. Der junge Mann zieht sich eine falsche Jacke an.

Bei Freunden dort in Schlesien trifft HG einen Regimentskameraden, mit dessen Schwester er ein – ziemlich keusches –
Techtelmechtel hatte. Die Eltern gehören zu den ostpreußischen Gutsbesitzern, bei denen er oft zum Jagen war, die ihn
und vor allem Gertrud in Halberstadt mit Puten, Käse und
Schlackwurst versorgt hatten über all die Hungerjahre und die
HGs Flirt mit Tochter Ruth wohlwollend tolerierten. Ruth
erwartete nach einer abendlichen Küsserei am Weiher im Guts-
park Labehnen wohl den Verlobungsring, und HG, von Vater
Kurt dieserhalb mehrfach schärfstens ermahnt, hat das irgendwie nie in die Reihe gekriegt.

Jetzt greift er sich den Bruder Heinz, der ihm aus der Pat-
sche helfen soll – das ist einfacher, als mit der Dame direkt
zu reden. HG in seinem Tagebuch: »Er war überrascht von
dem Ernst, mit dem ich mein Verhältnis zu Ruth auffasse. In
seiner Gutmütigkeit erklärte er sich sofort bereit, mein Verhältnis zu Ruth in der Praxis zu lösen. Ich kann ja doch nicht
anders, will ich mir nicht selbst das Grab des geistigen Todes
graben. Und das will ich nicht. Heinz wollte von einer Schuld
meinerseits nichts wissen, nannte alles Leichtsinn und Lebensfreude, ohne zu wissen, daß das eben für mich wohl eine
Schuld bedeutet.« Lebensfreude gleich Schuld? Halberstadt ist
sehr protestantisch.

Die Unterhaltung findet auf Gut Schleibitz statt, das ist das
Elternhaus von HGs engem Freund Wolf Yorck von Wartenburg, ein entfernter Vetter von Peter Graf Yorck, der später
beim 20. Juli eine Rolle spielen wird. Wolf Yorck ist auf den
Fotos ein ungewöhnlich gutaussehender, fast mädchenhaft
schöner junger Mann, die beiden kennen sich vom Fahnenjunker-Lehrgang 1917 in Döberitz her, und die Beziehung wird
von HG als »Seelen-Gleichklang« oder »innerste, innige Über-
einstimmung« beschrieben. Wolf Yorck sei ihm so nah wie der
Vater, steht einmal in einem Brief an Kurt, und das will was
heißen.

HG geht wieder das Herz auf: »Ich hatte in der letzten Zeit
unter der steten Beschäftigung mit der materiellen Seite des

Lebens ganz vergessen, <u>was</u> Wolf mir eigentlich war, vergessen, wie tief ich in seinem Herzen saß, ja dieses wohl noch nie so recht empfunden.« Es sind noch drei weitere Freunde Wolfs dort, zwei Mädchen und ein junger Mann, und HG gibt sich »bewußt und doch wieder fast willenlos dem geistigen Band hin, das uns alle umschloß und das unser aller Mittelpunkt, Wolf, in seinem für die Ideale des Lebens so unendlich weiten Herzen für uns geknüpft hatte«.

HG will schwärmen, er will bewundern, und er macht sich klein: »Ich fühlte deutlich den großen Abstand, der mich von diesen Menschen trennte, die in intensivster Weise ihre Ideale leben, bei denen des Lebens harte Wirklichkeit wohl immer erst in zweiter Linie kommt und doch, eben durch die Kraft der Ideale, bezwungen wird. Ein Abstand, der mich in früheren Stadien nur zu oft für meine Freundschaft zu Wolf fürchten ließ – oh, ich Kleingläubiger! Warum war ich so furchtsam? Ich lernte in diesen Tagen fühlen, daß in den Höhen, zu denen mich das warme Gefühl jener mit empor gerissen hatte – mich, den nüchternen Wirklichkeitsmenschen, welch ein Wunder! – keine menschlichen Grenzen mehr gelten«.

Es hat eine Weile gedauert, bis ich begriffen habe, wie das Wort »Ideale« – stets im Plural – bei HG besetzt ist. Es steht für intellektuelle Nachdenklichkeit oder geistige Neugier. »Ideale« meint nicht notwendigerweise ein Leitbild. Ein Mensch mit »Idealen« liest Bücher und redet darüber, ein »Wirklichkeitsmensch«, als den HG sich sieht, verschifft Gänseküken und redet auch darüber. Das paßt nicht immer zusammen, und wenn HG von den »Idealen« der anderen Gäste redet, so meint er eben diese Diskrepanz. Denn als Wolf Yorck schon seine Kant- und Fichte-Phase hatte, dümpelte HG noch bei Alice Behrend und ihren »Bräutigamen der Babette Bomberling« herum. Er hat aufgeholt, wie ich weiß.

Wolf Yorcks Freunde sind trotzdem richtig nett zu HG – »die anderen wußten, daß Wolf mich sehr lieb hat und kamen mir demgemäß entgegen«. Doch in seiner Unsicherheit steht er – wer kennt das nicht? – gelegentlich auf dem falschen Fuß.

Nach einem Klaviervortrag eines der Mädchen dreht sich am ersten Kaminabend das Gespräch um Beethoven, »und ich erzählte höchst überflüssigerweise alberne Dönchens, die wohl an einer anderen Stelle passender gewesen wären«. Einen Spaziergang im Park am nächsten Morgen will er nutzen, um dem anderen Mädchen »etwas über mich zu sagen, was mir aber gänzlich vorbeigelang. Ich muß ihr nun erstmal schreiben und erwarte sehr ihre Antwort, ob sie mir mein wahnwitzig ungeordnetes Gewäsch nicht übel genommen hat.«

Armer HG, ich fühle mit dir deine roten Ohren. Aber laß dir sagen, daß es so schlimm meistens nicht ist, wie man sich hinterher fühlt. Denn HG wird doch in diesem Kreis angenommen, und seine Sehnsucht nach einer Freundin macht ihn nicht lächerlich. Als er begreift, daß die Klavierspielerin Dora mit Jochen, dem Vierten im Bunde, heimlich verlobt ist, gibt ihm das zwar »einen schmerzhaften Stich«. Aber er steckt seine eigenen, gerade aufgekeimten Gefühle zurück: »Es war mir sofort klar, daß Jochen unendlich viel würdiger ist, einen solchen Edelmenschen wie Dora sein eigen zu nennen, und ich sah, daß hier für mich nur – und dieses ›nur‹ ist keine Einschränkung – die lang ersehnte Gelegenheit war, das ›Weib‹ so achten und lieben zu lernen, wie ich es mir in meinen Träumen ausmale, und dabei selbst allmählich würdig zu werden, wie es Jochen jetzt ist – einem späteren großen Glück entgegen. In diesem Sinne will ich mit Dora nach Möglichkeit weiter in Verbindung bleiben, will ihr Fühlen kennen lernen als das meines Idealbilds, ohne persönliche Wünsche.« Dora und Jochen Granzow gehörten später, ganz ohne »Edelmensch« und ganz ohne Würde-Volten, zu HGs engsten Freunden. Die mochten sich – so einfach war das.

Kurz nach dem Ausflug auf die schlesischen Güter ist HG mit Mutter Gertrud zu einem kurzen Erholungsurlaub in Braunlage. Dort treffen sie eine »ältere junge Dame, die großes Interesse an allerhand geistigen Fragen nimmt«. Mit ihr redet HG lange über Oswald Spengler und seinen »Untergang des Abendlandes«, ein kulturphilosophisches Traktat, das damals alle Welt in Aufregung versetzte. Sie parlieren über die »Erziehungsbedürftigkeit der großen Masse« und die »Betonung der Unbedeutendheit des einzelnen Ichs«. Allerdings macht HG es nicht anders als wir alle im Umgang mit spröden Bestsellern: »Ich gebe zu, daß ich meine Ansicht über den ›Untergang des Abendlandes‹ einstweilen lediglich auf die Einleitung des Buches und das erste Kapitel beschränken muß.«

Die ältere junge Dame hat noch ein anderes Thema parat: Sie sei überzeugte Antisemitin, erzählt sie. HG: »Ich sagte ihr, daß ich's auch sei mit der Einschränkung: wohl dem Kopfe nach, aber nicht im Herzen. Meine Ansicht hierüber ist je nach Stimmung geteilt. Ich kann manchmal sagen, daß ich die Juden wohl mit meinem Verstande als volkswirtschaftlichen Faktor anerkenne, sie im Herzen aus meinem Rasseinstinkt aber verabscheue. Ich sehe jedenfalls, daß es das Beste ist, wenn ich mich in der Praxis einstweilen noch möglichst fern halte von der Judenfrage. Durch Erfahrung, die ich ja in den kommenden Jahren noch Gelegenheit haben werde zu sammeln, komme ich wohl am ehesten zu einer brauchbaren Lösung.«

Wie gehe ich damit um? Abgesehen davon, daß HG Herz und Verstand durcheinander bringt, bemühe ich mich um Sachlichkeit. Antisemitismus war mindestens seit Martin Luther oder meinetwegen seit Richard Wagner gesellschaftsfähig. 1893 zogen 16 Vertreter der Antisemitischen Partei in den Reichstag ein. Hitler konnte abschreiben bei dem Vorsitzenden des »Alldeutschen Verbandes« Heinrich Claß (»Deutschland den Deutschen!«), bei dem bayerischen Kavallerie-General Konstantin von Gebsattel oder dem Initiator des »Germanenordens« Theodor Fritsch, beim Deutschen Turnerbund, beim »Wandervogel«, dem Reichshammerbund, dem Reichsdeutschen Mittelstandsverband, den beiden Kirchen – die Aufzählung ist nicht vollständig. Forderungen, daß jede Vermischung von »jüdischer und germanischer Rasse« unter Strafe zu stellen und ein Zustand herzustellen sei, der Juden nur noch die Möglichkeit ließ, aus Deutschland auszuwandern, zirkulierten 1913 unter deutschen Entscheidungsträgern.

Besonders betont wurde, daß Juden vor Verlassen des Reiches dem Staat ihr Eigentum zu übertragen hätten.

Nach dem Krieg mußten Juden und Sozialdemokraten bei den Rechten als Sündenböcke herhalten und das häufig in Personalunion, denn die Arbeiterbewegung war seit jeher maßgeblich geprägt von jüdischen Intellektuellen. Doch der Antisemitismus war noch keine Volksseuche, die »Judenfrage« erst eins von vielen Politik-Themen unter Bürgerlich-Konservativen, Studenten und Akademikern. HG plappert hier nach, wie er bei Oswald Spengler nachplappert, und es ehrt ihn, daß er sich selber eingesteht, nicht zu wissen, wovon er redet. Ich habe später das eine oder andere bei ihm gefunden, das mich überfordert. Antisemitismus nicht.

In Halberstadt, wo HG noch ein paar letzte Ferientage verbringt, bevor der neue Job in Hamburg losgeht, tummeln sich immer noch die Ziegen auf dem Gartenrasen, im Pferdestall wohnen Kaninchen und Hühner, und das riesige Haus kann weiterhin nur mit wenigen Öfen beheizt werden – es gibt keine Kohlen. Zu essen ist auch nicht reichlich da, aber dieses Wenige teilen sich viele – es kommen immerzu Gäste. Staunend lese ich in HGs Tagebuch, wie Mutter Gertrud den häuslichen Laden am Laufen hält. Sie beherbergt drei Kinder von Gutsfreunden aus der Umgebung, die in Halberstadt aufs Gymnasium gehen – mit denen muß man reden, sie trösten, wenn etwas schiefgeht, und ein Blick auf die Schularbeiten ist auch nicht verkehrt. Dann wird hier noch eine bettlägerige alte Dame versorgt, eine Verwandte um sieben Ecken, die in ihrer Wohnung allein nicht zurechtkommt.

Der Garten wird winterfest gemacht, Rosen gehäufelt, Stauden geschnitten, Kartoffeln eingelagert, die Turngeräte vom Spielplatz müssen ins Tennishaus, die große Wäsche steht an, für die Plätt-Frauen wird Erbsensuppe gekocht und ein Berg Zuckerrüben zu Sirup verarbeitet. Abends strömen junge Leute ins Haus, Freunde von Annie und Kurt junior, die musizieren und für ein Konzert Motetten einstudieren, und es gibt ein Tanzfest in der Diele als Abschluß für Kurt juniors Sonderkurs in Griechisch. Gertrud macht das alles nicht allein. Sie hat wieder zwei Hausmädchen, und der gichtkranke Gärtner Ebeling schlurft auch noch über die Beete. Aber sie muß diesen Wirbel im Kopf haben, organisieren, beaufsichtigen neben ihrer umfangreichen Korrespondenz, der Arbeit in den Vorständen mehrerer Wohltätigkeitsvereine und den vielen Menschen, die ihren Zuspruch brauchen. Könnte ich das? Ich würde es nicht wollen.

Kurt hat in der Firma das Kerngeschäft inzwischen verlagert. Es gibt kaum Rohstoffe für die Düngemittelherstellung, also übernimmt die Fabrik jetzt Lohnarbeit für andere. Als Ersatz werden alte Qualitäten des Handelshauses wieder belebt, das jetzt vermehrt Saatgut, Getreide, auch Stroh, Heu und Naturdünger vertreibt. Das läuft ganz gut, Kurts sorgfältig gepflegte Verbindungen zahlen sich aus, und trotz stetig steigender Preise ahnt bisher keiner, daß die Katastrophe in Gestalt der Inflation erst noch kommt. Als ein Segen erweist sich das Curaçao-Geschäft mit Sitz in Amsterdam, das seine Erträge in kostbaren holländischen Gulden abwirft, und die persönlichen Beziehungen im Aufsichtsrat haben auch nicht gelitten. Bei der ersten Sitzung, die Kurt seit Kriegsbeginn wieder besucht, gibt es eine kleine, freundliche Zeremonie, und das englische Konsortium-Mitglied überreicht ihm eine mit britischem Tabak gefüllte »Friedenspfeife«.

Auch eine Firma Kidson in London nimmt die Geschäfte mit I. G. Klamroth wieder auf, außerdem taucht plötzlich ein »reicher Onkel aus Amerika« auf, Ernst Hothorn heißt der, und ich bin ihm bisher noch nicht begegnet, HG redet ihn mit »Onkel Ernst« an. Woher der kommt und was er macht, weiß ich nicht, aber er kümmert sich erfolgreich um I. G. Klamroth-Beteiligungen an einer belgischen Firma in den USA, außerdem schickt er, was immer im Nachkriegs-Deutschland Mangelware ist: Nähgarn, Tennisbälle, Dosenmilch, kanadischen Whiskey. Hothorn findet einen Abnehmer für HGs Brotschneide-Maschinen, und bei einem Besuch in Halberstadt zieht er 50 000 Mark in cash aus der Hosentasche für Gertruds Kleinkinder-Schulverein – so etwas passiert auch in besseren Zeiten nicht alle Tage.

In der Firma gibt es inzwischen einen »Vertrauensrat«, einen nach dem neuen Gesetz von allen Arbeitern und Angestellten gewählten Sprecher der Belegschaft – »Gefolgschaft« hieß das damals. Nicht wirklich von allen gewählt übrigens. Kutscher Kückelmann weigerte sich, an der Wahl teilzunehmen: Wenn er von seiner Herrschaft etwas wolle, könne er seine Wünsche allein vortragen, das gehe die Kollegen nichts an. Gewählt wurde der Lagerist, der ist aber auch schon fast 30 Jahre im Betrieb und behandelt die Personalfragen mit dem Chef im schönsten Einvernehmen.

Im übrigen schießen nach der Revolution die bürokratischen Monstrositäten aus dem Boden. Allein mit Kurts Branche beschäftigt sich neben dem Kriegsernährungsamt und der Rohstoff-Versorgungsstelle eine eindrucksvolle Palette von Organisationen: Stickstoffdünger-Ausschuß, Kriegsphosphatgesellschaft, Phosphorsäure-Ausschuß, Überwachungsstelle für phosphorhaltige Düngestoffe, Überwachungsstelle für Ammoniak-Dünger, Kriegschemikalien-Aktiengesellschaft, Reichssackstelle – was die wohl macht?? –, Reichsverband der deutschen Industrie, Schwefelsäure-Ausschuß, Deutscher Industrierat, Reichsamt für wirtschaftliche Demobilisation, Arbeitsgemeinschaft der industriellen und gewerblichen Arbeitgeber und Arbeitnehmer Deutschlands, Zulassungsstelle für phosphorhaltige Düngemittel – ich habe die Hälfte weggelassen, und man fragt sich, ob hier noch eine Hand weiß, was die andere tut. In fast allen diesen Gremien hat Kurt Sitz und Stimme, ehrenamtlich, versteht sich. Dem Geschäft wird es nicht geschadet haben.

Aber auch Kurts Tag hat nur 24 Stunden, und Berlin liegt nicht um die Ecke, folglich gibt er sein Mandat in der Halberstädter Stadtverordneten-Versammlung wegen Arbeitsüberlastung auf. 1905 war er seinem Vater Gustav dorthin nachgefolgt, der seit 1867 dem Stadtparlament angehört hatte. Seit 1913 war Kurt Vorsitzender gewesen. Damals war man

noch unter sich, es gab nur drei sozialdemokratische Abgeordnete unter 42. Seit der Wahl im Februar 1919 war das Verhältnis deutlich umgekehrt: 26 »Rote« gegen 16 Bürgerliche.
Kurt: »Wehmütig ist mir doch, daß nach 53 Jahren kein Klamroth mehr die Geschicke der Stadt mitbestimmen soll.« Immerhin bezeugt auch das sozialistische »Halberstädter Tageblatt«
dem Mann Respekt: »Er stand im scharfen Gegensatz zur
äußersten Linken. Gegensätzlichkeit in der Anschauung bedingt aber nicht, daß man dem Gegner die Achtung versagt,
wie das vom Stadtverordneten Klamroth unseren Leuten
gegenüber nie geschah. Also wollen auch wir nicht verabsäu-
men zu betonen, daß die Stadt in ihm einen klugen und gewis-
senhaften Mitarbeiter verliert.«

In Hamburg geht für HG der neue Job bei einem Schiffsmakler los am 1. Dezember 1920. Siegfried Körte holt ihn von
der Bahn ab – das ist HGs zweiter, sehr enger Freund. Sie laufen lachend und albernd um die Alster: »Wenn ich Siegfried
sehe, habe ich sofort gute Laune.« Körte und HG waren im
selben Regiment, HG ist oft auf dem ostpreußischen Gut von
Körtes Eltern gewesen und bewunderte besonders Siegfrieds
»verehrungswürdige Mutter«. Körtes wegen hat HG sein Zimmerchen bei der Familie Bieber aufgegeben, damit sie gemeinsam eine Wohnung beziehen konnten, als auch Körte nach
Hamburg kam, und die beiden hängen zusammen wie Pech
und Schwefel. Kurt und Gertrud beobachten das mit einer
gewissen Sorge. Regelmäßig tauchen dezente Vorbehalte auf,
bei Gertrud, weil Körte HG mitschleppt ins Operettenhaus auf
der Reeperbahn – »Laß ihn doch allein gehen, und Du gehst
ins Konzert« –, bei Kurt, weil der Körte in Gelddingen für
nicht seriös hält – »leite ihn etwas auf richtige Bahnen. Er ist
ein schwankendes Rohr.«

Als Wolf Yorck nach Hamburg kommt für einen längeren
Besuch, fragt sich Kurt skeptisch, wie die beiden wohl miteinander auskommen könnten. In der Tat sind sie grundver-
schieden, der witzige, verrückte Körte hat bestimmt keine
»Ideale« und in seinem Leben noch kein »gutes Buch« gele-

sen. Aber sein Charme und sein Einfallsreichtum bestechen auch den ernsthaften jungen Grafen. In einem der wenigen Briefe Wolf Yorcks, die ich in HGs Unterlagen gefunden habe, beschreibt der eine Bootstour über Hamburgs Kanäle, wobei Siegfried Körte ihnen vom Wasser aus im Vorbeifahren ein Entrée verschafft zu einem piekfeinen Gartenfest bei ihnen völlig unbekannten Reedern. Wolf Yorck bewundernd: »Bei Siegfrieds strahlendem Lachen haben die sich beinahe noch entschuldigt, daß sie uns nicht schon vorher eingeladen hatten.«

HGs und Siegfried Körtes Freundschaft endet drei Jahre später mit einem Eklat. Körte hatte einen größeren Devisen-Betrag veruntreut, der ihm von einer alten Tante Wolf Yorcks mitten in der Inflation für ein Dollargeschäft anvertraut worden war – eine Katastrophe! Körte zahlt erst Monate später das Geld zurück, nachdem HG ihm massiv mit juristischen Konsequenzen gedroht hatte. HG ist außer sich, daß die Verbindung seiner zwei engsten Freunde ein solches Unheil verursacht hat. Und er ist todtraurig, denn er hat das Wind-Ei Körte wirklich geliebt. Der wunderbare Kurt versagt sich jedes »I told you so«. Er schickt HG eine Karte aus Berlin: »Ich fühle mit Dir. Es ist schwer, einen so guten Freund zu verlieren.«

Siegfried Körte ist der Schlüssel zu Else. Beide arbeiten bei der Firma Carl Illies & Co, noch so ein Hamburger Im- und Export-Laden, spezialisiert auf den Handel mit Japan. Else später: »Was haben wir für Kriegsmaterial nach Japan verschoben, von ganzen U-Booten bis zu Kreiselkompassen, alles!« Körte ist dort »Expedient«, Else »Privatsekretärin« des alten Illies, Freund ihres Vaters. Die beiden Herren müssen gut miteinander gekonnt haben, denn Elses Orthographie war zeit ihres Lebens eigenwillig. Else also. Sie heißt Else Podeus und ist feiner Leute Kind aus Wismar.

Als Verlobte grüßen HG und Else

Sechs

HG SCHREIBT IN SEIN TAGEBUCH: »Gestern abend« – das ist
Nikolaus, 6. Dezember 1920 – »hatten wir Else Podeus als Gast
zu einem sehr gemütlichen Essen am Adventsbaum, den ich
aufgeputzt hatte. Siegfried hatte ja schon lange gewünscht, daß
ich mein bisher etwas abfälliges Urteil über seine Freundin, das
sich aus meinen äußeren Beobachtungen ergeben hatte, durch
gründlicheres Kennenlernen revidieren sollte. Das habe ich
denn auch getan, indem ich fand, daß dieses Menschenkind
gewiß nicht zu den alltäglichen gehört. Wir sprachen angeregt
über alles Mögliche, zunächst Politik und Judenfrage« – was
man sich wechselseitig so vorführt, wenn es auf die Balz
geht! – »dann allgemeine Weltanschauung und schließlich über
Spiritismus. Obwohl mir vieles, was sie sagte, durchaus durch-
dacht und wertvoll erschien, kann ich doch im tiefsten Grunde meines Herzens ein gewisses Antipathie-Gefühl gegen sie
nicht loswerden.« Else ist zu der Zeit 21 Jahre alt.

HG weiter. »Sie ist eben für meine Auffassung vom weib-
lichen Geschlecht etwas zu selbständig, zu sehr ›Weltdame‹,
obwohl sie das eigentlich durchaus nicht in den Vordergrund
stellt. Vielleicht wird sie ja den eventuell notwendigen Anlaß
geben, ein unrichtiges Vorurteil meines innersten Empfindens
gegen eine gewisse Sorte Menschen wegzuräumen, wenn ich
nun in Zukunft öfter mit ihr zusammenkomme, was wir ver-
abredeten. Aber ich bin vorläufig in dergleichen Sachen nicht
sehr schnell mit einem Entschluß bei der Hand, was auch ganz
gut ist.« Fünf Wochen später sind sie verlobt.

HG hat mit Else eine Trophäe geschossen. Mein ganzes
Leben lang bin ich Menschen begegnet, die die Augen verdreht

haben vor Entzücken über »diese« Else: wie witzig, wie schlagfertig, wie warmherzig, wie voller Lachen sie gewesen sei. Ich
habe das nur noch in Ansätzen erlebt. Als meine Erinnerung
einsetzt mit dem großen Luftangriff auf Halberstadt im April
1945, war das Haus bis obenhin voller Menschen und Else, die
dem Chaos vorstand, für mich, das Kind, kaum greifbar. Ich
lief mit wie die vielen anderen Kinder auch. Später war ich in
Internaten oder bei Freunden untergebracht, und wenn Else
und ich wirklich mal unter einem Dach gelebt haben, kämpfte sie um unsere Existenz. Sie war erschöpft, ich pubertär –
keine gute Konstellation. Nach dem Abitur habe ich, das letzte von fünf Kindern, sie zügig von mir entlastet. Es folgten fast
drei Jahrzehnte, in denen sie keine Lust mehr hatte und ich sie,
vorwiegend aus der Ferne, fürsorglich liebte. Das »Wunder«
Else kenne ich nur, weil Menschen mir davon erzählt haben.

Und ich erlebe es jetzt, wenn ich sehe, wie sie diesem ver-
klemmten HG eine Verkrustung nach der anderen abschält. An
ihrer Seite wird aus dem pathetischen Kerlchen ein souveräner
Mann, und sie fällt wie ein Paradiesvogel in Halberstadt ein,
farbenfroh, laut, selbstbewußt. »Ich war immer unimponiert«,
sagt sie von sich selbst, und nicht nur HG, auch Kurt hat sie
dafür geliebt. Aber eins nach dem andern.

Die »Weltdame« Else kommt aus Wismar, und das ist ja nicht
die Welt, ebensowenig wie Halberstadt. Aber Wismar liegt am
Wasser, die Handelsbeziehungen gingen immer schon eher nach
Skandinavien, nach England, nach Rußland als nach Sachsen-
Anhalt oder Hannover. Elses Großvater Heinrich Podeus fuhr
wie sein Vater zur See, er war Schiffsjunge, Steuermann, dann
Kapitän auf großer Fahrt. Er schaffte sich eigene Schiffe an –
eins davon hieß übrigens »Hans Georg« – mit denen er in gro-
ßem Umfang Kohle aus England importierte. Deshalb gründe-
te er eine Kohlenhandelsgesellschaft, eine Reederei mit elf
Dampfern kam dazu, eine Maschinenfabrik für Ankerspille,
Ladewinden, später Schiffsmotoren, eine Eisengießerei, wo die
Konstruktionsteile für Eisenbahnbrücken und Bahnhofshallen
hergestellt wurden, was zu einer Waggonfabrik führte, der größ-

ten in Deutschland. Da die Schiffe außer Kohle auch Hölzer aus Skandinavien nach Deutschland brachten, entstand ein Säge- und Hobelwerk, Elses Vater Paul Podeus baute später noch Autos – Lastwagen und PKW – und landwirtschaftliche Maschinen, die auch in Japan und Südamerika ein Renner waren.

Was war das bloß für ein gesegnetes Jahrhundert! Unternehmerpersönlichkeiten wie Heinrich und Paul Podeus in Wismar oder Louis und dessen Sohn Gustav Klamroth in Halberstadt konnten die Sterne vom Himmel holen, wenn sie sich trauten. Die Parallelen sind frappierend: großes Geld auf der einen Seite, großes Engagement für die Mitarbeiter und für das Gemeinwesen auf der anderen. Hier wie dort sind sie Kommerzienräte, hier wie dort verfügen sie testamentarisch Stiftungen, die den Arbeitern und Angestellten zugute kommen, schenken sie ihren Städten Gemälde, Kirchenglocken, Theaterbestuhlung, Schulspeisung. Einen markanten Unterschied gibt es zwischen Kurt Klamroth und Elses Vater Paul Podeus: Paul war nie Reserve-Offizier. Er war schließlich Mecklenburger, kein Preuße. Den Krieg hat er trotzdem mitgemacht und zwar als Kurier. So wie Kurt seine eigenen Pferde mitbrachte, kam Paul, mit Fahrer, im eigenen Auto, das auch noch aus der eigenen Fabrik stammte.

Elses Elternhaus, Ravelin Horn hieß das, war eine Pracht. Wieder eine Parallele: Kurt baute das Halberstädter Haus 1911, Paul kaufte die alte Villa 1901 und krempelte sie vollständig um. Tennisplatz hier wie dort, Spielplatz mit Turngeräten auch in Wismar, Riesengarten, Gewächshäuser, Dienstbotenquartiere. Keine Pferde. Dafür ein Segelboot. Ravelin ist ein Wort aus der Schwedenzeit und heißt so etwas wie Fort, jedenfalls steht das Haus an einem alten Festungsgraben, und der erste Besitzer hieß wohl Horn. Ich habe Ravelin Horn nie gesehen, es wurde schon in den 20er Jahren verkauft nach Pauls Tod, heute ist es Katasteramt und nicht mehr zu erkennen.

Da soll jemand schon zur »Weltdame« werden. Else lebt mit 16, als sie nach der Schule die Wanderjahre einer höheren Tochter beginnt, von den Einkünften aus einer Million Mark, die der Vater verwaltet, die aber ihr gehört. Die hat sie auch noch, als sie HG begegnet. Wenig später in der Inflation ist alles weg. Bis dahin war Geld einfach da, viel Geld. Geprägt hat Else jedoch etwas anderes. In ihrem Elternhaus gehen Pauls Geschäftsfreunde aus aller Herren Länder ein und aus, Dagmar, Elses dänische Mutter, ist eine heitere Gastgeberin, es wird dänisch, englisch, französisch, vor allem plattdeutsch gesprochen – Paul wollte nicht, daß diese Sprache der Mecklenburger untergeht, und bis zu ihrem Tod haben die Geschwister untereinander nur plattdeutsch geredet.

Else las Fritz Reuter vor, diesen leisen und liebenswürdigen Chronisten mecklenburgischen Lebens im 19. Jahrhundert. Schon Paul hatte bei Reuter-Abenden Freunde und Familie um den Kamin in Ravelin Horn versammelt. Ganz spät, Else war wirklich nur noch ein Schatten ihrer selbst, habe ich sie überredet, das noch einmal für meine Freunde zu tun. Es kamen viele, sie saßen dicht gedrängt auf dem Fußboden unserer Wohnung. Else blühte auf. Sie las »Hanne Nüte«, »Ut mine Stromtid«, die Geschichten von de lütt Fru Pastern, Mining und Lining und dem alten Bräsig. Wir haben sie geliebt, und die Tonbandaufnahmen von diesem Abend gehören zu meinen Kostbarkeiten.

Der Großherzog Friedrich Franz von Mecklenburg-Schwerin und seine Frau sind mitsamt ihrer Entourage ständige Besucher in Ravelin Horn. Aber die Podeus-Kinder tummeln sich genauso häufig in der Gießerei und in der Waggonfabrik, kennen die Arbeiter alle mit Namen und essen in deren Wohnküchen Kartoffelsuppe. Und dann Dänemark. Da gibt es die riesige Verwandtschaft, Schiffsmakler, Reeder, Handelsleute auch hier, bis heute für mich der Lieblingsteil der Sippe. »Denen, denen Dänen nah stehn, geht es gut«, heißt ein Satz von Wolfgang Neuss in dem Uralt-Film »Wir Wunderkinder«, und es hat seinen Grund, warum ich den behalten habe. Die Sommer verbringen Else und ihre Geschwister in Maribo und in Bandholm auf Lolland mit einem Rattenschwanz von Vettern, Kusinen, Freunden. Später wird HG hier einfach eingemeindet, er fühlt sich wie ein Fisch in seinem Wasser.

Besonders seine Schwiegermutter Dagmar hat es HG angetan, die von sich behauptete, sie sei das amüsanteste Mädchen, das die Insel Lolland je hervorgebracht hat. Die Geschichten über sie sind Legion – sie hat nie richtig Deutsch gelernt oder vielleicht auch ihr ulkiges Kauderwelsch kultiviert, weil sie wußte, wie die Menschen sich darüber freuten. »Du bist der irritierendste Kind, den es ist zu haben«, hat sich bei uns bis heute gehalten, ebenso »Iiih, ich möcht nicht ihm sssein« – der Ausruf einer mitfühlenden Seele in die peinliche Stille, die ein Unglücksrabe verschuldet hat. Als eine Schwägerin ihr wegen ihrer Sprach-Schlamperei Vorwürfe machte, ließ Dagmar sie kühl abblitzen: »Ja, aber mir verstehen sie besser als dir.« Einmal bekam Else von ihrer Mutter einen langen Brief ins revolutionäre Berlin, wo der Teufel los war auf den Straßen. Dagmar geht mit keinem Wort darauf ein, nur an den Rand kritzelt sie zum Schluß: »Ich soll mir ja eigentlich ängstlichen, aber ich vergess es immer.«

Sie war kugelrund und winzig, keine 1 Meter 60 groß, und ihrem Zwei-Meter-Mann Paul reichte sie knapp bis zur Schulter. Über den gerät Else noch 50 Jahre später ins Schwärmen: die Inkarnation eines Gentleman, blendend aussehend, stilsicher im Auftreten, warmherzig, ein Familienmensch voller Humor, »nicht wirklich gebildet, aber in seinem Fach« – er war Ingenieur – »eine Koryphäe«. Leider war er kein Kaufmann, sonst wäre ihm das Podeus-Imperium wohl nicht in der Inflation so völlig abhanden gekommen. Else war dankbar, daß Paul schon 1926 starb, da war er zweite Hälfte 50, »aber mein Vater ohne Geld, das wäre schwer zu ertragen gewesen«.

Die Gefahr besteht noch nicht, als HG und Else sich Weihnachten 1920 über den Weg laufen. Else hatte da schon ihre Ausbildung hinter sich, wenn man das so nennen kann. Sie verläßt Ostern 1915 mit 16 Jahren das Städtische Lyzeum zu Wismar, wo sie nach eigenen Angaben nichts gelernt hatte. Nach einem dänischen Sommer ist nun nicht mehr wie in der Vorkriegszeit bei ihrer älteren Schwester London, Paris oder auch nur die Schweiz angesagt. Else landet am »Ersten Lyceum für Damen« in Dresden, wo ihr »Welt- und Kulturgeschichte, Mythologie«, neben Sprachen auch »Häusliche Pflicht und weibliche Handarbeiten« beigebracht werden, oder besser: hätten beigebracht werden sollen. Sie hat zeitlebens mit anzunähenden Knöpfen Krieg geführt. Es gab wohl mal die Vorstellung, daß sie Kauffrau werden sollte, denn sie hospitiert in den Firmen ihres Vaters, besucht in Berlin erst eine Handelsschule für Mädchen, dann zwei Semester lang die Handelshochschule dortselbst, wo sie bei Werner Sombart Nationalökonomie hört und bei einem Dr. Siebert »Sittliches Leben«.

Das geht von April 1918 bis Ostern 1919, und das sind wilde Zeiten in Berlin. Else stürzt sich ins Getümmel, besucht Veranstaltungen des Spartakus, demonstriert gegen die Ermordung von Rosa Luxemburg und Karl Liebknecht, steckt eine Menge Geld und Zeit in ein Sozialprojekt im Berliner Osten. Sie schreibt Wahlaufrufe für die Sozialdemokraten, streitet sich mit einem Studentenpfarrer über den moralischen Gehalt der »freien Liebe« – er dafür, sie dagegen. Natürlich ist das ein Gesellschaftsspiel. Als die Kunde bis nach Wismar dringt, die Tochter des Kommerzienrats Podeus sei in Berlin eine ganz Rote geworden, genehmigen sich Vater und Tochter jeder zwölf Austern und stoßen an auf diesen amüsanten Unsinn.

Denn wie HG, als ihn im Auto seines Vaters die »Schieber«-Rufe der »armseligen Fußgänger« nicht erreichen, hat natürlich auch Else keinen blassen Schimmer von der gesellschaftlichen Wirklichkeit. Daß die sozialen Verhältnisse verbesserungsbedürftig sind, daß endlich gleiche Rechte für alle durchgesetzt werden müssen und der kaiserliche Obrigkeitsstaat in die Wüste geschickt gehört – alles geschenkt. Daß dies auch sie oder gar ihren Vater mit seinen industriellen Großbetrieben betreffen könnte, kommt ihr nicht in den Sinn. Der ist doch nett zu seinen Arbeitern, zahlt die höchsten Löhne in Mecklenburg, und Else und ihre Geschwister haben ihre ganze Kindheit hindurch die warmen Socken und das Kinderspielzeug zu Weihnachten in die Wohnungen der Mitarbeiter getragen. Und wenn sie im Anschluß an ihren Dienst in dem Sozialprojekt im Berliner

Osten mit ihren Freunden auf dem Wannsee segeln geht – was hat das eine mit dem anderen zu tun?

Trotzdem findet Paul, es sei jetzt genug mit dem Berliner Hexenkessel, und Else geht für ein Jahr nach Kopenhagen, um kochen zu lernen. Sie genießt die heitere dänische Lebensart, wohnt bei Freunden, geht auf Bälle und »sammelt Verehrer as anner Lüd Brevmarken«, wie ihr Vater nicht ohne Stolz vermerkt. Eine ernsthafte Beschäftigung für ihren brachliegenden Intellekt sucht sie nicht. Wie HG pickt sie hier und da eine Meinung auf, die sie mit großem Charme und noch mehr Selbstbewußtsein unter die Leute streut – »ich hatte nichts gelesen, nichts wirklich gelernt, vermutlich nichts verstanden«, schreibt sie später für ihre Enkelkinder auf. »Aber ich war immer überzeugend.«

Else beschließt, sie habe genug herumgetrödelt, und es beginnt am 1. Juli 1920 der Job bei Carl Illies & Co in Hamburg. Warum sie den allerdings zum 28. Februar 1921 schon wieder aufgibt, erschließt sich mir nicht, auch nicht, was sie danach macht.

Else hat später nahezu alle ihre privaten Unterlagen vernichtet, die aus der Zeit stammen, seit sie HG begegnet ist. Ihre Aufzeichnungen setzen erst wieder ein nach dem Ende des Zweiten Weltkriegs. Warum sie das tat, darüber kann ich nur spekulieren: Entweder hat sie tabula rasa machen wollen, als HG sie betrog, oder sie wollte ihn schützen vor der Gestapo nach seiner Verhaftung im Juli 1944. Ich tippe auf das Ehezerwürfnis, Else war eine rigorose Person, und was hätten HGs Liebesbriefe aus den 20er Jahren mit seinem Hochverratsprozeß in den 40ern zu tun haben sollen?

Davon muß es viele gegeben haben. In HGs »Jahr um Jahr«-Tagebuch finde ich fast täglich die Eintragung »an Else geschrieben«, obwohl die sich mehrmals in der Woche sehen. HG ist über beide Ohren verknallt. Das sieht dann so aus: 2. Januar – »Frl. Podeus !!!«, 3. Januar: »Mit Siegfried zusammen Else Podeus abgeholt. Siegfried guckt.« 5. Januar: »Abends Else bei uns, Siegfried, Jürgen, ich, Abendessen. Kolossal nette und erregte Diskussion. Vielliebchen verloren« – das war doch so ein Spiel für Liebespaare mit doppelten Mandeln, oder? – »Brüderschaft mit Else«. 6. Januar: »Mittags mit Else Rosenstraße. Sehr fein! Pläne für Leseabende. An ihrer rechten Seite gegangen.« Was heißt das denn? Das heißt im Benimm-Kodex der Zeit: Respekt, Konvention, höfliche Distanz gegenüber der Dame gehen links von ihr. Rechts geht der Ehemann. Rechts ist das »Besitzzeugnis«.

Ist HG dreist? Jedenfalls ist er nicht zu bremsen. 8. Januar: »Abends wieder Else bei uns. Ich sie nach Haus gebracht. Meine Stellung« – was ist das denn? – »zu ihr klargelegt. Herrlicher Weg zu zweien. Zuhause noch an Siegfrieds Bett. Erste Äußerung Siegfrieds.« 9. Januar: »Lange nachgedacht. Was tun?! Stellung« – schon wieder! – »Entschluß. Langer Brief an Vater. Siegfried nichts gesagt.« Wie habe ich mir das vorzustellen: Erst wird der Vater gefragt, dann die Auserwählte? 10. Januar: »Mit Else und Siegfried mittags gegessen. Brief an Else, diesen Siegfried zu lesen gegeben. Weise Worte. Was wird?« Erstmal wird jeden Tag ein Stückchen mehr Zweisamkeit geschaffen: mit Else in der Kunsthalle, mit Else im Völkerkunde-Museum, mit Else in der Ausstellung der Wiener Sezession, mit Else und Siegfried in einem Beethoven-Konzert des berühmten Pianisten Edwin Fischer – was eine junge Liebe so bewirkt! Siegfried und HG waren bisher gemeinsam nur im Operettenhaus.

Am 15. Januar kommt Kurts Antwort. HG: »Er rät ab. Nein?! Muß meinem Wollen vertrauen.« Natürlich rät der Vater ab. Was der Sohn ihm da unterbreitet, ist etwa so gefährlich wie das E.K. 1 an der Westfront. HG ist gerade 22, hat zwar ein im Schnellverfahren erworbenes Lehrzeugnis, aber sonst ist er nichts, kann er nichts, hat er nichts. Aber er will was, nämlich Else. Drei Tage noch kämpft HG einen inneren Dreifronten-Krieg. Mit Kurt: »Ich muß mich freimachen von Vater«, mit sich: »Bin ich reif für den großen Schritt?«, mit Else: »Kann es sein, daß ich mich irre? Soll ich was sagen??« Am 19. Januar sagt er offenbar gar nichts: »Dann habe ich bloß geguckt. Verlobung!«

In den nächsten Tagen hat Else, so scheint es, erst mal Angst vor der eigenen Courage. Sie igelt sich ein, HG kommt nicht an sie ran, immerzu sind Leute da. HG barmt in sein Tagebuch: »Was ist geschehen?« – »ich möchte so gern mit Else sprechen!« – »sehr schlechter Laune!« – »pfeifender Nachhauseweg«. Das klingt nach ewiger Qual. Doch schon nach einer Woche küßt Else ihren Bräutigam im Empfangsraum der Firma Illies, das ist eine Demonstration und die Welt seither wieder in Ordnung. Beglückt schreibt HG: »Else in rot mit schwarzem Pelz. Wunderschön!«

Liebe macht wirklich blind. Else war alles mögliche, aber ich denke nicht, daß sie durch Schönheit auffiel. Sie war für eine Frau ziemlich groß, etwa von gleicher Größe wie HG, hatte eine stämmige Figur, allerdings wunderbare Beine, die sie bis zu ihrem Tod zu Recht gern zeigte. Ich erinnere mich besonders an ihre schönen Hände, lange, bewegliche, schlanke Finger, an ihre makellos helle Haut und an ihre ebenmäßigen Zähne. Sie hatte flusige, spaniel-farbene Haare, die sie, bis endlich der Bubikopf in Mode kam, in etwas Knotigem am Hinterkopf verstaute. Else hat zeit ihres Lebens Hüte getragen und dieses »Muß« einer Lady wegen ihrer immer zerfledderten Frisur als segensreich empfunden. Ihr Gesicht war in jungen Jahren beeinträchtigt durch ihre starke Kurzsichtigkeit und die Tatsache, daß sie »offiziell« keine Brille trug. Dadurch hat sie auf Fotos diesen verschwommenen Blick – wir vier Töchter, alle blind wie die Maulwürfe, sehen auf unseren Jungmädchenbildern genauso aus. So ein Quatsch, aber Brille für junge Damen war verpönt.

Else war überhaupt nicht mondän – eher Landedelfrau als Fritzi Massary –, und bis auf gelegentlichen Lippenstift war sie immer ungeschminkt. Nur ihre schön geformten Nägel hat sie, später jedenfalls, knallrot lackiert. Der erste Blick kann es also nicht gewesen sein, der HG und andere so faszinierte. Doch der spielte keine Rolle angesichts ihrer Spontaneität, ihrer überraschenden Frechheit gekoppelt mit fehlerfreien Manieren, ihres Humors und ihrer Selbstsicherheit. Bescheiden war sie nicht. Sie bewegte sich auf jedem Parkett, als sei sie dort zu Hause, und HG notiert immer wieder glücklich in sein Tagebuch, wie der oder jener »staunt«, dem er sie als seine Braut vorstellt. Und das tut er – hemmungslos! Er ist wirklich tollkühn, denn das Ganze findet statt hinter dem Rücken der beiden Elternpaare. Keiner von denen kennt das zukünftige Schwiegerkind, sie sind nicht eingeweiht, geschweige denn haben sie zugestimmt. Kurt hat vermutlich geglaubt, seine häufig so erfolgreiche Argumentations-Taktik habe die Angelegenheit aus der Welt geräumt und der letztendlich stets folgsame Sohn sei auch diesmal eingeknickt. Er will HG sofort nach England schicken, als er von dessen Eigenmächtigkeit erfährt – schade, daß dieser Brief nicht mehr vorhanden ist.

Kurt macht mit dem Junior, was sein Vater Gustav einst mit ihm gemacht hat – erst mal soll er weg, der junge Mann. Hat Kurt vergessen, wie es ihm und Gertrud ergangen ist in den vier kargen Jahren heimlicher Verlobungszeit? Außerdem kennt er Else doch gar nicht, kann er sie nicht wenigstens mal zum Tee treffen? Nein. In Halberstadt wird gemauert. Wenn HG meint, er könne vollendete Tatsachen schaffen über Kurts Kopf hinweg, soll er sehen, wie er sein Fräulein Braut vor Ungemach bewahrt. Was Kurt nicht ahnt, ist Elses Gelassenheit in diesem Punkt, sie und HG sind ständig gemeinsam bei Leuten unterwegs. Else später: »Über meinen Ruf entschied immer ich.«

Und dann will Kurt den Sohn auch noch nach England verbannen. Vergessen das perfide Albion, die Dumdumgeschosse, die »Großschnauzen«, denen man Zeppelin-Bomben auf die Bank of England werfen sollte? Let's face it: Deutschland hat den Krieg verloren, und neue Beziehungen mit dem Gegner von gestern wären nicht schlecht fürs Geschäft, nicht wahr? HG will nicht nach England. HG will Else. Also fährt er erst mal nach Wismar in die Höhle des dortigen Löwen. Ostern 1921 ist das, und Siegfried muß mit. Der war da schon öfter und gibt HG mentale Schützenhilfe. HG: »Abends 7.20 über Lübeck nach Wismar, zum ersten Mal diese Strecke. Gut, daß

Siegfried bei mir ist. 12 Uhr in Wismar, Else und Heinrich an der Bahn« – das ist Elses Bruder – »Angst. Sie auch.« Am nächsten Tag, Karfreitag: »Den Ravelin Horner Betrieb kennengelernt. Alchen, Frau von Zitzewitz, Frau Cruse, Heinrich, Paul usw. Kein Mensch ahnt etwas von Else und mir. Else und ich finden etwas schwer zu einander. Nachmittags in zwei Automobilen nach Heiligendamm, herrlicher Sonnentag. Mit Else und Siegfried auf der Buhne. Abends verrückte Musik gemacht.«

Der Ravelin Horner Betrieb ähnelt dem in Halberstadt: Immerzu Leute, zwei große Familien, Dänen und Deutsche, fliegen da ein und aus, jeder bringt seine Freunde mit. Dieser Taubenschlag muß ein warmes Nest gewesen sein durch die große Zärtlichkeit, mit der besonders Vater Paul seine Lieben umgab – Else beschreibt, wie sie und ihre Geschwister nicht an ihm vorbeigehen konnten, ohne daß er sie in den Arm nahm. HG hat diese Zugewandtheit vom ersten Tag an gespürt. »Ravelin Horn: ein Haus voller Herzlichkeit«, schreibt er in sein Tagebuch.

Paul ist nach 25 Ehejahren immer noch vernarrt in seine Frau. Else hat einige seiner Briefe an Dagmar aufbewahrt, die alle losgehen mit »min egen, kæreste, søde lille kone« in den verschiedensten Variationen: »meine zu mir gehörende, liebste, süße kleine Frau«. Er läßt seine Liebeserklärungen wie Tropfen in die Texte fallen: »Gestern Abendessen mit Kommerzienrat Cramer über Export nach Chile, naar jeg dog bare kunde være hos dig nu, min elskede, jeg længes saa forfærdelig efter dig, er hat die Chancen nicht so gut eingeschätzt.« Der Einschub heißt: »Wenn ich doch jetzt nur bei Dir sein könnte, meine Geliebte, ich sehne mich so schrecklich nach Dir.« Übrigens ist Pauls Handschrift genau so ausladend wie Elses, HG schreibt wie Kurt – was Väter doch wichtig sind.

Der nächste Tag von HGs Antrittsbesuch in Wismar, Ostersamstag, schnürt ihm den Magen zu, er kann vor Anspannung nicht essen. Man fährt nach Schwerin, guckt die Stadt an, kurvt im Auto um den Schweriner See und nach Möderitz. Die Eltern sind nicht dabei, aber Elses Bruder Heinrich – wenigstens dem muß HG von der Verlobung erzählen. »Else blaß, ich abends erledigt, im Bett, allgemeines Mitgefühl. Wenn sie wüßten!!« Ostersonntag: »Strahlende Sonne, es kommen noch mehr Gäste. Steigende Nervosität, schließlich kurzer Entschluß meinerseits, Vater P. in sein Zimmer gebeten: Antrag, Uff!! Else tanzt unterdessen Fox. Abends alle am Kamin, höchst!!! unangenehme Lage, Schwiegermutter zwischen Else und mir.«

Ich sehe das vor mir. Keiner läßt die Glocken läuten, die Konversation plätschert, es wird gelacht, die Dänen erzählen den neuesten Klatsch aus Kopenhagen, auf deutsch, damit HG nicht ausgeschlossen ist. Aber keiner SAGT etwas, Paul Podeus nicht, Dagmar Podeus nicht, Bruder Heinrich sowieso nicht, Else natürlich auch nicht. Und da sitzt HG. Auf Kohlen. »Iiih, ich möcht' nicht ihm sssein« – mit dem Satz hätte Dagmar Podeus schon helfen können. Tut sie nicht. Statt dessen fahren HG und Siegfried Ostermontag zurück nach Hamburg – HG: »Spannung! Spannung! Das waren Tage!« – und nachts macht er sich an den Entwurf für die »schriftliche Bestätigung an P. Podeus«.

Die nächste Hürde ist drei Wochen später zu nehmen: zweiter Familientag in Halberstadt. Da muß HG hin, Else darf noch nicht, sie stärkt ihn bis dahin während nächtlicher Droschkenfahrten, wenn sie aus dem Theater kommen oder von späten Abendessen. HG hingerissen: »Meine Liebste ist so süß!« Er fährt mit Beklemmung nach Hause, die Kommunikation war frostig in der Zwischenzeit, besonders Gertrud ist spröde. HG: »Sie muß versöhnt werden.« Ist das so, weil Mütter ihre Söhne nicht loslassen können, wie es immer heißt? Ich habe keine Ahnung und keinen Sohn. Da wird schon Eifersucht im Spiel gewesen sein. Das Verhältnis Gertrud-Else blieb über die Jahre höflich verspannt, und als Elses Mutter Dagmar Podeus, diese ulkige sprudelnde Person, später nach Halberstadt zog, empfand Gertrud sie mitunter als Eindringling in ihre aufgeräumte Umgebung.

HG kommt spät genug, um das Haus schon voll mit Logierbesuch zu finden, was ihm Auseinandersetzungen mit den Eltern erspart. »Benno Nachtigall« hat noch Proben, HGs Vorsänger-Qualität ist gefragt, irgendwann ist es zu spät zum Reden – für diesen Tag jedenfalls sind alle Probleme umschifft. Am nächsten Morgen tagt erst der Familienrat, dann der Familientag – das Protokollbuch, akribisch geführt von Archivar Kurt, verzeichnet vertane Lebenszeit. Da reden sie über Kassenbestände – M 3266.50 –, die Entlastung von Vorstand und Schatzmeister, die Neufestlegung der Jahresbeiträge und so weiter.

War da nicht im »Grundgesetz« von »Herbeiführen eines engeren Zusammenhalts der Familienmitglieder« die Rede? Das kommt jetzt beim gemeinsamen Mittagessen. 64 Verwandte sind anwesend, kakeln, ratschen, haben sich »ewig nicht gesehen«. Die Bänkeltruppe intoniert: »Wem Gott will rechte Gunst erweisen, den schickt er in die weite Welt, obgleich bei Putschgefahr das Reisen wohl heut nicht jedermann gefällt.« Es ist wahr: In Sachsen und in Schleswig-Holstein, auch in Hamburg sind wieder die »bolschewistischen Rabauken« unterwegs, in Bayern ist es besonders rabiat, aber mit Katholiken haben die Klamroths sowieso nichts zu tun.

Nachmittags hält Kurt einen Vortrag darüber, wer mit wem und warum wie verwandt ist, dazu werden Stammbäume herumgereicht, und erst spät in der Nacht ist HG dran. »Lange Aussprache mit Vater. Schwierig. Ich gehe nicht nach England. Von Wismar erzählt.« Und dann, immerhin: »Vater schreibt an Vater P.« Die Herren treffen sich eine Woche später in Berlin, sie mögen sich spontan, Paul schreibt an »min lütt Döchting Elsemaus«, daß er einen »sehr feinen, netten und liebenswürdigen Herrn kennengelernt habe, mit dem ich einen sehr angeregten Abend verbrachte«. In der Sache sind sich beide Väter einig: immer schön langsam! Kurt redet mit Paul über HGs Englandaufenthalt – »mindestens ein Jahr« –, als habe der Sohn seine Ablehnung in den Wind gespuckt. Paul: »Bei allem, was Herr K. vorbrachte, konnte ich ihm nur recht geben. Du siehst, was Deinen Wunsch betrifft, die Verlobung baldmöglichst zu veröffentlichen, sind wir beiden Väter da ganz anderer Meinung.«

HG ist empört: »Soll Krieg sein?« Wenigstens nach Wismar könnten die Eltern sich bequemen, damit sie wissen, wovon die Rede ist. Kurt ist nicht abgeneigt, Gertrud findet dauernd neue Abhaltungen. Die will die Verlobung nicht, ganz gleich mit wem. HG schäumt: »Scharfer Brief an die Eltern. Entweder mit ihnen oder ohne sie. Else gebe ich nicht her.« Auflehnung, bravo! HG wird erwachsen. Kurt macht sich auf nach Hamburg, um mit dem Sohn zu reden. Das Ergebnis: nicht England. Aber Curaçao. Nicht ein Jahr, sondern vier Monate. Und vorher Wismar. Sofort.

Sie fahren Pfingsten. Ravelin Horn präsentiert sich in seiner ganzen Schönheit: Pauls Warmherzigkeit, Dagmars Souveränität, Elses Charme, wohlerzogene Geschwister. Abendessen im Smoking, Kopenhagener Porzellan, schweres Silber, intelligente Menschen an der Tafel, Fackeln im Garten. Keiner gibt sich bemüht, alles ist locker und selbstverständlich. Am nächsten Tag Rundgänge durch die Fabriken, Autotouren, Picknick am Wasser, unangestrengt das Ganze. Die jungen Brautleute strahlen, Gertrud erlebt einen völlig neuen Sohn, der in seinem Tagebuch notiert: »Allseitige Begeisterung bei Mutter und Vater Kl. – na also!« Kurt klebt in HGs Archivseiten ein Foto von sich und der neuen Tochter im weißen Kleid mit der Unterschrift: »Wir lernen ›unsere‹ Else kennen«. Die offizielle Verlobung allerdings wird verschoben auf den Herbst 1921, wenn HG zurück sein wird aus Curaçao.

Bis zu seiner Abreise verbringt er jeden freien Tag in Wismar. Er liebt die Atmosphäre dort, liebt die Schwiegereltern, liebt das Haus – ganz oft schreibt er: »Wie immer in Ravelin Horn – Glück!« Else bewohnt einen kleinen Salon mit Kamin unterm Dach, und niemand findet offenbar etwas dabei, daß die beiden sich abends dorthin zurückziehen. »Wir treiben dänisch« heißt HGs ironischer Tagebuch-Eintrag dazu, in Anführungsstrichen – er lernt zwar schnell Dänisch, aber ob das nun auf Elses Sofa Fortschritte macht, mag bezweifelt werden. »Ist es mir je so gut gegangen?« steht im Tagebuch, »sehr froh und glücklich!«, einmal auf Latein »rideamus« = wir strahlen, einmal englisch »happiness is love«. HG hat Verlobungsringe gekauft und eine clandestine Darreichungs-Zeremonie veranstaltet mit Versen, an denen er zwei Tage gebastelt hat – »Else trägt nun den Ring«.

Im übrigen ist HG offenbar richtig zuhause in Ravelin Horn. Er ist mit allen per Du und in den großen Kreis der Vettern und Freunde aufgenommen, als sei er schon immer dagewesen. Ich weiß nicht, ob er seine Zahnbürste im Gästebad geparkt hat, aber bestimmt einen Anzug oder zwei, denn bei Podeussens zieht man sich zum Abendessen um. Auch seine Briefmarken-Alben hat er dabei; immer wieder lese ich »Marken sortiert in der Halle«. Das muß zum Schluß eine wertvolle Sammlung gewesen sein, Else erzählte, daß die Gestapo sie ersatzlos mitgenommen hat nach HGs Verhaftung.

HG bringt Arbeit mit – »Else Post diktiert« kommt mehrfach vor im Tagebuch. Das wundert mich schon: Sie hat zwar Stenographie gelernt in der Handelsschule, aber die von ihr getippten Schriftstücke sehen aus wie Kraut und Rüben. HG, rechtwinklig wie er ist, wird den Mantel der Liebe darüber gebreitet haben, vielleicht hat er Else nur mit solchen Diktaten eingedeckt, damit sie auch in der Arbeit nah zusammenrücken. Und sie schreiben sich gegenseitig. Es gibt in Leder gebundene, goldgeprägte Kladden, diese größeren Geschwister von Poesie-Alben, worin Else und HG sich ihre Gefühle mitteilen. Else hat mit spitzem Messer ihre Seiten größtenteils herausgetrennt, HGs Seiten beginnen am 20. Januar 1921, gerade mal einen Tag, nachdem er »bloß geguckt« hat und daraufhin verlobt war. Sie beginnen mit dem Schützen Vitt.

Er bringt eine parabel-förmige Geschichte zu Papier über einen jungen Mann, der ruhelos unter den unendlichen Sternen der ukrainischen Nacht herumreitet – »allein, ganz allein« – auf der Suche nach dem »Tempel Leben«. Daraus wird nichts, denn die »Göttin Schuld« hält ihn harsch zurück. Sie hat ihn aufgefangen, »als er um eine halbe Sekunde zu früh die Pistole losgehen ließ. Seither schwebt sie überall über ihm und hält all seinem Denken und Tun ihren schwarzen Mantel vor: Büße!« Klar, wie die Geschichte ausgeht: Else ist die neue Göttin, die stärker sein wird als die düstere Dame, und wenn Else ihre Kraft einsetzt, wird die andere – HG: »Ich bete darum!« – sich schließlich schleichen.

Ich muß aufpassen, HG nicht zu denunzieren. Denn die Geschichte kann ich wieder nur mit gewissem Ächzen lesen, aber was heißt das denn? Es ist seine Geschichte, und es rührt mich an, daß sein neues Glück mit Else und das alte Trauma um den Schützen Vitt so dicht nebeneinanderliegen. Den leisen Verdacht, er könne die Gelegenheit genutzt haben, sich bei Else als tragischer Held aufzuspielen, verbiete ich mir.

In diesen Goldschnitt-Kladden beschäftigt HG sich viel mit dem Verschmelzen von Elses und seiner Seele – doch, der »Wirklichkeitsmensch« HG hat seine Seele entdeckt! – mit der »Vollendung zu zweien« und mit seinen keineswegs nur koketten Selbstzweifeln: »Ist es nicht doch eine furchtbare Schwäche von mir, all meine unklaren, kaum zur Hälfte durchdachten Wünsche, all mein oft so tobendes wildes Sehnen nach Geschlossenheit und Ruhe, mein ganzes noch so unendlich weit vom wahrhaft Männlichen entferntes Ich mit seiner unglaublichen Unfertigkeit gerade dem Menschen ans Herz zu legen, den ich vor allen Steinen und Schlägen des Lebens, vor allem Ringen und Kämpfen ach so gern behüten möchte?!«

Else hält solche Sätze aus, aber sie sieht das Ganze unkomplizierter: »Hans Georg, ich liebe Dich! Ich erwartete in der ersten Zeit immer ein Aufwachen und dann ein Erkennen der Unmöglichkeit, Dich heiraten zu können. Ich bin aufgewacht, aber zu der Erkenntnis, daß ich eben nur Dich heiraten kann. Nur Dich – mit Dir will ich zusammen leben, eins werden, mit Dir wie Du bist, ich will nichts abziehen, nichts dazu haben, so wie Du bist und was aus diesem Du noch einmal werden wird. An Dir werde ich wachsen, ich werde Dir, Du wirst mir weiter helfen, Du und ich wollen zusammen ringen, wie schön ist es doch, daß es das gibt, daß zwei eins werden können, wir wollen es, Liebster – Du.«

Else will allerdings aufpassen, damit es nicht schiefgeht mit der Liebe: »Einem kommen doch so allerhand Gedanken, wenn man sich Ehen näher besieht und wenn man erkennt, was man von vornherein beachten muß, damit nicht der eine oder der andere zum unerträglichen Tyrannen wird. – Sollte es nicht möglich sein, daß der nervöse und stark beschäftigte Hausherr sich auch zu Hause beherrscht, oder muß die Frau als Ableiter herhalten, und wenn sie es sich nicht gefallen läßt, eins von den Kindern? Es ist nichts häßlicher als ein launischer Mann, bei einer Frau ist es schon schlimm, aber bei einem Mann ist es verächtlich.«

»Ist das denn überhaupt ein Leben, überhäuft mit öffentlichen Ehren, Ämtern, Verpflichtungen und noch daneben die eigene Firma und eine ewige Unruhe, Hast und Eile, sieht seine Familie kurz bei den Mahlzeiten, abends Sitzungen, Essen oder müde, nervös, unbeherrscht zu Hause. Ist denn das den Einsatz wert? Und was bleibt davon übrig? Eine Menge Geld, ein ehrenvolles Begräbnis und das Gefühl, vom ›Leben‹ eigentlich nicht so übermäßig viel gehabt zu haben, nur man hat sich zum Sklaven gemacht und zum ›rühr mich nicht an‹ in der Familie.«

Da hat sich wenig geändert in 80 Jahren, nicht wahr? Wen sie wohl am Wickel hatte mit dieser Philippika – ihr Vater Paul wird es nicht gewesen sein, denn der war mehr konzentriert auf seine Frau und seine Kinder als auf seine Firmen, was allen nicht gut bekommen ist in der Inflation. So richtig abgeschreckt ist Else aber nicht: »Das Endziel der Frau ist Heiraten, Kinderkriegen, alles andere ist unnatürlich, Bluff, Ersatz, Quatsch! Doch den Mann, der zu einem paßt, zu finden, ist ja nicht einfach. Mir ist es gelungen!!!« Die Wartezeit allerdings so geduldig durchzustehen, wie das ihre Schwiegermutter Gertrud seinerzeit vorgeführt hat, fällt Else schwer. Im Goldschnitt-Buch jammert sie: »Lieb, reise nicht wieder so weit weg von mir. Liebster Lieb, ich bin ja gar nicht so stark. Ich habe nur Sehnsucht und den einen, einen Wunsch: wärst Du doch wieder hier!«

Aber HG ist auf Curaçao. Oder in Venezuela. Oder auf einem Schiff. Jedenfalls wirklich weit weg. Er schreibt ein sorgfältiges Reisetagebuch, 153 Seiten Schreibmaschine, plötzlich kaum noch blumig, und ich stelle fest, daß er genau guckt. Er versucht sich in der Beschreibung von Wolkenformationen – »es muß möglich sein, dafür Worte zu finden, ohne in Bilder auszuweichen« –, er versucht dasselbe mit Wellen und Gischt, und er macht sich an die Farben der Nacht: »Kohlschwarz, schieferschwarz, teerschwarz, samtschwarz, dabei die Lichtstreifen im Schraubenwasser – Meerleuchten«. Fast vier Wochen dauert die Reise nach Curaçao mit einem Frachtschiff, HG macht sie zusammen mit Theo Delbrück, Elses verläßlichstem Jugendfreund, der ihr später viele Jahrzehnte lang von Holland aus zur Seite stand. Ich erinnere mich, daß er mir beibrachte, wie man Austern ißt, auf einer Straße in Amsterdam im Frühling. Da war ich vielleicht 17.

Curaçao muß ein trostloses Fleckchen Erde gewesen sein, damals jedenfalls, eine Kaktus-Kolonie in den niederländischen Antillen mit wunderlichen Weißen, Gestrandeten aus aller Welt, und mit einer schwarzen Bevölkerung, die HG Nigger nennt und die Papiamento spricht, wofür es keine Schrift gibt. HG beschreibt das vorurteilsfrei und neugierig, nur ein Schwuler überfordert seine Toleranz: »Der legt Puder auf wie Marie Antoinette, und bei dieser Hitze zeichnet der Schweiß bizarre Muster in sein Gesicht.« Der deutsche Konsul – »der ist wahrscheinlich hier vergessen worden!« – erhebt als Gastgeber sein Glas auf die holländische Königin und gleich darauf auf Wilhelm II., der bei ihr Unterschlupf gefunden hat.

HG wird hier und in Venezuela herumgereicht von einer Familie zur nächsten. Gouverneur, Bürgermeister, US-Generalkonsul (Kriegsgegner!), Handelsvertretung Spaniens, venezolanische Ölbarone, Hamburger Schiffsagenturen – es funktioniert ein Netzwerk in Gestalt von Empfehlungsschreiben, telegraphischen Vorankündigungen seines Besuches von Station zu Station, und wo er hinkommt, haben die Leute – das ist das Erstaunlichste – Zeit für ihn. Sie bieten ihre Häuser an als sein Zuhause, besorgen Autos und Angestellte, die HG in der Gegend herumfahren. Erinnern wir uns: Wir sind im Jahr 1921, Deutschland hat den Krieg verloren und seither wenig zu bieten, und der junge Mann schon gar nicht. Doch. Er hat seinen Namen, und Kurt ist in diesen Gefilden 1912 auf einer ähnlichen Tour gewesen. Das ist neun Jahre her, damals kam das Phosphatgeschäft zustande. Von dergleichen kann jetzt nicht die Rede sein, aber Kaufleute denken langfristig. »Des Vaters Segen baut den Kindern Häuser«, zitiert HG das Alte Testament.

Er hat ein Sammelsurium an Lesestoff mit auf die Reise genommen, zum Beispiel englische Jugendliteratur zum Aufpolieren der Sprache: »Little Lord Fountleroy« von Frances Burnett, Alfred Mason's »Four Feathers«, Anfang des Jahrhunderts ein Riesenerfolg, dazu »Kidnapped« von Robert Stevenson und den wundervollen Schmöker »The Scarlet Pimpernel« der englischen Ungarin Emmuska Orczy. Ludendorffs »Kriegserinnerungen« liest HG gleich zweimal und schenkt sie anschließend dem Gouverneur von Curaçao. Über die »Vorgeschichte zum Weltkrieg« des erzkonservativen Deutschnationalen Karl Helfferich ärgert er sich – »das kenne ich alles schon«. Dazwischen sind Dostojewskis »Brüder Karamasow« dran, Hermann Graf Keyserlings »Reisetagebuch eines Philosophen«, die metaphysische Beschreibung einer Weltreise, und Hofmannsthals Jugendwerk »Der Thor und der Tod«. Arbeit soll auch sein: Handelsgesetzbuch, Leitfaden für das Studium der Nationalökonomie, »Briefe eines Bankdirektors an seinen Sohn« von einem gewissen Argentarius, und dann gleich noch mal auf englisch »Letters from a selfmade merchant to his son«.

HG fühlt sich gelegentlich »rausgeschält aus der richtigen Welt, die sich weiterdreht, und ich gehöre nicht mehr dazu«. Ihm ist das unheimlich, und er hält sich fest im Kartenhaus, wo »ich sehe, daß ich tatsächlich irgendwo bin. Jemand hat das gezeichnet und vermessen, und ich kann den Finger darauf legen. Das Papier wird wirklicher als der Himmel und das Wasser um mich herum.« Um Kater-Anfälle dieser Art zu vermeiden, lernt HG auf der Rückfahrt Dänisch. Ihr Frachter kommt aus Kopenhagen, und HG nervt jeden vom Kapitän abwärts, indem er mit ihnen das spricht, was er für Dänisch hält.

Das Ergebnis ist verblüffend. Vier Wochen Schiffspassage reichen aus, HG fit zu machen in dieser Sprache, die zwar eine entfernte Verwandte des Deutschen ist, aber völlig anders ausgesprochen wird und in der Grammmatik, im Vokabular kaum Ähnlichkeit hat. Kein Mensch, der deutsch spricht, kann deshalb automatisch Dänisch. Ich kann das beurteilen, denn Dänisch hat mich angeflogen als Kind, und ich habe Briefe von HG, die er ein paar Monate nach seiner Rückkehr aus Curaçao an dänische Adressaten geschrieben hat. Da steckt nicht ein Fehler drin, weder in der Wortwahl noch in der damals noch komplizierten dänischen Orthographie.

Mit diesem Pfund wuchert er. Fünf Tage, nachdem Theo und er in Bremerhaven an Land gegangen sind, ist HG in Dänemark, das später zu seiner zweiten Heimat wird. In Nyköbing am Bahnhof wartet Else. Sie schreibt ins Goldschnitt-Buch: »Ich hatte so auf Dich gewartet, und jetzt war es, als ob Du nie weg gewesen wärest.« HG in sein Tagebuch: »Ich habe Else so viel zu sagen, habe sie so lieb!« Sie kommen nicht dazu, sich in Ruhe aufeinander einzustellen, denn in Bandholm ist diamantene Hochzeit. Elses Großeltern sind 60 Jahre verheiratet, und alles, was Beine hat, ist unterwegs, das Jubelpaar zu ehren.

Ich weiß, wie so was geht in Bandholm, heute noch. Das winzige, blank geputzte Hafenstädtchen ist über die Toppen geflaggt, jeder hängt die Dannebrog raus, die Zäune in den wenigen Straßen sind mit Girlanden geschmückt, und die Leute – jeder kennt jeden – stehen in ihren Vorgärten und applaudieren, wenn ein Brautpaar, ein Jubelpaar mit seinen Gästen oder die Trauergemeinde einer Beerdigung zu Fuß hinter dem Sarg zur Kirche gehen. Das Fest der alten Cruses, Dagmars

Eltern, dauert zwei Tage, HG ist der einzige »Neue« in diesem eingespielten Kreis, und sein Auftritt dort ist bis heute Legende. Immer noch erzählen mir die Enkel der damaligen Gäste die von den Eltern den Kindern überlieferte Geschichte: Da war dieser fremde junge Mann, gerade erst 23, braungebrannt, gutaussehend im Frack, ein bißchen still zunächst.

Nachdem alle Reden an dieser 100-Personen-Tafel geredet worden waren, stand er auf und klopfte an sein Glas. Erst gratulierte er dem Jubelpaar mit artigen, gesetzten Worten, dann wirbelte ein Feuerwerk los an Witz und Frechheit über Ruhm und Ruf der versammelten Gesellschaft. Er habe sich abgehetzt hierher durch Sturm und Wind, um bei der illustren Gelegenheit einer diamantenen Hochzeit einen Fuß in die Tür dieser einzigartigen Familie zu bekommen. Den werde er von nun an nicht mehr zurückziehen, den Fuß, und irgendwann werde er mit Elses Hilfe einer von ihnen sein – darauf könnten die Anwesenden sich verlassen. Das Ganze auf dänisch, zum Teil in Versen.

»Wer ist das denn?« – »Das ist Elses Bräutigam.« – »Else ist verlobt?« – »Nein, aber bald.« – »Ist das ein Däne?« – »Nein, ein Deutscher.« – »Ein Deutscher? Der spricht doch dänisch!« HG war der Star des Abends. Ich kann die Geschichte singen, sie wird immer gleich erzählt. Was mich beeindruckt daran, ist HGs Chuzpe. Der kannte von der Hundertschaft vor ihm so gut wie niemanden. Er war zum ersten Mal in Dänemark, er sprach eine Sprache, die er von einer Schiffsbesatzung gelernt hatte – das hätte ja auch ins Auge gehen können, etwa so, als hielte ein Ausländer das Berliner Idiom für Deutsch. Aber er hat den ganzen Klan an diesem Abend eingesammelt. Sie haben ihn geliebt, obwohl er später Besatzungsoffizier wurde in ihrem Land, und sie haben seinen Tod betrauert.

Als Else und HG zurück sind in Wismar, das ist im Oktober 1921, werden die Verlobungsanzeigen verschickt. 250 sind es, Blumen und Geschenke strömen nach Ravelin Horn. HG zieht den Cut an und den »hohen Hut«, Else auch was Feines, und dann machen sie offizielle Besuche bei Leuten, die sie vorher schon zigmal gesehen haben. Was war das für eine merkwürdige Sitte! Ich stelle mir ungern vor, daß bei mir mittags um 12 jemand unangemeldet vor der Tür steht, dem ich auch noch eine Viertelstunde widmen muß, obwohl ich weiß, daß ich ihn oder sie demnächst sowieso für einen Abend einladen soll. Aber das machte man so. In Benimm-Büchern aus der Zeit finde ich auf Seiten und Seiten den »Besuchs-Kodex« beschrieben, vor einer Reise und nach einer Reise, vor Neujahr und nach Neujahr, mit Hut in der Hand, nie ohne Handschuhe – Else hat später in Halberstadt ein Besuchs-Buch geführt, wo drinsteht, wer ihnen alles seine »Aufwartung« gemacht hat, und ob und mit wem der oder die dann eingeladen wurden.

Nachdem das Brautpaar Wismar und Umgebung abgeklappert hat, muß in Halberstadt die nämliche Prozedur durchgestanden werden. Hier leuchtet das ein, denn Else ist zum ersten Mal in dem Ort, der ihr Zuhause werden soll, und niemand kennt sie. HG ist nervös: »Ob Else sich wohlfühlt hier?« Sie wird herzlich empfangen mit einem von Kurt junior komponierten Willkommens-Choral und einer launigen Aufführung der Geschwister, aber einfach ist das Ganze nicht. »Else findet sich schwer hinein«, notiert HG, was nicht verwundert. Die Börde und die Berge sind etwas anderes als der luftige Seehafen Wismar, die Menschen sind so schwer wie ihre fette Scholle, und daß sie »amüsant« wären, kann ihnen keiner nachsagen. Else, die zeit ihres Lebens ostentativ mit »Else Klamroth, geb. Podeus« unterschrieb, formuliert später für die Enkelkinder: »Ich war entschlossen, mich durchzusetzen.«

Mit fehlender Loyalität hat das nichts zu tun, Else hat dieser Familie immer die Stange gehalten. Auf ihre eigene Handschrift aber mochte sie nicht verzichten. Das wird ein zäher Kleinkrieg, unter dem Deckmantel äußerster Höflichkeit geführt. Schon gleich nach der Verlobung geht das los. Gertrud rügt, daß die Brautleute sich öfter abends zurückziehen in HGs Zimmer – sie nennt das HGs und Elses »Selbständigkeit«. HG weist seine Mutter wütend zurecht, Else strahlt sie an: »Ich liebe ihn sehr, das weißt du. Deshalb muß ich manchmal mit ihm allein sein und draußen ist mir das zu kalt.« Es ist November. Als Paul Podeus nach Halberstadt kommt, um »sin lütt Döchting« in der neuen Umgebung zu sehen, vermerkt HG vorher »leise Beklemmung«. Deshalb verschwinden sie alle drei zu den Herbstjagden auf den umliegenden Familiengütern, wo die Männer Hasen schießen und Else mit einem dänischen Wildrezept brilliert.

HG hängt in ernsthaften Auseinandersetzungen mit Vater Kurt. Der hat, während der Sohn in Curaçao war, über dessen Kopf hinweg eine langwierige Reise in die USA für ihn festgezurrt im nächsten Jahr und ihn für die Zeit davor als Betriebsassistenten in die Chemiefabrik »Union« nach Stettin verkauft. HG ist fassungslos. Er und Else wollten im Frühjahr heiraten, HG hat einen Job in Aussicht in Hamburg, wo das junge Paar dann wohnen wollte, und überhaupt findet er, es sei an der Zeit, daß er sein Leben selbst in die Hand nähme. Der Haken ist: HG ist nicht nur mental, er ist vor allem finanziell von Kurt abhängig. Der Job in Hamburg würde kaum seinen Mann ernähren und schon gar nicht Mann und Frau, und Elses Geld schwindet bei den steigenden Preisen dahin – ein Jahr später überweist ihr Paul nach der Hochzeit 100 000 Mark, das ist der Rest der ursprünglichen Million und zu der Zeit schon kaum noch etwas wert.

Sich zu fügen, fällt HG nicht leicht. Während der Überfahrt nach Amerika grübelt er darüber nach, »warum ich nicht stark genug bin, mich zu widersetzen«. Die Antwort ist einfach: Eine Weigerung wäre nicht vernünftig gewesen. Solche Reisen in die USA waren 1921/22 schwierig zu organisieren, und Hospitanten-Jobs wie der in Stettin lagen auch nicht auf der Straße. Und schließlich verfolgen Vater und Sohn das gleiche Ziel – HGs Eintritt bei I. G. Klamroth. Stettin und die USA laufen unter Ausbildung, Erfahrungen sammeln, Horizont erweitern. HG sieht ein, daß das nicht falsch ist. Ihn stört, daß der Vater ihn hin- und herschiebt wie eine Schachfigur. Und warum tut Kurt das? Weil er weiß, daß nach der Hochzeit ziemlich schnell Kinder kommen und die Bereitschaft rapide absinken wird, sich den Wind der Welt um die Nase wehen zu lassen. Den aber braucht die Firma, die sich dieser Welt öffnen muß, will sie unter den neuen Verhältnissen bestehen.

Kurt entschuldigt sich bei HG, die Entscheidung habe schnell getroffen werden müssen und der Sohn sei nicht greifbar gewesen. Allerdings wird Kurt nach HGs entschlossenem Alleingang bei der Verlobung vollendete Tatsachen geschaffen haben. HG aber, der nun erneut folgsame Sohn, fällt zurück in überwunden geglaubte kindliche Servilität: »Ich war auf eine fremde Weise passiv, die Stärke, die ich in mir wachsen fühle, trägt noch nicht.«

In den folgenden Monaten wird HG verfolgt von »schwarzen Vögeln«. Schon früher tauchten ab und an solche Anwandlungen bei ihm auf: »sehr schlechte Laune« – »grundlos mißgestimmt« – »plötzlich Düsternis«. Jetzt sind es »schwarze Vögel«, die ihn aus dem Nichts überfallen. Else ist nicht der Grund, im Gegenteil. Nach der anfänglichen Enttäuschung, daß HG schon wieder so weit weg fährt, stärkt sie ihm den Rücken für die USA-Reise. Auch Stettin findet sie in Ordnung: im Anschluß an die praktische Erfahrung in der Phosphat-Mine auf Curaçao sei es wichtig, daß HG verstehen lerne, was mit dem Zeug in der Chemiefabrik passiert. HG ins Tagebuch: »Else er den mest henrivende pige paa verden« – Else ist das hinreißendste Mädchen auf der Welt.

Die schwarzen Vögel kommen auch nur, wenn sie nicht da ist. Nicht weil sie nicht da ist. HG und Else haben gelernt, mit den häufigen Trennungen umzugehen, solange die Post so schnell ist und man auch mal telefonieren kann. Aber wenn sie kommen, die schwarzen Vögel, dann fällt HG in ein Loch voller Selbstzweifel, angefüllt mit Verachtung über die eigene Unzulänglichkeit: Er weiß nicht genug, sein Urteil ist nicht fundiert, er ist nicht souverän, er läßt sich zu leicht beeinflussen – »wenn mir heute jemand seine Meinung schlüssig vorträgt, schließe ich mich dieser an, und morgen kommt ein anderer mit der gegenteiligen Auffassung, die er auch gut begründet, und dann glaube ich dem«. HGs Welt, die bei der Armee

zweifelsfrei aufgeteilt war in Schwarz und Weiß, seine festge-
fügten Koordinaten von Richtig und Falsch haben sich verflüchtigt in »vielleicht« und »einerseits, andererseits«. Er lernt
verstört, »daß Überzeugungen sich ändern können, selbst
Erfahrungen nicht immer gültig sind«. HG wird erwachsen.

Seine schwarzen Vögel sitzen nicht nur auf seiner »skandalösen Unkenntnis«, nicht nur darauf, daß er mühsam lernt,
Fragen zu stellen, wo er sich vorher mit seinen schnellen Antworten sicher fühlte. HG zweifelt an seiner charakterlichen
Lauterkeit, und in einem der Goldschnitt-Bücher bündelt er
das für Else in dem Satz: »Ich lüge!« Über Seiten und Seiten
rechnet er mit sich ab. Er lügt nicht, um Versäumnisse zu
kaschieren – »die Überweisung ist längst raus«, wenn jemand
die Bezahlung einer Schuld anmahnt, kommt bei ihm nicht vor.
Auch nicht die Ausrede, »da war ein Unfall auf der Straße«,
wenn er zu spät kommt. HG kommt nicht zu spät. HG erfindet Geschichten.

»Eins steht wohl fest: ich log als Kind nicht und lüge heute
nicht ›in böser Absicht‹. Ich schmücke aus, ich dichte, ich
schneide auf, ich schwindele – aber das ist alles Selbsttäu-
schung. Ich lüge.« Seit HG denken kann, hat er sich wichtig
gemacht: »Ich erinnere mich, daß ich als kleiner Schuljunge
gern Geschichten ausdachte und sie als wirklich selbst erlebt
den Eltern erzählte. Ich hatte viel Phantasie, und ich merkte,
daß meine Erzählungen vielfach mit Erstaunen, ja Ver- und
Bewunderung von meiner Umgebung aufgenommen wurden.
Zu meiner Phantasie kam der Ehrgeiz.«

HG rechtet mit seinen Eltern: »Warum haben sie mich nicht
geschlagen, so, daß ich beim ersten Schlag genug gehabt hätte?! Warum sahen sie mich bloß mit sanftem Vorwurf an, statt
mich im Dunkeln einzusperren und mich tagelang hungern zu
lassen, so daß das Kind mit Schrecken und Furcht an diese Folgen seiner Lüge zurückgedacht hätte?! Sie sagten: ›Was hat der
Junge für eine Phantasie!‹ statt zu sagen: ›Wehe uns, das Kind
lügt! Wie rotten wir das aus?‹« HG unterstreicht sehr selten.
Dies hier ist doppelt markiert mit wütenden Strichen der

Empörung. »Ich erinnere mich, daß ich viele Jahre später ein heftiges Gefühl des Neides empfand, als Wolf mir einmal 1917 in Döberitz sagte: ›Mein Vater hätte uns Kinder getötet, wenn wir je gelogen hätten. Ein Yorck bringt nie eine Lüge über seine Lippen.‹ Hätte ich damals den Mut gehabt, offen mit ihm zu reden, dann wäre heute vielleicht manches anders.«

»Die Lüge ließ sich trefflich anwenden als Mittel meines Ehrgeizes. Ich wurde bei Kameraden und Bekannten und allgemein gesellschaftlich rasch beliebt – wodurch? Ich konnte so unterhaltend plaudern, aus den kleinsten Erlebnissen witzige Geschichten machen. Von all dem, was ich in den letzten Jahren zu erzählen pflegte, ist wohl nichts buchstäblich wahr. Ich brauche nur an das angebliche Erlebnis mit der alleinfahrenden Hochzeitsreisenden zu denken, die Sache mit dem Telefon und den Dänen in Hamburg, Vaters angebliche Zauberei mit der Belohnung, unzählige angebliche Kriegserlebnisse – alles, alles Lüge! Was für ein Balance-Akt, welches Wagnis im öffentlichen Leben: wie oft kommt es vor, daß ich mich ängstlich hüten muß, zwei oder mehrere meiner Bekannten, namentlich aus verschiedenen Zeiten, zusammenzuführen, weil ich nicht mehr genau weiß, was ich diesem so und jenem so erzählt habe. Alles wird zur Gefahr. Aber das wäre zu ertragen, wenn das andere, das Eine nicht wäre: welcher Ekel vor mir selbst!«

In der Nacht, nachdem Else und er sich verlobt hatten, sei HG – so schreibt er – noch lange wach geblieben und habe gebetet: »Laß mich alles büßen, Herr, nur ihr gegenüber laß mich wahrhaftig bleiben, laß nie eine Lüge zwischen Else und mich treten!« Wie ein Süchtiger ist er dann doch der Versuchung erlegen, hat Else wenig später »das ›große‹ Kriegserlebnis erzählt, ich sah, daß es Eindruck auf Dich machte, und schnitt auf, wie gewöhnlich. Ich log. Versinke ich nicht in den Boden vor Scham?« Und er listet eine Vielzahl von Lügen-Geschichten auf, alle dazu angetan, ihn in Elses Augen größer und schöner erscheinen zu lassen – »und Dein Vertrauen zu mir wuchs immer mehr«. Was nun? HG sinniert über mögliche Ursachen nach, von »Großtuerei« bis zu einem »geistigen Defekt«, und er bittet Else um Hilfe. Ohne sie, sagt er, kriegt er sich nicht in Ordnung.

Mit ihr auch nicht. Ihre Antwort auf dieses Bekenntnis hat Else herausgetrennt aus dem Goldschnitt-Buch, aber auch so fällt mir einiges dazu ein. Sie wird sich eingeredet haben, so schlimm sei das schon nicht und sie würde das in den Griff bekommen. Auch wenn Else HGs Fabulier-Sucht – bei Fachleuten heißt das »pseudologia phantastica« – für ein wirkliches Problem gehalten hat, dann durfte sie mit Fug und Recht erwarten, daß sich das mit seiner Offenbarung erledigt habe. Nie wieder! Es hatte sich aber nicht erledigt. Als ich noch Menschen befragen konnte, die HG gekannt hatten, hörte ich immer wieder, wie witzig, wie intelligent, wie begabt dieser Mann gewesen sei – »aber was hat er gelogen!« Ich habe noch die Geschichte im Ohr, wie aus dem Tennisplatz hinterm Halberstädter Haus ein Flugplatz wurde mitsamt der komplizierten Landung einer Kurier-Maschine im Zweiten Weltkrieg.

Else hat das wahnsinnig gemacht. Ich bin als Kind in den Schrank gesperrt, ohne Essen ins Bett geschickt, mit der Reitgerte verprügelt worden, weil ich »gelogen« hatte – ich war ein phantasievolles Kind voller Geschichten, wie HG sie erfand. Else dachte sich deswegen sogar mal eine »Verhaftung« für mich aus als Strafe, einen regelrechten Gang ins Gefängnis mit einem Uniformierten, der mich abführte. So sensibilisiert, so beschädigt war sie durch HGs Form von mentaler Ausschweifung. Es hat nichts genutzt. Ich habe mich weiter mit erfundenen Geschichten aufgeblasen, bis sie sich von selbst verflüchtigten.

HG hat das nicht gepackt, soweit ich weiß. Daß Else noch nicht mal Notlügen durchgehen ließ – dabei sparen die doch so viel Zeit! –, läßt mich darauf schließen, daß HG sie später nicht nur mit seinen hanebüchenen Geschichten genervt hat, sondern mit handfesten Unwahrheiten. Die Demütigung, die einer ertragen muß, wenn der Betrug des Partners von Lügen begleitet wird, ist ebenso Verrat an der Gemeinsamkeit wie der eigentliche »Fehltritt«.

Warum mußte HG sich in eine solche Wolke von Phantasie-Geschichten hüllen? Ich finde in seinen Aufzeichnungen die Feststellung, »daß ich von Kindheit an unter einer geradezu abnormen, quälenden Schüchternheit und Angst gelitten habe, und daß mein äußerlich so ganz entgegengesetztes Wesen und Auftreten nur wieder der Angst entsprang, jene erste Angst zu zeigen«. An anderer Stelle: »Man müßte untersuchen, wie sehr Schüchternheit und Eitelkeit einander bedingen.« HGs Geltungssucht erklärt auch, mir jedenfalls, warum er einen derart geschraubten Schreibstil entwickelt hat. Aber das wird ja besser. Wenigstens das.

Weshalb legt HG das große Geständnis gerade zu diesem Zeitpunkt ab? Else und er haben kurz zuvor zum ersten Mal eine Nacht miteinander verbracht. Zur Feier ihrer einjährigen Verlobung, es ist der 19. Januar 1922, sind sie ins tief verschneite Chorin gefahren. Sie laufen stundenlang durch die »wunderweiße Welt. Eiskalt«, übernachten in der Klosterschenke, und danach ist HG wie in Trance. »Sehnsucht, brennende unvernünftige Sehnsucht nach Else« steht in endlosen Variationen im Tagebuch. HG telefoniert fast täglich mit Wismar. Das muß damals noch angemeldet werden und ist mit Warten verbunden und mit Kosten, aber es hilft wenigstens vorübergehend gegen die »Qual und große Nervosität«. Denn jetzt sind die schwarzen Vögel wieder da: »Darf ich Else an mich fesseln, so wie ich bin?« Die Frage kommt ein bißchen spät. Die Lügen-Enthüllung ist datiert auf den 3. Februar.

Eine Woche lang ist HG krank – er reagiert auf seelische Belastungen häufig mit Fieber – seine Akne blüht: »Ich bin körperlich ein greuliches Wrack und geistig ist es nicht besser.« Dann kommen »zwei so liebe, liebe traurige Briefe von Else. Ach, wenn ich doch gleich bei ihr wäre.« Ich kenne diese Briefe nicht, aber bitte was hätte Else denn machen sollen? Sollte sie, nachdem sie HG »gehört« hatte, wie das damals ja wohl hieß, sich und allen anderen sagen: »So einen will ich nicht«? Sollte sie einem möglichen Nachfolger HGs erklären, daß der Verlust ihrer Jungfräulichkeit ein Irrtum war? Else war sehr souverän, aber so souverän nun doch nicht. Es war damals leichter, sich scheiden zu lassen, als eine Verlobung zu lösen, die mit einem »Defekt« behaftet war. Als meine Jungfräulichkeit – unverheiratet – dahinging, hat Else mir einen Brief geschrieben, ich hätte nun mein Leben verpfuscht – das war immerhin 35 Jahre später!

Ich weiß, ich sollte mich da raushalten, aber mir gefällt die Geschichte überhaupt nicht. Hätte HG es wirklich ernstgemeint mit der Verachtung seiner »charakterlichen Mängel«, hätte erst deren Offenlegung kommen müssen und dann die Nacht in Chorin. So hätte Else eine Chance gehabt zu entscheiden, ob sie das Ganze »amüsant« finden soll oder bedrohlich. Wenn sie »traurige« Briefe schreibt, legt das den Schluß nahe, daß sie die Sache als das begriffen hat, was sie war, als den Mißbrauch ihres Vertrauens. Doch Else kann nicht zurück, will sie vermutlich auch nicht, denn sie liebt HG, und sie wird nur zu gern seinen Beteuerungen geglaubt haben, von nun an werde alles anders.

So fährt HG guten Mutes nach Amerika. Er verläßt ein Land, das von Streiks und Unruhen geschüttelt ist und dessen Währung verfällt. Die Reichsregierung gibt Ende April 1922 bekannt, seit Mai vorigen Jahres seien für die Kriegsgegner 555 Millionen Goldmark an Sachleistungen erbracht und 1 294 888 487.62 Goldmark an Reparationen gezahlt worden – was ist das denn, wenn man es ausspricht? Tatsächlich nur eine Milliarde zweihundertvierundneunzig Millionen etc., also gar nichts im Vergleich zu dem, was erwartet wird. Die Franzosen haben denn auch schon mal Düsseldorf, Duisburg und Ruhrort als Faustpfand besetzt und drohen, sich das gesamte Ruhrgebiet einzuverleiben.

In Deutschland wächst deswegen der Terror der extrem rechten Nationalisten gegen republikanische »Erfüllungspolitiker«. Diese »Erfüllungspolitik« war im Mai 1921 vom Reichstag beschlossen worden und hieß, den Versailler Vertrag und die Reparations-Forderungen ohne wenn und aber zu akzeptieren. Die Kriegsgegner, so das Kalkül, würden schnell erkennen, daß man einem nackten Mann nicht in die Tasche greifen kann, und ihre Forderungen reduzieren. Den Nationalisten war das ein Dorn im Fleisch der deutschen Ehre. Es gab mehr als genug dieser Leute im Land. Hatten sie noch vor drei Jahren in Freikorpsverbänden und Studentenkompanien dem SPD-Reichswehrminister Gustav Noske geholfen, sozialdemokratische und kommunistische Aufstände niederzumachen, im Baltikum für den Fortbestand deutscher Vorherrschaft und in Oberschlesien gegen die Polen gekämpft, waren sie jetzt offiziell aufgelöst und arbeitslos. Doch sie waren nicht verschwunden. Manche krochen in der neuen Reichswehr unter, die meisten bemühten sich um bürgerliche Existenzen, während sie in »Vaterländischen Verbänden«, im »Germanenorden« oder im »Deutsch-Völkischen Schutz- und Trutzbund«, auch in der DNVP, der »Deutschnationalen Volkspartei«, ein Ende der Weimarer Republik durch die Revolution von rechts betrieben.

Als der frühere Finanzminister Matthias Erzberger, 1918 Unterzeichner des Waffenstillstands, im August 1921 erschossen wurde, war HG auf Curaçao. Der Mord an Außenminister Walther Rathenau im Juni 1922 geschah, als HG sich in Florida aufhielt. In beiden Fällen gehörten die Täter zur »Organisation Consul«, der Nachfolgetruppe jener Brigade Ehrhardt, die den Kapp-Putsch getragen hatte. Man muß Ernst von Salomon lesen, die »Geächteten«, aber auch den »Fragebogen«, um sich ein Bild zu machen von der spulwurmartigen Verseuchung deutscher Eliten mit nationalistischem Gedankengut, vor allem von der tiefen Verachtung für die Republik.

Salomon wird nach der Entlassung aus dem Zuchthaus, wo er wegen Beteiligung am Rathenau-Mord und anderer Gewalttaten sechseinhalb Jahre gesessen hat, bei Professoren, hohen Beamten, Menschen »der Gesellschaft« als einer der ihren mit großem Respekt empfangen. Er schildert das Entgegenkommen des eigens nach Rathenaus Tod gegründeten »Staatsgerichtshofs zum Schutz der Republik« gegenüber den »patriotischen« Mördern. Diese Söhne »aus gutem Hause« tauchen alle bei ihm auf, der Liebknecht/Luxemburg-Mörder Hauptmann Pabst, der auch beim Kapp-Putsch beteiligt war, die Befehlshaber wie Kapitänleutnant Hermann Ehrhardt und Manfred von Killinger, dessen Bücher von den Nazis in Hunderttausender-Auflagen verbreitet wurden. Heute zahlt man für seine ekelhaften Auslassungen antiquarisch ein Vermögen.

Im fernen Amerika ist vom Aufruhr in Deutschland nach der Ermordung Rathenaus kaum etwas zu erfahren. Auch über den Vertrag von Rapallo, dieser ersten Verständigung zwischen Rußland und Deutschland nach dem Krieg, die in Frankreich und England Empörung hervorrief, steht in den Zeitungen wenig. Verblüfft stellt HG fest, daß Deutschland in den USA kein Thema ist, schon gar nicht in North Carolina. Viele Jahrzehnte später habe ich als Korrespondentin in Washington das gleiche erfahren – das wechselseitige Interesse steht im umgekehrten Verhältnis zueinander, es sei denn, Deutschland wird gerade gebraucht.

Über den Krieg zu reden, gelingt HG überhaupt nicht. In seinem Gefühl war der doch erst gestern vorbei, aber er hört: »This little war, that was four years ago, nobody thinks about it any more« – dieser kleine Krieg ist doch schon vier Jahre her, daran denkt heute keiner mehr. Daß Deutschland jetzt wirtschaftlich und moralisch am Boden liegt, wird mit gutmütigen Lachen quittiert: »Well, we did a good job, didn't we!« Die Frage »Well, how are things now in Germany?« – nun, wie geht es denn jetzt in Deutschland? – heißt nichts als oberflächliche Höflichkeit, und HG lernt schnell, daß der Gesprächspartner keine richtige Antwort will. Statt dessen zieht er HG zum Barbecue, wo über die letzten Baseball-Ergebnisse diskutiert wird.

Die amerikanische Welt gibt HG Rätsel auf. Gleich nach der Ankunft in New Orleans sieht er in einem Seitenarm des Mississippi etwa 20 U-Boote liegen, alle »for sale« – wer kauft sich privat ein U-Boot? Oder ist das wieder eine von HGs »Geschichten«? Die wird er ab jetzt schon nötig haben, wenn sein Leben etwas Farbe behalten soll, denn er verliert sich in der amerikanischen Pampa. Düngemittel-Fabriken liegen nun mal nicht an Großstadt-Boulevards, und so verschlägt es ihn in Gegenden, die noch heute allenfalls für eine Strafversetzung taugen – Atlanta, Georgia oder Wilmington, North Carolina und Bartow, Florida. Das letzte Nest habe ich noch nicht mal auf der Karte gefunden, aber die beiden anderen Orte kenne ich, und da möchte man nicht hin.

Doch erstmal staunt HG: »Selbst im Vorkriegs-Deutschland gab es so etwas nicht.« Jeder hat ein Auto – jeder in der Familie –, alle haben Häuser, große Häuser mit mehreren Schlaf- und Badezimmern, meistens scheußlich eingerichtet, und die Eigentümer sind mittlere Angestellte, Gemüsehändler, Besitzer von Autowerkstätten. Zu Hause wäre das nicht HGs Beritt. Aber »seinen« Beritt findet er nicht in der amerikanischen Provinz. Die – weiße – Kleinstadt-Gesellschaft um ihn herum ist selbstbewußt klassenlos, spießig und wohlhabend. Am Strand außerhalb Wilmingtons entdeckt HG »aircars«, kleine Flugzeuge, mit denen die Leute zum Baden kommen. »Auch junge Mädchen fliegen die!« wundert er sich, »ist das die Zukunft?« Das Leben um ihn herum spielt sich ab in typischer Südstaaten-Manier, langsam, dem Klima angemessen, in der Düngemittelfabrik – »Morris Fertilizer Co.« – macht sich keiner tot, alles läuft in Hemdsärmeln herum, die Leute gehen zum wrestling-match, fahren abends in ihren Autos langsam über den »Korso«, und vor allem gehen sie in die Kirche.

Es ist allerdings nicht so, daß in Wilmington, N.C. oder in Bartow, Fla die Tugend zu Hause wäre. HG wird mehrmals konspirativ in verborgene Keller eingeladen, wo die Gastgeber ihren Schnaps vor der Prohibition versteckt haben, und häufig beschließen die Honoratioren nach dem Kirchgang einen Besuch im Puff. HG klinkt sich da aus als »tapfer Verlobter«, er hätte sich das ohnehin nicht leisten können. Die Preise rauben ihm den Nachtschlaf – nicht die amerikanischen Preise, die sind moderat, aber wenn er 1.40 $ für einen Haarschnitt zahlt, dann sind das inzwischen 400 Mark. Die Wäscherei kostet pro Woche 897 Mark, eine Straßenbahnfahrt 114 Mark.

Der Dollar steht bei 285 Mark und steigt täglich, und da HG bei den Geschäftsfreunden von »Morris Fertilizer« nur 50 $ Aufwandsentschädigung bekommt, muß er an Kurts Deposit gehen, das der in Höhe von 100 000 Mark für ihn bei einer US-Bank hinterlegt hat. HG kann absehen, wie lange das reicht.

Das alles trägt nicht zu seinem Wohlbefinden bei – wegen der Geldknappheit ist er unbeweglich, die Leute langweilen ihn, der Job vermittelt ihm nichts Neues. Nur Englisch lernt HG in gewohnter Manier sehr schnell einschließlich der Orthographie.

Selbst die Mädchen gehen ihm auf die Nerven: »Die können zwar Auto fahren und ›pies‹ backen, aber sonst gackern sie nur. Als ich neulich die Tochter des Kantors fragte, warum sie dauernd kichere, guckte sie mich mit entwaffnender Offenheit an und sagte – ›because I've nothing else to do‹ – sie hat ja recht.« Die Post von zu Hause ist auch nicht hilfreich: »Vater schreibt, ich solle ›Milieu-Studien‹ betreiben, und Mutter rät mir ›carpe diem‹ – beides ist hier schon lange ausgeschöpft.« Elses Briefe machen HG traurig – »ich fühle mich verbannt und finde keine Gemeinsamkeit mit ihr außer in meiner Sehnsucht«.

Warum geht er nicht, warum guckt er sich nicht Amerika an? Ich vermute, daß Kurt ihn für einen bestimmten Zeitraum an die »Morris Fertilizer« ausgeliehen hat. HG wird die Geschäftsbeziehungen beider Firmen nicht stören wollen, schließlich ist es nett, daß die Morris-Leute ihn genommen haben. Ein anderer Grund ist das fehlende Geld – das Deposit hat Kurt ihm nicht zum Verjuxen hinterlegt. Trotzdem: Schon damals wäre HG nicht der erste gewesen, der sich auf eigene Faust in den USA durchschlägt. Er fragt sich selbst, warum er sich nicht aufmacht: »Autorität – Respekt – Liebe – Furcht – Disziplin?« Er bietet auch an: »Schwachheit – Feigheit. Ist meine Entschlußkraft völlig vor die Hunde gegangen?« Welche Entschlußkraft?

Die Rettung kommt von außen. Der Chef bei Morris schickt HG halb dienstlich, halb auf Urlaub nach Chicago und New

York. Er solle wenigstens etwas von Amerika sehen. HG telegraphiert an Kurt um Erlaubnis – faßt man das? –, »einverstanden!« kommt per Kabel zurück, und schon sitzt HG im Pullman, jenem berühmten Großraum-Wagen der amerikanischen Eisenbahnen, in denen die Sitze nachts zu Liegen wurden – ich kenne die nur von Fotos, denn wer fährt in den USA heute noch Zug auf langen Strecken? HG kommt nicht zum Schlafen, er hat eine »nett aussehende Frau gegenüber. Große Reden!« – ich ahne, daß seine »Geschichten« wuchern.

In Chicago, viel mehr noch in New York gehen ihm die Augen über: »This is America!« Die Firma Morris sorgt dafür, daß er unter Leute kommt, plötzlich ist auch der »reiche Onkel« Ernst Hothorn wieder da. HG wird weitergereicht, geht in die Carnegie-Hall und in die Metropolitan Opera, sieht mehrere Shows am Broadway, fährt nach Long Island, spielt Tennis, reitet. Jetzt sieht er richtig wohlhabende, geschmackvolle Häuser und entdeckt, daß auch das weiße Amerika seine Klassengesellschaft hat. Es ist außerdem alles gar nicht so teuer, weil er immerzu eingeladen wird – als ob ein vertrocknetes Blümchen endlich Wasser bekommt, lebt HG auf, trabt von morgens bis abends durch die Straßen. Soll er Else nicht hierher holen, und sie bleiben?

Statt dessen bekommt HG Nachricht von zu Hause, daß Else eine Wohnung in Bochum gefunden hat – das ist das Signal. Jetzt kann er zurück. Jetzt wird geheiratet. In Bochum gibt es einen jederzeit verfügbaren Job für HG beim »Ammoniakverkaufsverein«. Nicht daß er davon träumt, in einem Verband die reichsdeutsche Ammoniak-Verteilung zu betreiben, aber, so HG an seinen Freund Theo Delbrück: »Mir ist Bochum erheblich lieber als Halberstadt, aus mannigfachen Gründen, und ich hoffe auch, daß Halberstadt danach noch nicht unser nächster Wohnsitz wird.« Die »mannigfachen Gründe« sind Elses Vorbehalte gegen das festgefügte Bollwerk aus Familie und Harz-Vorland-Society – »es wurde nicht so viel gelacht wie in Wismar«, schreibt sie an die Enkelkinder. Auch HG traut sich die Firma und vor allem den Vater noch nicht zu: »Ich muß meine Kraft wachsen lassen, damit ich neben ihm bestehen kann.«

Vor allem wollen die beiden erst mal mit sich allein sein, und das schnell. Also wird die Rückfahrt von New York aus mit einem Passagierschiff gebucht. Das heißt »SS Manchuria« und braucht bis Hamburg nur zehn Tage. Wie HG das bezahlt hat, weiß ich nicht, die Überfahrt auf dem norwegischen Frachter nach den USA kostete nur fünf Kronen, immerhin auch schon 250 Mark. Das hier muß viel teurer gewesen sein, denn auf der »Manchuria« geht es so zu, wie wir das aus dem Kino kennen: Bridge und Bord-Boccia, Captain's Dinner im Frack, auch ein »Man over board« – ein Selbstmörder »aus der dritten Klasse«.

Und eine Bord-Liebe – jaja, wir sind im Kino. HG nennt sie Fatima, es gibt auch ein Foto von ihr, und das geht alles seinen üblichen Gang. Erst gemeinsames Bridgespiel und »angeregte Unterhaltung«. Dann ein »eigenartiges Gefühl für Fatima«, woraus »abends mit Fatima lange auf dem Vordeck« wird. Am Tag drauf: »Mit Fatima dinner geschwänzt. Auf dem Vordeck.« Als nächstes – die Zeit drängt schließlich: »Eine merkwürdige Unruhe zieht mich schon morgens zu Fatima. Fast wortlos in den Deckchairs bei strahlendem Wetter. Abends mit Fatima auf dem Vordeck: Mond ...Windstille ... lange Wellen ... Meerleuchten ... usw.« Am nächsten Morgen hat HG einen mentalen Kater: »Komme mir scheußlich dumm, albern und inkonsequent vor nach gestern abend.« Warum schreibt er nicht einfach, es war schön? Wenig später macht das Schiff an den Hamburger Landungsbrücken fest, drüben steht Else, Abschied von Fatima, HG ist wieder zu Hause.

Elses Heimat Ravelin Horn

Sieben

Die Hochzeit wird festgesetzt für den 15. September 1922. Das bedeutet Streß, aber der spielt sich in Wismar ab. HG hätte eigentlich die verbleibenden drei Wochen genießen können. Kann er nicht, er wird zusehends nervös, springt zwischen Frackschneider in Berlin und Herrenschneider in Halberstadt hin und her, »regelt seine Angelegenheiten«, als handele es sich um Vorbereitungen für sein Ableben, und läuft zwischendurch stundenlang mit den Hunden durch den Wald »in tiefen Gedanken«. Er klammert sich an Horaz »aequam memento rebus in arduis servare mentem« – sei darauf bedacht, auch in harten Tagen deinen Gleichmut zu bewahren – doch daraus wird nichts. HG schleicht in Abschiedsstimmung durch das Halberstädter Haus, kämpft mit den schwarzen Vögeln – »hätte ich nicht doch in New York bleiben sollen? Das Schwierige an der Zukunft ist ihre Endgültigkeit. Grimmiger Laune!!« Kurz: Er macht das durch, was wir alle durchgemacht haben vor der Hochzeit.

Ravelin Horn strahlt in seinem vollen Glanz. 50 Gäste sind zum gesetzten Essen geladen, zum Polterabend kommen etwa 100 mehr, es wuselt von Lohndienern und Kaltmamsells, Köchinnen und Weinkellnern. Dagmar und ihre dänischen Schwestern sind die Ruhe selbst und an allen Töpfen gleichzeitig zugange. Nach dem Standesamt ist die Trauung am nächsten Tag in der Backstein-roten Marienkirche festlich und feierlich. Große Gebinde aus Herbstlaub und Astern schmücken die Säulen und den Altar, vier rosa-weiß gewandete Brautjungfern mit ihren Brautführern im Frack begleiten das Paar, vorneweg streuen sechs kleine Kinder Blumen. Kurt jun. spielt auf seiner Geige ein Adagio von Händel, der Pfarrer predigt über den Trauspruch Römer 8, Vers 15, den HG ausgesucht hat: »Ihr habt nicht einen knechtischen Geist empfangen, daß ihr euch abermals fürchten müßtet, sondern ihr habt einen kindlichen Geist empfangen, durch welchen wir rufen: Abba, lieber Vater.« Dann donnert die Orgel »Großer Gott, wir loben Dich!«, und mit allen Chor-erprobten Klamroths und den weniger musiktrainierten Podeussens singt HG aus vollem Herzen mit. Else singt nicht. Das kann sie nicht.

Zu Hause in Ravelin Horn sind die beiden langen Tafeln Dagmars Meisterstück. Was die Schränke hergeben an Porzellan, Silber, kostbarer Tischwäsche, ist aufgefahren. Kerzen, Blumen, Trauben aus den hauseigenen Gewächshäusern als Dekoration, Gläser, die damals zum Einsatz kamen, benutze ich heute noch für meine Festessen. Bei den Tischreden wendet sich Hausherr Paul zu Anfang an die ausländischen Gäste. Dies sei eine deutsche Hochzeit und gerade in trüber Zeit sei es eines jeden Deutschen Pflicht und Bedürfnis, als erstes seines Vaterlandes zu gedenken: »Ich erhebe mein Glas auf Deutschland.« Ein paar Jahre vorher wäre das der Kaiser gewesen – nun denn.

Schwiegervater Kurt geht auf Elses Bedenken ein, sich in den Klamroth-Klan einzuklinken – woher er davon wohl weiß? Erzählt hat Else bestimmt nichts. Er beruhigt sie, Tradition habe in der Familie nie bedeutet, daß Hinzugekommene sich vereinnahmt fühlen müßten: »Wir geben dir familiäre Sicherheit, du gibst uns dein frisches Blut zum Segen künftiger Geschlechter.« Bevor Else vor Schreck in Ohnmacht fallen kann, macht Kurt deutlich, wie er sehr wohl begriffen hat, daß sie von ganz woanders herkommt. »Die Podeus' sind von Alters her ein seefahrend Geschlecht, sie sind sturmerprobt und durch ihre nahen Beziehungen zu den Völkern jenseits des Meeres leicht beweglich und schnell von Entschluß. Schwerer pulst das Blut in den Adern der Harzer Klamroths, die« – so sprach schon der alte Moltke – »ernstlich wägen, bevor sie wagen.« Aber das sei es schließlich, warum diese Verbindung so zukunftsträchtig sei, und deshalb stoße er nun mit Freuden an auf die Familien Podeus und Cruse.

Der Kaffee wird in den Gesellschaftsräumen serviert – Kurt, der Chronist, kann gar nicht aufhören, die Antiquitäten zu bewundern, die Bilder, die Teppiche, die üppigen Blumenvasen, die Kristallkaraffen mit den Digestifs, das lautlose Personal. Es ist das letzte große Fest in Ravelin Horn, und es leuchtet die unangefochtene Heiterkeit einer Welt, die Untergang nicht zuläßt. Else später: »Wir wußten alle, daß es zu Ende ging. Trotzdem war es so, als ob dieses Ende uns nie erreichen würde. Ravelin Horn hatte uns wieder mal verzaubert.«

Sie sind die ersten, die sich losreißen müssen. Als Kranz und Brautstrauß ausgetanzt sind, verläßt das junge Paar im Auto die Hochzeitsgesellschaft – schade eigentlich, aber die Sitten, sie waren so. In Wismar wird noch bis früh um fünf gefeiert, Else und HG fahren nach Lübeck ins Hotel Stadt Hamburg »todmüde, beide ganz erschöpft in unserer Hochzeitsnacht«. Das gibt sich während der Hochzeitsreise. Die geht in die bayerischen Alpen, sie kraxeln von Berchtesgaden aus die Berge rauf und runter bei strahlendem Wetter, und wenn es regnet, bleiben sie den ganzen Tag im Bett. HG schreibt dänisch in sein Tagebuch: »Vi er saa forelskede« – wir sind so verliebt! – und deutsch mit griechischen Buchstaben, konspirativ gegen mögliche Mitleser: »Wir haben uns sehr lieb!« und »Kleines Pech«. Da mag nun jeder sich seinen eigenen Vers drauf machen. Ich spüre nur, wie gut es ihnen geht. Drei Wochen bleiben sie weg, und es ist das schiere Glück. Als sie zurückkommen nach Halberstadt, steht das nächste Fest vor der Tür: Kurts und Gertruds Silberhochzeit.

Die ist am 9. Oktober, und ich finde sechsstimmige Chorsätze von Kurt jun. komponiert, die schon in Allerherrgottsfrühe vor der Schlafzimmertür des Jubelpaares gesungen wurden – das machten die Klamroths so an Festtagen. Nach dem Zweiten Weltkrieg, als das Haus bis oben hin voll Menschen steckte, muß das bei Geburtstagen geklungen haben wie die Fischer-Chöre. Ich erinnere mich an »Es tagt der Sonne Morgenstrahl« und »Wach' auf mein Herz und suche Freud« morgens um sechs, schwänzen ging nicht, mein Sopran wurde gebraucht. Else, die nicht singen konnte, schlief dankbar länger. Zur Silberhochzeit ist die Familie nach dem frühmorgendlichen Ständchen schon um halb neun gestiefelt und gespornt in der Diele versammelt, wo Annie den Silberkranz überreicht. Die Chronik schwärmt von dem »tief beweglichen Augenblick« und vermeldet Gertruds »leise Tränen«. Dagmar Podeus rettet den Tag. Sie umarmt Annie und schluchzt: »Mich, der sonst nie heult, hast du su's Weinen gebracht!«

Die Familien-Fahne wird hochgezogen vorm Haus, und es strömen die Gratulanten. Alles, was Rang und Namen hat in der Stadt, macht seine Aufwartung, Bürgermeister, Stadtrat, Handelskammer, eine Abordnung der ehemaligen Seydlitz-Kürassiere kommt in Uniform und zu Pferde, Kameraden aus der Kriegsamtstelle in Zivil und zu Fuß. Die Kirchen schicken ihre Pastoren, aus dem Cecilienstift wuselt ein Schwung Diakonissen ins Haus, der Kleinkinderschulverein liefert Verse ab und der Betriebsrat von I. G. Klamroth ein Glasfenster mit Wappen. Die Herren vom Airdale-Club sind mitsamt Hunden vertreten, sogar der längst aufgelöste Luftflottenverein Halberstadt schickt einen kleinen Fesselballon.

Es gibt Aufführungen jede Menge, vor allem musikalisch – die Familienband »Benno Nachtigall« hat viel zu tun. Man speist vorzüglich, diesmal von Meißner Porzellan, 46 Menschen in Abendkleid und Frack sitzen um die Tafel, der Tisch ist dekoriert mit versilberten Myrten-Zweigen und späten Rosen. Als die Gäste fort sind früh um zwei, sitzt die »Silber«-Familie noch am Kamin zusammen, bis Kurt jun., wie immer nach gemeinsam verbrachten Abenden, auf dem Klavier den Nachtsegen anstimmt: »So legt euch denn, ihr Brüder«. HG im Tagebuch: »Ein schöner Tag. Trotzdem sehe ich jetzt vieles anders durch Elses Augen.«

Anfang Januar 1923 ziehen sie nach Bochum. Die Ein-Zimmer Wohnung in der Auguste Viktoria-Allee ist ihr erstes eigenes Zuhause – HG hängt Schiller in Schönschrift in den Flur: »Raum ist in der kleinsten Hütte für ein glücklich liebend Paar«. Sie genießen alles: den Kohle-Ofen und die Kochkiste, den Abwasch in einer Blechschüssel und das Klappbett vor dem viel zu kleinen Kleiderschrank. Elses Unordnung hört schlagartig auf, und sie steht morgens um fünf auf, um HG Frühstück zu machen, wenn der für den neuen Arbeitgeber über Land fahren muß. HG ist »glücklich!!!«. Bei der Ammoniak-Verkaufsvereinigung ist er eine Art Feuerwehrmann und darf all die Sachen machen, die er liebt: Statistiken führen über Düngungsversuche, Rentabilitätsberechnungen und Preisvergleiche anstellen, er kümmert sich um auswärtige Patente und englische Lieferlisten – das klingt schrecklich, aber HG schreibt doch so gern Zahlen untereinander.

Der Brötchengeber ist fürsorglich mit seinen Mitarbeitern. Weil im streikgeplagten Ruhrgebiet auch auf Lebensmittelkarten häufig nichts zu haben ist, versorgt die Ammoniakverkaufsvereinigung mittels einer eigenen Abteilung die Angestellten mit dem Nötigsten – in HGs Tagebuch erscheint in kurzen Abständen: Mehl ausgegeben im Kontor, Pökelfleisch, Margarine, Eier, Speck, Zucker, Schokolade. Wurst – zu moderaten Kosten, was angesichts der rasant kletternden Preise draußen für viele die Rettung bedeutet. Noch hat die Hyperinflation nicht eingesetzt, aber der Dollar ist von Anfang Oktober auf Anfang November 1922 um das Dreifache von 2000 auf 6400 Mark gestiegen, und das Karussell dreht sich immer schneller.

Richtig in Fahrt kommt es mit der Besetzung des Ruhrgebiets durch die Franzosen und Belgier. Am 11. Januar 1923 rücken die ein, etwa 100 000 Mann unter dem Vorwand, das Deutsche Reich habe seine Holz- und Kohlelieferungen nicht erfüllt. Die Regierung ruft daraufhin den passiven Widerstand an der Ruhr aus, das heißt: Alle Reparationsleistungen werden eingestellt. Mit einem Schlag ist das Ruhrgebiet lahmgelegt. Die Bergarbeiter fördern keine Kohle mehr, Verwaltungen, Post, Eisenbahnen stehen still, sobald die Franzosen Befehle erteilen. Das gesamte Reich solidarisiert sich mit dem Ruhrkampf, und das gesamte Reich geht damit finanziell in die Knie. Denn die Gehälter und Löhne der Streikenden müssen vom Staat natürlich weitergezahlt werden. Das ist ein Faß ohne Boden, und die Reichsbank stopft immer mehr Geld hinein, frisch gedrucktes, wertloses Geld.

Die Besatzungsmächte reagieren mit Verhaftungen und Ausweisungen, der verschärfte Belagerungszustand wird verhängt mit Kontrollpunkten an jeder Ecke und nächtlichen Ausgangssperren. Es kommt zu Krawallen, in Essen werden 13 Arbeiter erschossen, in Bochum vier arglose Passanten. Das junge Glück sitzt da mittendrin. Sie schlängeln sich an Kontrollposten vorbei auf der Suche nach einem Lebensmittelladen, der durch die Hintertür verkauft, denn die Franzosen verfügen oft tagelang die Schließung aller Geschäfte. Else und HG frieren in ihrer kleinen Wohnung wegen der Kohlensperre, oft gibt es weder Wasser noch Strom, Post wird mit Kurieren ins nicht besetzte Hamm geschmuggelt, wobei die Franzosenkontrolle in Scharnhorst auf dem Zug-Klo ausgesessen werden muß, sonst werden die Briefe kassiert. Else ist schwanger.

»Ich fühle mich ehrfürchtig«, schreibt HG ins Tagebuch. Und fürsorglich. Else geht es nicht gut. Sie muß sich dauernd übergeben, ihr Kreislauf knickt weg, schlimmer noch – jetzt wird sie verfolgt von »schwarzen Vögeln«. Was ist das für eine Zeit, in die dieses Baby hineingeboren werden soll: Der Dollar steigt von 10 000 auf 20 000 Mark und steht Anfang Juni auf 100 000 Mark. HGs Gehalt hat sich in einem Monat um das Siebenfache erhöht, die Preise auch. Die Gewalt auf den Straßen ist beängstigend – in Bochum schlagen nicht nur die Franzosen zu. Unbekannte begehen Lynchmorde an vorgeblichen Kollaborateuren, und Freichorpsveteranen der radikalen Rechten verüben Sprengstoff-Attentate gegen Soldatenzüge und Eisenbahnbrücken. Der Freichorpskämpfer Albert Leo Schlageter wird deswegen von den Franzosen hingerichtet, was zu Ausschreitungen in ganz Deutschland führt. Kein gutes Umfeld für eine werdende Mutter.

Es bricht ihm fast das Herz – »Tränen beim Abschied!« –, aber HG schafft Else nach Wismar. Das ist nicht einfach, nur mit Hilfe eines Freundes und verschrobenen Zugverbindungen gelingt es, sie durch Kontrollposten und Grenz-Schikanen nach Bremen zu bringen, wo Paul Podeus sie abholt. HG selbst schlägt sich durch nach Halberstadt, denn jetzt muß die Zukunft geregelt werden. Die führt geradewegs zu I. G. Klamroth – mit Kind ist alles anders. Da gondelt man nicht mehr von Versuchsstation zu Versuchsstation, jedenfalls damals nicht. Kurt hatte schon recht, als er HG noch vor der Hochzeit nach Amerika schickte.

In Halberstadt werden der Vertrag besprochen über die Teilhaberschaft in der Firma und mögliche Wohnungen ins Auge gefaßt – ein Umbau bietet sich an im weiträumigen Geschäftshaus an der Woort, wo früher die Altvorderen ihr Domizil hatten. Doch den ganzen Tag mit dem Senior-Chef unter einem Dach, immer greifbar? Dann gibt es noch eine Wohnung im Haus der Großmutter Vogler am Domplatz, und Gertrud kommt auf die Idee, sie könnten den obersten Stock am Bismarckplatz beziehen. Vermutlich hört HG Else aufjaulen und lehnt dankend ab.

Ostern fährt HG auf abenteuerliche Weise nach Wismar – die Auseinandersetzungen um die Eisenbahnen im besetzten Ruhrgebiet haben den Zugverkehr in ganz Deutschland durcheinandergebracht. HG legt seinen Kopf auf Elses wachsenden Bauch, und das Baby tut ihm den Gefallen: Es boxt. HG hingerissen: »Was ist wichtiger im Leben als eine solche Frau und ein solches Wunder von einem Kind!« Die oberen Stockwerke in Ravelin Horn sollen vermietet werden, es sind ohnehin keine Kinder mehr im Haus. Else und HG suchen Möbel aus, die sie nach Halberstadt haben wollen, HG mit etwas mulmigem Gefühl, »weil ich nicht weiß, wie ich das bezahlen soll«. Offenbar müssen die Kostbarkeiten verkauft werden, Paul und Dagmar brauchen Geld.

Den April über schleppt HG Koffer und Pakete ins nicht besetzte Hamm, er räumt die kleine Wohnung bis auf das Nötigste aus, er will weg aus dem Ruhrgebiet. Die Sachen werden durch Freunde von Hamm aus nach Halberstadt verschickt, aber sie dahin zu bekommen, kostet Nerven. Einmal gibt es einen »skandalösen Disput« mit französischen Soldaten, die Küchenutensilien zu einer illegalen Ausfuhr erklären –

HG: »Sehr gefährlich! Die sind so nervös!« Die Atmosphäre ist äußerst gespannt, Heckenschützen fügen den Besatzern Verluste zu, die rächen sich mit der Verhaftung ganzer Straßenzüge. Und der Dollar steigt und steigt – HG bezahlt für einen Haarschnitt 4000 Mark.

Aus heiterem Himmel wird er nach Berlin versetzt, ein Feuerwehreinsatz in der dortigen Niederlassung der Ammoniak-Verkaufsvereinigung. Das ist Ende April 1923. Er gönnt sich keine Pause. Noch am Tag seiner Ankunft in Berlin geht er in sein neues Büro, begreift schnell, daß dies unbekanntes Terrain ist und Arbeit kostet. Folglich arbeitet er wie ein Berserker von morgens früh bis abends spät. Monate später, da ackert HG schon in der Firma I. G. Klamroth, steht im Tagebuch: »Wutanfall Onkel H.« – das ist der andere Teilhaber Heinrich Schultz – »wegen meiner Arbeitswut«. HGs Tempo ist nicht jedermanns Sache.

Die meisten Leute scheinen ihn zu mögen. Seine Vorgesetzten, auch der Direktor der Ammoniak-Verkaufsvereinigung, ein Dr. Ruperti, holen den jungen Mann – HG ist 24 – zu Besprechungen und Konferenzen mit Geschäftspartnern dazu. Ruperti, der in der ganzen Welt in Sachen Ammoniak unterwegs ist, hat ihn schon in Bochum als seinen persönlichen Assistenten genutzt. Jetzt macht er HG zu seinem Berliner Statthalter, der mit einem Block voller Aufträge zurückbleibt, wenn Ruperti wieder davondüst. Das nützt HG für den Rest seines Lebens. Auf die Namen, die jetzt in seinem Tagebuch auftauchen, stoße ich über die Jahre immer wieder. HG pflegt sein Netzwerk, seine umfangreiche Korrespondenz tut ein übriges. Auf den Briefen, die er bekommt, steht in seiner gestochenen Schrift die Notiz »beantw.« und das selten später als eine Woche. Selbst an die Langweiler von Morris Fertilizer im amerikanischen Wilmington, N.C. schreibt er oder an den deutschen Konsul auf Curaçao, nicht gerechnet all die Menschen, die HG privat wichtig findet – wer einmal drin ist im Netz, den hält er fest.

Einer der ersten Besuche HGs in Berlin gilt der »verehrungswürdigen Mutter« von Siegfried Körte, die seit ihrem

Wegzug aus Ostpreußen hier wohnt. Er ist oft bei ihr, und im Tagebuch lese ich darüber: »Kummer wegen Siegfried« – »über das Sorgenkind gesprochen«. Noch ist der große Krach wegen der Devisen-Geschichte mit der alten Tante von Wolf Yorck nicht passiert, jedenfalls weiß HG bisher nichts davon, aber es gibt Anlässe genug zu düsteren Gedanken. Schon während seiner Amerika-Reisen hatte HG häufiger Hiobsbotschaften durch Else erhalten – ein Darlehen von ihr an den gemeinsamen Freund über 20 000 Mark war nicht zurückgezahlt worden, Kurt hatte sich einem Geldbegehren Siegfrieds widersetzt, in Bochum kamen »ärgerliche Briefe wegen Siegfried« an, und auch jetzt in Berlin muß es wieder um Geld gegangen sein. HG: »Siegfried ist ein teurer Freund.« Aber er mag ihn so gern – »er gehört zu meinem Leben« – und gemeinsam mit Mutter Körte ist HG »sehr traurig. Da liegt Unheil in der Luft.«

Das gibt es auch sonst mehr als genug. Wir sind im Juli 1923, und HG hätte zu keinem schlechteren Zeitpunkt den Job als Juniorchef in der familiären Firma antreten können, nunmehr der fünfte in annähernd 125 Jahren. Die Inflation galoppiert in die Billionen, kein Mensch kauft, und wenn jemand Rechnungen bezahlt, ist das Geld nur noch einen Bruchteil der Ausgangsbasis wert. Auf den Straßen gibt es Hungerkrawalle, auch in Halberstadt. Hausfrauen ziehen in kreischenden Protestmärschen durch die Straßen, weil es keine Lebensmittel gibt. An den Litfaßsäulen kleben die Suchanzeigen nach Leuten, die einfach verschwunden sind, und aus Parkanlagen grölt mal die »Internationale«, mal der Schlachtgesang der Feme-Mörder »die Brigade Ehrhardt werden wir genannt«.

Putschgerüchte gibt es ohne Ende, der Bürgerkrieg scheint täglich loszubrechen, in Sachsen und in Thüringen werden die Landesregierungen mit Waffengewalt abgesetzt, weil Kommunisten, legal gewählt, an ihnen beteiligt sind. In Bayern allerdings traut sich die Reichsregierung nicht, gegen »vaterländische«, von Hitler und seinesgleichen initiierte Aufstände ähnlich hart vorzugehen. Das Land ist ein Hexenkessel, und HG ist mit den Nerven am Ende. »Was soll bloß werden!« steht immerzu im Tagebuch, »wie sollen wir durchkommen?« – »gräßlich nervös! Sorgen! Wir reichen nicht mit dem Kapital!« – »Eine fürchterlich aufregende Zeit ist das!« Kurt übrigens scheint gelassener zu sein, »Vater versucht zu beruhigen«, schreibt HG mehrfach. Aber es ist dem Junior nicht zu verdenken, daß ihn Panik überfällt jetzt, wo er zum ersten Mal eigene Verantwortung trägt und das unter solchen Umständen. HG ist 25.

Zu Hause ist Else ziemlich allein gelassen. Ihr Baby muß bald kommen, sie fühlt sich schwer und unförmig, sie kann nicht schlafen, und »ein bißchen Heimweh« hat sie schon, gesteht sie ihrem Vater Paul. Die Wohnung ist inzwischen fertig einschließlich Kinderzimmer – Else und HG sind ins Haus der Großmutter Vogler am Domplatz gezogen. Daß sie ihren Mann, den sie nun endlich am selben Ort hat, derart wenig zu Gesicht bekommt, erträgt sie mit »der Tapferkeit einer Kriegsbraut«, so Paul. »Die Zeiten sind durchaus vergleichbar.« Else ist 24.

Sie schreiben beide an ihr ungeborenes Kind. HG zieht alle Register: »Geschaffen bist Du aus dem glühenden Willen Deines Vaters und seinem starken Wunsche, sich über sich selbst hinauszuheben, unsterblich zu werden in Dir – und aus der brennenden Sehnsucht Deiner Mutter, Leben zu spenden und für Leben zu leben. Wunsch Deines Vaters und Sehnsucht Deiner Mutter wurden zusammengetragen zur lodernden Flamme, die uns hoch emportrug in dem Verlangen nach Dir – und so wurdest Du.« Kinder überstehen so was. Die schnurpseln sich das Pathos auf Normalmaß herunter. Soll er doch, der Vater, soll er doch andächtig innehalten vor dem Kind! Else, die Mutter, ist von Natur aus näher dran: »Mein Kleines, während ich Dir schreibe, fühle ich Dich in mir, wie Du durch die manchmal recht kräftigen Stöße zu verstehen gibst, daß Du bald hinaus willst und den Lebenskampf aufnehmen, daß Du, obwohl noch sicher und geborgen in mir, schon etwas Eigenes bist, ein eigenes kleines Wesen.« Recht hat sie.

Ob sie sich fürchtet vor der Kraftanstrengung, die ihr bevorsteht, lese ich nirgendwo. Als ich meine Kinder bekam, ist mir nicht eine Mutter begegnet, die ihrer Tochter die Wahrheit gesagt hat über die Tortur einer Entbindung. Else hat mich nicht gewarnt. Millionen Frauen kriegen täglich Kinder, hieß das, da wirst du doch wohl auch! Stimmt. Aber schön finden muß man das nicht. Kurz bevor die Quälerei vorbei ist, beschreibt HG im Tagebuch für das noch ungeborene Kind die Verstörung der Erstgebärenden: »Deine Mutter hat mich mit ihren lieben, heute so todmüden Augen angesehen und hat geflüstert, ›Ich wußte nicht, daß es so weh tut!‹« Arme Else! Hausgeburt natürlich, keine Spritzen, sie hat neun Stunden gebraucht. Doch jetzt ist Barbara da, es ist der 25. August 1923, und wenn HG je einen Anlaß gehabt hat, Schubert zu bemühen – hier ist er: »Nun muß sich alles, alles wenden!«

Sie sind überwältigt von dem Wunder Kind. Sie sind Teil der Schöpfung, Gottes Werkzeug, Mutter Erde und Vater Geist, sie sehen die Metaphysik unserer Welt in diesem Würmchen von Tochter – und sie haben recht. Nie wieder sind demütige Dankbarkeit und jubelnde Freude über die Teilhaberschaft an der Größe allen Lebens intensiver als in den kurzen ersten Wochen eines ersten Kindes – das gibt sich, wenn das Baby quakt und Durchfall hat und einem den Nachtschlaf raubt, wenn Mütter vor Müdigkeit nicht aus den Augen gucken können und der kindliche Alltag das Leben umkrempelt gründlicher als alles, was man sich vorgestellt hat. Dann greifen die Reflexe schneller als die Anbetung – mit kleinen Kindern hat niemand mehr einen Kopf für Metaphysik. Trotzdem: Das Wunder bleibt. Staunend betrachte ich meine Töchter, die ein Teil sind von mir. Und staunend denke ich, daß ich nicht ich wäre ohne HG.

Sie erholt sich schwer von der Geburt. Else heult sich die Augen aus dem Kopf – postnatale Depression nennt man das, und HG ist ganz durcheinander deswegen: »Warum weint sie so heftig? Mutter sagt, das hat etwas mit der Umstellung des Körpers zu tun.« Das stimmt. Aber es sind auch die unglaublich wachen Sinne, die diese Tränen treiben, die Überwältigung durch die Verantwortung, der Verlust der geschützten Zweisamkeit, das trotz aller Freude erst mal Fremde, das sich im eigenen Leben einnistet. All das passiert nur beim ersten Kind. Else bekommt in schneller Folge noch zwei, da weint sie nicht mehr. Da kann sie das. Und noch was kann sie. Kinder kriegen »wie ein Stück nasser Seife« (O-Ton Else). Flutsch waren die da, keins der vier Nachgeborenen hat länger als eine Stunde gebraucht von der ersten Wehe an. Kein Wunder, daß Else mir nichts von einem Höllentrip erzählt hat. Sie hatte die neun Stunden mit Barbara vermutlich vergessen.

HG gelingt es kaum, das Kind zu genießen. Er ist von früh morgens bis spät abends in der Firma, gebeutelt von Ängsten wegen der wirtschaftlichen Situation. Die Währung verfällt so schnell, daß Else und er zweimal geplante Ausflüge in den Harz aufgeben müssen – das Geld, gestern von der Bank geholt, deckt heute nicht mehr die Kosten für die Fahrt. Die Tochter wird am 4. November 1923, das ist der Reformationstag, zu Hause getauft mit einem »ganz kleinen Fest« für 20 Leute – die Herren im Frack, das silberne Taufgeschirr der Familie auf dem Altar in der Diele. Stimmungsvolle Schilderung des Vaters im Kindertagebuch: »Möge dieser Tag ein Baustein gewesen sein in Deinem Leben«. Dazwischen platzt Elses empörte Schrift: »Der Braten kostete eine Billion Mark, und Großmutter« – das ist Gertrud – »hatte Angst, ob er auch reichen würde.« Und noch einmal zwischen HGs gestochene Zeilen. »Es war sehr knapp!!!«

HG bekommt nervöse Herzbeschwerden – »ich bin nicht leistungsfähig!« –, er fühlt sich ohnehin wie Sisyphus: »Viel getan mit überhaupt keinem Erfolg.« Er traut sich nicht, für drei Tage zu Wolf Yorcks Hochzeit nach Schleibitz zu fahren, »wir leben vom Vormittag auf den Nachmittag, da kann ich nicht weg«. Er plagt sich mit Magenkrämpfen und Schlaflosigkeit herum: »Den ersten Billiardenscheck unterschrieben, was ist das für eine irrsinnige Zeit!!« Immer häufiger steht im Tagebuch: »Ich bin gnatzig vor Erschöpfung« – »tiefe, schlechte Laune«. Die schwarzen Vögel sind wieder da, und mehrfach stellt HG fest, ganz entsetzt: »Ich quäle Else!«

Sie muß das mit Zuwendung ertragen haben. HG registriert

dankbar, »wie zärtlich sie ist« und daß sie seine »politischen Sorgen teilt«. Dazu haben sie allen Anlaß. Kommunisten wie Rechtskonservative planen den Umsturz, der passive Widerstand an der Ruhr mußte wegen völliger Zerrüttung der Wirtschaft aufgegeben werden, in Aachen rufen Separatisten eine Rheinische Republik aus, in der Pfalz passiert wenig später das Gleiche. Hohe Militärs in Bayern planen einen Marsch auf Berlin gegen die »Judenregierung«, in der alles »vererbt und versaut« sei. Überall toben Straßenschlachten, und am 8. November 1923 ruft Adolf Hitler im Münchner Bürgerbräukeller die »nationale Revolution« aus. General Erich Ludendorff – jawohl, der nun wieder! – ist auch hier dabei, Hitler macht ihn zum Oberbefehlshaber der Nationalarmee. HG wundert sich im Tagebuch: »Ludendorff, Hitler – Diktatoren?!!« Der Putsch endet am späten Vormittag des 9. November unter den Kugeln der bayerischen Landespolizei an der Münchner Feldherrnhalle. 16 von Hitlers Gefolgsleuten kommen um, er selbst kann fliehen, wird jedoch zwei Tage später verhaftet – die Vermutung, daß dies Hitlers politisches Ende sei, war weit verbreitet.

Die Herren bekommen milde Strafen, Ludendorff wird von der Anklage des Hochverrats freigesprochen, Hitler und drei Genossen werden zu fünf Jahren Festungshaft und 200 Mark Geldstrafe verurteilt. Das ist Anfang April 1924, und zu Weihnachten sind sie wieder frei. Das Gericht bescheinigt den Putschisten, sie hätten »in vaterländischem Geiste und in edelstem, selbstlosen Willen gehandelt« – ein moralischer Freispruch, den Hitler nutzt. In der Festung Landsberg schreibt er »Mein Kampf«.

Else ist wieder schwanger. Es ist nicht überliefert, ob sie das so toll findet kein Vierteljahr nach Barbaras Geburt. HG freut sich auf dänisch – »jeg er lykkelig!«, aber er muß es ja auch nicht machen. Immerhin wird das neue Kind in politisch friedlichere Zeiten hineingeboren, das »Wunder der Rentenmark«, das die labile Regierung Stresemann am 15. November 1923, acht Tage vor ihrem Sturz noch zustande bringt, konsolidiert die Verhältnisse. Der Dollar steht bei 4.2 Billionen Mark, die

Reichsbank setzt daraufhin den Umtausch von 1 Billion Papiermark gleich einer Rentenmark fest, ein Kurs von 1 : 4.20 Mark
für den Dollar – so einfach ist das.

Die Rentenmark, das ist die Übergangswährung bis zur
Reichsmark, fällt wie ein warmer Regen auf das Land. »Das
Geschäft geht plötzlich außerordentlich flott«, notiert HG ins
Tagebuch, und Else kauft wieder »Eier und Nudeln zu normalen Preisen«. Die Bilanz von I. G. Klamroth, im Jahr zuvor
noch bei zweieinhalb Milliarden windigen Papiermark aufge-
stellt, beträgt zum 1. Januar 1924 auf beiden Seiten solide
703 961, 22 Goldmark – so heißt die neue staatliche Rechen-
einheit, die Ordnung in das Chaos bringt. Das ist nicht Vor-
kriegsniveau, natürlich nicht, zehn Jahre Krieg und Nachkrieg
haben Narben hinterlassen. Aber die Firma lebt, sie hat zufrie-
denstellend gewirtschaftet in diesem Katastrophenjahr, niemand hat mehr als ein blaues Auge davongetragen. Auch HG
nicht trotz seiner Ängste. Heiligabend trinken Vater und Sohn
wortlos ein Glas Champagner miteinander. HG: »Er hat mir
die Hand auf die Schulter gelegt. Wir haben es geschafft!«

Nach Weihnachten fahren Else und HG mit Freunden in den
tiefverschneiten Harz zum Skifahren, »sorglos, fröhlich, wun-
derschönes Winterwetter«. Plötzlich ist die Stimmung im Tagebuch wie ausgewechselt. Es werden wieder Spiele gespielt vor
dem Kamin am Bismarckplatz – »Amtmann, Pächter, Hunde-
junge«, das kenne ich noch, irgendwas mit Karten war das.
Und »Nümmerchen«, eine Art Zank-Patience mit Zahlen:
»Nümmerchen spielt jedermann, vorausgesetzt, daß er das
kann«, stand in der Gebrauchsanweisung, und Dagmar Podeus
beendete die Partie jedes Mal siegreich mit »zweimal gessogen
und einmal gessummelt«. Else entdeckt ihre spätere Leidenschaft, das Puzzeln – wie viele Puzzle-Spiele ich geschenkt gekriegt habe, damit sie ihren Spaß hatte. Und dann gab es die
Novität für Deutschland: »Mah-Jongg« oder »chinesisches
Domino«.

Noch ist nicht eitel Sonnenschein im Land, auch nicht in
Halberstadt. Aber die Silberstreifen mehren sich: Der militäri-

sche Ausnahmezustand wird im Februar 1924 aufgehoben und im Laufe des Jahres entsteht der Dawes-Plan. Der heißt so nach dem amerikanischen Bankier Charles G. Dawes, dessen Expertenkommission nun endlich die Leistungsfähigkeit der deutschen Wirtschaft in Relation zu den Reparationen setzt. Die Franzosen räumen Teile des Ruhrgebiets – endgültig abgeschlossen ist der französische Rückzug erst im Herbst 1925.

Das beruhigt die politische Situation, nicht aber die »Völkischen« aller Schattierungen. Hitlers zeitweise verbotene NSDAP wird unter anderem Namen und gleichen Vorzeichen von Alfred Rosenberg und Erich Ludendorff ersetzt, bei der Reichstagswahl im Mai 1924 werden die »Deutschnationalen« zur stärksten Partei im rechten Lager, mit 96 Mandaten nur noch vier Sitze hinter den erbärmlich geschrumpften Sozialdemokraten. HG findet alles in Ordnung, »was die Sozis schwächt«, er und Else haben die »Deutsche Volkspartei« gewählt, Stresemanns (und Kurts) politische Heimat, die ebenfalls stark verloren hat. Daß über ein Viertel der deutschen Wähler sich für die republik-feindliche Rechte entschieden hat, ist wenigstens für Kurt ein Alarmsignal. HG im Tagebuch: »Vater besorgt über die Schwäche der Demokratie«.

Die Halberstädter haben nicht wirklich den Kopf frei für die Belange des Reiches. Sie merken beglückt, so HG an den Freund Theo Delbrück in Amsterdam, »daß es langsam, aber stetig aufwärts geht, wenn wir weiter so hart arbeiten wie bisher«. Bei I. G. Klamroth belebt sich das Geschäft, »die Frühjahrsaufträge häufen sich, wir wissen bald nicht mehr wie fertig werden«. Das Ergebnis ist ein neuer Steyr-Wagen, das muß ein Mordsding gewesen sein, natürlich offen, und ein kleiner Opel, mit dem HG gern ohne Chauffeur durch die Gegend flitzt. Kurt hingegen kommt nach wie vor mit dem Fahrrad ins Kontor. »Er war immer um sieben Uhr früh da«, berichtete mir eine alte Dame, die auf der Woort als Kind von Hausverwaltern groß geworden ist. »Der junge Herr erschien zwei Stunden später mit dem Sportwagen!«

Auch neue Pferde werden angeschafft. »Nelly« und »Lord«

haben sich grußlos aus den Unterlagen verabschiedet, statt dessen gibt es »Minnesieg« und »Ebony«, ein rabenschwarzer Trakehner Wallach, den der »reiche Onkel aus Amerika« Ernst Hothorn HG geschenkt hat. Jedenfalls reitet HG jetzt beinahe täglich morgens um halb sieben mit Vater Kurt oder dem alten Kutscher Hermann Kückelmann – möchten wir uns vorstellen, was das mit der Zweisamkeit macht? Die letzten morgendlichen Schmuse-Minuten gekippt, nicht weil das Kind unruhig wird, sondern ein Pferd? Wenn schon, dann wäre Else gern mit geritten. Kann sie nicht wegen der Schwangerschaft. HG schreibt: »Sie mault tapfer.« Wer will es ihr verdenken: Bei einem Kind nach dem anderen ist die Figur hin, fast zwei Jahre paßt Else schon nicht mehr in ihre Klamotten, wenn sie sich bückt, bekommt sie Sodbrennen, und sie ist hundemüde. Das Winzkind Barbara hängt ihr am Rockschoß, als ob es begriffe, daß dies die letzte Möglichkeit ist, die Mutter exklusiv zu haben. Aber was tut man nicht alles für den Sohn, den Stammhalter, den Erben, den sechsten I. G. K.

Ursula wird am 17. Juli 1924 geboren und zwar in einer Dreiviertelstunde. Die Hebamme schafft es nicht rechtzeitig ins Haus, und nirgendwo steht, ob und wie HG Else geholfen hat, das Baby auf die Welt zu bringen. Hat er ihr die Knie hochgedrückt und ihren Kopf gestützt, hat er das Kind aus ihr herausgezogen, hat er aufgepaßt, daß die Nabelschnur es nicht erdrosselt? Hätte er, dann stünde das in seinem Tagebuch. Es steht da auch nicht, ob eins der beiden Hausmädchen assistiert hat. Wahrscheinlich nicht, das wäre zu privat. Else wird allein damit fertig geworden sein, während HG sich im Nebenzimmer den Schlips umband, ohne den er Madame Nädler, die Hebamme, nicht empfangen kann. Aber Else wird auch nicht gewollt haben, daß er ihr hilft. So eine schmierige, blutige, archaische Angelegenheit wie Kinderkriegen war Frauensache. Männer wurden erst wieder zugelassen, wenn Mutter und Kind gewaschen waren.

Wie das Amen in der Kirche bekommen sie den häuslichen Terror: Barbara ist außer sich über den Eindringling, sie kann

noch nicht laufen, aber der kleinen Schwester die Haare aus-
reißen, das kann sie. Einmal erwischt Else sie, wie Barbara versucht, den Kinderwagen umzustürzen, und sie kreischt und
spuckt, als sie daran gehindert wird. Ich kann ein Lied davon
singen, meine Töchter sind anderthalb Jahre auseinander. Das
ist ein Elend in einer so kleinen Kinderseele, und die Eltern,
obwohl Else den »Klaps auf den Po« nicht ausschließt, trösten das Kind auf dem Arm, kuscheln mit Barbara auf dem
Sofa, nehmen sie mit ins Bett. Ursula, typisch zweites, nämlich
Kuckuckskind, schläft, kräht, verlangt und bekommt alles und
kümmert sich nicht um den Aufruhr drum rum.

HG ist vernarrt in die Töchter, er liebt Babys, auch wenn er
nicht viel von ihnen sieht. Er verschwindet vor Tau und Tag
zum Reiten, frühstückt und duscht – »brausen« hieß das, mit
kaltem Wasser –, ist um neun im Kontor, kommt mittags zum
Essen nach Hause, schläft ein bißchen und ist dann bis acht,
halb neun auf der Woort. Der Sonnabend ist voller Arbeitstag,
am Sonntag wird auch geritten und vormittags wenigstens nach
der Post gesehen. Abends sind entweder Gäste im Haus, oder
das junge Paar ist eingeladen. Nachts quengeln die Kinder, Barbara muß getröstet werden, Ursula bekommt die Flasche vom
Kindermädchen, trotzdem – wach sind beide Eltern.

Else macht HG morgens vor dem Reiten einen Tee, dann
heult Barbara, Ursula schreit, Kindermädchen eilen, aber Mama ist gefragt. Beide Kinder werden abgefüttert, gebadet, gewi-
ckelt, beschmust, Ursula kommt in den Kinderwagen, Barbara will unterhalten sein, zwischendurch wird das Mittagessen
besprochen – Else kocht nicht selbst, sie schmeckt ab – Ein-
kaufslisten, Wäschetermine, Putzschemata, bitte alles so, daß
es HGs Kreise nicht stört. Mittagessen mit dem Ehemann und
Barbara, während seines Schlafs ist Ruhe! im Haus. Else schläft
nicht. Nachmittags geht sie mit den Sprößlingen in der Dop-
pelkarre einkaufen. Nachher Vorbereitung für den Abend,
Kontrolle des Gäste-Essens in der Küche, Else deckt selbst den
Tisch, das macht sie besonders stilvoll. Kinder ins Bett, Barbara jault, Ursula kräht, Kindermädchen sind hilfreich, aber

Mama ist gefragt. Umziehen, strahlen – müde? Nicht doch. Der Abend geht bis Mitternacht, unterbrochen von ein- bis zweimal Quaken von Ursula. Und morgen? Here we go again.

Das haben wir doch auch gemacht, ohne Personal und meistens mit einem Job obendrauf, oder? Haben wir nicht. Die hatten keine Staubsauger – Else erzählte, die Teppiche wurden per Hand abgebürstet oder draußen geklopft. Für die Kühlschränke wurden Eis-Stangen geliefert, die Parkettböden mußten abgespänt werden, weil jeder Wassertropfen Flecken hinterließ. Wir haben nicht eingemacht für den Winter, kein Fleisch gepökelt, wenn geschlachtet worden war, nur zum Spaß Marmelade gekocht. Täglich wurde damals eingekauft, Essensreste kamen in Steingutkruken in den Keller, keine Geschirrspülmittel, kein heißes Wasser aus der Leitung, keine Alufolie. Tiefkühler, Geschirrspüler, Waschmaschine und Mikrowelle sowieso nicht. Der Badeofen wurde mit Holz angeheizt, die Messerklingen mit Korken und Scheuersand geputzt, Bett- und Tischwäsche im Topf gekocht, dann gestärkt, auf dem Rasen gebleicht, im Bedarfsfall geflickt, gelegt für die hölzerne Mangel.

Else hat das nicht allein gemacht, natürlich nicht. Zusätzlich zu den beiden Hausmädchen kamen Waschfrauen, Büglerinnen, Hausdiener aus der Woort, die Kohlen in die Heizung schaufelten. Aber Else hat nicht die Hände in den Schoß gelegt, sie war ihre eigene Haushälterin mit Planungs- und Etat-Hoheit, sie mußte veranlassen, kontrollieren, Buch führen, Wäschelisten, Silberlisten, Vorratslisten aufstellen. Mußte sie? Sie war ein Kind ihrer Zeit und hätte keinen Zweifel an ihren häuslichen Management-Qualitäten zugelassen. Sie durfte nicht wie wir tagsüber in Jeans und ungekämmt durchs Haus schlurfen, sie hatte ständig Hausgäste, sie mußte – das mußte sie wirklich – Vorbild sein für das Personal und später die Kinder. Und wenn sie sich gehen lassen wollte, gab es nur einen Ausweg. »Else unwohl«, steht häufiger in HGs Tagebuch. Sie ging ins Bett.

Zwischendurch fliehen sie – nach Dänemark, nach Wismar, nach Schleibitz, wo Wolf Yorck den Freund zu den »Deutschnationalen« bekehren will. HG widersteht, obwohl er Wolf für politisch kompetent hält. Sie geben die Kinder ab am Bismarckplatz oder in Ravelin Horn, beide Töchter überstehen die Reisen warm eingepackt in Wäschekörben auf dem Boden des offenen Steyr-Wagens. Die Großeltern sind glücklich, das mitreisende Kindermädchen auch, und HG schreibt – schiere Freude – ins Tagebuch: »Endlich allein mit meiner süßen Frau.«

Für ihn ist das meistens ein kurzes Vergnügen, weil er zurückmuß in die Firma, aber im Januar 1925, zum vierten Jahrestag ihrer Verlobung, fahren sie mit einem Umweg über das wieder tief verschneite Kloster Chorin – »Erinnerungen, Erinnerungen!« – nach Österreich zum Skifahren. Gemeinsame drei Wochen, nur zu zweit. Nach dem geruhsamen Langlauf im Harz scheitern sie hier an den steilen Hängen. HG: »Else wird so wütend, wenn sie hinfällt. Sie fällt immerzu hin, ist immerzu wütend. Und sie lacht sich halbtot.« Ein Skilehrer schafft Abhilfe. HG an Theo Delbrück: »Du kannst Dir vorstellen, wie wir genießen, was Else jetzt zwei volle Jahre lang entbehrt hat – Theater, Reisen, Gäste, Sport. Wir haben zwei wonnige Kinder, aber jetzt haben wir endlich auch wieder uns.«

Vier Wochen später steht in HGs Tagebuch: »Jeg ved ikke om grine eller græde« – ich weiß nicht, ob ich lachen oder weinen soll. Else ist wieder schwanger. Großer Gott, was ist die Frau fruchtbar! Wie verzweifelt sie ist, kann ich nicht beurteilen. Ihre Aufzeichnungen sind weg. Glücklich ist sie sicher nicht, auch HG nicht, obwohl er kein Wort darüber verliert. Denn nicht nur Else hat entbehrt, was man so unter Leben versteht, er schließlich auch. So zugewandt wie früher wird sie in diesen Zeiten nicht gewesen sein, schwanger ist jede Frau auf sich und das, was sie zu tun hat, eingestellt. Sie hat, wie ich heute weiß, zweimal abgetrieben. Das war 1927. Warum später nicht? Ihre beiden jüngsten Kinder hat sie sich nicht gewünscht. Ich vermute, der Arzt, der ihr damals geholfen hatte, war nicht mehr in Halberstadt. Er war Jude.

Doch jetzt ist an einen Schwangerschaftsabbruch sowieso nicht zu denken. Else weiß, daß sie nochmals gefordert ist: Der Sohn muß her, der Erbe. Sie ist so darauf fixiert, daß sie in

Ursulas Kindertagebuch im Jahr 1925 ständig von dem »Brüderchen« spricht. Ich möchte mir nicht ausmalen, wie alle Beteiligten mit der Enttäuschung über ein drittes Mädchen umgegangen wären, einschließlich des dritten Mädchens. Aber sie bekommen tatsächlich den Sohn, da hat der liebe Gott seine Hand drüber gehalten.

Doch so weit sind wir noch nicht. Erst schaffen die sich ein Radio an, und zusätzlich zu den vielen Gästen, die sowieso schon immer da sind, kommen jetzt die Rundfunkhörer ins Haus – das ist eine kollektive Veranstaltung ähnlich wie in den 50er Jahren, als noch keineswegs jeder ein Fernsehgerät besaß. Die Radiogebühr beträgt 24 Mark im Jahr, Anfang 1924 gibt es für die angebliche »Modetorheit« 1500 zahlende Hörer im Reich, im Januar 1925 sind es schon mehr als eine Million.

Im Radio hören sie vom Tod des Reichspräsidenten Friedrich Ebert am 28. Februar 1925, kurz vor Beendigung seiner Amtszeit. Der Mann ist erst 54 Jahre alt und stirbt an einer Blinddarm-Entzündung, die er verschleppt hatte, weil er wieder einmal das Ende eines Prozesses abwarten wollte, in dem es um die Beleidigung des Staatsoberhauptes ging. Buchstäblich zu Tode gehetzt worden ist er in mehr als 150 Gerichtsverfahren, der »Novemberverbrecher«, der »Dolchstoß-Verantwortliche«, in Wahrheit der Repräsentant der verhaßten Republik. Nicht nur die völkische und deutschnationale Rechte mitsamt den Nationalsozialisten geifern hinter dem toten Ebert her. Die Kommunisten schicken ihn mit dem »Fluch des deutschen Proletariats ins Grab«, auch in der SPD hatte es Anträge auf Parteiausschluß gegen ihn gegeben, und von seiner eigenen Gewerkschaft, dem Sattlerverband, war Ebert tatsächlich vor die Tür gesetzt worden.

Der Nachfolger ist Paul von Hindenburg, der »Sieger von Tannenberg« und überzeugter Monarchist. 77 Jahre ist er alt, und er holt sich vor seiner Kandidatur für das höchste Amt der jungen Republik allen Ernstes die Zustimmung seines ehemaligen Kaisers in Holland. Thomas Mann hatte gewarnt: »Ich wäre stolz auf die politische Zucht unseres Volkes, wenn es

darauf verzichtet, einen Recken der Vorzeit zu seinem Ober-
haupt zu wählen« – die Worte verhallen ungehört. Der greise
Generalfeldmarschall gewinnt die Wahl, jubelnd begrüßt von
den Radio-Hörern in HGs und Elses Domplatz-Wohnung. Sie
beklatschen den Sieg des Vergangenen, verklären die früheren
Zeiten, als »alles besser war« und die Nöte der chaotischen
Demokratie sie noch nicht beutelten. Daß Hindenburg für den
Krieg steht, macht seinen Mythos aus, daß der Krieg verloren
ging, mag ihm niemand anlasten. Das lag am Dolchstoß der
Heimatfront. Nur Kurt weiß es besser. HG: »Vater skeptisch«.

Großvater Kurt

ACHT

FAMILIENTAG IST 1925 AUCH WIEDER, diesmal in Berlin-Grunewald im Haus des Bankiers Walter Klamroth. Das ist ein Vetter von Kurt, Jurist und Schatzmeister des Verbandes, und ich
erinnere mich, daß die Schmisse in seinem Gesicht mich genauso faszinierten wie die Behauptung, man habe sich dergleichen
freiwillig dort hineinsäbeln lassen – Onkel Walter war im
Korps »Hansea«. Er trug einen Kneifer, und ich hoffte als Kind
vergeblich, der werde ihm einmal von der Nase fallen. HG und
seine Frau sind erstmals gemeinsam auf einem Familientag,
1923 war die schwangere Else tapfer allein dabei, HG saß in
Bochum fest, 1924 fand kein Familientag statt, aber da war
Else auch schwanger gewesen, und diesmal ist es wieder so –
HG: »Ich habe ihr das schönste Kleid für den nächsten Familientag versprochen.« 46 Familianten sind gekommen, die Sippe fährt mit drei Motorbooten »und viel Wein« erst zur Pfauen-
insel, dann nach Sakrow und Sanssouci.

Kurt, der Archivar, legt ihnen den »soziologischen Stamm-
baum« vor und referiert über »den sozialen Aufstieg in den
Geschlechterfolgen des Geschlechts Klamroth« – vom Bauern
zum Rittergutsbesitzer, vom Arbeitsmann zum Fabrikanten,
Dorfschullehrer – Pfarrer – Privatgelehrter, einst Schreiber, heute Oberregierungsrat. Er erzählt, wie die »Blutzufuhr« der Ehefrauen dem Auftrieb der Familie genützt hat, die Aufgestiege-
nen holen sich ihre Frauen schließlich nicht mehr aus den
Nachbardörfern. Da ist von Blut aus Hannover und Blut aus
Hessen die Rede, aus Franken, nur protestantisches Blut übrigens. Elses Blut wird lobend erwähnt – nicht nur Mecklenburg, sondern auch Dänemark! Dann sitzen sie in Pschorrs

Bierkeller, 46 vergnügte Klamroths, durch Blut und Boden geadelt, zehn Jahre später werden sie singen: »Von den Vätern her hab ich das Klamroth-Blut – der Tropfen Blut ist gut – schrumm schrumm. Es bringe der Familientag ein volles Glas dem alten Schlag, blüh weiter, edles Blut!«

Da haben sie dann ihre Unschuld verloren. Sie finden das zwar immer noch lustig – schrumm schrumm –, aber sie liegen mit ihrem Blut im Trend. Doch jetzt, 1925? Die Klamroths waren nicht »völkisch«, der Eifer war ihnen fremd. Sie waren keine Antisemiten, jedenfalls nicht mehr als damals üblich und dem gesellschaftlichen Anstand angemessen. Juden waren nicht ihr Thema. Noch nicht. National waren sie in der Tat. Das schloß den Wunsch nach Verständigung mit anderen Nationen nicht aus, ihre Klassenzugehörigkeit trug die Klamroths sicher über Grenzen. Sie waren nett, rechtschaffen, in Maßen liberal und stolz nicht auf das »Blut«, sondern auf die Leistung der Vorfahren, die ihnen Verpflichtung bedeutete. Sie pflegten ihre familiäre Gemeinsamkeit, und das hieß dann eben »Blut«.

Else paßt da gut rein. Sie ist selber ein Familientier, und die vielen Dänen und Mecklenburger, die sie anschleppt und die mit Spottlust und Schlagfertigkeit die Förmlichkeit der Bismarckplatz-Diele aufmischen, begeistern Kurt und HGs Geschwister jedes Mal. Gertrud hält tapfer mit – »Humor hatte die nicht!«, seufzt Else noch Jahrzehnte später. Sie verstört gelegentlich eine Abend-Gesellschaft, wenn sie »rote« Gedanken äußert, etwa daß ohne Gewerkschaften die Arbeiter Freiwild wären – HG: »Else war wieder der Sozenschreck!« Gewählt hat sie aber bürgerlich, natürlich. Gregers Hovmand, ein jüngerer Vetter Elses aus dem dänischen Bandholm, den ich zärtlich geliebt habe, schüttete sich bis zu seinem Tod vor ein paar Jahren immer noch aus vor Lachen, wenn er von Elses Auftritten erzählte: »Du glaubst nicht, wie frech sie war! Sie hat jeden aufgezogen. Sie war so schnell mit ihrem Witz, und ihre arme Schwiegermutter hat immer erst verstanden, daß sie was verpaßt hat, wenn alle lachten.« Und HG? »Der war genauso begeistert wie wir.«

Sie fahren noch mal nach Wismar im Sommer, bevor das dritte Kind geboren wird. Paul Podeus geht es nicht gut, er hat Angina pectoris und scheußliche Anfälle. Else meint, der Streß wegen des verlorenen Vermögens sei der Grund. Ich habe in den Unterlagen nichts finden können, das erklärt, warum das Geld plötzlich weg ist, auch in Wismarer Chroniken nicht. Vermutlich kam Paul in Schwierigkeiten wegen des Versailler Vertrags, es gab massive Ausfuhrbeschränkungen für bestimmte Waren. Jedenfalls spielten seine Banken nicht mehr mit, wegen fehlender Liquidität hat Paul dann verkauft zu einer Zeit, als der Geldwert wie Butter in der Sonne schmolz. Auch von Ravelin Horn müssen Paul und Dagmar sich deshalb trennen, aber das ist nicht so einfach in diesen rauhen Zeiten, niemand hat das Geld für so ein Schloß. Trotzdem ist die Atmosphäre im Haus ungebrochen, HG bewundernd im Tagebuch: »So viel Wärme, so viel Lachen, die Sorgen kommen nicht vor.«

Die Töchter und ein Kindermädchen bleiben zum Entzücken der Großeltern in Wismar, während HG und Else zwei Wochen in Bandholm Ferien machen. Das ist sein zweiter Besuch in der Wahlheimat, und die Zuneigung zwischen den Dänen und HG ist wechselseitig – Gregers erzählte, HG habe mit einem Stoßseufzer bei einem Abendessen verkündet: »Hvis jeg ikke var prøjser, saa ville jeg gerne være dansk« – wenn ich nicht Preuße wäre, dann wäre ich gern Däne. »Doch, den hätten wir genommen«, sagte Elses wunderbarer Vetter noch ein halbes Jahrhundert später. HG verliebt sich in die dänische Küche – Leberpastete mit süßem Gurkensalat, die kroß gerösteten Zwiebeln, zig Sorten eingelegte Heringe, rote Grütze mit Sahne – »rødgrød med fløde«, der Zungenbrecher für jeden, der Dänisch lernt. Die handgeschriebenen Kochbücher von Dagmar Podeus und Else sind dicke Wälzer mit vielen Flecken, durchgestrichen, drüber geschrieben – ich muß aufpassen, daß ich mich nicht festlese. HG fliegt zurück nach Berlin. Das erste Mal im Flugzeug, knapp vier Stunden von Kopenhagen nach Tempelhof. Er ist beeindruckt.

Der Sohn kommt am 17. Oktober 1925, Sonnabend nacht um zehn Minuten nach eins. Wieder hat Else eine Rekordgeburt von einer knappen Stunde zustande gebracht, aber diesmal ist die Hebamme schon seit abends um neun im Haus. »Gottseidank!« notiert HG und »Ein Junge!!! Sehr glücklich!« Nachts um halb drei noch greift er zum Kindertagebuch. Da ist die Rede von dieser rauhen Welt, an die der Sohn sich jetzt gerade gewöhne, und daß »Mutter und Vater versuchen wollen, sie Dir so schön wie möglich zu machen, und hoffen dabei auf Gottes Hilfe, der uns allen so gnädig beigestanden hat in dieser schweren Stunde. Ihm sei Ehre, Preis und Dank!«

Ich stelle mir vor, daß Else jetzt die Steine zählt, die ihr vom Herzen fallen. Sie hat abgeliefert, was dynastisch verlangt war. Sie wird wie alle Frauen in dieser Zeit geglaubt haben, daß es ihr Versagen wäre, wenn sie »nur« Mädchen hinkriegte. Was für ein Streß, und was für ein verqueres Denken bei einer so selbstbewußten Frau! Aber das war eben so, Söhne mußten es sein – selbst viel später wäre niemand auf den Gedanken gekommen, sich etwa die hochbegabte Tochter Barbara für den Job als Firmenchefin vorzustellen.

Nicht um das Wunder Leben geht es diesmal, jetzt ist Triumph angesagt: ein Sohn, ein SOHN, DER SOHN! Beide Großeltern sind ganz aus dem Häuschen, Dagmar am Telefon in Wismar erst mal ungläubig: »Du beswindelst mir!« Am nächsten Morgen, Sonntag, sind alle Klamroths einschließlich Personal zum Dankgottesdienst in der Liebfrauenkirche versammelt, und HG schreibt ins Kindertagebuch: »Mein Herz war übervoll von Dank gegen den gnädigen Allvater, der mein Leben jetzt wieder so deutlich gesegnet hat durch Dich, mein lieber Junge. Will er mir dadurch wirklich sagen, daß ihm mein Wollen in diesen letzten Jahren wohlgefallen hat? Es gibt Augenblicke, wo der Mensch seinem Gott unmittelbar gegenüberstehen darf und seine Größe, Allmacht und Güte in aller Stärke empfindet; ich habe jetzt wieder einen solchen Augenblick erlebt.«

Der spinnt. Und Else auch. Sie schreibt ins neue Kindertagebuch: »Die Stunde Deiner Geburt gehört mit zu den schönsten und glücklichsten meines Lebens.« Wie muß ein Kind gebaut sein, um einer solchen Erwartungshaltung gerecht zu werden? Jetzt wird erst mal getauft, das ist im Januar 1926. Der Junge heißt Joachim Gerd Klamroth, genannt Jochen, ein echter I. G. K. für die Firma, er ist als sechster in der Reihe vorgesehen. Als es so weit war, lebte HG nicht mehr, die Firma lag in Trümmern. Planungen waren hinfällig. Die Taufe wird wieder am Bismarckplatz gefeiert, wieder sind die Familien-Preziosen auf dem Altar aufgebaut, wieder werden Händel-Stücke gespielt und Bach-Kantaten gesungen. Jochen trägt erstmals ein kostbares Spitzentaufkleid, das Dagmar Podeus aus der dänischen Sippe hervorgekramt hat. Ich bin auch dadrin getauft worden, der Krieg hat es verschluckt.

Die Feierlichkeit wird dadurch beeinträchtigt, daß der Täufling schreit wie am Spieß. Beim Festessen für 32 Personen redet der Taufvater in Versen, die in dem Satz gipfeln: »Im übrigen – es ist mein Sohn!« Kurt stellt in seiner Rede die unverkennbare Ähnlichkeit des Säuglings mit dem Urahn Louis Klamroth fest – armer Jochen, der war so häßlich! Aber ein begnadeter Kaufmann war er, und wenn einer in dessen Schuhe reinwachsen soll, dann hat er gut zu tun. Damit quälen sich auch Kurt und HG, die Zeiten sind nicht gemacht für wirtschaftliche Kreativität. HG am 1. Januar 1926 im Tagebuch: »Kreditnot und Geldmangel überall, Pleiten, Geschäftsaufsichten etc. Wir schließen unser Geschäftsjahr zum ersten Mal mit Verlust; wie wird es übers Jahr aussehen?«

Erst mal schlecht: Die Kunden zahlen nicht, zweimal muß HG beim Bankhaus Vogler größere Summen leihen, weil sonst das Geld für die Gehälter nicht gereicht hätte. Ein paar Tage später kündigt Vetter Vogler den Kredit, dem geht es offenbar auch nicht gut, und I. G. Klamroth fehlen 75 000 Mark. Else macht aus HGs Not ein Spektakel. Sie lädt 14 Leute zu einem »Deflations-Dinner« ein, das Menu: Rote-Beete-Suppe, Sauerkraut und Pökelfleisch, zum Nachtisch Bratäpfel mit Johannisbeer-Kompott – alles aus dem Keller, einschließlich HGs Wein, mit dem sie sich »sehr fidel die Nase begießen«.

Dabei ist das allgemeine Klima im Land gar nicht trübsinnig. Im Oktober 1925 wurden die Locarno-Verträge unterzeichnet, die Deutschland den Weg zurück in den Kreis der europäischen Großmächte ebneten. Die Westgrenzen mit Frankreich und Belgien wurden festgeschrieben, dazu kam im Juni 1926 der deutsch-sowjetische Vertrag wechselseitiger Neutralität und im September 1926 der Eintritt Deutschlands in den Völkerbund. Nun war nicht mehr von Siegern und Besiegten die Rede, hier begegnete man sich auf Augenhöhe. Die Reparationen räumte das zwar nicht vom Tisch, aber als Lohn winkten vermehrte Auslandskredite und ein verbessertes internationales Ansehen. Im Dezember 1926 konnte man das greifen: Gustav Stresemann und sein französischer Kollege Aristide Briand bekamen den Friedensnobelpreis.

Nichts von dem ist in HGs Tagebuch vermerkt. Nun hat HG nur fünf Zeilen pro Tag in diesem Jahr-um-Jahr-Buch; wenn er klein schreibt, vielleicht zehn. Berlin und die Politik sind von Halberstadt weit entfernt, wenn eine Firma laufen soll, wenn zu Hause drei kleine Kinder Rabatz machen, wenn man die Freunde zusammenhalten, die »Gesellschaft« bedienen will und ein Satz zwischen Tür und Angel mit der geliebten Frau nicht ausreicht. HG ist 27 – und mittlerweile erwachsen.

Doch er ist jung, wenn er mit seinen winzigen Töchtern durch den tiefen Schnee kullert – was gab es für Winter! Sie klauen alle miteinander im Keller Mohrrüben, um vor Else die »Schneemann-Patrouille« aufzuführen, HG hat einen Heidenspaß an »kindlichen Spielen«, an Mikado zum Beispiel, wobei er Barbaras knubbelige Finger führt, oder später an »Maler Klecks«, ein Quartett, das ich noch auswendig kann: »Der Maler Klecks malt Eis und Schnee, und seine Frau mahlt den Kaffee, der Sohn beschmiert des Nachbars Wände, das Töchterchen hat schwarze Hände.« Die putzt Schuhe auf der gemalten Karte, und HGs »bedaure!!«, wenn er nicht bedienen konnte, wurde zum geflügelten Wort. Er geht mittags nicht nur zum Essen nach Hause, »Frau und Kinder knuddeln« steht im Tagebuch, und wenn HG nicht reitet, weil es regnet, kriechen alle drei Sprößlinge morgens in sein Bett – »großes Gelächter«.

Ich finde für 1926 sage und schreibe drei Fehlgeburten in

HGs Tagebuch – im Januar, im März und im September. Dazu kommen für 1927 die beiden Abtreibungen – das beruhigt mich zwar im Hinblick auf ihre Zweisamkeit, denn Else wird ja nun nicht jedesmal schwanger geworden sein. Aber was machen die denn da? Es gab auch damals schon Möglichkeiten, Schwangerschaften zu vermeiden, die wären doch angesagt gewesen bei einer Frau, die so konzeptionsfreudig ist wie Else. Sie verschwindet jedes Mal für einen oder zwei Tage in der Klinik, hinterher ist sie zu Hause »matt«. Muß das sein?

Wenigstens hat Else an der neuen Mode ihre Freude – taillenlose Kleider kaschieren ihre kinder-geschädigte Figur, kurz sind sie, was ihre schönen Beine zur Geltung bringt, und die Topfhüte entheben sie ihrer Sorgen um die Frisur. Sie kommt aus Berlin mit einem Bubikopf zurück, was in Halberstadt, besonders am Bismarckplatz, Befremden hervorruft – dunkel ahne ich, daß Ideologie im Spiel ist, Großstadt gegen Kleinstadt, »Moderne« gegen Bewahrendes. Einer Zeitungsnotiz aus der Zeit entnehme ich, daß der Verein »Deutschtum im Ausland« Bubikopf-Mädchen als »andershaarig« ausschließt. Jedenfalls gibt es Krach zwischen Schwiegermutter Gertrud und Else über den »Leichtsinn«, Else verbittet sich Unterstellungen, und nachdem seine Vermittlung bei Gertrud scheitert, nimmt HG seine Frau samt Bubikopf vehement in Schutz. HG: »Zuhause heult Else vor Wut!«

Er ist ein vorzüglicher Moderator, das hat er von seinem Vater gelernt, aber die Anforderungen der Mitwelt nehmen gelegentlich überhand. Im Kontor nerven ihn Streitigkeiten zwischen dem sonst so kühlen Kurt und ihrem anderen Teilhaber, Schwager Heinrich Schultz – HG: »viel zu viele Worte!«. In Wismar meckert Elses Schwager, weil angeblich das Erbteil ihrer Schwester Ursula durch Vater Paul verplempert worden sei, und der Mann, den HGs Schwester Annie heiratet, kommt ständig an bei ihm mit geschäftlichen Sorgen.

Auch Siegfried Körte taucht wieder auf, das heißt nicht er, sondern die »verehrungswürdige Mutter«. Frau Körte erscheint in Halberstadt, »eine völlig gebrochene Frau«. Irgend etwas

Unangenehmes muß Körte wieder angestellt haben, HG und Else beraten mit ihr, was zu tun sei – »es ist so jammervoll und so schwierig zu helfen«. HG schreibt mehrere Briefe Siegfrieds wegen, wohl um ihn ins Ausland zu verfrachten. Zehn Tage später kommt das erlösende Telegramm aus Amsterdam: »Siegfried glücklich abgereist«. Überall muß HG ausgleichen und Lösungen aufzeigen, und ich finde zweimal den Stoßseufzer im Tagebuch: »Was geht mich das eigentlich an?!«

Die Schwiegereltern gehen ihn etwas an, weil er sie liebt, und so fährt er im Juli 1926 nach Wismar, um Ravelin Horn endlich zu verkaufen. Er sucht ihnen eine neue Wohnung und organisiert den Umzug, und als Paul Podeus im November stirbt, sorgt er für eine würdige Beerdigung und tröstet die völlig aufgelöste Else. Bis ins nächste Frühjahr hinein kümmert sich HG abends zu Hause um Pauls Unterlagen und Dagmars Finanzen. Schließlich erscheint es sinnvoll, daß Dagmar Podeus nach Halberstadt zieht. Tatsächlich passiert das erst 1932.

Kein Wunder, daß HG immer müde ist. Seit ich seine Tagebücher lese, finde ich diese Feststellung fast täglich in Variationen »müde«, »sehr müde«, »hundemüde«, »utterly tired!«, »völlig übermüdet«. Trotzdem reicht ihm nicht, was er schafft: »Ich habe stark den Wunsch, mehr arbeiten, mehr leisten, mehr wissen zu können.« Das kennen wir alle. Man strampelt und ackert, ist abends völlig kaputt, und was hat man tatsächlich gemacht? Ganz selten etwas, um nach eines langen Tages Reise in die Nacht ins Tagebuch schreiben zu können: »Sehr befriedigt!« Nur einen solchen Eintrag habe ich gefunden: HG hat sich mit aller Kraft in die Wahl zur Halberstädter Stadtverordneten-Versammlung reingehängt, und das Ergebnis ist »23 Bürgerliche, 14 Sozis, 2 Kommunisten, 1 Zentrum«, die fast vollständige Umkehr seit der letzten Wahl. Rot unterstrichen steht dann da am Rand: »Sehr befriedigt!«

Die Regimentszeitung befriedigt ihn auch. Sie heißt »Prinz Albrecht Bund – Bundesblatt der Vereine des Dragoner-Rgts. Prinz Albrecht v. Preußen (Litth.) Nr. 1«. Verantwortlich ist der Kommandeur Oberst a. D. Osterroth, schreiben und redigieren muß HG – muß er? Er braucht das Blatt für sein Wir-Gefühl ähnlich wie die zahlreichen Offiziersessen in Berlin, obwohl oder vielleicht weil die jedesmal in einer fürchterlichen Sauferei enden. Diese Zeitung erscheint viermal im Jahr, ein unsägliches Pamphlet voll mit Vereinsnachrichten und Kriegs-anekdoten, es geht um Wilhelm I. und Bismarck, die Schlacht bei Trautenau 1866, wo das Regiment eine ruhmreiche Rolle gespielt hat, auch um die Weltkriegs-Kämpfe im Baltikum und den »heldenhaften Rückzug aus der Ukraine«.

Alles in dem Blatt sehnt sich nach der »stolzen« Vergan-genheit. »Ein Hauch des Geistes von 1914 weht durch die Mas-sen«, wenn irgendwelche Standarten irgendwohin überführt werden und ein Soldatenchor von 360 Mann »Altpreußen deutsch« intoniert. Ich kann HG nicht folgen. Will ich auch nicht. Ich weiß doch, wohin das führt. HG weiß das nicht, damals. Ich spüre sein Bedürfnis nach Gleichschritt, Fahnen und klingendem Spiel, allerdings hat sich das vor einer Kom-panie abzuspielen, nicht wahr? Die »Männer« sind die Deko-ration, lebende Kulisse für den eigenen Status, so wie die Rubri-ken in der Regimentszeitung sorgfältig getrennt sind nach Offizieren, Unteroffizieren und Mannschaften. Wenn es nicht so gefährlich wäre, wäre es lächerlich.

Bei der Regimentszeitung, deren Geschäftsstelle HG im Fir-mensitz an der Woort angesiedelt hat, meldet sich im April 1926 Franz Vitt. Nicht der Schütze Vitt, natürlich nicht, son-dern ein Verwandter gleichen Namens. Der Vater des Toten sei gestorben, schreibt er, die Kriegseltern-Versorgung sei ihm da-mals bewilligt worden, und die Mutter habe folglich jetzt eine kleine Rente. Es gehe ihr gut, aber die Erinnerung an Franz Vitt sei immer lebendig, und nun sei sein Tod ja acht Jahre her. HG bekommt Magenkrämpfe und geht »mit großer Übelkeit« nach Hause, »große Dunkelheit überall«. Soll er Geld schi-cken, was soll er antworten? Gar nichts, sagt Else, sagt auch Kurt – »Vater meint, das hört nie auf! Aber muß ich nicht?« Kurt schreibt zurück an Franz Vitt, der Brief ist nicht erhal-ten. HG ist tagelang krank – »es ist alles wie gestern«. Er sucht

Frieden in einem langen Harzritt, er fällt vom Pferd, »Ebony« zertrümmert ihm das Schlüsselbein.

Der Wallach wird verkauft, HG kann ihn nicht mehr sehen. Der unermüdliche Ernst Hothorn – ich weiß immer noch nicht, wer das ist – sorgt für Ersatz und schenkt HG die »Indianerin«. Warum tut er das, und was tut HG dafür? Auch Else reitet wieder, und wie bei allen Sportarten tut sie sich schwer. Sie fällt dauernd vom Pferd, und ihre Freundin Cläreliese, die in ihren Erinnerungen liebevoll mit Else umgeht, ist beeindruckt von deren Zähigkeit: »Ich habe selten jemand gesehen, der so miserabel Ski fährt, so schlecht reitet, so chaotisch Tennis spielt – aber sie war nicht zu bremsen. Sie hat alle Jagden mitgeritten, und wir haben manchmal um ihr Leben gebangt.«

Jagden zu reiten ist das neue Spiel im kommenden Herbst. Ich habe für 1927 elf gezählt, das bleibt in den nächsten Jahren ähnlich, Voraussetzung sind die Stoppelfelder. HG, sehr guter Reiter, sehr schnelles Pferd, macht oft den Fuchs, für Schleppjagden wird die Meute ausgeliehen, und die Gutsherren rund um Halberstadt überbieten sich im Ausgucken schwieriger Strecken. Kurt übrigens, inzwischen fast 60, hält bei dem erheblichen Tempo tapfer mit. Das ist ein festliches Bild, so viele Reiter in roten Röcken, die Damen in Schwarz, Jagdhörner, Flachmänner, Riesenspaß – Reitjagden sind ein Vorwand, sich schick anzuziehen und heftig zu saufen.

Richtig jagen, ich meine schießen, tut Else nicht. Sie begleitet HG, wenn der etwa zu den Yorcks in Schleibitz fährt, wo sich vom König von Sachsen abwärts ostelbischer Hochadel versammelt. Der Exkönig läuft immer noch unter »Seine Majestät«. Zum Abendessen trägt man Frack, und das ist auch bei den Jagdessen in Halberstadt so. Riesenstrecken werden erlegt – 700 oder 800 Hasen, wer soll die denn alle essen? HG hat eine Jagd gepachtet, in Elses »Gesellschaftsbuch« finde ich ihr erstes Jagdfrühstück kurz vor Weihnachen 1927: »25 Schützen, 18 Treiber. 280 Hasen, 1 Fuchs. Bohnensuppe von 10 Pfund Pökelknochen, 5 Pfund Pökelfleisch (zu viel), 15 Pfund Bohnen (12 sind genug), 6 Sellerie und 12 Porree und 25 Paar

Würstchen. 100 Scheiben Brot (viel zu viel, die Hälfte ist reichlich) mit Mettwurst, Leberwurst, Sülze, Ei, Sardellen, falschem Hasen, Quark, Tomate, Käse. Punsch von 8 Flaschen Rotwein, 6 Flaschen Tee, 1 Flasche Arrak, gerade gereicht«.

Da sage noch einer, Else sei nicht systematisch. Sie hält alles fest – Riesenparties mit 60 und mehr Gästen am Bismarckplatz und kleine feine Diners im Smoking. Sie zählt auf, wer da war und wer nicht und warum (»krank« – »Todesfall« – »Taufe in Kiel«), sie notiert von »amüsant« bis »etwas schleppend« den Verlauf des jeweiligen Abends und wie lange das Ganze gedauert hat – »um halb vier im Bett«. Bei ihr trifft man sich zum Bridge an mehreren Tischen oder zu Hauskonzerten, sie malt die Tischordnungen in ihr Buch und vermerkt die Fehler (»Oberleutnant von Arnim und Frl. von Gilsa – nicht gut«), sie sortiert Leute aus (»nicht wieder einladen«) und führt auf, was es zu essen und zu trinken gibt und wieviel.

Geschult in der dänischen Küche bietet sie für größere Runden an den Bridge-Abenden, bei Konzerten und Vorträgen »smørre brød« an. Dabei handelt sich nicht um diese tellergroßen Kunstwerke, die es früher in den einschlägigen Restaurants mit den meterlangen Speisekarten gab. Was Else macht oder machen läßt, ist damals schon »fingerfood«. Mit Süßweingläsern werden Brot-Kreise ausgestochen, darauf sind die köstlichsten, vor allem wunderbar aussehenden Leckereien arrangiert in den erstaunlichsten Kombinationen. Von ihr weiß ich, daß Pellkartoffel-Scheiben mit Sour Cream – »Dickmilch aus Sahne« steht in Elses Kochbuch – plus Kaviar, und winzigen Zitronenschnitzen sehr delikat sind auf Schwarzbrot. »Keine Zwiebeln, Wibke, du verdirbst den Kaviar, und die Leute riechen aus dem Mund!« Ihre Käse-Rondelle mit frittierten Johannisbeeren thronen auf einer Apfel-Unterlage, die Hasen-Pastete mit Cumberlandsoße unter krossen Zwiebeln ist ein Gedicht.

Heute bietet das jeder Caterer an. Damals stellten die Küchenmädchen diese Kunstwerke her – Blätterteig von Hand gemacht, gefüllt mit kleinen Nierenstückchen –, Elses Kochkünste sind in Halberstadt berühmt und HGs ganzer Stolz:

»Else hat wieder gezaubert!« Nicht nur in der Küche. Sie beleuchtet den Garten durch Lampen in Büschen und Bäumen, sie setzt Licht mit vielen Kerzen, sie deckt festliche Tische und komponiert die üppigsten Blumenvasen aus Ilex, Vogelbeeren und Herbstastern – steht so im Gesellschaftsbuch – und sie strahlt. Ich habe ein Foto von ihr gefunden, da ist sie gerade 30, und jetzt ist sie eine wirklich schöne Frau.

Und ausgerechnet jetzt betrügt sie ihr Mann. Das schleicht sich ein. Das ist vielleicht ganz normal nach sechs Jahren intensiver Ehe, und die beiden gehen schließlich »erwachsen« damit um. Im nachhinein denke ich, ob es nicht besser gewesen wäre, sie hätten sich damals getrennt. Aber was heißt schon im nachhinein – die wissen ja nicht, was ich weiß, und wieviel Quälerei auf sie zukommt. Sie ahnen nicht, daß dies der Anfang ist vom Ende. Ich erzähle die Geschichte nicht gern. Sie macht mich traurig. So jedenfalls fängt sie an: Cläreliese und Helmuth Hinrichs, Eltern von zwei kleinen Kindern, das dritte ist wenig später unterwegs, ziehen 1928 nach Halberstadt, Helmuth ist Dermatologe und übernimmt die Praxis eines Korpsbruders.

Cläreliese nach dem Krieg in ihren Erinnerungen: »Helmuth hatte einmal während einer Fahrt von Magdeburg nach Halberstadt eine Frau kennengelernt, über die in Halberstadt viel und falsch gesprochen wurde. Es war ›die junge Frau Klamroth‹, die Schwiegertochter des Kommerzienrats Klamroth, dessen Familie die angesehenste der Stadt war. Diese Frau war bekannt durch ihren ungewöhnlich scharfen Verstand und durch die Tatsache, daß sie in die durchschnittliche Halberstädter Gesellschaft nicht hineinpaßte. Wir wurden oft gefragt ›Kennen Sie die Frau, der man kein X für ein U vormachen darf?‹ Sie ist eine geborene Podeus. Helmuths erster Eindruck von ihr war, daß sie eine Zigarette nach der anderen rauchte und besonders schöne Beine hatte.«

Die Hinrichs' machen Besuch bei HG und Else, die brezeln sich ihrerseits auf mit Cut und »hohem Hut« und besuchen zurück, am 11. Dezember 1928 finde ich Hinrichs' zum ersten Mal in Elses Gesellschaftsbuch zum Essen. Cläreliese schreibt:

»Diese beiden Menschen zu Freunden zu besitzen, gehört mit zu den schönsten Geschenken unseres Lebens. Viele Jahre haben wir alles miteinander geteilt, Freude, Sorgen und Leid. Wir bildeten mit unseren Kindern fast eine gemeinsame Familie, und die sind auch mit ihnen bis jetzt befreundet.« Das ist alles richtig. Ich habe bei der Hochzeit von Hinrichs' ältester Tochter Blumen gestreut 1944, mit dem jüngsten Sohn, spät geboren wie ich, habe ich Ende der 50er Jahre in der Berliner »Eierschale« Dixieland getanzt. Else hat den Verlust der Freunde, die vor ihr starben, sehr betrauert.

Trotzdem ist diese schöne Geschichte nur zur Hälfte richtig. Cläreliese und HG lassen sich schon während Cläerelieses Schwangerschaft miteinander ein; die im Frühjahr 1929 geborene Tochter der Hinrichs' hat mir unlängst erzählt, sie habe gelegentlich Sorge, ob sie nicht doch HGs Kind sei. Ich konnte sie beruhigen. Aber irgendwann im Spätherbst 1929 entsteht begründete Angst, Cläreliese sei jetzt von HG schwanger – HG in seiner griechischen Geheimschrift im Tagebuch über eine Nacht im Hotel: »Großer Schreck wegen Kinderkriegens«. Dreimal darf man raten, was da passiert ist, das Problem löst sich zum Glück von selbst.

Solche Katastrophen und auch sonst alles regeln diese Menschen zu viert, denn ob aus Trotz oder aus Neigung – Else und Helmuth haben sich ihrerseits verbandelt. Das ist eine Ménage à quatre, die mich staunen läßt. Bis Weihnachten 1930, das sind zwei Jahre, hängen die zusammen wie Pech und Schwefel. Es vergeht kaum ein Tag, es sei denn, jemand ist auf Reisen, ohne wenigstens einen kurzen Besuch am Morgen oder einen gemeinsamen Mittagsschlaf. Wenn HG und Else Gäste haben und Hinrichs' sind zufällig nicht dabei, geht HG für zwei Stunden weg, um Cläreliese zu besuchen. Wenn Else in den Harz zum Skifahren will, fährt sie mit Helmuth.

Und sie spielen Bridge. Jeden Abend, den sie erübrigen können, und sie schaffen sich viele, spielen sie Bridge. Die lesen nicht mehr, keine Briefmarken, HG spielt nicht mehr Klavier – sie spielen Bridge. Ich habe in HGs Tagebuch gelbe Zettel geklebt für jeden Bridge-Abend, ach was: jede Bridge-Nacht in 1929, ich habe das Buch nicht mehr zuklappen können. Für 1930 habe ich das dann aufgegeben. Das dauert ja, so ein Bridge-Spiel, und du mußt dich höllisch konzentrieren, wenn du was werden willst. Da kannst du keinen small-talk, keine ernsthafte Unterhaltung nebenher führen. Warum also spielen die vier Bridge wie die Besessenen? Ich denke mal, genau deshalb. Die wollen und können nicht reden. Die spielen sich vor, alles sei ganz normal. Sie wollen voneinander nicht lassen, die wollen aber auch nicht – zwei hier, zwei dort – für den anderen das Feld räumen. Sie möchten ihre Ehen erhalten und den schönen Schein ihrer Viererfreundschaft.

Das funktioniert natürlich nicht. Ich finde in HGs Tagebuch immer mal wieder »Kummer über Else«, »Else gereizt«, dann auch Irritationen über Cläreliese auf dänisch – »sie ist zärtlich und wunderschön, aber ich habe Sehnsucht nach meiner richtigen Frau«. Daraus wird nichts, denn Else hat HG vor die Tür des gemeinsamen Schlafzimmers gesetzt. Bei Helmuth und Cläreliese ist das vermutlich ähnlich. HG ist oft noch spät nachts bei ihr und besucht sie »an ihrem Bett«. Das wird kaum das Hinrichs'sche Ehebett gewesen sein. Wie machen die das? Solche Nähe wird dem Personal nicht verborgen bleiben, Cläreliese holt HG oft aus dem Kontor ab für einen Mittagsspaziergang, auf dem Bahnhof in Magdeburg oder Hannover wartet »meine kleine Vize-Frau«, dort steigt aber jedesmal halb Halberstadt aus dem Zug. Ich möchte mir nicht vorstellen, wie der Klatsch blüht in dieser überschaubaren Stadt. Wo ist Kurt?

Zweimal finde ich in dieser Zeit den Hinweis auf einen Vater-Sohn-Dialog. Einmal war das ein »ernstes Gespräch«, einmal war es »ärgerlich«. HG: »Ich muß meinen Weg gehen.« Mit Cläreliese? Ich habe keine Unterlagen von Kurt. Da beide in Halberstadt sind und sich täglich in der Firma sehen, schreiben sie sich keine Briefe. Else hat ihre Aufzeichnungen vernichtet, Cläreliese Papiere sind in einer Berliner Bombennacht verbrannt. Ich bin abhängig von HGs Notizen, und was ich da lese, bestärkt mich in meinem unguten Gefühl: Diese Viererbande ist absurd. Wo immer HG und Else hinkommen, die Hinrichs' sind schon da. Die tauchen auf bei Elses Freunden in Wismar und Umgebung, sie sind plötzlich in Dänemark, alle vier gehen auf Bridgereisen für verlängerte Wochenenden mit Geld, das aus ihrer Bridgekasse stammt. Und was tun sie auf diesen Reisen? Sie spielen Bridge.

Die müssen sich doch irgendwann auf die Nerven gehen! Tun sie auch. »Szene mit Cläreliese«, lese ich, »große Krise im Viereck, wir spielen abends äußerlich unverändert Bridge.« Der Ton in der Gruppe sei »sehr verkrampft«, notiert HG an anderer Stelle, »Spannung mit Else«. Am nächsten Tag »Else wieder vernünftig« – ich wäre ihm an die Gurgel gegangen, wenn das mir gegolten hätte. »Ich bin sehr verliebt und trotzdem unglücklich«, heißt es, und am Tag, als Cläreliese mögliche Schwangerschaft vormittags zwischen Helmuth und HG unter Männern besprochen wurde – HG: »Er ist großartig!« –, steht da »abends Bridge der ›vier Wissenden‹. Wie ist das alles merkwürdig – schrecklich und schön!« Else schreibt auf: »Hinrichs Bridge. Denkwürdiger Abend.« Das ist krank, das Ganze: Die haben zusammen sechs kleine Kinder, die gemeinsam auf dem Rasen am Bismarckplatz herumtoben. Die Sprößlinge schlafen mal hier, mal da, die dänischen Haustöchter werden ausgetauscht, man hilft sich aus mit Ski-Klamotten, Cocktailshakern, Cello-Noten – wir sind eine ach so glückliche, große Familie, nicht wahr?

Doch sie halten es nicht aus. Am 21. Dezember 1930 gehen HG und Helmuth ins »Hilarius« essen, das ist das Restaurant für feine Gelegenheiten in Halberstadt. So etwas haben die beiden Herren bisher noch nie getan, aber das hier ist offenbar Männersache. Danach nämlich ist Schluß. Nicht wirklich Schluß – Hinrichs' tauchen auch 1931 und später im Gesellschaftsbuch auf, aber nicht mehr bei jeder Gesellschaft. Es ist in HGs Tagebuch auch nicht mehr von nächtlichen Besuchen »an Cläarelieses Bett« die Rede. In der Familie Hinrichs wurde ein silbernes Zigaretten-Etui gehütet, wo HG hat eingravieren lassen: »Man kehrt immer zu seiner ersten Liebe zurück!« Ich finde den Satz eine Frechheit. Cläreliese und HG haben allerdings in den 30er Jahren häufig Gelegenheit gesucht und gefunden, die frühere Gemeinsamkeit wieder aufleben zu lassen.

Cläreliese ist es wohl auch, die als erste versucht, HG zur Ordnung zu rufen, als der jetzt völlig aus dem Ruder läuft: »Ernste Unterhaltung mit C. über meinen schwärzesten Punkt. Sehr verzagt nach Hause«. Kann man die Affaire mit den Hinrichs' vielleicht noch als eine richtige Liebesgeschichte werten, wie sie in den besten Familien vorkommt, ist bei HG inzwischen eine Sicherung durchgeknallt. In seinem Resümee für das Jahr 1934 stellt er fest, es gehe seiner Familie gut, ihm selbst gehe es »unerhört gut, nur sind oft Sorgen da wegen vieler anderer Frauen um mich«. Wessen Sorgen bitte? Er führt minutiös Buch, auch Überlappungen und die dementsprechenden Konflikte listet er auf. Für mich ist da kein Unterschied zu seinen Jagderfolgen, die ich ebenfalls nachlesen kann: »Gesamtstrecke 520, ich werde mit 32 Hasen + einer Schnepfe Jagdkönig.« Ich habe keine Lust, mich da reinzuhängen. Der Mann ist erwachsen. Es ist sein Leben. Nur eine Geschichte muß ich erzählen, bei der mir dann doch die Luft wegbleibt.

Es gab, gibt immer noch, eine dänische Familie, nicht verwandt, mit der Else und HG Sommer für Sommer glückliche Ferien verbracht haben. Die drei Kinder waren nacheinander Haustöchter in Halberstadt, alle drei gehörten zu meinen Lieblings-Dänen, die älteste war meine Ersatzmutter über Jahre bis zu ihrem Tod 1968. Die zweite, Anette, habe ich, bevor sie starb, 1999 besucht in ihrem Pflegeheim in Kopenhagen. Sie war in Halberstadt 1934, damals war sie 17, ein Bild von einem Mädchen. Ich habe sie nach HG gefragt, und im Gesicht der alten Dame blühte ein Strahlen auf. Was für einen Charme dieser Mann gehabt habe, wie liebevoll er war und wie unsterblich verliebt sie in ihn gewesen sei: »Wenn er mir mein monatliches Geld aushändigte, wollte er, daß ich ihn für jede zehn Mark küsse. Else fand das ärgerlich, doch das war toll!«

Plötzlich der Satz: »Jeg gick i seng med ham« – ich bin mit ihm ins Bett gegangen. Ihre Schwester, auch schon eine alte

Dame, saß mit mir an Anettes Bett, wir guckten uns wortlos an. Und dann erzählte Anette, daß HG sie gebeten habe, sich bei ihm zu melden, wenn sie von ihren Festen – es gab immerzu Tanzereien mit den jungen Leutnants von der Garnison – daß sie ihm kundtue, wenn sie zuhause sei, denn schließlich habe er die Verantwortung für sie. Else war verreist. Eines Nachts, nach ihrem »Ich bin wieder da«-Gewinke an seiner Schlafzimmertür, habe er die Hand ausgestreckt und sie in sein Bett gezogen. Sie habe bis zum Morgen dort geschlafen.

Das Glück jener Nacht leuchtete noch einmal in Anettes Gesicht, sie war plötzlich wieder 17 und sehr schön. Verlegen war sie auch, sie wurde sogar rot, noch nie habe sie jemandem davon erzählt, aber nun werde sie sowieso bald sterben, und ich solle wissen, wie wunderbar mein Vater gewesen sei: »Det var saa skønt og jeg har aldrig glemt det« – es war so schön, und ich habe das nie vergessen. Ihre Schwester und ich waren uns einig, daß dies eine zauberhafte Geschichte sei. Was für ein Mann, wenn Menschen, vor allem Frauen, nach so vielen Jahren immer noch glänzende Augen bekommen, sobald von HG die Rede ist. Aber natürlich, auch da waren wir uns einig, war diese Geschichte wishful thinking nach langen Jahren, Anette habe sie sich zurechtgeträumt.

Hat sie nicht. Ich finde sie unter dem 14. Februar 1934 in HGs Tagebuch: »Nachts hat A. bei mir geschlafen, sehr zärtlich.« Hast du Worte? Da schicken Eltern ihre minderjährige Tochter aus einer dänischen Kleinst-Stadt an den Bismarckplatz in HGs und Elses Obhut, und der Kerl, doppelt so alt wie sie, lockt das Kind ins Bett! HG schreibt nicht, daß er mit ihr geschlafen hat, »bei mir« steht da, und Anette habe ich in meiner Überraschung nach Details nicht gefragt. Aber das wird schon dabei geblieben sein. Trotzdem – was weiß der denn von einer Jungmädchen-Seele! HG kennt sich doch in seiner eigenen Seele nicht aus. Und daß Anette leuchtet 60 Jahre später auf ihrem Sterbebett – hat HG das wissen können? Vielleicht bin ich doch prüder, als ich denke. Nein. Ich habe Töchter. Else hat die Geschichte mit Anette nie erfahren, Gott sei Dank.

»Wir singen Hitler-Lieder«

NEUN

HG UND ELSE SIND UMGEZOGEN INZWISCHEN. Mit drei kleinen Kindern war die Domplatzwohnung zu eng, und so ist es nun doch der oberste Stock des Bismarckplatz-Hauses geworden, obwohl Else sich nie hat vorstellen können, mit den Schwiegereltern unter einem Dach zu leben. Aber das geht offenbar gut, es ist so viel Platz vorhanden, daß man sich noch nicht einmal auf der Treppe begegnen muß – es gibt zwei davon. Die Wohngemeinschaft ist ökonomisch vernünftiger, denn das Geschäft schwankt nervenaufreibend hin und her. Die weltweite Agrarkrise beutelt auch I. G. Klamroth, mal gibt es überhaupt kein Geld, mal viel zuviel davon, die Konkurse von Geschäftspartnern reißen große Löcher in die Klamroth'schen Bilanzen. HG in seinem Hang zur Düsternis notiert »tiefe Mutlosigkeit«, »gräßliche Depression« überall, aber der »Schwarze Freitag« an den amerikanischen Börsen am 25. Oktober 1929 kommt bei ihm nicht vor.

Jeder junge I. G. Klamroth braucht seine eigene Innovation. Für Kurt war es die Superphosphat-Mine in Curaçao. HG hat die Süßlupine entdeckt, das ist eine neue Futterpflanze, deren Entwicklung viel Geld verschlingt und viel Geld einbringt. Zusätzlich spuckt Curaçao ordentliche Gewinne aus, so richtig Mitleid muß man also nicht mit dem sorgengeplagten Kaufmann haben: Es wird ein »Horch 8« angeschafft, das war die S-Klasse unter den damaligen Autos, wenig später kommt noch ein schwarzrotes Mercedes-Kabriolett ins Haus, und die Firma kauft drei Grundstücke für neue Lagerhäuser. Die Stimmung im Land jedoch ist düster. Die Arbeitslosenzahlen steigen ins Astronomische – 1932 sind es sechs Millionen. Die

Regierung hat schon lange kein Geld mehr, das zu bezahlen, und muß die Hilfe eines Bankenkonsortiums in Anspruch nehmen. Im Zuge des Börsenkrachs in den USA schmelzen in Deutschland die Devisenvorräte ab, weil das Ausland seine Anleihen zurückholt, dazu kommt eine schwere Bankenkrise, was viele Unternehmen mitreißt. Es ist ein Wunder, daß die Firma I. G. Klamroth da heil durchkommt.

Die Wahlerfolge der Nationalsozialisten häufen sich, erst auf kommunaler, dann auf regionaler Ebene, vor allem auf dem Land und beim Mittelstand. Doch noch immer scheinen nicht viele sie ernst zu nehmen. Was zählt, sind die Klassenunterschiede: Welten liegen zwischen den Deutschnationalen, den Großlandwirten, dem Reichsverband der Deutschen Industrie, die der Restauration das Wort reden, und dem Pöbel der Nazis. Mit denen setzt man sich nicht an einen Tisch. Noch im Januar 1932 verweigern Ruhr-Industrielle Hitler die von ihm erbetenen Finanzhilfen.

Aber wenigstens zuzuhören hätte sich gelohnt. Die Nationalsozialisten haben immer gesagt, was sie wollten. Joseph Goebbels am 30. April 1928: »Wir gehen in den Reichstag hinein, um uns im Waffenarsenal der Demokratie mit deren eigenen Waffen zu versorgen. Wir werden Reichstags-Abgeordnete, um die Weimarer Gesinnung mit ihrer eigenen Unterstützung lahmzulegen. Wenn die Demokratie so dumm ist, uns für diesen Bärendienst Freifahrkarten und Diäten zu geben, so ist das ihre eigene Sache.« Die ist so dumm. Bei den Reichstagswahlen im September 1930 legen die Nazis von 800 000 Stimmen auf 6.4 Millionen zu, 1928 hatten sie zwölf, jetzt 107 Mandate. Goebbels: »Nach der Verfassung sind wir nur verpflichtet zur Legalität des Weges, nicht aber zu Legalität des Zieles. Wir wollen legal die Macht erobern, aber was wir mit dieser Macht einmal, wenn wir sie besitzen, anfangen werden, das ist unsere Sache.«

Wie so viele andere machen sich HG und auch Kurt die Dramatik der Entwicklung nicht klar. In Halberstadt und in Magdeburg ist von den Nationalsozialisten noch nicht viel zu spüren, und ihre Leute sind das nicht. Anfang 1931 hören sich

Vater und Sohn »aus Neugier« Goebbels im Berliner Sportpalast an, und HG stellt fest: »eine lächerliche Versammlung, Vater ebenfalls ablehnend«. Vom Wohnzimmerfenster der »verehrungswürdigen Mutter« Körte aus beobachtet er eine Straßenschlägerei zwischen SA und Kommunisten und notiert angewidert Horaz ins Tagebuch: »Odi profanum vulgus et arceo« – ich hasse den gemeinen Pöbel und meide ihn.

Wenig später hat er ihn im Haus, mitgebracht ausgerechnet von Wolf Yorck und seiner Frau. Die fallen mit fünf SA-Leuten bei HG und Else ein auf der Durchreise nach Bad Harzburg. Wie kommt es dazu? Im Oktober 1931 trifft sich dort die »nationale Opposition«. Da sind sie alle versammelt – Deutschnationale, Stahlhelm, Reichslandbund – das sind die Großagrarier – Alldeutscher Verband, auch vorgeschobene Sondierer der Ruhrindustrie (nach dem Motto: Erst mal gukken!), zahlreiche Mitglieder ehemals regierender Häuser, der Ex-Reichsbankpräsident Hjalmar Schacht, der Ex-Chef der Heeresleitung General Hans von Seeckt, allesamt verbandelt in der »Harzburger Front«. Die wollen das Reich restaurieren, beschwören den »von uns gewählten Reichspräsidenten von Hindenburg, daß er dem stürmischen Drängen von Millionen vaterländischer Männer und Frauen, Frontsoldaten etc. etc.« Im Klartext: Eine wirklich nationale Regierung muß her.

Hitler hat man bei dieser Veranstaltung nicht rauslassen können und wollen. Es muß doch möglich sein, den Mann mit den riesigen Wahlerfolgen, den Mann, der die nationale Idee so gekonnt unter die einfachen Leute trägt, diesen Kerl einzuspannen, zu benutzen mit seinem erstaunlichen Potential für die gemeinsame Sache. Hitler, gerade zurück von einem ersten Zusammentreffen mit Reichspräsident Hindenburg, führt die versammelten Konservativen vor. Daß die Sache nicht gemeinsam ist, läßt er sie wissen, kaum daß seine SA als erste in makelloser Formation an der Tribüne vorbeimarschiert ist. Stahlhelm-Paradisten und wer immer sonst noch kommt, interessieren Hitler nicht. Er verschwindet ostentativ, geht einfach und grußlos – mit den »alten« Rechten hat er nichts zu tun. Seine Bewegung ist jung, strahlt nach vorn. Er braucht die anderen nicht.

Fünf von den Marschierern haben die Nacht vor dem Spektakel in Halberstadt bei HG und Else geschlafen, zu kurz allerdings, denn es wurde bei Moselwein noch bis in die frühen Morgenstunden »debattiert«. HG: »Ich bin sehr schlecht gelaunt.« Alle bedanken sich artig im Gästebuch für die »hervorragende Aufnahme«, »vergelten wollen wir es im Dritten Reich«, einer vermerkt korrekt »Einquartierung! Anläßlich des Harzburger Aufmarsches der SA«. Alle unterschreiben mit »Heil Hitler«, auch Wolf und Anne Yorck. Das Gästebuch geht von HGs und Elses Hochzeit bis 1949. Es quillt über von Freunden, zufällig Vorbeikommenden, Ferienkindern, Familie. Das ändert sich auch nicht im Dritten Reich. Die SA-Gäste und die Yorcks aber bedanken sich als einzige in all den Jahren mit dem »deutschen Gruß«, und HG hat ein »flaues Gefühl«.

Vielleicht ist es der Ärger darüber, daß Wolf Yorck ihm den »profanum vulgus«, den gemeinen Pöbel der Braunhemden ins Haus schleppt, vielleicht ist er verunsichert, denn der Freund war bisher immer eine politische Autorität für HG. Aber etwas verändert sich seitdem: keine Königs-Jagden mehr bei Yorcks in Schleibitz, keine gemeinsamen Wanderungen im Thüringer Wald. Im Gegensatz zu den Granzows, das sind die »Edelmenschen« aus Schleibitz, die zu handfesten Freunden wurden und bis Kriegsende immer wieder auftauchen, schleichen sich die Yorcks mitsamt Wolfs »Idealen« aus den Unterlagen. Einmal noch finde ich ihn im Gästebuch 1934 mit einem Vers, der sich mit der Nähe Berlins zu Halberstadt beschäftigt und dessen Ende so geht: »Denn er ist jetzt Em de Err, wenn auch nur ›gewöhnlicher‹.« Unterschrift ohne »Heil Hitler«.

Zwei Jahre später hat Wolf Yorck in seiner Eigenschaft als Reichstagsabgeordneter der NSDAP für HG eine Karte besorgt zu jener spektakulären Sondersitzung am 7. März 1936, in der Hitler den Einmarsch deutscher Truppen in die entmilitarisierte Zone am Rhein bekanntgibt. Der Reichstag wurde wieder einmal aufgelöst, damit das deutsche Volk in einer Neuwahl am

29. März seine »feierliche Zustimmung« geben könne. Das tat es denn auch mit 99 Prozent Ja-Stimmen. Ob die Freunde sich nach diesem Ereignis noch ausgesprochen haben, steht nirgendwo, danach jedenfalls ist Wolf Yorck weg. Er ist kurz nach HGs Tod 1944 gefallen.

Nach dem Besuch der ungebetenen Gäste steht in HGs Tagebuch: »Sehr früh fahren die Nazis ab nach Bad Harzburg. Kontor, Spätnachmittag mit Schönfeld gemütlich Schampus getrunken und viel geredet, danach abends sehr müde und ziemlich blau.« Das kann ein Zufall sein. Aber HG hat, soweit ich weiß, noch nie mit Dr. Schönfeld irgend etwas getrunken. Schönfeld ist der Kinderarzt, und Schönfeld ist Jude. 1935 wandert er nach Palästina aus, Else schreibt ins Kindertagebuch: »Es tut uns allen sehr leid, und besonders Jochen bewegt die Frage sehr, daß Juden doch auch Menschen wären.«

Die Atmosphäre im Land empfindet HG als »zunehmend schwül«. Da ist die verheerende wirtschaftliche Situation, die Konkurse häufen sich, Theater schließen aus Geldmangel. In Berlin sind es Anfang 1930 sechs, zwei Jahre später 16. 104 Kinos sind dicht, Tendenz steigend. Die tätlichen Auseinandersetzungen auf den Straßen nehmen überhand, 1930 gibt es in Preußen bis zum Oktober schon 45 politische Morde, Tendenz auch hier steigend. In mehreren Ländern werden Versammlungs- und Uniformverbote verhängt, am Vorabend des Verfassungstages treten in Berlin etwa 400 Nationalsozialisten einheitlich in weißen Hemden auf und reißen am Schloßplatz die schwarz-rot-goldenen Fahnen herunter. Zur Reichstagseröffnung am 13. Oktober 1930 marschieren die 107 Abgeordneten der NSDAP als geschlossener Block in den Plenarsaal – kostümiert mit den Braunhemden der SA. Gleichzeitig pöbeln auf dem Ku'damm Schlägertrupps jüdische Passanten an und demolieren jüdische Geschäfte.

Es sind die Jahre, in denen die Reichskanzler Brüning, Papen, später Schleicher sich die Klinke in die Hand geben, eine böse, eine giftige Zeit. Ich sehe HG ratlos und auf der Suche nach Orientierung. Die »Deutsche Volkspartei« ist nach Stresemanns

Tod 1929 in Agonie, sich aus der Politik rauszuhalten ist bei der allgemeinen Polarisierung rundherum keine Lösung. HG hört sich um bei Veranstaltungen des »Jungdeutschen Ordens«, wo gemeinsam mit Dissidenten der Deutschnationalen ein Platz im eher gemäßigt bürgerlichen Lager gesucht wird. Er besucht Gründungstreffen der »Deutschen Staatspartei«, die eine liberale Mitte besetzen will. HG geht zum »Herrenklub« des Heinrich von Gleichen-Russwurm, einem konservativen Elite-Verein aus Wirtschaft, Politik und, nun ja, Kunst. Allein dort zugelassen zu werden, verstehen die Mitglieder als Ritterschlag.

Nie finde ich HG bei Sozialdemokraten, bei Gewerkschaftern. Das ist bei seiner Biographie vielleicht nicht verwunderlich, aber daß er nicht wenigstens neugierig ist! Dabei liest HG keineswegs einseitig. Jetzt, wo er nicht mehr so viel Bridge spielen muß, kommt er wieder dazu, und da holt er zwar Ernst Jünger nach und wundert sich über Arnolt Bronnens Oberschlesien-Roman »O.S.« – »Faschist oder nicht?!« Doch HG verschlingt auch Remarques Erfolgsroman über den Ersten Weltkrieg »Im Westen nichts Neues« und empört sich über die Nazi-Krawalle gegen den Film: »Mob! Und die Polizei sieht zu.«

In Düsseldorf – HG ist jetzt dauernd in Sachen Süßlupinen unterwegs – geht er abends mit einer seiner Damen in einen Festvortrag über Heinrich Heine. Antisemitische Randalierer sprengen die Veranstaltung. HG: »Nur noch durch die Hintertür raus. Zum Kotzen!« Im Juni 1931 besucht er eine Ausstellung von Max Liebermann im Münchner Kunstverein: »Nazis lungern vor der Tür. Das kann so nicht bleiben.« Carl von Ossietzky schreibt in der Weltbühne: »Die nationalsozialistische Bewegung hat eine geräuschvolle Gegenwart, aber gar keine Zukunft.« Jedenfalls hat HG offensichtlich keine Lust, ihr für eine Zukunft seine Hand zu reichen.

Bei der Wahl 1930 wählt er etwas, das »Deutsches Landvolk« heißt, das paßt ja. Bei den zahlreichen Urnengängen der kommenden Jahre rettet er sich jedesmal zu den »Sonstigen«, nur bei der Stadtverordnetenwahl in Halberstadt am 12. März 1933 gibt er seine Stimme der »Kampffront Schwarz-Weiß-Rot«, das ist ein Zusammenschluß von Deutschnationalen, Stahlhelm und Konservativen ohne Parteibuch. So hofft er wohl – vergeblich –, die Nazis zu Hause zu verhindern. Ich spüre die Vermeidungsstrategie hinsichtlich Hitlers Mannen. Was soll er auch machen, wenn ihm der Weg zu Sozialdemokraten oder – Gott behüte – Kommunisten versperrt ist? Katholisch ist er nicht, also fällt das »Zentrum« aus, mit Bayern hat er auch nichts zu tun, das verschließt ihm die »Bayerische Volkspartei«.

Ohne Kinder fahren Else und HG im schwarzroten Mercedes-Kabrio 1931 nach Österreich und Italien. Ich weiß nicht, wie die das gemacht haben, inzwischen gilt strenge Devisen-Bewirtschaftung. Ich weiß auch sonst nicht, wie das hat gehen können, ohne daß da permanent dicke Luft herrscht, denn Else wird nicht ahnungslos gewesen sein bezüglich Clärelieses Nachfolgerinnen. Manche bringt HG sogar mit nach Halberstadt, »damit Else sie kennen lernt«. Ich habe zu Hause andere Regeln für Geschmack gelernt. Aber ich habe mir versprochen, mich rauszuhalten, und die Reise haben beide genossen.

Ich erzähle davon auch nur, weil ich außer auf »viel Rotwein«, »grandiose Landschaft«, »Fanfarenmärsche der deutschen Marine-Kapelle auf dem Markusplatz (!), grandioser Eindruck« und eine »lange Nacht mit meiner sehr schönen Frau« wieder mal auf den pingeligen HG getroffen bin. Er schreibt die Tageskilometer auf – »über Quedlinburg-Jena bis Hof – 257 km«, er notiert, wo sie schlafen, »Wohnung im Hotel de l'Europe, Zimmer 12« – so macht der das immer! Der nimmt nicht den Zug »gegen zehn«. Der fährt um 9.52 Uhr ab und kommt um 12.17 Uhr irgendwo an. Der holt jemanden von der Bahn um 21.23 Uhr, das kenne ich seit seinem Sommertagebuch für die Ferien auf Juist, und da war er 14. Paßt das zusammen – der Fahrplan-Fuchser und der womanizer? Ich fürchte, das paßt. Es gibt monströse Beispiele. Da ist viel Platz in so einer Psyche.

Der Reichstagswahlkampf im Sommer 1932 ist der schlimmste, den Deutschland je erlebt hat. Allein in Preußen gibt es innerhalb von sechs Wochen 322 Terroranschläge mit 72 Toten und 495 Schwerverletzten. Beim Altonaer Blutsonntag am 17. Juli kommen bei Zusammenstößen zwischen Nationalsozialisten und Kommunisten 18 Menschen um, 68 werden verletzt. HG im Tagebuch: »Wer schafft Ordnung im Land?!« Die meisten Leute glauben, die Nazis hätten das Zeug dazu. Bei der Wahl am 31. Juli legen die um 19.4 Prozent zu, die Zahl der Mandate steigt von 107 auf 230. Noch haben sie nicht die parlamentarische Mehrheit, noch stemmt sich ein Mann starrköpfig gegen Hitler – Hindenburg betrachtet es als Zumutung, daß er den »böhmischen Gefreiten zum Reichskanzler machen« soll.

Man kann das abkürzen. Die Geschichte kennen wir. Hindenburg hat Hitler schließlich zum Reichskanzler gemacht am 30. Januar 1933, das ist ein Montag, und daß irgend jemand im Hause Klamroth aus diesem Anlaß Schubert bemüht hat, ist eher zu bezweifeln. Aber daß sich »alles, alles wendet«, steht außer Frage. Auch in Halberstadt. Auch bei HG. Er ist in Berlin, als das passiert, langweilt sich in einer Sitzung des Düngerausschusses, »dort kommt die Sensationsnachricht: Hitler ist Reichskanzler!!! Abends großer Fackelzug in der Wilhelmstraße vor Hitler u. Hindenburg, den ich aus nächster Nähe und im lebensgefährlichen Gedränge miterlebe.« Und dann ist erst mal gar nichts. HG geht Dienstag in seine Sitzungen, abends Kino, ich sage nicht, mit wem, »F.P.1 antwortet nicht« heißt der Film. Am Mittwoch sticht ihn der Hafer, und er ersteigert auf einer Ostpreußenauktion ein sündhaft teures Pferd für 2750 Mark. »Lützow« heißt das Tier, er hat nicht viel Freude dran gehabt, »dann in 3 Stunden 55 Minuten (!) mit dem Mercedes nach Hause«.

Am Donnerstag ist Elses 34. Geburtstag – sie ist schwanger, »wir reden viel von Peter!« Großer Gott! Else bekommt ein Foto von »Lützow« geschenkt – das kennen wir, die Väter, die ihren Kindern die elektrischen Eisenbahnen kaufen für ihren eigenen Spieltrieb. Abends Gäste, Hinrichs' sind dabei, »um drei Uhr im Bett« – das Ehepaar schläft seit einiger Zeit wieder gemeinsam.

Am Freitag dieser Woche holt Kutscher Kückelmann »Lüt-

zow« aus Berlin, am Sonnabend reitet HG ihn zum ersten Mal
in der Halle – »der braucht noch Arbeit« –, am Wochenende
legt sich der Mann mit schwerer Erkältung ins Bett (»›Kampf
um Rom‹ gelesen« – das ist Felix Dahn, ein richtiger Grippe-
Schmöker), am Montag fährt er in die Fabrik nach Nienburg
an der Weser, und so weiter. Was habe ich denn erwartet? Daß
HG den Überfall auf Julius Leber, Chefredakteur des »Lübe-
cker Volksboten« und Reichstagsabgeordneter der SPD, zur
Kenntnis nimmt, der in der Nacht zum 31. Januar von SS-Leu-
ten mit Messerstichen schwer verletzt wird? In derselben Nacht
werden sieben Leute ermordet. Soll HG aufhorchen, weil Hitler beim Betreten der Reichskanzlei zu Protokoll gibt: »Keine
Macht der Welt wird mich jemals lebend hier wieder heraus-
bringen«?

HG hört erst wieder von Hitler am 10. Februar, als der den
Wahlkampf eröffnet – es wird schon wieder gewählt am 5.
März, angeblich das letzte Mal. Da hält Hitler eine Rede im
Berliner Sportpalast – »deutsches Volk, gib uns vier Jahre Zeit
und dann richte und urteile über uns«. Hitler schließt seinen
Aufruf mit der Gewißheit, daß »die Millionen, die uns heute
hassen, hinter uns stehen und mit uns dann begrüßen werden
das gemeinsam geschaffene, mühsam erkämpfte, bitter erwor-
bene neue deutsche Reich der Größe und der Ehre und der
Kraft und der Herrlichkeit und der Gerechtigkeit. Amen«.
Auch Gertrud sitzt mit am Kamin und hört Radio. Sie »ist
empört, läßt sich nicht beruhigen«. Daß jemand das Vaterun-
ser für Wahlkampfzwecke mißbraucht, hat es allerdings noch
nicht gegeben. HG: »Vater und ich sehr skeptisch«.

HG am 28. Februar 1933: »Alarmnachricht aus Berlin, der
Reichstag von Kommunisten gestern in Brand gesteckt und fast
ausgebrannt! Was wird nun kommen?« Was kommt, ist die
Schließung der Parteibüros der KPD, »Schutzhaft« für alle Ab-
geordneten und Funktionsträger der Partei, eine Notverord-
nung »zum Schutze von Volk und Staat«, die Vorläuferin des
Ermächtigungsgesetzes. Verhaftet werden Carl von Ossietzky,
Herausgeber der »Weltbühne«, die Schriftsteller Erich Müh-

sam und Ludwig Renn, der »rasende Reporter« Egon Erwin
Kisch, der Rechtsanwalt Hans Litten. Bertolt Brecht flieht mit
seiner Familie nach Prag, der Verleger Samuel Fischer ist schon
weg. In Preußen sind 47 höchste Verwaltungsbeamte vom
Dienst suspendiert, der langjährige Ministerpräsident Otto
Braun geht in die Schweiz, KPD-Führer Ernst Thälmann wird
festgenommen. Goebbels in seinem Tagebuch: »Es ist wieder
eine Lust zu leben.«

HG notiert am 4. März 1933, das ist ein Samstag: »Theo
Delbrück kommt um 11 Uhr 02. Mittags ›Lützow‹ geritten, wieder Kontor. Im Radio Wahlredenhochflut. 7 Uhr abends großer Fackelzug durch die Stadt, ›Tag der erwachenden Nation‹
– reichlich viel Schmus«. Hitlers Rede aus Königsberg wird über
alle Rundfunksender übertragen, sie endet mit dem niederländischen Dankgebet – »Wir treten zum Beten« –, dazu läuten
die Glocken des Königsberger Doms. Am nächsten Tag ist
Reichstagswahl – die NSDAP, erstmals aus den Schatullen der
Großindustrie reichlich alimentiert, erringt 288 von 647 Mandaten, 17 Millionen 280 Tausend deutsche Menschen haben sie
gewählt. Hitlers »Legalitäts-Konzept« ist aufgegangen. HG
zitiert Caesar: »Alea iacta est« – der Würfel ist gefallen.

Montag, 6. März: »Die Woche der deutschen Gegenrevolution fängt an, zunächst ohne daß wir es hier merken. Im Kontor viel Arbeit, mittags ›Lützow‹ in der Bahn geritten, nachmittags wieder Kontor, abends zu Hause. Der Rundfunk wird
als erstes ganz nationalsozialistisch.« Dienstag, 7. März: »Politisch geht es folgerichtig weiter: Reichskommissare der Nazis
zunächst in Hamburg, Bremen, Hessen, Baden, Württemberg.
Abends Tischordnung für unsere Gesellschaft morgen abend
gemacht. Vater die Möglichkeit eines neuen Enkelkindes mit-
geteilt – er ist selig.« Soll ich erzählen, was es mit den Reichs-
kommissaren auf sich hat? Das ist etwa so, als setzte heute die
Bundesregierung eine Landesregierung ab und schickte einen
Bundes-Statthalter. Das kann sie nicht laut Verfassung. Hitlers
Reichsregierung konnte das. Die Länder werden »gleichge-
schaltet«.

Mittwoch, 8. März: »Früh um 8 Uhr wird durch SA und Stahlhelm auf dem Rathaus Schwarzweißrot und die Hakenkreuzfahne gesetzt – ein tiefbedeutendes Symbol – dabei äußerlich alles ruhig. Abends 17 Gäste bei uns, offizielle Sache, aber doch ganz nett.« Was reden die bei Morchelsuppe und Lammrücken und italienischem Rotwein? Sind sie noch unbefangen, oder geht die Angst schon um? Machen sie Witze über diese braunen Kraftprotze, oder müssen sie fürchten, daß die Schlägertrupps auch zu ihnen ins Haus kommen wie überall im Land? HG hat endlich seine Fahne wieder, ist ihm jetzt wohler? Beide Fahnen zusammen sollen die »ruhmreiche Vergangenheit des deutschen Reiches und die kraftvolle Wiedergeburt der deutschen Nation« symbolisieren, hat Hindenburg beim Fahnen-Erlaß gesagt. Ist für HG nun alles wieder gut?

Freitag, 10 März: »Im Kontor sehr viel Arbeit. Die ganze Stadt hat schwarzweißroten Flaggenschmuck, in Berlin und einigen anderen Städten verbrennt man Schwarzrotgold. Dabei ist alles erstaunlich ruhig. Abends eine wilde Rede von Göring im Rundfunk.« Sonnabend, 11. März. »Vorm. Kontor, nach Tisch ›Lützow‹ zum 1. Mal draußen geritten, dabei ein Mal runter gefallen. Abends mit Else in einer Theatervorstellung der Garnison im Elysium: ›Halberstädter Soldaten von 1650 bis heute‹. Glänzende Vorführungen, Fanfarenmärsche. Hinterher mit Hinrichs bei der SS«. Da ist sie wieder, die Begeisterung für Fanfarenmärsche, ob auf dem Markusplatz in Venedig oder im Elysium in Halberstadt, für Paraden in Königsberg oder auf dem Domplatz ganz früher, wenn am Sedanstag die halbe Stadt zu Pferde unterwegs war. Aber heute ist HG erwachsen – ich kann ihm nicht folgen.

Montag, 13. März: »Erst Kontor, um 11 h 02 per Bahn nach Berlin. Dort nachmittags Besprechung mit Klemm von der Kalichemie, hinterher bei der Getreidekreditbank«. Hindenburg ernennt Joseph Goebbels zum Minister für Volksaufklärung und Propaganda. Dienstag, 14. März: »10 h zur S.E.G.« – das ist die Saatgut-Erzeugungs-Gesellschaft, wo HG im Aufsichtsrat sitzt – »der Süßlupinenvertrag ist unterschrieben.

11 h mit Hertha« – das ist eine der vielen Damen – »Rundflug über Berlin. 12 h 22 wieder ab nach Halberstadt – die Regierung hat 3 Tage Flaggen befohlen. Die Friedensstraße heißt jetzt wieder Hohenzollernstraße«. Der neue Innenminister Wilhelm Frick fordert die Länderregierungen auf, »die Zuwanderung von Ausländern ostjüdischer Nationalität abzuwehren und Eingewanderte möglichst zu entfernen«.

HG am 21. März: »Großer ›nationaler Festtag‹ – Reichstagseröffnung in der Potsdamer Garnisonkirche. Lt. Verordnung von Goebbels müssen alle Geschäfte schließen. Radio-Übertragung des Festaktes durch Lautsprecher auf dem Holzmarkt. Reden von Hindenburg und Hitler. Wir arbeiten im Kontor bis mittags, der Feiertag paßt eigentlich nicht in die stärkste Saison. Abends großer Fackelzug durch die beflaggten Straßen der Stadt. Ob nicht jetzt etwas reichlich viel gefeiert wird?« Am nächsten Tag: »Reichstag jetzt in der Kroll-Oper. Das große Ermächtigungsgesetz ist angenommen, nun ist freie Bahn für das ›Dritte Reich‹.«

Allmählich wird HG unruhig. 29. März: »Heute findet die erste Versammlung der neuen Stadtverordneten statt. Die Magdeburgerstr. wird ›Hindenburgstraße‹, die Klusstr. ›Adolf Hitler Straße‹. Abends zu Hause Briefmarken geklebt, das lenkt etwas ab von der aufpeitschenden Politik«. 30. März: »Wie ein dunkler Schatten liegen die politischen Dinge über allem: ausländische Greuelhetze, deutscher Abwehrboykott gegen die Juden. Abends eine Stunde beim alten Jacobsohn, der mir unendlich leid tut. Keine Lösung«.

»Greuelhetze« – das sind die scharfen Proteste in der ganzen Welt gegen die Pogrome der letzten Wochen. Hitler hat deshalb für den 1. April, »Schlag 10 Uhr«, seinen Parteigliederungen als »Rache« einen allgemeinen Boykott »gegen das Judentum« befohlen, gegen »jüdische Geschäfte, jüdische Waren, jüdische Ärzte, jüdische Rechtsanwälte«. Chef der Aktion ist Julius Streicher, Herausgeber des antisemitischen Kampfblattes »Der Stürmer« und Vorsitzender des »Zentralkomitees der NSDAP zur Abwehr der jüdischen Greuel- und Boykotthetze«. Und Jacobsohn? Der ist HGs Kollege im Arbeitgeberverband. Kurz vor Weihnachten 1932 finde ich ihn noch als Gastgeber eines »sehr vergnügten Abends« im Tagebuch, »wir sind da immer wieder gern«.

Als die Barbarei losgeht, ist HG in Berlin: »Ab 10 h offizieller Judenboykott mit lieblichem Terror durch die NSDAP. Vormittags Sitzungen, mittags 1 h 48 zurück, Geburtstag bei Jüttners im Smoking, ratlose Diskussion. Soll man Stahlhelmer werden?« Das ist der Bund der Frontsoldaten, 1918 von Franz Seldte gegründet, im Grunde nicht mit der Kneifzange anzufassen. Aber keine Nazis. Noch nicht. Franz Seldte ist jetzt Arbeitsminister im neuen Kabinett. Am nächsten Vormittag, Sonntag, fahren sie alle nach Magdeburg, um sich eben diesen Seldte in der »Harmonia« anzuhören. »Alles gute Publikum ist da, aber das macht uns nicht klüger.« Nachmittags ist Kontor, dann Gäste zu Hause – »Mutter ist tief deprimiert und innerlich zerrissen über die politische Entwicklung, Judenboykott etc. – Wilde Zeiten!« Wo ist Kurt?

Ich schleiche um meinen Computer herum seit Tagen. Ich kann nicht weiterschreiben. Ich fürchte mich. Ich fürchte mich vor den nächsten Eintragungen in HGs Tagebuch. Habe ich mir nicht wieder und wieder vorgebetet, ich kann ihn mir nicht backen anders als er ist? Es ist sein Leben. Er hat dafür bezahlt. Ich muß mich raushalten. Ich bin Chronistin. Aber ich begleite ihn jetzt schon so lange, hätte er nicht? Nein. Er hätte nicht. Also gut – 3. April 1933: »Abends Arbeitgeberverband wegen evtl. Ausschluß des Juden Jacobsohn – Zeichen der Zeit.«

Des Juden Jacobsohn. HG ist kein Antisemit. Ich kann das belegen über die Jahre. Und jetzt: der Jude Jacobsohn. HG ist im Vorstand des Arbeitgeberverbandes – hätte er nicht? Nein. Er hätte nicht. Es gibt eine »gleichgeschaltete« Verordnung. Der Reichsverband der Deutschen Industrie meldet gerade Vollzug: »Die semitischen Mitglieder sind ausgeschaltet.« Und selber austreten? Wem soll das nützen? Mir. 4. April: »Nachmittags nach schwerem Überlegen Besuch beim neuen Nazi-Stadtverordneten-Vorsteher Gerlach, um Fühlung zu nehmen. Bis zehn Uhr abends Verkaufsbedingungen für Süßlupinen ausgearbeitet«.

Mittwoch, 5. April: »Früh erst Kontor. Erhebliche Geldsorgen. Unter Mittag Pg. Otto Lehmann, M.d.L. wegen politischer Fühlungnahme besucht«. 12. April: »Politisch ist der Teufel los. Das Feuer der Revolution brennt gründlich und ergreift jetzt auch mich!« 13. April: »Vorm. erst Kontor, dann Vorstandssitzung des Arbeitgeberverbandes, in der zufolge der politischen Entwicklung Herr Jacobsohn als Jude ausgeschlossen werden muß. Nachm. wieder Kontor bis spätabends. Brief an Otto Lehmann wegen NSDAP«. Höre nur ich die Veränderung in der Sprache? Das ist HGs privates Tagebuch, in dem steht: »zufolge der politischen Entwicklung – Herr Jacobsohn als Jude«. Pfeift da einer im Wald, entrichtet er den Zoll für die Initiation?

Donnerstag 20. April: »Besuch der Parteigenossen Ogdenhoff und Lehmann. Abends Geburtstagfeier Hitlers auf dem Domplatz und im Stadtparksaal«. Der Reiz der Jahr-um-Jahr-Tagebücher liegt darin, daß man gucken kann, was war an diesem Tag in den Jahren rauf und runter. Hitlers Geburtstag findet bei HG danach nicht mehr statt. 21. April: »Abends bei Otto Heine wegen Stahlhelmfragen«. 23. April: »Nachm. per Auto nach Wegeleben, Besprechung über Wehrsportfragen«. Was macht HG da? Und warum hat er es so eilig? 27. April: »Nachmittags Ogdenhoff bei mir; auf seine Bitte unterschreibe ich nun doch meine Anmeldung zur NSDAP, da ab 1. Mai Mitgliedersperre ist. Abends Kammermusik bei Otto Heines. Kurt« – das ist Kurt jun., der Bruder – »spielt sehr schön Beethoven. Riesenauftrieb. Dauert bis 2 h.« Heines sind eine ebenfalls aufwendige Familie mit einem aufwendigen Haus in Halberstadt. Das wird sehr festlich gewesen sein. HG feiert.

Und er meint es ernst. In Magdeburg bespricht er sich mit »Pg. Fahrenholz über Mitarbeit in der NSDAP«, und am 1. Mai geht es richtig los. HG im Tagebuch: »Feiertag der nationalen Arbeit: früh feierliche Flaggenhissung (Hakenkreuz!) auf der Woort, dann Festzug durch die Stadt, Reden auf dem Domplatz, Riesenbeteiligung. Mittags 12.30 Abfahrt unserer ganzen Belegschaft (103 Köpfe) in drei Postautos. In Trautenstein Kaffee, in Waldmühle bei Blankenburg Abendessen mit Musik, Aufführungen, Ansprache von mir und Hitlerrede im Radio«. Der spannt schon wieder den Herrgott ein für die Partei: »Herr, das deutsche Volk ist wieder stark in seinem Willen, stark in seiner Beharrlichkeit, stark im Ertragen aller Opfer. Herr, wir lassen nicht von Dir! Nun segne unseren Kampf um unsere Freiheit und damit unser deutsches Volk und Vaterland.«

Es ist nicht nachzuvollziehen, heute. Ich habe Hitlerreden gelesen, vor allem gehört. Die Wirkung dieses keifenden Gnoms ist mir ein Rätsel. Aber ich war nicht dabei, ich bin anders sozialisiert, unter anderem dank dieses keifenden Gnoms. Trotzdem wüßte ich gern, was HG geritten hat. Da fällt mir Verschiedenes ein. Daß alle sich drängeln, dabei zu sein, ist eins. Der Klassenunterschied zählt nicht mehr, die Crème de la Crème nicht nur der Halberstädter Gesellschaft reiht sich ein. Alle die Bridge-Spieler, die Tennis-Partner, die Jagd-Kumpane aus Elses Gästetagebuch gehören plötzlich dazu. Wer widersteht, sind Arbeiter – manche, Sozialdemokraten und Kommunisten. Das kann es ja wohl nicht sein. Die Kirchen jubeln Zustimmung, die meisten. Auch eine gute Adresse.

Aber wenn schon dabei sein, dann besser frühzeitig, wird HG sich gedacht haben. Wie war das noch, als er seiner Einberufung zuvorkommen mußte, damit er Junker werden konnte und nicht bei den Pionieren ohne Prestige landete? Für den Adel der ersten Stunde ist es zu spät, und was der wert ist, haben SA-Führer Ernst Röhm und andere erfahren, als sie 1934 ermordet wurden. Aber so weit sind wir noch nicht. Frühzeitig also, sonst sind die Führungsposten besetzt. Und HG steht nach seinem Selbstverständnis eben vor einer Kompanie, nicht in der dritten oder siebten Reihe unter Leuten, die alle gleich aussehen.

Fürs Geschäft ist es auch nicht verkehrt. Nicht nur die Gutsbesitzer aus der Gegend, vor allem die Leute im »Reichsnährstand«, mit dem die Firma es jetzt nolens volens zu tun kriegt, sind Parteigenossen. Aber ich tue HG Unrecht, wenn ich ihm

unterstelle, er habe sich aus Opportunismus dort hineinbege-
ben. Das wäre schon schlimm genug. Doch ich denke, der hat
nicht seine Seele verkauft um eines praktischen Vorteils willen.
Der hat denen seine Seele gern gegeben, fürchte ich. Er holt
nach, was seit 1918 unterbrochen war. »Drei Hurras für Kaiser und Vaterland«, die Kriegsspiele auf Juist und jetzt die »große nationale Erhebung« liegen auf einer Linie.

Rechts und links davon gab es nichts als Demütigungen: der
schmähliche Ausgang des ehrlos geendeten Krieges, die Nacht-
und Nebel-Rückkehr des Regiments nach Tilsit, der absurde
Vertrag von Versailles, die Schikanen im von Frankreich besetzten Ruhrgebiet, die Horrorzeiten der Inflation und die Auflö-
sung aller Normen in den Mord- und Terrorjahren. Die Republik hat sein Vertrauen in die parlamentarische Demokratie
ruiniert, so HG je eins hatte, und jetzt schart sich das bisher so
zerrissene Volk hinter einem Mann, der aller Welt verkündet:
Wir sind wieder wer, und wir werden es euch zeigen.

HG hat nicht das intellektuelle Rüstzeug dagegen. Er kann
nicht denken außerhalb nationaler Größe und deren Beschä-
digung. Das können die Bewohner der »Feindländer« übrigens
auch nicht. Über den Tellerrand zu blicken, gilt als »interna-
tionalistisch«, und das sind nur die Kommunisten. Außerdem
hat HG nicht die Phantasie – wer hatte die schon! – sich vorzustellen, was aus diesem Dritten Reich werden würde. Lange Zeit war er skeptisch, das ist er auch noch. Der »gemeine
Pöbel« hat sich ja nicht geändert in seiner Skrupellosigkeit und
Brutalität. Aber HG denkt – wie viele haben das gedacht! –,
er könne was machen. Das Tagebuch der nächsten Wochen
und Monate ist voll von Versuchen, richtig was zu tun. »Par-
teiversammlung – trostloser Eindruck«, »schlecht vorbereitete
Veranstaltung – da muß etwas geschehen«. Er verbringt Aben-
de mit dem Abfassen von Papieren, einmal opfert er eine ganze Nacht für einen »offenen Brief an Dr. Goebbels«. Was immer
da dringestanden hat, ich hoffe, er hat ihn nicht abgeschickt.

Viel später, in der Festschrift zum 150jährigen Bestehen von
I. G. Klamroth 1940, formuliert HG, was er mühsam hat ein-

sehen müssen: »Wir spürten die Änderung der Verhältnisse gegen die Zeit vor 1933 – ungeachtet aller Vorstellungen und Abänderungsvorschläge hielt die nationalsozialistische Führung an dem von ihr als richtig erkannten Prinzip unverändert und eisern fest.« Da handelt es sich um rüde Eingriffe im Landhandel, aber das Muster ist immer gleich. Die Nazis machen ihr Ding. Die haben nicht auf jemand wie HG gewartet. Das mit der Führungsposition wird nichts. Der Mann schmückt die »Bewegung«, weil er prominent ist in Halberstadt, sonst soll er sich raushalten, vor allem soll er den Mund halten. Er ist lästig.

HG: »Versammlung der NSDAP. Scharfer öffentlicher Disput mit Pg. S. über Tarifverhandlungen. Anschließend unangenehmes Gespräch«. Kein Wunder. Es gibt keine Tarifverhandlungen mehr. Tarife verfügt die »Deutsche Arbeitsfront«, Punkt, aus. Aber daß HG den Mund halten soll, ist ihm neu. Am 30. Mai: »Abendessen Verein mitteldeutscher Arbeitgeber in Magdeburg mit interessanter Diskussion. Die nationale Erhebung steckt in der allgemein erwarteten Krise – aber wir wollen ihr durchhelfen.« Es hat was Rührendes.

Vielleicht geht HG deshalb zur SS. Das ist ja immerhin die »Elite« der Partei, außerdem ein militärischer Verein, da gibt es den Respekt vor Offizieren, damit kennt er sich aus. Es kam vorher noch zu zwei Gesprächen mit Partei-Oberen »wegen Hochdienens in der NSDAP«, ohne Ergebnis offenbar. HG hat keine Lust auf die Ochsentour. Er will was bewegen, nicht bewegt werden. In der SS soll er eine Reiterstaffel aufbauen, er wird Führer des Reservesturms 4/ 21. Ob er darüber nachdenkt, daß er einer Mörderbande beitritt?

Erstmal bedeutet die SS Arbeit für HG. Ab jetzt gehen die Wochenenden vollends drauf, seine Jungs müssen anständig reiten lernen, und wenn sie sich besaufen, gibt es Ärger. Es entsteht ein Haufen Schreibkram, Vorgesetzte kommen zur Besichtigung von HGs Reitern – warum braucht man Pferde zum Morden? HGs Truppe mordet nicht, jedenfalls nicht, solange er sie in den Fingern hat. Das wüßte ich. Aber sie paradiert. Die Uniformen sind makellos, HG hat sich auch welche schneidern lassen. Kann das wirklich sein? Ein intelligenter, erwachsener Mann zieht eine Uniform an, und dann ist er glücklich? Jedenfalls tauchen diese Uniformen auf trotz Zeilenknappheit im Tagebuch – »in SS-Uniform nach Magdeburg«, »Kasinofest, ich in SS-Uniform«, immer wieder. Trotzdem gibt es kein Foto von ihm in dieser schwarzen Montur.

Den Reservesturm gibt HG im Juli 1934 wieder ab, das ist kurz nach dem sogenannten Röhmputsch, bei dem SS-Leute die Mörder waren. Ob HGs Rückzug damit zu tun hat, weiß ich nicht. Er tritt nicht aus, und ich kann nicht beurteilen, ob das schadlos gegangen wäre. Ab dann ist nur noch selten eine SS-Aktivität vermerkt, Parteiveranstaltungen so gut wie gar nicht. Es gibt kein Foto von HG, auf dem er das Parteiabzeichen trägt, auch habe ich keinen Brief von ihm gefunden, den er mit »Heil Hitler« oder dem »deutschen Gruß« unterschrieben hätte. Die muß es gegeben haben, sowohl geschäftlich für die Firma als auch dienstlich im Krieg, privat gab es sie nicht.

HG mutiert zur Kartei-Leiche, er blüht erst wieder auf im Frühjahr 1935 mit der Einführung der allgemeinen Wehrpflicht und dem Aufbau der Wehrmacht. Als Reserve-Leutnant ist er immer wieder im Manöver, er avanciert schnell zum Oberleutnant, dann zum Hauptmann, jetzt nicht mehr bei seinen Dragonern, sondern beim 12. Infanterie-Regiment, das in Halberstadt seit Generationen zuhause ist. Das macht ihm Spaß, zweimal finde ich im Tagebuch ein »Schade!«, als die Übungen im Münsterschen Sennelager und anderswo zu Ende sind.

Als Grund für den Rückzug aus Partei und SS hat HG Belastung in der Firma angegeben – und die ist allerdings erheblich. Der neue »Reichsnährstand«, eine Zusammenfassung aller mit Lebensmitteln befaßten Branchen vom Bauern bis zum Bäcker, schnürt den Betrieben die Luft ab. Mittels seiner staatlichen »Festpreisverordnung« ist jeder unternehmerische Spielraum zugeschüttet, Gewinn kaum zu machen, der Landhandel hat nur noch Verteiler- und Lagerfunktion. HG und Kollegen kämpfen auf allen Ebenen dagegen an, ohne jeden Erfolg.

Er tobt in seinem Tagebuch: »Die Festpreisverordnung wirkt sich verheerend aus!« – »Es fehlt Bargeld. Weil wir nicht mehr wirtschaften können, kommt kein Geld. Wovon soll ich die Gefolgschaft bezahlen!« – das sind 100 Leute – »Vorschlag Landhandelsbund: Hälfte der Mitarbeiter entlassen.« – »Man kann allerhand schaffen, aber ob wir durch diese Situation durchkommen?« – »Das agrarpolitische Amt will unsere Süßlupinen beschlagnahmen.« Soweit kommt's noch. HG setzt sich durch – »schauderhafte Verhandlungen, schließlich Kuhhandel wegen Lagerkapazität. Süßlupinen gerettet«. Die Firma wäre diesmal beinahe wirklich vor die Hunde gegangen.

Ferien in Dänemark

ZEHN

AUCH 1933 IST FAMILIENTAG. Den kann ich nicht auslassen, aber ich muß mich zusammennehmen, um aufschreiben zu können, was jetzt dran ist. Die Sippe versammelt sich am 28. Mai 1933 in Kloster Gröningen. Das ist das Gut von Johannes Klamroth, Kurts Bruder, und dessen Frau Minette, genannt Nettchen – »Tante Nettchen, welche Ehr, jumheidi, jumheida, stammt von Karl dem Großen her«. 35 Mitglieder von 69 sind anwesend, und es geht alles seinen geordneten Gang: Totenehrung, Kassensturz, Stiftungsvermögen, Hochzeiten, Kindstaufen, Konfirmationen, Ende der Hauptversammlung um 2 h 10 nachmittags.

Mit einem Dringlichkeitsantrag von Willy Busse wird sie abends um halb acht wieder eröffnet – »manche heißen Busse, manche von und manche bloß, manchem zum Verdrusse« – einer von denen ist das. Der ist aber schon abgereist, und in seinem Namen macht HG den Vorschlag, in das Grundgesetz des Klamroth'schen Familienverbandes den sogenannten Arier-Paragraphen aufzunehmen. HGs Begründung laut Protokoll: »Aus den Ahnentafeln geht einwandfrei hervor, daß sämtliche Mitglieder des Familienverbandes rein arischer Abkunft sind. Wir sind mit Recht stolz auf diese Rasssereinheit unserer Sippe, die auch in Zukunft erhalten werden muß.« Der »Arier-Paragraph« soll das sicherstellen, demzufolge ein Mitglied, das eine Ehe mit einem Nichtarier eingeht, die Mitgliedschaft verliert: »In der heutigen Zeit ist das auch insofern wichtig für die Mitglieder, als jetzt häufig für bestimmte Berufe der Nachweis arischer Abkunft verlangt wird.« So wurde die Dringlichkeit des Antrags begründet.

Bei der Aussprache gibt es keine Wortmeldung, einstimmige

Annahme, Ende der Sitzung um acht Uhr. Hinweis im Protokoll: der Text des Paragraphen sei beim Reichsinnenministerium zu erfragen, der Vorstand möge die Erkundigung einziehen. Am 17. August 1933 wird der »Arier-Paragraph 9a« in das Vereinsregister beim Amtsgericht Halberstadt eingetragen: »Als nichtarisch gilt, wer von nicht-arischen, insbesondere jüdischen Eltern oder Großeltern abstammt. Es genügt, wenn ein Elternteil oder ein Großelternteil nicht-arisch ist.« Erst zwei Jahre später werden die Nürnberger Gesetze verabschiedet.

35 Familianten, nette, anständige Leute, nicht wahr? Keine Wortmeldung, niemand. In einer halben Stunde ist die Sache erledigt. Und HG? Hätte er nicht? Doch, diesmal hätte er zu Vetter Willy Busse sagen können: »Mein lieber Willy, das machst du bitte allein. Und wenn du mich fragst, laß den Quatsch!« Wenn er aber schon Willy Busses Ansinnen vorträgt, hätte HG bei der »Dringlichkeitssitzung« sagen können: »Vetter Willy will das, ich will das nicht. Der individuelle Arier-Nachweis bedeutet in der Tat Arbeit, aber unsere Familienehre bleibt unbeschädigt.« Sagt er nicht. Er sagt tatsächlich nichts. Am Abend singen sie: »Der Mai ist gekommen, das Volk ist erwacht, und auch die Familie erhebt sich mit Macht, drum reichet die Hände euch heute auf's Neu, heil unserem Stamme, dem Vaterlande treu.« HGs und Elses Kinder dürfen Launiges aufführen, Sohn Jochen, der ist sieben, erscheint in SA-Uniform: »Heil Hitler, sind Sie der Herr Chronist, der so fleißig im Ahnenforschen ist?«

Für Juden verboten – vorauseilend, gehorsam. Es gibt keinen Anlaß, nichts, wozu man sich verhalten müßte. Arier-Nachweis! Den zieht Kurt blind aus seinem Archiv, fünf und mehr Generationen zurück, wenn jemand das braucht. Dringlichkeit? Hitler ist gerade vier Monate im Amt, und wenn auch die Nazis ein atemberaubendes Tempo vorlegen, kann man nicht erst mal abwarten, ehe man sich zu deren Handlanger macht ohne Not? Großer Gott, ich dachte, ich hätte meinen Ekel und meinen Zorn verbraucht in all den Jahren, mein Entsetzen über die Gleichgültigkeit, die Anbiederei – eine halbe

Stunde nur hat das gedauert! Keine Wortmeldung – in HGs Tagebuch und in den von Else verfaßten Kindertagebüchern kommt der Arier-Paragraph gar nicht vor. Da findet auch die Bücherverbrennung nicht statt, die ist keine drei Wochen her. Da sind Autoren verbrannt worden, die beide gerade gelesen haben: Remarque, Döblin, Glaeser, Heine, Kästner, Kerr – geht sie das nichts an?

Statt dessen steht in den Kindertagebüchern, wie spannend die Zeit jetzt ist »für Euch« mit den Fackelzügen und Paraden fast jeden Tag, wie festlich die vielen Fahnen aussehen, und daß die marschierenden Kolonnen begeistert die neuen Hitlerlieder singen, »die ihr schon alle auswendig könnt« – das »Sturm- und Kampfliederbuch der NSDAP« erscheint am 23. März 1933. Ein halbes Jahr später sind anderthalb Millionen davon verkauft. Else schreibt plötzlich Sütterlin, glaubt man das? Immer hat sie geschrieben wie ihr Vater, sich gegenüber HGs, Kurts und Gertruds deutscher Schrift mittels ihrer ausladenden lateinischen Buchstaben behauptet. Jetzt Sütterlin. Was ein Glück, daß sie so flusige Haare hat, sonst würde sie sich womöglich noch Zöpfe wachsen lassen!

Haben die alle den Verstand verloren? Was ist mit Kurt? Kurt hat erst mal mit seiner akkuraten Handschrift das Protokoll des Familientages im Chronik-Buch verewigt ohne Kommentar. Dann aber verfaßt er einen 19(!) Schreibmaschinen-Seiten langen Brief an einen Jugendfreund in Amerika und erklärt ihm die deutsche Welt. Die sei in Unordnung gewesen, solange Juden in ihr das Sagen gehabt hätten: »1928 waren allein bei den Großbanken 718 Aufsichtsratsposten durch Juden besetzt, und bei den Führern der Sozialisten und Kommunisten war ebenfalls die große Mehrzahl Juden. Juden hatten die gesamte Linkspresse in den Händen, die Universitäten waren von ihnen dominiert, 1928 waren in der philosophischen Fakultät in Göttingen 40 Prozent der Professoren Juden, in der juristischen waren es 47 Prozent. Welches Volk läßt sich auf die Dauer eine solche Vorherrschaft durch eine kleine fremdstämmige Minderheit gefallen?«

Jetzt sei die Rettung da, die »nationale Erhebung unter Führung Adolf Hitlers« habe das zerrissene und fremdbeherrschte Volk geeint, »wie 1914 loht der deutsche Volksgeist auf unter den schwarzweißroten Farben, und es kommt die Einigkeit der Deutschen kraftvoll an den Tag«. Drei Hurras für Kaiser und Vaterland – ach Kurt! Einigkeit – auch Else jubelt in den Kindertagebüchern: »Große Friedensrede Hitlers im Reichstag am 17. Mai, selbst die Sozialisten stimmen zu, wir sind ein geschlossenes Volk.« Sie weiß nicht, daß Innenminister Frick den Sozialdemokraten unverhohlen mit der Ermordung ihrer inhaftierten Genossen gedroht hat, sollte die Fraktion sich bei der Verabschiedung der Friedensresolution auch nur enthalten. Was Else hätte stutzig machen können, kommt einen Monat später: Am 22. Juni 1933 wird die SPD verboten, viele ihrer Mandatsträger verschwinden im Zuchthaus oder im KZ.

Am 10. August 1933 wird nicht Peter, sondern Sabine geboren, wieder eine Bilderbuch-Entbindung von einer knappen Stunde, die Hebamme muß angezogen geschlafen haben, um noch irgend etwas tun zu können. Nach den knappen Schilderungen dieser Geburten kann Else nur ein leichtes Ziehen gespürt haben, dann ein paar Preßwehen, und das war's. Beneidenswert! In HGs Tagebuch ist von Peter mit keinem Wort mehr die Rede, statt dessen »große, große Freude und nachher fröhliches Laufen zum Standesamt, Zeitungen etc«. In den folgenden Tagen hält er seine Kontor-Zeiten kurz, »nach Hause« steht da und »Sabine bestaunt«.

Sie wird getauft am 14. Oktober in der Kapelle der Liebfrauenkirche in »einer sehr stimmungsvollen Feier«. Wieder schließt sich ein Festessen an für 20 Personen, nicht gerechnet die größeren Kinder, dabei wird der Schinken in Burgunder kalt, weil alles Hitler zuhören muß, der im Radio den Austritt Deutschlands aus dem Völkerbund begründet. Das wiederum hat mit der Genfer Abrüstungskonferenz zu tun und dem wachsenden Mißtrauen der ehemaligen Kriegsgegner hinsichtlich der Vertragstreue Hitler-Deutschlands. HG nennt die Rede »eindrucksvoll«, bei Else ist sie »fabelhaft«, und die Deutschen dürfen wieder einmal zur Volksabstimmung gehen am 12. November und gleichzeitig einen neuen Reichstag wählen. Das Ergebnis für die NSDAP ist überwältigend – 92.1 Prozent. Man konnte allerdings auch nur die Nazis wählen. Die anderen Parteien sind aufgelöst.

Sebastian Haffner beschreibt in seiner nachgelassenen »Geschichte eines Deutschen«, wie die ganze »Fassade des normalen Lebens kaum verändert stehen blieb, volle Kinos, Theater, Cafés«, das ist in Halberstadt nicht anders. Es ist mein Entsetzen, das im Nachhinein erwartet, die Erde hätte aufhören müssen, sich zu drehen. Die Menschen aber, hinter denen ich her bin, scheinen gut gelaunt. Sie wittern Morgenluft. Nicht ganz. Zweimal finde ich in HGs Tagebuch den Eintrag »trotziger Optimismus«, beide Male gab es vorher Besprechungen mit Parteigenossen. Seine Beschreibung von Sabines Taufe, die auch mit kaltem Burgunderschinken ein »langer, gemütlicher Abend bis 2 h« wird, beschließt er: »Gegensatz zwischen drinnen und draußen«. Haffner schreibt: »Den geheimen Zug von Wahnsinn, von Angst und Spannung konnte man freilich nicht sehen«, und ich bezweifle, daß Klamroths und ihre Freunde ihn realisiert haben. Else allerdings notiert im Kindertagebuch: »Es ist eine sehr intensive Zeit, in der wir leben, und ich bin angespannt und nervös.« Sie wird nicht wissen, warum.

Die Frau hat aber auch was um die Ohren! Für 1933 zählt sie 51 (!) Menschen Hausbesuch zusammen, da sind die Abendgäste nicht dabei – das Mühsamste wäre für mich, daß man mit allen reden muß. Trotzdem schafft sie noch eine Menge Kinderaktivität – Else wird das nicht für die Tagebücher erfunden haben, denn sie schreibt ihre Terminkalender ab und haßt erfundene Geschichten. Sie geht mit den Kindern – mit vielen Kindern, Gästekindern, Ferienkindern – zum Skifahren, zum Schlittschuhlaufen, ins Sommerbad. Sie beklagt, daß das mit dem Reiten und den Kindern nichts wird, weil die Pferde für Kinder nicht geeignet sind. Else spielt mit ihnen Gesellschaftsspiele – ungern, das kann ich nachfühlen – »Poch« ist dran und immer noch »Mah-Jongg«. Es wird viel gesungen, mehrstimmig, Kanons, seit neuestem Hitlerlieder.

Vor allem liest Else vor, das ganze Jahr über, vorwiegend natürlich im Winter. Es gibt Rituale, die habe sogar ich noch erlebt nach dem Krieg. Beim ersten Schnee Bratäpfel und Märchen am Kamin – zu meiner Zeit war das ein Kanonenofen. In der Adventszeit hat jeder Sonntag seine eigenen Lieder, auswendig bitte und alle Strophen: etwas spröde noch am ersten Advent »Es kommt ein Schiff geladen« und »Maria durch ein Dornwald ging«, sich steigernd über »Alle Jahre wieder« und »Macht hoch die Tür« bis zu »In dulci jubilo«, »Quem pastores laudavere«, »Es ist ein Ros' entsprungen«, »O du fröhliche« und »Fröhlich soll mein Herze springen«. Die sind erst kurz vor Weihnachten zugelassen.

Immer nur eine Kerze pro Adventssonntag, braune Kuchen, deren Teig schon Wochen vorher auf dem Schrank gestanden hat, allmählich auch ein Stück Marzipan und kandierte Walnüsse – und Weihnachtsarbeiten. Kinder dürfen nichts Gekauftes verschenken, und so wird gebastelt, gesägt und geklebt. Ich möchte nicht wissen, wie viele verschrumpelt gewebte Nadelbücher und laubgesägte Schlüsselborde da jedes Jahr verteilt wurden. Else bastelt nicht, Else liest vor. 1933 ist das »Soll und Haben« von Gustav Freytag – warum wohl alle Generationen Klamroth-Kinder mit diesem Schauerstück gequält wurden? 1934 ist Paul Keller dran, nicht Gottfried, »Ferien vom Ich«, das hat schon was von »Kraft durch Freude«.

Heiligabend ist auch Ritual. Der Baum wird am 23. abends geputzt, mit dabei sein dürfen Kinder erst ab der Konfirmation. Das Weihnachtszimmer wird abgeschlossen. Um halb vier am 24. gibt es eine familiäre Weihnachtsfeier in einem dunklen Raum weit weg vom Weihnachtszimmer, nur die Kerzen brennen am Adventskranz. Lieder, Blockflöten, Gedichte. Die Weihnachtsgeschichte Lukas 2, alle drei Teile, auswendig (!) vorgetragen von je einem Kind, dazwischen Kanons – »Lasset uns nun gehen gen Bethlehem« und »Ehre sei Gott in der Höhe«, letztes Lied »Ihr Kinderlein kommet«. Die kommen nicht, die müssen warten, mucksmäuschenstill, bis im Weihnachtszimmer die Glocke läutet, eine schwere, reich verzierte Messingglocke, die auch meine Töchter jedes Jahr ins Weihnachtszimmer gerufen hat.

Dann geht es los durch das stockdunkle Haus, die Treppe rauf, langsam bitte den langen, langen Flur entlang, an dessen Ende die Tür offensteht und den Blick freigibt auf den deckenhohen Weihnachtsbaum mit Mengen brennender Kerzen. HG orgelt am Klavier »Am Weihnachtsbaume die Lichter brennen«, alle singen auf dem Weg, fünf Strophen brauchen sie, bis sie da sind. Ein Lied lang noch werden die Kinder auf die Folter gespannt, im Halbkreis vor dem Baum – man darf sich nicht umdrehen und schon mal gucken, was auf den Weihnachtstischen liegt. »Süßer die Glocken nie klingen« dröhnt HG am Klavier, kein anderes Weihnachtslied läßt sich so schön verschnulzen, und in dieser Singe-Familie tanzen die Ober- und Unterstimmen, daß es seine Art hat.

Immer noch nicht sind die Geschenke dran, denn jetzt eilen alle zur Christmette im Dom, diesem unglaublich schönen Halberstädter Dom. Noch mal alle Lieder, eine Orgel, die über den weiten Platz dröhnt, gewaltige Glocken, viele, viele Menschen. »Fröhliche Weihnachten!« Auf dem Rückweg durch den knirschenden Schnee zählen die Kinder die brennenden Weihnachtsbäume in den Fenstern, zuhause ist Bescherung bei den Großeltern Kurt und Gertrud unten. Die haben zwei Weihnachtsbäume, dazwischen eine beeindruckende Krippe mit filigranen Wachsengeln, die zu Dutzenden in den Zweigen schweben. Über der Sonntagstreppe hängt der große Herrnhuter Weihnachtsstern. Hier treten Gertrud und ihr Harmonium in Aktion – es dauert, bis die Kinder endlich über Puppenhäuser, Schaukelpferde und die bunten Teller herfallen können. Damit jeder weiß, was seins ist, liegen auf den Gabentischen Lebkuchen-Herzen, worauf mit Zuckerguß der Name geschrieben steht. Sie werden die ganze Weihnachtszeit über gegen HG verteidigt, vergeblich. Immer beißt er die Spitzen ab. Alle.

Das sind viele, weniger als 20 Menschen samt Herzen eigentlich nicht. Karpfen essen sie spät bei Kurt und Gertrud im großen Eßzimmer, festlich, Meißner Porzellan, dunkler Anzug, für 1937 finde ich Smoking oder Uniform. Else führt ein Weihnachtsbuch, minutiös trotz ihrer barocken Schreibweise – hierher ist Sütterlin nicht vorgedrungen – mit Namen, Geschenken, Kosten für jedes Jahr. Ich nehme mal 1934, es könnte auch jedes andere sein. Das Personal kommt zuerst, die beiden Mädchen Erna und Anneliese werden unterschiedlich, aber gleichwertig beschenkt. Erna: Kittel – 7.65, Koffer – 8.90, Batist – 6.55, Decke – 2.25, Kleid – 4.-, Seife – 0.95, Kinderbuch – 3.00 – zusammen RM 33.30. Anneliese bekommt Briefpapier und Küchentücher und noch so allerlei, zusammen RM 31.30. Es gibt eine Lucie, eine Ella, eine Hilde, eine Frau Koch. Hermann, das wird Kutscher Kückelmann sein, ist mit einer Unterhose und Hemd, Kragen, Schlips dabei für zusammen RM 3.85, dafür bekommt er Kuchen und einen Hasen.

Endlich weiß ich, wo all die Hasen bleiben und warum HG seine Jagd mit dem dazugehörigen Jagdfrühstück auf drei Tage vor Weihnachten legt. Hinz und Kunz werden mit Hasen beschenkt, das macht ja Sinn. Familie und Freunde stehen in dem Buch – Hasen, Bücher, Spiele, Bälle. Neffe Haymo bekommt »Becher, Lackschuhe« für 50 Pfennige, Hinrichs' Tochter Antje »Puppe« für 85 Pfennige, die dänische Haustochter Anette – genau! Die mit dem Leuchten im Gesicht – kriegt einen »Fuchs« für RM 15, »Seife, Schwamm« für 2.30, »Kragen« für 1.40 – zusammen RM 18.70.

In dem Buch finde ich eine Liste: verheiratete männliche Angestellte mit Kindern, verheiratete männliche Angestellte ohne Kinder, unverheiratete männliche Angestellte ohne Kinder, verheiratete weibliche Angestellte mit Kind, verheiratete weibliche Angestellte ohne Kind, ledige weibliche Angestellte ohne Kinder. Dasselbe für die Arbeiter und für sieben Betriebsstätten, zusammen 94 Personen. Die Kinder habe ich nicht gezählt. Alle bekommen etwas, Stollen, Bücher, Spielzeug, Süßigkeiten. Else teilt sich dieses Pensum mit Gertrud, alle erhalten einen handgeschriebenen Weihnachtswunsch. Die beiden müssen im Oktober angefangen haben.

In Elses Weihnachts-Buch ist nachzulesen, was die Kinder für die Großeltern und die Paten gebastelt haben, außerdem existiert ein Verzeichnis mit 43 Freunden, die entweder kleine Päckchen oder Weihnachtsgrüße erhalten. Dann die Aufstellung des Weihnachtsgebäcks: »4 Spezies (?), dünner ausrollen, Judenkuchen, Heidesand, Buttergebäck, Vanillekränze, Nußmakronen einf., Makronen, Kokosmakronen, Eigelbkuchen, Aristokraten, braune Kuchen – 1/2 Portion reichlich, Prinzeßmandeln, Mandelberge, gebrannte Mandeln, kandierte Walnüsse, Nougat – zu hart, Marzipan, gefüllte Datteln – nicht bis Silvester gereicht, Knusperhaus«. Die Geschenke für die Kinder: »Jochen – Dampfmaschine für 10 Mark, Handwerkskasten für 7.50, Wassermühle für 3.- Mark« etc. Für die Töchter ähnlich aufwendig, HG bekommt »Manschettenknöpfe für 26.- Mark, Tabak und Pfeifentasche für 3.75, Patiencekarten für 3.- Mark« und so weiter. Merke: Das macht Else jedes Jahr. Ein Albtraum!

»Wir müssen alle mit unseren schwachen Kräften mithelfen, Hitler sein schweres Amt zu erleichtern«, schreibt sie 1934 in die Kindertagebücher, und weiter:«Hitler hat gerade eine große, blutige, aber sicher notwendige Reinigung innerhalb der SA und Partei vollzogen, hoffen wir, daß dies der letzte Akt dieser Art zu sein braucht«. Bei HG steht im Tagebuch: »Alarmierende politische Nachrichten – Stabschef Röhm durch Hitler verhaftet und abgesetzt, General Schleicher und Frau verhaftet und dabei erschossen, 7 hohe SA-Führer, darunter Heines, standrechtlich erschossen wegen Meuterei!!!« Offiziell kommen 83 Menschen, auch Röhm, bei diesem Gemetzel ums Leben, darunter 50 Angehörige der SA. Tatsächlich waren es vermutlich mehr. Hintergrund ist der Führungsanspruch der SA mit ihren 4.5 Millionen Mitgliedern gegenüber der Reichswehr, und wenn man den Nachrichten aus dieser Zeit glauben darf, sprach Hermann Göring vor dem Reichstag der Bevölkerung aus der Seele: »Wir alle billigen immer das, was unser Führer tut.«

Am 2. August 1934 stirbt der 86jährige Hindenburg – HG: »Es ist uns allen, als ob ein Familienmitglied fehlte«. Hitler macht sich zum Reichspräsidenten und Reichskanzler in Personalunion, woraus der »Führer und Reichskanzler« wird. Noch am selben Tag werden die Soldaten im ganzen Land neu vereidigt, nicht mehr auf die Verfassung oder das Vaterland, sondern: »Ich schwöre bei Gott diesen heiligen Eid, daß ich dem Führer des deutschen Reiches und Volkes, Adolf Hitler, dem Obersten Befehlshaber der Wehrmacht, unbedingten Gehorsam leisten und als tapferer Soldat bereit sein will, jederzeit für diesen Eid mein Leben einzusetzen.« Das ist es. Dieser Eid machte den Widerstand gegen Hitler so schwer.

Davon ist aber jetzt keine Rede. Die Deutschen dürfen das wieder abnicken in einer Volksabstimmung am 19. August, wobei tatsächlich eine Menge Menschen das Nicken verweigert. 10.1 Prozent der gültigen Stimmen sind Nein-Stimmen, zusammen 4 300 429. Zählt man die ungültigen Stimmen dazu – fast 900 000 –, so haben sich 1934 mehr als fünf Millionen widersetzt. Aber was ist das schon bei 38 Millionen Ja-Stimmen! Die Mehrheit feiert. Else in den Kindertagebüchern wiederholt sich voll Begeisterung: »Einigkeit! Wer hätte gedacht vor fünf Jahren, daß Deutschland sich so zusammenfinden würde!« Es wird aber auch zusammengetrommelt: über Lautsprecher, durch das Radio, mit Tschingdara auf den Straßen. Die Kinder schwenken Fähnchen im Spalier, sie marschieren im Gleichschritt bei den Jungmädels, sie schwingen Keulen mit der Turnerschaft auf dem Domplatz und sprechen Treue-Gelöbnisse am nächtlichen Lagerfeuer.

Jeden ersten Sonntag im Monat wird Eintopf gegessen und das gesparte Geld dem »Winterhilfswerk« übergeben. Wenn Else nichts mehr einfällt, was sie zusammenkochen kann, gehen alle in die Garnison oder zur SS-Kaserne, wo man Eintopf aus der Gulaschkanone kauft – die Kinder, behauptet Else, finden Kochgeschirre spannend. Am Bismarckplatz wird auch gefeiert, oft und aufwendig. Kurt und Gertrud kommen von einer Schiffsreise nach Curaçao und Trinidad zurück, sie werden von sieben Enkelkindern empfangen, alle mit Kakao in Negerlein verwandelt, Baströckchen um die Hüften, dicke Ketten am Hals – die sehen aus, als wären veritable Kostümbildner am Werk gewesen. Wer macht das bloß alles? Sieben kleine Negerlein statt zehn? Kein Problem. Irgend jemand reimt drei weg:

10 kleine Negerlein in Südamerika
die sah'n das Motorschiff Heinz Horn
da schrieen sie hurra.

10 kleine Negerlein, die hatten alle zehn
noch keinen weißen Großvater
und Großmutter gesehn.

10 kleine Negerlein, die fingen an zu schrei'n
der eine schrie zu laut und platzt,
da waren's nur noch neun.

9 kleine Negerlein, die machten Haifischjagd,
den einen fraß dann einer auf,
da waren's nur noch acht.

8 kleine Negerlein, die stahl'n dem Schiffskoch Rüben,
eins ward erwischt und eingelocht,
da waren's nur noch sieben.

Die sieben erzählen dann, singend natürlich, wie das so war auf der Schiffsreise, und zum Schluß heißt es: »Sieben kleine Negerlein, die weiße Leute lieben – nun möchten sie in Halberstadt – gern bleiben alle Sieben!« Das ist Spaß, nicht nur für die Kinder. Nach dem Krieg standen noch Aufführungskisten auf dem Dachboden in Halberstadt – ich sehe mich in einer Krinoline als die Prinzessin mit dem Schweinehirten.

Ein Riesenfest feiert Deutschland am 1. März 1935 – das Saarland kommt heim ins Reich nach 15 Jahren Völkerbund-Mandat und einer Volksabstimmung, bei der knapp 91 Prozent der Saarländer – tatsächlich freiwillig! – dafür votiert hatten. HG im Tagebuch: »Großer deutscher Sieg! Die Flaggen heraus!« Else beschreibt, wie das aussieht: »Wir haben das Haus illuminiert und waren alle abends beim Fackelzug. Ihr Kinder auch, es war ein ganz großer Eindruck, die großen Feuer auf dem Domplatz, und die Fackeln, die alle auf Kommando angesteckt wurden und die herrlich beleuchteten Kirchen und die patriotischen Lieder – das werden wir alle so leicht nicht vergessen!«

Um dieses erhebende Gefühl zu vertiefen, machen Else und HG mit den großen Töchtern und dem dänischen Au-pair-Mädchen eine Blitztour durch »unser schönes Vaterland«. Sie düsen da wirklich durch, ich habe den Verdacht, daß HG seinen neuen Mercedes ausprobieren will – »11/60«, wem das etwas sagt. Das ist ein Kabrio, wie ich auf den Filmaufnahmen sehen kann, aber warum man zu Ostern offen fahren muß, eingemummelt in Mützen, Plaids und Autobrillen, erschließt sich mir nicht. Was ich noch auf den Filmaufnahmen sehe: HG hat sich einen Schnurrbart zugelegt, ein richtiges Hitlerbärtchen unter der Nase. Das hält nicht lange vor, wie ich weiß, er versucht es halt mal. Er sieht zum Kotzen aus.

Sie lassen nichts aus – Marburg, Gießen, Frankfurt am Main, den Rhein entlang bis zum deutschen Eck, Mosel rauf, Trier, dann an die Saar und die neue deutsch-französische Grenze. Else: »Es waren wirklich sehr patriotische Gefühle, die uns beim Durchfahren bewegten, und unentwegt sangen wir ›Deutsch ist die Saar‹ und riefen ›Heil Hitler‹.« Nun ist auch noch Führers Geburtstag, und überall marschieren die Fackelzüge durch die Straßen – na bitte. Ich muß aufpassen, nicht ungerecht zu sein. Es ist doch klar, daß die sich freuen über die Rückkehr der Saar. Da ist eine Mauer gefallen nach 15 Jahren. Trotzdem – es nervt! Landau, Speyer, Heidelberg – Else blubbert, wer hier wo begraben liegt und wer dort was gebaut hat, erstes Reich, zweites Reich, das dritte kommt dann in Nürnberg.

Neben dem Parteitagsgelände, das noch im Bau ist, sind aber doch Adam Kraft, Veit Stoß, Peter Vischer der Ältere und der

Jüngere dran, der ganze Nürnberger Skulpturen-Reichtum – was der Krieg wohl davon übriggelassen hat? HG fliegt zurück, Else und die Mädchen essen Dreifach-Portionen Rostbrat-würstchen von Zinntellern und mogeln sich über den Thürin-ger Wald nach Hause. Sie sind 1738 km gefahren in einer Woche, »ohne Panne« – so was notiert HG. Else schreibt: »Wir haben ein großes Stück unseres wunder-wunderschönen Vater-landes gesehen und danken herzlichst demjenigen, der uns das ermöglicht hat, nämlich Johannes Georg Klamroth.« Schreibt sie wirklich.

Sie sind Ostern unterwegs gewesen, das ist ungewöhnlich, denn Ostern ist auch ein familiäres Ritual. Am Karsamstag wird abends am Kamin der Osterspaziergang aus dem »Faust« gelesen mit verteilten Rollen. Die Legende geht, wer immer im Haus ist, Gäste, Personal, anderer Leute Chauffeure, ist ver-donnert, den ersten, zweiten, dritten Handwerksburschen zu geben – da wäre ich aus schierem Spaß gern dabei gewesen. Wer darf Faust und wer den Pudel? Es werden Eier gemalt im Kinder-Kollektiv unter erbittertem Konkurrenzdruck um die Kreativität. Else schreibt in Barbaras Tagebuch, die Tochter habe gedibbert, daß bitte Großvater Kurt ihre Eier finden mö-ge – »der ist der einzige hier, der etwas von Kunst versteht«.

Die Eier werden vor dem Frühstück gesucht in einem be-grenzten Areal, damit man sie auch findet – sie sind roh, die Kunst verflüchtigt sich beim Kochen, wer will schon harte Eier, kalte auch noch. Nach dem Frühstück sind die Nester dran mit Süßigkeiten und kleinen Geschenken, verteilt überall in dem Riesengarten. Bei mir liegt eine Aufstellung, wo Else, HG, Kurt und Gertrud die Verstecke notiert haben, 37 Nester und Kleinigkeiten: »grünes Nest, 4. Johannisbeerbusch von links, etwa Kniehöhe«, »Bilderbuch Sabine, Eimer Sandformen unten drin«. Trotzdem findet Else jedes Jahr wieder »verlorene Eier«, ein »völlig verregnetes Nest« im Garten, 1934 entdecken Jochen und sie ein Gelege der hauseigenen Zwerghühner mit 12 Eiern beim Oster-Suchen, »acht waren noch gut«.

Ich habe meine eigene Geschichte mit Ostereiern. 1945 spielt

die, da hatte ich zum ersten Mal Eier für den Osterkranz aus-
gepustet und mit Scherenschnitt-Figuren beklebt. Der Osterkranz stand auf dem Eßtisch, meine hängenden Eier waren die
schönsten, natürlich. Als das Inferno über Halberstadt herein-
brach am 8. April, das war der Sonntag nach Ostern, als dieser Großangriff 80 Prozent der Altstadt in Schutt und Asche
legte, hielt das Haus stand, keiner starb. Aber der Kronleuchter über dem Eßtisch stürzte auf den Osterkranz und zerschlug
meine Eier. Das Feuer hat meine Erinnerung bis zu diesem Tag
verbrannt. Unter dem Schutt, in dem Entsetzen wurde alles begraben, was vorher war. Sechs Jahre sind weg, ich weiß nichts
von mir. Mein Leben fängt an mit der Empörung über die Zerstörung meiner Ostereier. Der Kronleuchter, der sie zerdeppert
hat, hängt heute in meinem Wohnzimmer.

HG fühlt sich nicht unwohl mit den Nazis, doch er folgt ihnen
nicht blind. Am 1. November 1934 stellt er den Juristen Dr. Hans
Litten als Rechtsberater in der Firma ein, »Privatsekretär« ist
sein offizieller Titel. Hans Litten ist ein Verwandter jenes bürgerlichen Anwalts Hans Litten, der im Rahmen der »Roten Hilfe« in den 20er Jahren Arbeiter und Kommunisten verteidigt
und die rechtskonservative Justiz, vor allem die Nationalsozialisten das Fürchten gelehrt hatte. Sie sperrten diesen Hans Litten noch in der Nacht des Reichstagsbrandes im Februar 1933
ein, nach fünf Jahren grausamster Tortur nahm er sich 1938 im
KZ Dachau das Leben. Heute, spät genug, werden Straßen nach
ihm benannt, gibt es Festvorträge zu seinen Ehren.

Der Hans Litten in Halberstadt hat wie der andere einen
jüdischen Vater, er ist 24 Jahre alt, als er bei I. G. Klamroth
anfängt, eine Karriere im Staatsdienst ist für ihn nicht mehr
möglich. Er wird HGs engster Mitarbeiter und Vertrauter, stark
gefährdet wegen seiner jüdischen Herkunft und vermutlich
auch wegen seiner Namensgleichheit und Verwandtschaft mit
dem »Staatsfeind« Hans Litten. HG gelingt es, »seinen« Hans
Litten über diese Gefährdungen hinweg zu schützen über all
die Jahre. So läßt er den Mitarbeiter kurz nach Kriegsbeginn
»uk« stellen, »unabkömmlich« in der Firma, noch bevor

»Mischlinge« in der Wehrmacht zunehmenden Repressalien ausgesetzt wurden. Ich finde die Littens häufiger in Elses Gästetagebuch, Hans Litten und seine nichtjüdische Frau Lotte hatten 1938 unter Umgehung der deutschen Vorschriften in London geheiratet. Erst nach HGs Verhaftung im Juli 1944 wird Hans Litten in das Zwangsarbeiter-Lager Burg bei Magdeburg verschleppt. Er überlebt und ist nach dem Krieg eine unschätzbare Hilfe für Else.

1938 wird HG von Kollegen in Sachsen-Anhalt denunziert, die seine Konkurrenz fürchten, als er ein zusätzliches Betriebsbüro in Göttingen eröffnen will. Er mache nach wie vor Geschäfte mit einer jüdischen Firma, heißt es in den Briefen an die NSDAP – was stimmt. Die Firma Bachmann in Göttingen, seit 1873 Geschäftspartner von I. G. Klamroth, gerät zunehmend in wirtschaftliche Schwierigkeiten, die HG abfedert, indem er deren Kundschaft für Bachmanns Rechnung mit bedient. Die Partei in Halberstadt reagiert prompt: »Darin liegt ein schwerer Verstoß gegen die eindeutige Anordnung des Stellvertreters des Führers, nach der Parteigenossen mit Juden keine Geschäfte machen sollen. Ich beantrage daher, den Pg. Johann Georg Klamroth aus der Partei auszuschließen. Heil Hitler« – Unterschrift unleserlich. Die Sache geht aus wie das Hornberger Schießen.

Nicht so die Angelegenheit B. Lämmerhirt Nachf. in Mattierzoll, Inhaber Dietrich Löwendorf. Das ist eine entsetzliche Geschichte – HG hat sie nicht verhindern können: ein Landhandel, mit dem die Firma I. G. Klamroth enge Geschäftsbeziehungen pflegt über lange Zeit. Mattierzoll liegt auf der halben Strecke zwischen Halberstadt und Wolfenbüttel, nach dem Krieg einen kurzen Steinwurf weit westlich der Zonengrenze. Ich finde in HGs Tagebüchern jedes Frühjahr Besuche dort, ausgedehnte Essen, Gegeneinladungen nach Halberstadt – gedeihliche Zusammenarbeit. Löwendorfs sind Juden, die Geschäfte gehen zusehends schlechter, der Druck wird immer stärker, und sie wollen verkaufen, am liebsten an HG. Davon versprechen sie sich, so lese ich das aus den Akten, daß sie von

I. G. Klamroth am ehesten ihren Besitz zurückbekommen, sollten die Zeiten einmal besser werden.

I. G. Klamroth will 1938 für 65 000 Mark kaufen, der Landrat von Wolfenbüttel erlaubt nur den Einheitswert von 39 900
Mark für Löwendorf, die Differenz von 25 100 Mark sei als
»Ausgleichsabgabe« an das Reich zu entrichten. HG und Löwendorf protestieren gemeinsam – Löwendorf soll sein Geld
haben. Nach drei Jahren mühsamer Auseinandersetzungen
lenkt der Landrat ein, der Verkehrswert betrage tatsächlich
65 000 Mark, »so daß ein Entjudungsgewinn nicht festgestellt
werden kann«. HG zahlt die volle Summe im Januar 1942, doch
Löwendorf bekommt sein Geld nicht.

Auf Anweisung des Oberfinanzpräsidenten in Hannover geht
die Zahlung auf ein »beschränkt verfügbares Sicherungskon-
to«, wovon Löwendorf im Februar 1942 die Steuer für den Verkauf seiner Grundstücke (RM 9 149.95) und die »Reichsflucht-
steuer« (RM 11 250.–) überweist. Am 4. November 1942 gibt
Dietrich Löwendorf der Commerzbank Braunschweig den Auftrag, »anläßlich meiner Wohnsitzverlegung nach Theresien-
stadt zur Erfüllung meines mit der Reichsvereinigung der Juden
in Deutschland abgeschlossenen Heim-Einkaufsvertrages«
46 500 Mark an jene ominöse Reichsvereinigung zu überwei-
sen. Dietrich Löwendorf stirbt am 13. April 1943 in Theresien-
stadt.

Die Frage hat mich umgetrieben, ob die Filiale Mattierzoll
der Firma I. G. Klamroth eine arisierte Latifundie war, oder
ob HG sie ordentlich gekauft hat. Die Akten belegen, daß er
sie regulär zu einem Preis an der oberen Grenze erworben
hat – es gab ein Gesetz, das Nicht-Juden hindern sollte, jüdischen Verkäufern mit überhöhten Preisen aus ihren Schwierigkeiten zu helfen. HG hat sich mehrfach mit den Behörden
angelegt, weil die Genehmigung für den Verkauf sich hinzog,
bis Dietrich »Israel« Löwendorf kein Ausweg mehr blieb nach
Palästina. Daß der alte Herr aus Mattierzoll über sein Geld
nur verfügen konnte, um Steuern zu zahlen und sich in The-
resienstadt in ein »Heim« einzukaufen, hat HG nicht beein-

flussen können. Ich wüßte gern, ob er von dieser Tragödie überhaupt erfahren hat. HGs Tagebücher aus der Zeit hat die Gestapo mitgenommen. Die Quittung darüber habe ich hier.

Die Akten – das sind die Unterlagen über die Wiedergut-
machungs-Forderung der Erben Löwendorf nach dem Krieg.
Gemäß einer Anordnung der britischen Militärregierung über
die Rückerstattung jüdischen Vermögens vom November 1947
hatten sie Anspruch erhoben wegen »ungerechtfertigt entzo-
gener Vermögenswerte«. Das Kriterium für »ungerechtfertigt«
in diesem Fall war, daß der »Veräußerer« zwar einen ange-
messenen Verkaufspreis erhalten hat, aber »über ihn nicht frei
verfügen konnte«. Die Erben Löwendorf hatten keinen Anlaß,
auf Geld, das ihnen zustand, zu verzichten – sie hatten genug
verloren. Daß es den Falschen traf, nämlich die nach 1945 da-
hinsiechende Firma I. G. Klamroth, die seinerzeit ordnungs-
gemäß gezahlt und mit der fehlenden »Verfügbarkeit« des Gel-
des nichts zu tun hatte, wer will darüber lamentieren? 12 Jahre
lang hatte es in den Juden immer die Falschen getroffen.

Else allerdings hat die Geschichte fast umgebracht. Sie war
1948 nach Mattierzoll gegangen in der Hoffnung, im Westen
die Firma I. G. Klamroth in HGs Sinne neu beleben zu können.
Das lief sowieso nicht – so dicht an der Grenze fehlte dem kleinen Betrieb das Hinterland, die allgemeine Geldknappheit nach
der Währungsreform tat ein übriges, und jetzt dies. Nach einem
Vergleich mit den Erben Löwendorf hat sie 42 500.- DM – das
war nach der Währungsreform – gezahlt, zwei Drittel des Kauf-
preises in Reichsmark. Die Firma I. G. Klamroth in Mattierzoll ging darüber in Konkurs. Ende der 60er Jahre trat in der
Bundesrepublik das Reparationsschäden-Gesetz in Kraft, das
Else einen Lastenausgleich von 29 105.50 DM inklusive Zinsen
gewährte. Damals aber hat sie nicht gewußt, wie sie ihre Kinder ernähren sollte.

Diese Sorge hat Else vor dem Krieg noch nicht. 1936 sind die
drei großen Kinder 13, 12 und elf Jahre alt und voll in der Hit-
lerjugend beschäftigt. Der Samstag, jeder Samstag ist »Staats-
jugendtag«, da ist keine Schule, sondern HJ-Arbeit Pflicht.

Ursula bringt es in ihrer BDM-Karriere später bis zur Ringführerin, da ist sie zuständig für 600 Mädchen, und HG schüttet sich aus vor Lachen, wenn seine pummelige, mit Zahnklammern bewehrte Tochter ihre Truppen auf dem Bismarckplatz antreten läßt. Immerzu Zeltlager, Schulungslager, Wochenendlager, Trainingslager – jedes HJ-Lager steht unter dem Motto: »Wir sind geboren, für Deutschland zu sterben«. Das HJ-Lied geht so: »Nun laßt die Fahnen fliegen in das große Morgenrot, das uns zu neuen Siegen leuchtet oder brennt zum Tod«.

Else stört dieser Sieg- und Totentanz offenbar nicht. Ich finde eine Notiz an die Tochter Barbara vom Januar 1936, da geht es um irgendwelche Klamotten-Probleme: »Siehst Du, was habe ich Dir gesagt wegen der schwarzen BDM-Jacken? Wo sollte wohl die Einheitlichkeit, die Gemeinschaft und die Unterordnung unter eine große Idee der Gemeinsamkeit hin, wenn jede kleine Jungmädelgruppe ihren eigenen Salat machen wollte?! Ihr Führerinnen müßt dafür sorgen, daß das Gemeinsame mit dem großen BDM herausgeholt wird und nicht das Trennende.« So spricht Else, die Frau mit der betonten Eigenständigkeit, die »immer unimponiert« sein wollte. Sütterlin hat sie übrigens aufgegeben, wenigstens ist sie in ihrer Handschrift wieder sie selbst.

Sie hat eine Fehlgeburt im Juni 1936, und zum ersten Mal erwähnt sie das in den Kindertagebüchern. Warum läßt sie sich auf so viel Zweisamkeit ein? HG notiert jetzt häufig »schwere Krise mit Else«, »betrübliche Auseinandersetzung mit E.«, »sehr niedergedrückt wegen eines Briefes von Else an mich«, »tiefgehende Differenz mit Else«. Im Januar 1936 aber schreibt er: »Nachm. auf der einsamen Insel, Entschluß zu Wandlungen« – dann könnte das verlorene Baby ein Versöhnungskind gewesen sein. Doch HGs Vorsätze sind in den Wind geschrieben, ein paar Wochen später taucht wieder eine seiner Gespielinnen auf. Was finden Frauen an ihm?

Ich betrachte die Fotos von ihm, und da fällt mir nicht viel ein. HG ist mittelgroß, er hat wenig Haare auf dem Kopf wie alle Männer in der Familie, schlank ist er, nun ja – damals waren die Leute nicht so fett wie heute. Seine Zähne sind nicht toll, die Akne scheint verschwunden zu sein, die Hände sind ganz schön, Klavierspieler-Hände. Also? »Der hat ein geheimes Glockenspiel«, hieß das in meinem Freundeskreis, wenn wir einen Allerweltstypen bestaunten, dem die Frauen zuflogen. Wo ist HGs Glockenspiel? Jeder, den ich noch fragen konnte, hat mir von HGs Charme vorgeschwärmt und von seiner Zugewandtheit, der »Konzentration auf sein Gegenüber«. Gregers Hovmand, der geliebte Dänen-Vetter, sprach von HGs »Intensität«, und die muß bestrickend gewesen sein. Wenn ein Mann einer Frau das Gefühl gibt, sie sei die Königin – wer läßt sich nicht gern darauf ein? Vielleicht ist auch die Unverbindlichkeit ein Grund. HGs Damen sind, soweit ich das übersehe, alle verheiratet, haben Kinder, er ist das Sahnehäubchen in deren Alltag, zusätzlicher Luxus, geklautes Glück, das nicht mit Problemen und Konsequenzen belastet werden muß.

Dafür steht HG auch nicht zur Verfügung. Er zieht ja nicht über die Dörfer, weil er Else satt hat und sein Leben ändern will. Er will zu Hause alles so lassen, wie es ist: seine außergewöhnliche Frau, seine entzückenden Kinder, seine Position in Halberstadt, seine Firma, seine Pferde, seine Autos, seine Freunde, sein offenes Haus. Und das andere will er auch. Für mich ist HG nicht erwachsen. Ich sehe den direkten Weg, der beginnt bei seiner »abnormen, quälenden Schüchternheit als Kind«, gegen die er später anprahlt mit seinem verquasten Schreibstil und seinen intellektuellen Exerzitien. Das setzt sich fort in seiner unendlichen Korrespondenz, mit der HG sein Netz knüpft, um nicht ins Bodenlose zu stürzen. Seine Lügengeschichten braucht er, weil er sich selbst nicht traut, und die vielen Frauen, die er konsumiert wie Drogen, müssen ihm eine nach der anderen bestätigen, daß er besser ist, als er selber glaubt.

Rollenspiele, geborgte Identitäten – wo und wann ist er sich abhanden gekommen? Ja, es hat »Haue« gegeben für das Kind, und er hat von klein auf Erwartungshaltungen entsprechen müssen. Müssen? Wollen? Geht uns das nicht allen so, wenn wir hineinwachsen in ein Umfeld, das anders nun mal nicht ist? HG ist nicht gequält worden, im Gegenteil. Kurt war ein wunderbarer Vater. Ist es das? Daß der Sohn sich neben seinem klugen Vater klein fühlte, weil der die Antworten hatte, nach denen der Sohn suchte?

HG hat die Firma vorangetrieben, auch gegen die Beharrungstendenzen von Kurt. Das haben alle Firmen-Erben der Familie so gemacht. Trotzdem scheint er zu befürchten, er sei nicht gut genug. HGs pathologische Arbeitswut ist gekoppelt mit ständiger Müdigkeit. Wenn HG schläft, dann wird »eisern gepennt« – auch das eine Aufgabe. Dann sind da seine hysterischen Ängste, wenn die Firma in Turbulenzen geriet. Kurt war in der Hinsicht viel entspannter. HGs Pedanterie – Zugabfahrten! – und seine Leidenschaft für die geordnete Welt des Militärs, seine Selbstzweifel in bezug auf den Schützen Vitt, die ständige Beweisnot, in die der Mann sich verstrickt – ich denke, die Damen sind seine Form der Auflehnung, HGs Ventil.

Warum kegelt Else ihn nicht raus? Ich muß spekulieren, denn ihre Aufzeichnungen aus der Zeit mit HG hat sie zerstört. Nur gelegentlich finde ich in ihren Tagebüchern nach dem Krieg Hinweise darauf, wie er sie verletzt hat. Ich denke mal, Else liebt HG – das ist ein Grund. Und die Kinder hängen mit zärtlicher Bewunderung an ihrem Vater. Soll sie denen erklären, daß die sich ein falsches Bild machen? Der dritte Punkt, gleichwertig, ist ihr Stolz. Sie will nicht zugeben, daß ihr Mann ein Drecksskerl ist, sie ist in ihrem Selbstbewußtsein so beschädigt, daß sie HG nicht bloßstellen kann ohne einzuräumen, wie sie gedemütigt wird. Außerdem – machen wir uns nichts vor: Damals wie heute sind die rumvögelnden Männer die tollen Hechte und die Frauen die armen Hascherl. Diese Rolle hätte Else nicht ertragen.

HG bringt wenigstens zwei seiner Damen mit nach Hause, die sitzen abends am Kamin, er »pütschert« Marken, die Konkubine und Else kleben Fotos ein – einmal steht tatsächlich im Tagebuch: »Zuhause sind jetzt vier Frauen für mich da« – Else, die dänische Haustochter, eine abgelegte und eine neue Freundin. Else wahrt den Schein, oder was sie dafür hält – Hinz und Kunz müssen wissen, was bei denen gespielt wird. HG hat schließlich drei von Elses angeblich besten Freundinnen durch sein Bett gezogen, und er schreibt das auch noch auf wie seine pingeligen Zugabfahrten.

Mich ungefragt zu Elses Anwältin aufzuschwingen, ist grenzüberschreitend, ich weiß. Sie wird ihre Gründe gehabt haben, als sie ihre Aufzeichnungen vernichtete. Trotzdem, Mutter: Dein Mann ist mein Vater, und ich muß ihn mir erklären – ohne schönen Schein. Der manifestiert sich in immerhin drei Kindern: Sabine, dem verlorenen Baby und mir. Seht her, Leute, die Ehe existiert, wir machen Kinder! 1943 schreibt Else in einem Brief an HG, die beiden Kleinen – also Sabine und ich – wären nicht geboren worden, hätte sie gewußt, daß das Elend ungebrochen weitergeht. Ich denke aber, Else hat HG auch mit den kleinen Kindern festhalten wollen – HG: »meine ganze Wonne ist Sabine!« Daß er den Kleinkind-Spaß mit mir nicht mehr haben würde, weil er fort war im Krieg, konnte sie nicht voraussehen.

Else ist im Mai 1935 in die NS-Frauenschaft eingetreten – ich weiß nicht, ob sie sich dem hätte verweigern können als prominente Ehefrau eines Parteigenossen in Halberstadt. Zumal der sich von der Partei-Arbeit völlig entfernt hat, seit er als Soldat wieder ständig zu Truppenübungen herangezogen wird. Daß sie allerdings im Frühjahr 1938 zur Ortsgruppenführerin ernannt wird, paßt ihr nicht. Else im Kindertagebuch: »Ich finde nicht, daß ich es ausschlagen kann, auf der anderen Seite weiß ich nicht, wie ich es schaffen soll. Es bringt dann auch eine Menge Arbeit mit sich, und mir geht es immer schlechter.« Else, inzwischen 39, ist wieder schwanger. Diesmal bin ich dran. Ihren Eintritt in die NSDAP am 1. Mai 1937 hat sie nirgends vermerkt, das Datum ist kein Zufall, ab jetzt ist die Partei wieder offen für neue Genossen, nachdem am 1. Mai 1933 eine Mitgliedersperre verhängt worden war. Wahrscheinlich steht Else schon seit langer Zeit auf der Warteliste. Warum sie das macht, kann ich nur ahnen. Zwingend notwendig für Mitglieder der NS-Frauenschaft war es nicht, die meisten der 2.3 Millionen dort organisierten Frauen waren nicht in der Partei. Wahrscheinlich fühlt Else sich geadelt.

Olympia 1936 muß erzählt werden. Da fahren sie alle hin, Barbara, jetzt 13, hat sich die Leichtathletik-Dauerkarte für 30 Mark ein Jahr lang vom Munde abgespart und ist die ganze Zeit über in Berlin. In ihren Briefen nach Hause ist die wichtigste Frage, ob sie den Führer gesehen hat oder nicht. Es gelingt HG, sein schwieriges Pferd »Lützow« an jemanden aus der Olympia-Equipe zu verkaufen, der das Tier seit ein paar Monaten in Pension hat. Daraufhin lädt er die Familie in den »Kaiserhof« zum Essen ein, die Kinder trinken auch Champagner, und sie schreiben eine Karte an Kurt und Gertrud: »Es ist ein erhebendes Gefühl, Gastgeber der ganzen Welt zu sein. Dem Führer sei Dank.«

Kurt und HG organisieren den ersten großen Harzritt – 48 Reiter ziehen drei Tage durchs Gelände. Das ist eine komplizierte Logistik mit Unterkünften für Menschen und Pferde, Picknicks auf abgemähten Koppeln, Sprungstrecken, Geschwindigkeitsprüfungen, Tier- und Menschenärzten, Linienrichtern, Gepäcktransport – Kurt kramt seine Erfahrung aus Kolonnenzeiten im Ersten Weltkrieg wieder hervor und ist wochenlang bei der Vorbereitung in seinem Element. Else hat Glück, sie muß nicht für Lunchpakete sorgen, sie ist eine der wenigen Damen, die mitreiten, und sehr stolz, daß ihr Pferd »Normandie« drei große Wassergräben anstandslos springt. Weil es so schön war, wird diese Veranstaltung nun jedes Jahr wiederholt, im Sommer vor dem Krieg gibt es die letzte.

Jetzt wird auch endlich die Bar eingeweiht – darauf freue ich mich schon die ganze Zeit. Die Bar ist ein Wurmfortsatz in der Wand der Bibliothek, ein Kabäuschen auf zwei Ebenen, ein begehbarer Wandschrank – nein, dafür ist es zu groß, aber kein Zimmer, dafür ist es zu klein. Wofür das ursprünglich gebaut war, weiß ich nicht, aber das Ding hatte eine Tür, die hinter Glas und Jugendstilranken aus Mahagoni eine bischofsfarbene Scheibengardine zierte. Dahinter standen hohe Hocker um einen ganz kleinen Tresen, auf den Stufen konnte man auch sitzen, Regale mit Flaschen und Gläsern, an der rückwärtigen Wand ein Waschbecken mit fließendem Wasser.

Vorher war das irgendwas, ab Mai 1937 ist das jedenfalls eine Bar, und im Bar-Buch (auch das gibt es) kann ich nachlesen, daß die da nur harte Sachen getrunken haben und nicht zu knapp. Bis Ende Juni 1944, das sind sechs Wochen vor HGs und Bernhards Tod, haben sie sich dort die Nase begossen, das Buch ist von der ersten bis zur letzten Seite gespickt mit volltrunkenen Eintragungen. Ich weiß aus der Kriegszeit, daß Kaffee, Alkohol, Pervitin und Veronal – das eine Aufputsch-Droge, das andere Schlafmittel – zur üblichen Diät in der Familie gehören. 1937 betrinken sie sich noch unbeschwert; Kriegsangst ja – aber der Führer wird's schon richten.

Daß Hitler seinen Krieg längst vorbereitet, ist in diesen friedlichen Jahren 1936/37 nicht zu spüren. Es geht den Deutschen gut. Die Zahl der Arbeitslosen ist von sechs Millionen auf eine halbe Million gesunken, der Arbeitsdienst und die HJ holen die jungen Leute von der Straße. Die Kriminalität ist auf das Niveau der Jahrhundertwende zurückgegangen, der deutsche Export boomt, das Label »made in Germany«, ursprünglich als Abschreckung gedacht, ist wieder ein Renner in der Welt. Man kann Autos kaufen zu moderaten Preisen und 1450 Kilometer Autobahnen bestaunen, 1600 sind im Bau. Das Ferienwerk »Kraft durch Freude« verschafft im Jahr acht Millionen Arbeitern Urlaube, die sie sich noch nie haben leisten können. Siedlungen über Siedlungen von Arbeiterhäuschen werden gebaut, die auch bezahlbar sind. Schöne neue Welt.

In den Theatern und Kinos hat Leichtes Konjunktur: »Paul und Pauline«, »Der müde Theodor«, »Wenn der Hahn kräht«, »Engel mit kleinen Fehlern«. Paul Linke, Michael Jary und Ralf Benatzky schreiben schmissige Musiken, und die Spitzengarnitur der Schauspieler verströmt Heiterkeit: Victor de Kowa, Paul Henckels, Adele Sandrock, Grete Weiser, Hubert von Meyerinck, aber auch Marianne Hoppe, O. E. Hasse und Heinrich George.

Der 1. Mai steht unter dem Motto »Freut euch des Lebens!«, Albert Speers Amt »Schönheit der Arbeit« propagiert »helle, gesunde Arbeitsstätten, bringt Licht, Luft und Sonne an den

Arbeitsplatz!« Das Reichsgericht wendet sich offiziell gegen Denunziantentum: »Es würde dem vom nationalsozialistischen Staat mit besonderer Schärfe bekämpften Angebertum Tür und Tor öffnen.« Deutschland ist mit allen Nachbarstaaten wieder ziemlich gut Freund, Staatsbesucher geben sich die Klinke in die Hand. Hitler hat die entmilitarisierte Zone im Rheinland besetzt und die Wehrpflicht wieder eingeführt, beides gegen den Versailler Vertrag, aber keiner der Sieger von gestern protestiert bedrohlich – die Rückgewinnung der deutschen Souveränität ist Balsam für die deutsche Seele, und sie dankt es ihrem Führer.

Dabei gäbe es, wenn man genau hingückte, tief Beunruhigendes zu entdecken. Da dürfen Juden, deutsche Staatsbürger, nicht mehr wählen und können nicht eingezogen werden, »Mischlinge« dürfen in der Wehrmacht nicht mehr Vorgesetzte sein. Juden wird die Lizenz als Dolmetscher, Wirtschaftsprüfer, Amtstierarzt und Schornsteinfeger entzogen, jüdische Viehhändler erhalten Berufsverbot. Juden können nicht mehr promovieren, Studenten ist es untersagt, bei jüdischen Repetitoren zu lernen. Jüdische Ärzte dürfen niemanden mehr krankschreiben oder Atteste ausstellen, jüdische Wohlfahrtinstitutionen verlieren ihre Steuerbefreiung, das Winterhilfswerk betreut keine Juden mehr, an altsprachlichen Gymnasien wird Hebräisch nicht mehr unterrichtet, in Mischehe lebenden Deutschen ist das Hissen der Reichsfahne verboten – daran erkennt sie jeder. Das sind neue Bestimmungen aus den Jahren 1936/37, und ich könnte die Liste beliebig verlängern.

Doch wer guckt schon hin? Wer in einer Bevölkerung von 70 Millionen kennt denn einen jüdischen Repetitor oder einen jüdischen Schornsteinfeger bei bloß einer halben Million Juden in Deutschland, von denen 125 000 schon weg sind? Die Deutschen sind froh über die Nürnberger Gesetze von 1935, weil seither der Vandalismus der immer wieder aufflackernden Pogrome aufgehört hat und das Verhältnis zwischen Juden und Deutschen irgendwie ordentlich geregelt scheint. Da denkt kaum einer darüber nach, daß jeder dieser »Nadelstiche« eine

Umdrehung der Garotte bedeutet, die den Juden in Deutschland die Luft abschnürt.

Die Halberstädter Kinder fahren nach Nürnberg zum Parteitag im September 1937. Sie wohnen bei Freunden und setzen ihren sportlichen Ehrgeiz ein, sich bei Veranstaltungen reinzumogeln, zu denen sie keine Karten haben. Ursula mimt die Brezelverkäuferin in Jungmädel-Uniform, die ihren Korb unter der Tribüne abgestellt habe, Barbara macht sich zur jüngeren Schwester eines Arbeitsdienstmannes, der als Ordner zugange ist. Ihre Gastgeber haben alle Mühe, den jungen Spaten-Träger aus Kleve wieder loszuwerden, der die Beziehung gern auch weniger geschwisterlich pflegen würde. Er schreibt Barbara monatelang Liebesbriefe – »Heil Hitler, deutsches Mädel!«

Der Parteitag beeindruckt die Kinder schwer. Ursula, die künftige Ringführerin, jetzt ist sie 13, schreibt nach Hause: »So viele Menschen wie auf Schnüren aufgezogen, der einzelne verschwindet, nur noch Masse und Disziplin. Das schaffe ich nie!« Die Reden finden sie langweilig, aber – so der 12jährige Jochen: »Da rührt sich keiner stundenlang, wenn der Führer spricht, wie viele tausend Statuen aus Stein. Und die Motorräder hättet Ihr sehen müssen: 800 Stück im Formationsfahren. Fein!!!« Wir kennen das aus dem Film von Leni Riefenstahl – höchst jugendgefährdend.

Im März 1938 marschieren deutsche Truppen in Österreich ein, das Land kommt »heim ins Reich«. Der Jubel in Deutschland und in Österreich ist unbeschreiblich, mit 99 Prozent der Stimmen bestätigen die Menschen in beiden Ländern den Zusammenschluß. Else in den Kindertagebüchern: »Natürlich war das Einrücken der Truppen in Österreich ein großes Wagnis, es zeigte sich aber mal wieder, daß Hitler gerade den richtigen Augenblick erwählt hatte. Dieser Triumphzug durch Österreich war etwas, wie es wohl noch nie in der Geschichte da gewesen ist. Eine norwegische Zeitung schrieb, wenn dies eine Vergewaltigung der Österreicher sei, dann ›lieben es die Österreicher wohl, vergewaltigt zu werden‹.« Was HG denkt, weiß ich nicht. Die Gestapo hat seine Tagebücher ab dieser

Zeit mitgenommen, und bis seine Kriegsbriefe beginnen im September 1939, ist da eine Lücke in den Unterlagen.

Else tut sich schwer mit ihrer Schwangerschaft, sie findet es beinahe ungehörig, daß sie mit 39 Jahren noch ein Kind bekommt. Entsprechend fühlt sie sich – wie sich die Zeiten ändern! So jung wie unsere 40jährigen ist sie nicht mehr. Daß es diesmal ein Sohn wird, läßt sie durchhalten. Sie ist sich ganz sicher, es wäre doch auch nicht zu glauben: HGs Geschwister kriegen jede Menge Söhne, Elses eigene Geschwister auch, wieso denn sie nicht?! Wozu braucht man Söhne? Ich wollte ausschließlich Töchter und hätte mich schwer gewöhnt, wären die Kinder Söhne geworden. Damals sah man das anders. Damals lag die Zukunft in den Söhnen, selbst für Else, die sich als Tochter für unschlagbar hielt. Diese Enttäuschung, als ich geboren wurde! Arme Else – sie ist sehr tapfer, HG offenbar auch, aber nun ist Schluß, mehr Kinder gibt es nicht. Sie hat mich dann doch genossen, denn ich war ein vergnügtes Kind in trüber Zeit. Bis heute muß ich mich anstrengen, wenn ich schlechte Laune haben soll, und für Else war ich damals eine Quelle unbekümmerter Heiterkeit.

Ich kam auch in einer Blitzgeburt auf die Welt, das war am 8. September 1938, diesmal konnte die Hebamme nur noch das Ergebnis zur Kenntnis nehmen. Wo HG war, ist aus meinem Kindertagebuch nicht ersichtlich. Einen Mädchennamen zu finden, dauerte Wochen, welche Jungsnamen vorgesehen waren, verschweigt Else taktvollerweise. Sie kam irgendwann auf Susanne – O-Ton Else: »Ich hatte nicht bedacht, daß dies nun wirklich ein ganz alttestamentarischer Name ist. Aber da Du einen so fabelhaften Langschädel hast, Du siehst wirklich so arisch aus, ging Susanne nicht. Vater wollte eine I. G.-Kombination, das wollte ich nicht. Also Wibke – nach sichtlichem Widerstreben von Vater. Aber Du bist ein so nordisches Kind.« Sage ich doch: Der Führer hätte seine helle Freude an mir gehabt, blond, hellhäutig, hoch gewachsen, exzellentes Zuchtmaterial – ach Else!

Sie hat ein strapaziöses Wochenbett – das gibt es nicht mehr heute. Damals blieb die »Wöchnerin«, die sich das leisten konnte, tatsächlich sechs Wochen nach einer Entbindung im Bett. Das kann nicht gesund gewesen sein, kennzeichnet aber die Bewertung einer Schwangerschaft als »Krankheit«. Diesmal ist Else viel zu nervös, denn im September 1938 steht Europa am Rande eines Krieges. Nach Österreich greift Hitler sich das Sudetenland, das sind dramatische Zeiten, die im Münchner Abkommen gipfeln und im März 1939 in der Umwandlung der »Rest-Tschechei« in das »Protektorat Böhmen und Mähren«. Die Tschechoslowakei hatte Bündnisverträge mit der Sowjetunion und Frankreich, England hätte Frankreich unterstützen müssen in einem Krieg, aber keiner hatte Lust auf einen Krieg, auch die Deutschen nicht. Von Hitler ist überliefert, daß er seine mäßig interessierten Landsleute im September 1938 bei einer Militärparade beobachtet und festgestellt habe: »Mit diesem Volk kann ich noch keinen Krieg führen.«

Um so größer ist der Jubel, als der britische Premier Chamberlain, der französische Ministerpräsident Daladier, Mussolini und Hitler am 29. September in München den Frieden retten auf Kosten der Tschechoslowakei. Die muß das Sudetenland räumen und zwar sofort. Daß der Krieg nur hinausgeschoben ist, denkt damals keiner, zumal Hitler und Chamberlain am nächsten Tag eine feierliche Erklärung abgeben, ihre beiden Völker würden niemals mehr gegeneinander Krieg führen. Else spricht im Kindertagebuch den meisten Deutschen aus der Seele: »Hitler hat einen ungeheuren Sieg errungen ohne einen anderen Kampf als den der Nerven, es war aufreibend, ja, aber es hat sich auch gelohnt. Wer kein Risiko läuft, hat auf dieser Welt noch nie etwas gewonnen. Der Glaube und die Bewunderung an und für unseren großen Führer hat sich noch verstärkt und vertieft, und doch hatte ich geglaubt, daß das nicht mehr möglich sei.«

Heller Zorn aber erfaßt Else nach dem Pogrom vom 9. November, der sogenannten Reichskristallnacht: »Synagogen werden angesteckt, die Geschäfte und Wohnungen von Juden völlig zerstört, wir hausen schlimmer als die Hunnen, man schämt sich, ein Deutscher zu sein, und das Ganze wird auch noch als spontane Handlung hingestellt, spontan in einem so straff durchorganisierten Land wie Deutschland!! Es ist eine Schande, und das feindliche Ausland sagt mit Recht, sie brauchten sich gar keine Propaganda gegen uns auszudenken, wir lieferten ihnen besseres Material selbst als sie sich ausdenken könnten. Es war so deprimierend, und die Erinnerung daran ist es noch immer. Es gab aber auch eine allgemeine Empörung in Deutschland selber. Das sind feige und unwürdige Kampfmethoden, unwürdig einer kulturell hochstehenden Nation. Ihr jungen Kinder seid aber genau so empört gewesen wie wir.«

Else schreibt, wie ihr der Schnabel gewachsen ist, und es hieße, die Beckmesserei zu weit treiben, wenn ich sie frage, warum in ihrer Philippika kein Wort des Mitgefühls mit den betroffenen Juden auftaucht. Sie ist eine warmherzige Person, und ich will mir nicht denken, daß das Entsetzen über das Schicksal anderer sie nicht erreicht. Aber daß es ihr zunächst um die Ehre der Deutschen geht, die hier von Deutschen besudelt wurde, ist auch klar. Sie schreibt weiter: »Ihr könnt Euch wohl denken, wie peinlich mir das gegenüber Marylee war, es war schrecklich.« Marylee ist das englische Au-pair-Mädchen. Hunderte Synagogen und Tausende jüdische Geschäfte wurden zerstört, 91 Juden getötet, die Selbstmorde sind nicht gezählt. Anlaß war der Mord an dem Attaché der deutschen Botschaft in Paris, Ernst vom Rath, durch den polnischen Juden Herschel Grynszpan.

Etwa 30 000 Juden verschwinden in Konzentrationslagern. Der jüdischen Gemeinschaft insgesamt wird als »Sühne für den gemeinen Mord« eine kollektive Sondersteuer von 1 Milliarde Reichsmark auferlegt, den Schaden an ihrem Eigentum müssen sie selbst bezahlen. Juden sind von den Universitäten zu entfernen, jüdische Kinder dürfen keine »deutschen« Schulen mehr besuchen, Kinos, Theater, Museen, Konzerte sind für Juden verboten, Führerscheine und Telefone werden ihnen entzogen. Sie dürfen keine eigenen Geschäfte oder Handwerksbetriebe mehr betreiben, jüdische Betriebsführer und leitende Angestellte sind zu entlassen ohne Zahlung von Abfindungen oder Versorgungsansprüchen. Laut Volkszählung im Mai 1939 leben im »Altreich« 233 973 Juden.

Nach München glauben die meisten Deutschen wahrscheinlich, das könne immer so weitergehen: Hitler schnipst mit den Fingern, und die anderen legen ihm die Territorien zu Füßen. Deshalb wird das im Lauf des Jahres 1939 lauter werdende Säbelrasseln im Hinblick auf Danzig auch nicht als Vorbereitung zum Krieg gedeutet, zumal Hitler sich seit sechs Jahren als der Friedensbewahrer schlechthin darstellt. HG und Else aber lesen die »Times« und die dänische »Berlingske Tidende«, und sie sind sich sicher, daß Krieg kommen wird.

Else: »Das halbe Jahr vorher war ich schon so in Angst und Sorge, daß ich ganz krank war. Hätten wir nicht die ausländischen Zeitungen, hätte ich dieses halbe Jahr noch richtig genießen können wie alle anderen.« Ihrer Haustochter Gilberte Rigo aus Marseille rät der französische Generalkonsul in Leipzig dringend, Deutschland zu verlassen, das tut sie weinend am 23. August. HG ist schon seit Juli in Manövern an der polnischen Grenze zugange, er bekommt die Einberufung für den Ernstfall am 25. August. Zwei Tage vorher hatte Hitler zur Verblüffung der Weltöffentlichkeit mit dem eben noch gehaßten Land des »jüdischen Bolschewismus« den deutsch-sowjetischen Nichtangriffspakt unterschrieben.

HG 1942 in Russland

ELF

HG, KOMPANIEFÜHRER BEIM Infanterie Regiment Nr. 12, schreibt am Vorabend des Krieges, am 31. August 1939 von der polnischen Grenze: »Liebe Else, an diese Stunden gestern, heute und morgen werde ich, wenn ich sie überlebe, sicherlich bis an meinen Tod denken. Mit dramatischer Steigerung und unausweichbarer Wucht schreitet das Schicksal auf uns zu und über uns Einzelmenschen hinweg – wie klein sind wir! Ob der morgige Abend mich noch lebend findet, was macht das eigentlich aus? Es wäre schade, wenn es mich träfe, und traurig für Dich und die Kinder – aber was sind wir alle vor dem großen Schicksal?« Das Schicksal hat einen Namen, den nennt HG nicht – ob er weiß, wer diesen Krieg lostritt?

Am 4. September 1939: »Ihr Lieben, alles ist in prima Ordnung – seit Tagen reiten wir ganz vorn in Riesenmärschen – der Polack läuft wie dumm vor uns her, hat keine Artillerie und keine Flieger, Verluste bei uns ganz gering, unsere Flieger und Panzer sind großartig – alles brennt vor uns, nachts ein schaurig imposanter Anblick! Aus der Heimat wissen wir wenig, denn die Radio-Nachrichten sind doch man dürftig. Was ist mit England und Frankreich? Greifen die uns an? Und was macht Italien? Schickt Zeitungen, die Berlingske« – das ist die dänische Zeitung – »am besten in verschlossenem Umschlag. Eben 90 eigene Flieger über uns: Ein herrliches Gefühl! Ich sehne mich so nach Euch, darf mir aber dessen nicht bewußt werden. Grüßt Wibke und Sabine besonders!« Daß England und Frankreich am Tag zuvor schon Deutschland den Krieg erklärt haben, erfahren die Truppen in Polen nicht, auch nicht das Stillhalten Italiens, das seinen Bündnisverpflichtungen mit Deutschland nicht nachkommt.

In Halberstadt erfahren sie nichts von HG in Polen, es herrscht Postsperre, und seine Briefe kommen erst später an. Sie spüren den Krieg von Anfang an. Die Verdunkelung hüllt Städte, Fabriken, Bahnhöfe, Züge ab der ersten Woche in schwarze Nacht, am Bismarckplatz rücken schon am 3. September Flüchtlinge ein, Evakuierte aus dem Saarland. Bei Else sind es fünf, bei Kurt und Gertrud acht – arme Gertrud, sie erlebt diese Strapazen, den Hunger, die Kohlennot nun zum zweiten Mal, Else war im Ersten Weltkrieg ein junges Mädchen. Dagmar Podeus hat in ihrer Wohnung drei Menschen als Einquartierung, Else muß täglich für zusätzlich 16 Personen Essen beschaffen. Noch geht das, weil alle Lebensmittelkarten mitbringen, aber ich mag mir nicht vorstellen, wie eng das ist, wie die Wäsche bewältigt und Streit vermieden wird. Die Saarländer werden bis nach der Kapitulation Frankreichs im Juni 1940 am Bismarckplatz bleiben.

Die Autos werden stillgelegt, es gibt kein Benzin mehr, später werden auch diese zu Kriegszwecken eingezogen, HG trauert besonders seinem neuen BMW hinterher. In der Firma kämpft Kurt erfolgreich um die Lastwagen, einen PKW darf er behalten, denn sieben Betriebsstätten, verstreut in der Umgebung, sind zu Fuß nicht zu erreichen. Am schlimmsten für Else aber ist das Warten auf Nachrichten, die Postsperre für die Truppe wird erst zehn Tage nach Kriegsbeginn aufgehoben – warum überhaupt Postsperre? –, und bis dahin schwirren Gerüchte über schwere Verluste des Halberstädter Regiments. Hier beginnt Elses Schlafmittel-Zeit.

Die Einstellung HGs gegenüber dem polnischen Gegner – »der Polack rennt, was er rennen kann« – ändert sich in der Schlacht im Weichselbogen bei Kutno, wo polnische Elite-Truppen aus dem Korridor versuchen, die Einkesselung Warschaus zu verhindern. HGs Bataillon, »beim Ausrücken noch 1000 Mann stark, hat heute früh noch rund 200 Mann. Es war die größte Sauerei, die ich bisher je erlebte, aber das Regiment hat seinem Ruf Ehre gemacht. Auch die Polen« – nicht mehr Polacken! – »schlugen sich wie Helden und hatten Riesenverluste.« HG führt das Bataillon als einziger noch lebender Hauptmann, »so gute Freunde sind gefallen, es kostet Kraft, nach vorn zu denken. Aber mein Leben ist mir neu geschenkt.« Er schickt Namenslisten von Leuten aus den anderen Bataillonen, deren Familien Else anrufen soll mit der Nachricht, daß die Männer unversehrt sind.

Der Feldzug gegen das Land hat kaum begonnen, da erschießen im Rücken der Truppe Einsatzkommandos der SS massenweise Juden und polnische Lehrer, Rechtsanwälte, Pfarrer, Gutsbesitzer. Die polnischen Eliten werden liquidiert. Heinrich Himmler begegnet damit »der Gefahr, daß dieses Untermenschen-Volk des Ostens durch solche Menschen guten Blutes (!) eine für uns gefährliche, da ebenbürtige Führungsschicht erhält«. Die Sowjets kommen von der anderen Seite und ermorden Tausende polnischer Offiziere – 4143 von ihnen wurden später in einem Massengrab im Wald von Katyn gefunden, auch das ist eine tiefe Narbe in der polnischen Seele.

HG ist verstört über das Leid der polnischen Zivilbevölkerung. Als der Belagerungsring um Warschau geschlossen wird, kommen auch keine Lebensmittel mehr durch – »sie sind so hungrig, und ich habe Anweisung gegeben, daß wenigstens unsere Quartierswirte aus der Feldküche mitessen dürfen, aber ganz Warschau können wir ja hier nicht ernähren«. Auch die »entsetzliche Zerstörung der Stadt, das Werk unserer Artillerie« macht HG zu schaffen: »Wenn die sich früher ergeben hätten, wäre das nicht passiert. Aber die Polen sind sehr stolz, das sieht man an den finsteren verschlossenen Gesichtern am Straßenrand, sie hassen uns, und ich kann es ihnen nicht verdenken. Jedenfalls haben wir alle es dankbar empfunden, daß der Krieg nicht zu uns ins Land gekommen ist und hoffentlich nie kommen wird.« Ob HG sich an Warschau erinnert hat, als wenige Jahre später deutsche Städte in Trümmern lagen?

Am 27. September 1939 kapituliert Warschau, ab 13. Oktober zieht die kämpfende Truppe ab, die deutsche Militärverwaltung in Polen endet am 25. Oktober, und Generalgouverneur Hans Frank übernimmt sein furchtbares Regiment. Auf einem Zettel notiert HG, woran er alles denken muß: »bis morgen Meldung, wie viel Strümpfe, Unterhosen, Hemden für die Kompanie per Flugzeug geholt werden sollen – nichts für die Reservisten« – wie im Ersten Weltkrieg, nur die Wehrpflichtigen und die Berufsoffiziere werden versorgt – »Märsche als Übungsmärsche, auch Nachtmärsche – Es gibt keine Marschkranken!! – Kein Aufsitzen auf Fahrzeuge! – Zugführer nicht vor, sondern neben den Zügen – Fahrer: Peitschenhaltung – Pferd im Geschirr – Radfahrer: in Kolonnen fahren, bei Exerzier-Ordnung schieben, dito bei schlechten Wegen – Gewehr beim Marsch entladen – M.G.'s unter Plane – Granatwerferkarren nachsehen«. Klingt nach einem geordneten Rückzug.

Zwei Tage später und 90 Kilometer weiter: »Heute überschritten wir den Fluß Rawka an einer Stelle, wo im Dezember 1914 offensichtlich schwere Kämpfe stattgefunden haben. Auf einem Hügel waren zu beiden Seiten der Straße große Friedhöfe, links alles deutsche Soldaten, rechts die russischen Gräber mit den typischen Doppelkreuzen. Und neben dem alten deutschen Friedhof lagen nun schon wieder ein paar frische deutsche Gräber mit hellen Holzkreuzen und Stahlhelmen darauf. Wie oft mag nun noch um dieses Land deutsches Blut fließen?« Wieso nur deutsches?

HGs Regiment wird verlegt ins Westfälische, da langweilen sie sich zu Tode, weil ständig Übungen angesetzt sind – »friedensmäßige Kommißarbeit, aber sie muß wohl sein, wenn wir für den Einsatz schlagfertig bleiben sollen«. Wo und was dieser Einsatz sein wird, keiner weiß es. Die Kriegssituation ist unbestimmt. Um so bestimmter ist das Schicksal Polens, das Hitler und seine Vasallen sofort in Angriff nehmen. Eine riesige »Umvolkung« ist geplant: Auf dem Boden des Deutschen Reiches, vergrößert durch die in Polen annektierten Gebiete, sollen nur noch Deutsche leben. Was immer nicht dazugehört – Juden, Zigeuner, Polen »nicht guten Blutes« – wird ins Generalgouvernement umgesiedelt oder »vernichtet«.

Heinrich Himmler formuliert, wie den »Fremdvölkischen« durch die Reduzierung auf eine vierjährige Volksschule ihr

Sklaven-Dasein vorzuzeichnen sei: »Das Ziel dieser Volksschule hat lediglich zu sein: Einfaches Rechnen bis höchstens 500, Schreiben des Namens, eine Lehre, daß es ein göttliches Gebot ist, den Deutschen gehorsam und ehrlich, fleißig und brav zu sein. Lesen halte ich nicht für erforderlich.« Derartige »Untermenschen«, die mangels ihrer »Blut-Qualität« nicht »eingedeutscht« werden können, sollen als Zwangsarbeiter nach Deutschland gebracht und im Straßenbau, auf Kohlenhalden oder in der Landwirtschaft eingesetzt werden.

Was den Umgang mit den Ostjuden betrifft, so sind die Methoden vorerst nicht klar, aber das Ziel steht fest: Im »Großdeutschen Reich« haben sie nichts zu suchen. Bis Ende 1939 werden schon mal rund 90 000 von ihnen aus den jetzt »deutschen« Gebieten ins Generalgouvernement vertrieben, nach Lodz, Warschau und Radom. Das sind 90 000 einzelne Menschen, die haben Ehefrauen, Geliebte, alte Eltern, ein Geschäft im Erdgeschoß. Ich sehe deren Häuser vor mir: Die Grütze noch im Topf, die Schulbücher der Kinder auf dem Küchentisch, im Badezimmer weicht Wäsche. Das Leben atmet noch in den Wänden, und ein zurückgelassener Kanarienvogel singt in einen Tag, der hell ist, als sei nichts geschehen.

Die Nazis sind »flink wie Wiesel«. SS-Hauptsturmführer Adolf Eichmann veranlaßt Transporte eines jüdischen Vorab-Kommandos aus dem tschechischen Mährisch-Ostrau in die Gegend südlich von Lublin, das dort ein Lager errichten soll. Aus Österreich sowie Böhmen und Mähren beginnen die Deportationen dortiger Juden nach Polen. Im Oktober 1939 wird das erste Ghetto eingerichtet. Verhungern lassen ist eine Mord-Methode, Vergiften und Erschießen andere, es sind Umsiedlungspläne nach Madagaskar und an die Eismeerküste im Gespräch. Das ist noch nicht die »Endlösung der Judenfrage«. Die kommt 1942.

Wissen HG und Else davon? Ich denke, nein, obwohl sie immer noch die dänische Zeitung lesen. Gab es damals Reporter wie heute, die in den düsteren Ecken dieser Erde herumkriechen, um die Wahrheit ans Licht zu holen? Es existieren

Berichte aus deutschen KZ's, die von Exil-Literaten veröffentlicht wurden in Amsterdam oder Paris. Aber machen wir uns
nichts vor: Die deutsche Emigrantenszene beherrschte nicht die
internationale Öffentlichkeit, außer Nobelpreisträger Thomas
Mann fand kaum einer Gehör. Noch war Nazi-Deutschland
kein outcast, die Engländer hatten trotz Beistandspakt keinen
Finger gerührt, um Polen zu helfen, und was das Schicksal der
polnischen Juden betraf – die Briten hatten genug zu tun mit
ihren renitenten Juden in Palästina.

Else und HG werden auch nichts über die Euthanasie gewußt
haben. Nach dem »Gesetz zur Verhütung erbkranken Nach-
wuchses«, also der Zwangssterilisation, vom 14. Juli 1933, unterzeichnet Hitler jetzt einen Erlaß, der die »Vernichtung le-
bensunwerten Lebens« anordnet. Am 12. Oktober 1939 wird
Schloß Grafeneck in Württemberg beschlagnahmt, mit einer
Gaskammer ausgestattet, weitere Tötungszentren kommen
dazu. Die Ermordungen erfolgen mit Injektionen, mit Dyna-
mit, die Patienten werden erschossen, seit Januar 1940 vergast.
Bis zum Sommer 1941 sind mehr als 70 000 Geisteskranke,
Behinderte, Krüppel in Deutschland »liquidiert« worden. Weil
die Kirchen protestieren, werden die Tötungsaktionen in die
besetzten polnischen Gebiete verlegt.

Konnten HG und Else das wissen? Es stand nicht in der Zeitung, natürlich. In ihrem Bekanntenkreis hatte niemand ein
behindertes Kind, dessen Bedrohung sie hätte alarmieren können. Es gab keinen Anlaß, die Phantasie in diese Richtung zu
bemühen, sie hätte zudem nicht ausgereicht, sich solche Monstrositäten vorzustellen. Für Else und HG, für die meisten Deutschen war der Staat »sauber«, Ehre war Trumpf. Wie in einer
religiösen Gemeinschaft galt die Devise: einer für alle, alle für
einen, jeder ist Teil des stolzen Ganzen.

Else war »gläubig«, wie mir unlängst einer der Dänen erzählte, der ab 1941 ein Jahr lang bei I. G. Klamroth als Volontär
war und am Bismarckplatz wohnte. HG kam ein halbes Jahr
nach dem Polenfeldzug zur Abwehr, und der alte Dänenherr,
damals 22, sagt, HG sei liebenswürdig, zugewandt, trotzdem

»irgendwie undurchsichtig« gewesen, über Politik habe man nicht mit ihm reden können. Wenn Else jeden, der Ohren hatte, um das Radio versammelte bei Hitlers Reden, habe HG Klavier gespielt oder sich über seine Firmenpapiere gebeugt. Die haben den Soldaten genügend beschäftigt bei den spärlichen Urlauben zu Hause. Daß Else das Mutterkreuz bekam, sei für HG Anlaß zu ständigen Witzeleien gewesen. Else habe ein bißchen beleidigt reagiert, denn sie war stolz auf dieses Kreuz, aber im Grunde habe sie ihre Auszeichnung als »Zuchtstute« auch eher komisch gefunden.

»Im Westen nichts Neues« überschreibt HG seine Briefe aus der westfälischen Warteschleife, wahrscheinlich wissen weder er noch die Zensoren, daß Remarques berühmtes Buch auf dem Scheiterhaufen der Bücherverbrennung gelandet ist. In der Sache hat HG recht, außer leichten Grenzscharmützeln tut sich nichts mit den Kriegsgegnern im Westen. Diese Wochen sind angefüllt mit »nervenzerrüttendem Warten«, wie Else schreibt. HG ist extrem schlecht gelaunt, er wird dringend in der Firma gebraucht, und zu Hause lernt seine kleinste Tochter ohne ihn das Laufen. Am 5. Februar 1940 erreicht ihn der Versetzungsbefehl ins Oberkommando der Wehrmacht nach Berlin »zur besonderen Verwendung«.

Sie schicken ihn nach Kopenhagen – und zwar als Zivilist in seiner Eigenschaft als Getreide-Kaufmann. Am 21. März kommt er an. Über Sinn und Inhalt dieses Auftrags kann einer spekulieren. Die Vorbereitungen zum Unternehmen »Weserübung«, der Besetzung Norwegens und Dänemarks durch deutsche Truppen, laufen seit Januar 1940. Am 9. April wird Dänemark kampflos eingenommen und Norwegen angegriffen, dort kommen die deutschen Truppen einer britischen Invasion um wenige Tage zuvor. Es wird gegen Briten und Norweger gekämpft, am 13. Juni ist die »Weserübung« abgeschlossen. Warum also soll HG knapp drei Wochen vor Einmarsch der deutschen Truppen in Dänemark Saatgut-Verhandlungen führen? Er muß einen anderen Auftrag gehabt haben.

Vermutlich ist das so. HG kennt Hinz und Kunz in Dänemark, I. G. Klamroth macht seit Jahren Geschäfte mit dänischen Partnern, HG spricht die Landessprache. Ich habe die dänischen Saatgut-Firmen abgeklappert, über die HG nach Hause schreibt, und ich habe den Mitarbeiter eines damaligen Firmeninhabers von »Hertz Frökompagni« gefunden – »Frø« ist Saatgut. Der alte Herr erinnert sich, es sei sehr professionell um ein Geschäft gegangen, das HG in Gang setzen sollte. Das war die Gründung eines »Dansk Frø-Exportkontor«, eines dänischen Saatgut-Export-Kontors, das an die deutsche Saatgutstelle, Mommsenstraße 71 in Berlin-Charlottenburg, »erhebliche Saatenmengen liefern soll, die Bezahlung soll in deutschem Stickstoff-Dünger erfolgen« – so schreibt HG.

Schreibt man das am 8. April an seine Frau, wenn man am nächsten Tag sein Gastland überfallen will? Doch, das tut einer, wenn er einen derart clandestinen Auftrag hat, daß niemand, und die geschwätzige eigene Frau schon gar nicht, darüber informiert werden kann. Es ist wohl so, daß die deutsche Abwehr um ortskundige, sprachgewandte Agenten in Dänemark verlegen ist, weil sie von der strikten Neutralität des Landes im Konfliktfall ausgegangen war. Jetzt steht eine Landung der Briten in Norwegen unmittelbar bevor, das hätte eine britische Besetzung Dänemarks möglicherweise nach sich gezogen und eine strategische Veränderung im gesamten Ostsee-Raum bewirkt – Eile tut also not. Irgendwer muß HG empfohlen haben. Die Berufung ins OKW zur besonderen Verwendung hat ihn mit Sicherheit überrascht.

Vor seinem dänischen Einsatz bleiben HG sechs Wochen Zeit in Berlin, sich in seine neuen Aufgaben einzuarbeiten. Mir erscheint das schwindelerregend, aber der Mann ist offenbar begabt. Sonst wäre er in der Abwehrstelle Kopenhagen später nicht mit Aufgaben der Gegenspionage betraut worden, der III F, einer deutlich elitären Truppe. Daß er eine Reise nach Schweden plant, spricht für seine Begabung, mit Saatgut ist da nichts, aber dort tummeln sich die Geheimdienste dieser Gegend, natürlich auch der Briten. HG hat diese Reise nicht mehr angetreten, weil die Besetzung schneller erfolgte, aber er hat sich später mehrfach dort umgetan. Seine Tarnung in Dänemark in diesen Wochen ist perfekt bis hin zu den Briefbögen mit dem Kopf »Deutsche Saatgutstelle«, die er für seine Post nach Halberstadt und auch anderswohin verwendet.

Mich treibt etwas anderes um: Da mutet dir jemand zu, bei der Besetzung eines Landes mitzuwirken, in dem du seit 18 Jahren zu Hause bist. Du sollst deinen Freunden, deiner angeheirateten Familie, den vielen Bekannten aus der dänischen Society in der Uniform des Besatzers gegenübertreten, deutlich erkennbar als der Aggressor, als ein Mann, der die Gefühle der geliebten Menschen tief verletzt. Der seine Frau desavouiert, seine angebetete Schwiegermutter ins Unrecht setzt, der die jahrzehntelange Gastfreundschaft im nachhinein verrät. Kann man das ablehnen? Kann man sagen, ich mache das nicht?

Es war ein militärischer Befehl, der HG nach Dänemark beordert hat, und ich weiß nicht, ob er den hätte verweigern können. Unsereins kann heute schwer mit Befehlen umgehen, wenn sie der eigenen Überzeugung zuwiderlaufen. Ich weiß aber nicht, ob dieser Befehl HG zuwidergelaufen ist. Tatsächlich hat es sich als Glücksfall erwiesen, daß er dort war. Der zweite Mann der dänischen Abwehr, Oberst Lunding, schreibt in seinen Erinnerungen 1968, HG habe die Dänen mehrfach vor Aktionen der Deutschen gewarnt und sie in den Stand versetzt, ihre Widerstandsgruppen zu schützen. Hatte er sich das vorgenommen, als er in Berlin das Einmaleins der Abwehr lernte? Ging er nach Dänemark, um Schlimmeres zu verhüten?

HG – auch das Tarnung – hat noch nicht mal seine Uniformen dabei. Es hat sich allerdings die Legende gehalten, am 8. April, also am Vorabend der Besetzung, sei er im Frack zum Diner bei ahnungslosen Freunden gewesen und am nächsten Morgen im Kopenhagener Hotel »Phoenix« in Uniform erschienen. Tatsächlich fliegt er erst ein paar Tage später nach Hause, um die Uniformen zu holen, und ist dann auch äußerlich erkennbar als Besatzungsoffizier. Was HG von der Besetzung seiner Wahlheimat hält, kann ich mir nur zusammenreimen. Ab dem Brief vom 8. April 1940 ist seine Korrespondenz mit Else verschwunden – ich habe eine handgeschriebene Notiz von ihr gefunden, da steht: »Die meiste Post aus Dänemark auf Anordnung von Hans Georg vernichtet – Herbst 1943.«

HG bleibt zwei Jahre lang bis zum Februar 1942 als Abwehroffizier in Kopenhagen. Was der Grund ist, seine Post aus Dänemark verschwinden zu lassen, warum er Else erst anderthalb Jahre später dazu veranlaßt – in jenem Herbst 1943 ist HG bereits aus Rußland zurück und bei der Abwehr in Berlin – das gehört zu den schwierigen Passagen in dem Puzzle-Spiel, das ich zu meistern habe. Ich bin nicht sicher, daß ich die Teile richtig zusammensetze. Hat diese Briefvernichtung etwas damit zu tun, daß die Umstände in Dänemark im Herbst 1943 richtig »deutsch«, das heißt richtig grob werden und HG entweder sich selbst oder dänische Freunde schützen will? Doch sind die Aktivitäten von III F so geheim, daß die Akteure dort sich von niemandem in die Karten sehen lassen und selbst dem Amtschef Canaris diese Abwehr in der Abwehr gelegentlich unheimlich ist. Das war ein »Mönchsorden«, versichert mir jemand, der davon mehr versteht als ich. Das erklärt, warum ich in dänischen Archiven nichts über HG gefunden habe, und ich kann davon ausgehen, daß HG nichts nach Hause geschrieben hat, was man anschließend vernichten muß.

Eine Lieblings-Dänin, langjährige Haustochter in Halberstadt, schreibt im April 1940 an Else – damals ist Kirsten 25: »Wir finden es unerhört, daß wir ›beschützt‹ werden sollen, ohne gefragt zu werden. Es ist empörend, daß die Großmächte ihren Streitigkeiten auf den Boden von kleiner unbeteiligter Länder ausfechten, weil sie sich fürchten, diese an ihre eigene Grenzen zu kämpfen. Ich habe nach all der Zeit bei Euch nie gewußt, wie dänisch ich bin.« Else an Tochter Barbara, und ich denke, sie weiß es nicht besser: »Bitte bedenke immer, daß Vater vorher als friedlicher Kaufmann für die Saatgutstelle in Dänemark war. Er arbeitet übrigens nach wie vor dafür, außer daß er jetzt wieder vom OKW eingefangen ist. Für Vater ist es bestimmt nicht einfach, er kann natürlich die Dänen gut verstehen und ist als ›Beschützer‹ ihnen gegenüber in einer peinlichen Stellung. Aber die meisten unserer Freunde helfen ihm darüber hinweg.« Kirsten an Else: »Es ist doch nicht zu glauben, daß wir uns nicht gewehrt haben!!« Else an Kirsten: »Willst Du Dich gegenüber einem Erdbeben wehren?«

HG an Barbara:

> Ein Mensch, der auszog in den Krieg,
> um zu erkämpfen Deutschlands Sieg,
> der findet sich zu seinem Staunen
> durch eine von des Kriegsgotts Launen
> inmitten lauter weichen Pfühlen
> höchst komfortabel, und kann wühlen
> in Kaffee, Tabak, Fett und Früchten
> und dies begeistert ihn zum Dichten.

Am 10. Mai 1940 beginnt die Westoffensive, Deutschland überfällt die neutralen Länder Holland, Belgien, Luxemburg. Holland kapituliert am 14. Mai, Belgien am 28. Mai. Um die Heimatfront auf den Kampf gegen Frankreich einzustimmen, befiehlt Hitler am 5. Juni »von heute ab in ganz Deutschland für die Dauer von acht Tagen zu flaggen. Es soll dies eine Ehrenbezeugung für unsere Soldaten sein. Ich befehle weiter für die Dauer von drei Tagen das Läuten der Glocken. Ihr Klang möge sich mit den Gebeten vereinen, mit denen das deutsche Volk seine Söhne von jetzt ab wieder begleiten soll.« Über dieses Spektakel steht nichts in Elses Kindertagebüchern.

Der Waffenstillstand mit Frankreich wird am 22. Juni im Wald von Compiègne in jenem Salonwagen unterzeichnet, wo am 11. November 1918 der »schmähliche« Waffenstillstand zwischen dem Deutschen Reich und den alliierten Siegermächten abgeschlossen wurde. In der Nacht vom 24. auf den 25. Juni 1940 tritt er in Kraft, Else beschreibt im Kindertagebuch, wie sie das ganze Haus geweckt habe, damit jeder im Radio mithören konnte, wie »das Ganze Halt!« geblasen wurde – »das waren große, dankbare Stunden«.

Zum Teufel mit den deutschen Siegen! In beiden Kriegen

haben sie nichts als Elend über uns und andere gebracht. Doch wenn schon Krieg – kann man es Else verdenken, daß sie sich die Nacht am Radio um die Ohren schlägt? Fast täglich erfährt sie, daß die »ganz geringen deutschen Verluste« Namen und Gesichter haben, eine Halberstädter Fliegerstaffel geht im Luftkrieg gegen England komplett verloren. Vor ein paar Monaten noch haben die jungen Männer am Bismarckplatz ein vergnügtes Tanzfest gefeiert – Else an Barbara: »Sie waren doch so zuversichtlich und so überzeugt von ihrer Unbesiegbarkeit!« Daß HG in Dänemark »im wahrsten Sinne des Wortes weit vom Schuß sitzt«, ist für Else eine große Beruhigung, zumal sie ihn bei seinen dienstlichen Stippvisiten in Berlin zwischendurch mal sehen kann und ihn zweimal, im Juni 1940 und im September 1941, für Ferien in Dänemark besucht.

Die beiden haben endlich wieder eine gute Phase miteinander. HG schreibt in den wenigen erhaltenen Briefen aus Kopenhagen voller Sehnsucht und Zärtlichkeit an Else, auf dänisch, was die deutsche Zensur vermutlich auch in Dänemark nicht lesen kann: »Sei umarmt, du süßeste Frau der Welt, und verlaß Dich drauf, daß Du die einzige für mich bist und bleiben wirst, jetzt wo alles überstanden ist: Was bin ich glücklich, daß wir darüber geredet und jedenfalls, was mich betrifft, alles bereinigt haben. Es gibt ja wahrhaftig viele Frauen hier, die eine Sünde wert sind – aber ach nein, Geliebte, darüber sollst Du überhaupt nicht nachdenken.« Else traut dem Frieden nicht ganz – wo immer HG das Zusammentreffen mit einer Frau erwähnt, die besonders gut aussieht, setzt Else einen dicken Bleistiftbalken an den Rand. Selbst seine Schwärmerei für die »wunderschöne Greta Garbo« in dem Film »Ninotschka« – »ich habe mich restlos in sie verliebt, worüber Du hoffentlich nicht böse bist!« – wird von Else mit grimmiger Hand markiert. Was ist sie beschädigt, und wie schwer ist das zu heilen!

HG hingegen ist unbekümmert: »Ich vermisse Dich unendlich, um so mehr als ich im Augenblick so unendlich gesund bin und das dringende Bedürfnis habe... na ja, das kannst Du Dir wahrscheinlich denken.« Zum 20. Jahrestag ihrer Verlobung, am 19. Januar 1941, schickt HG aus Dänemark ein Gedicht an Else – das hat sie nicht vernichtet:

Inmitten all der unruhvollen Zeit
Laß uns den Blick zusammen rückwärts wenden:
Wie liegt doch jener Wintertag so weit,
An dem wir uns einst nahmen bei den Händen
Und uns versprachen, voll von bestem Willen,
Ein Leben miteinander aufzubauen.
Und wenn wir heut, so ganz für uns im stillen,
Hin über diese zwanzig Jahre schauen,
So steht für mich vor allem obenan
Der Dank an Dich, daß Du mit mir gegangen –
Mit mir, dem jungen, unerfahr'nen Mann,
Der es gewagt, nach Deinem Stern zu langen
Und, ohne recht zu wissen, was es galt,
Mit Dir in das ihm fremde Leben trieb,
Der in sich nur den einen starken Halt
Im Herzen trug: Ich habe Dich so lieb.

Es kam manch schönes, junges, starkes Jahr,
In dem wir nahe zu einander fanden;
Du gabst mir unsre Kinder, die fürwahr
Uns fest und fester an einander banden.
Die Saat wuchs auf – und zwischen gutem Korn
Fand sich auch Unkraut, üppig wuchernd, an.
Es kam ein Sturm, der fast noch mal von vorn
Uns hieß beginnen – der den ganzen Mann
In mir, in dir die ganze Frau erschüttert,
Und der zu stürzen drohte, was wir bauten.
Wir standen, ich verzweifelt, Du verbittert,
Vor der Verwüstung – kaum daß wir uns trauten,
Die Hände noch einmal mit aller Kraft zu regen
Und, statt verlornem Reichtum nachzuträumen,
In unser Feld die neue Saat zu legen
Und alle Trümmer aus dem Weg zu räumen.

Doch Gott gab Gnade uns und neue Kraft,
Zu neuem Anfang gab er neuen Mut.
Schon haben wir ein Stück des Wegs geschafft
Und dürfen hoffen: Es wird wieder gut!

Ich wünschte, ich könnte jetzt die Sonne über einer weiten Landschaft untergehen lassen, das Orchester zum Crescendo steigern und nach einer Weile ein lapidares »The End« auf die Leinwand setzen. Kann ich nicht. Es geht immer alles weiter.

Außerdem ist Krieg. Ich wüßte gern, was HG in Kopenhagen tatsächlich gemacht hat. Ich kenne mich in Militärdingen nicht aus und in Abwehr-Angelegenheiten schon gar nicht. Vorstellbar ist schon, daß in HGs kleinem Gastland für einen Abwehr-Mann eine Menge subversiver Aktivitäten zu beobachten waren. Schließlich führten sich die Deutschen in Norwegen auf wie die Vandalen, Schweden legte seine Neutralität nach Gusto aus, und die Briten setzten alles daran, den dänischen Widerstand aufzustacheln.

Allerdings war die deutsche Besatzungspolitik in Dänemark, anders als in allen anderen okkupierten Ländern, in den Anfangsjahren moderat. Die dänische Verfassung blieb in Kraft, der König im Amt, Regierung, Verwaltung und Parlament setzten ihre Arbeit fort. Es gab keine deutsche Militäradministration wie in Frankreich oder Belgien und keinen nationalsozialistischen Reichskommissar wie in Norwegen oder Holland. Die deutschen Belange wurden weiter durch den bisherigen Gesandten Cécil von Renthe-Fink vertreten. Die wenigen dänischen Nazis waren an der Regierung nicht beteiligt und politisch irrelevant, sogar die kleine dänische Armee blieb intakt und bewaffnet. Bis zum Spätherbst 1943 lebten die knapp 7000 Juden im Land unbehelligt, dann wurden sie fast vollzählig nach Schweden gerettet. Zu der Zeit war HG schon an der Ostfront.

Die »weiche« Besetzung Dänemarks war ein Experiment und Gegenstand ständiger Auseinandersetzungen zwischen SS, Wehrmacht und Auswärtigem Amt. Die Streitfrage ging darum, ob die Politik der Partnerschaft langfristig den deutschen Interessen besser diene als die der Unterdrückung wie etwa in Norwegen. Dänemark war für Deutschland strategisch wichtig. Ohne dänische Agrarexporte nach Deutschland konnte das Reich nicht existieren, sie deckten zwischen 10 und 15 Prozent des Gesamtbedarfs an Lebensmitteln. Abgesehen von den Besatzungstruppen war der Personalaufwand gering – Werner Best, der spätere Reichsbevollmächtigte in Dänemark, kam mit 215 Angestellten und Beamten aus. Eine Besetzung, die dem Land seine Autonomie ließ, würde – so war die Vermutung – weniger Widerstand erzeugen und weniger Sicherheitskräfte binden.

Zu Anfang klappte das ganz gut, denn die dänische Regierung hatte ein Interesse daran, das Land intakt zu halten einschließlich funktionierender Zeitungen und Hochschulen, frei von Nazi-Agitationszentren oder Flaggen- und Aufmarschzwang. Dänemark wollte möglichst unbeschadet durch den Krieg kommen ohne Gesichtsverlust wegen übermäßiger Deutschen-Hörigkeit. Klugen Männern auf beiden Seiten gelang dieser Drahtseilakt, bis ab 1943 wechselseitige Gewalt das Experiment scheitern ließ.

In den Jahren, als HG in Kopenhagen war, haben Bevölkerung und die im Verhältnis dazu wenigen Deutschen – wenig, weil die Besatzungstruppen bald reduziert worden waren – sich miteinander arrangiert. Es war eine kühle Zweckgemeinschaft, die Dänen liebten die Deutschen nicht, aber der wütende Haß auf die Besatzer kam erst später. Regierung und Bevölkerung spielten auf Zeit, und es waren Regeln einzuhalten: Dänenvetter Gregers Hovmand erzählte mir, daß er HG einmal vor die Tür gesetzt habe, als ihm klargeworden sei, daß der in einem deutschen Dienstwagen mit uniformiertem Chauffeur bei ihm vorgefahren war. Ich finde die Geschichte in Elses Briefen an Tochter Barbara wieder, danach hat HG es auf der Durchreise eilig gehabt und das Auto nicht um die Ecke parken wollen. Else: »Du weißt, wie weit die nächste Ecke da im Hafen von Bandholm von Gregers' Haus weg ist. Wenn man das Auto wirklich verstecken will, hast Du weit zu laufen. Aber Du kannst Dir denken, wie peinlich das Vater war, er ist ja sonst nicht taktlos.«

Aus den Ferien in Dänemark schreibt Else im Juli 1940: »Ich kann so gut verstehen, wie schwierig das für die Menschen hier ist. Es geht ihnen so wie uns bei der Ruhrbesetzung durch die Franzosen, nur daß die Franzosen sich damals aufgeführt haben wie die Schweine, während hier die deutschen Soldaten ein tadelloses Benehmen an den Tag legen. Das bestätigen alle hier. Die Dänen hatten Vandalen erwartet, sie erleben Gäste, nun werden sie hoffentlich auch über anderes zweimal nachdenken, was sie aus der feindlichen Hetz-Presse über uns erfahren.« Ach Else!

HG als »Gast« in Dänemark – ich habe ihn in Gästebüchern von Leuten aller politischen Couleur gefunden, seine Verbindungen reichten von Geheimdienst-Größen bis zu den Sozialisten. Eine der drei Lieblingsdäninnen – ebenfalls früher Haustochter in Halberstadt – machte damals eine Lehre in einer Buchhandlung genau gegenüber der Britischen Botschaft in Kopenhagen. Pelse sieht HG da rein- und rauslaufen in Zivil, »merkwürdig angezogen, mit grünem Hut!«. Es geht die Vermutung, HG habe dort die Papiere der Familien Hovmand eingesammelt, die waren Honorar-Konsuln für Großbritannien gewesen und hatten vielfältige Verbindungen politischer und geschäftlicher Natur mit England. Die Hovmands sind von den Deutschen nie nach ihren Londoner Kontakten befragt worden, nachdem die britische Botschaft Hals über Kopf geräumt worden war. Hat Pelse HG darauf angesprochen? »Er hat gelacht: Kannst du dich mal um deine Bücher kümmern, statt den Besuchsverkehr beim englischen Erzfeind zu überwachen!«

Ab Februar 1942 ist HG an der Ostfront. Warum ist er das? Es gibt Aufzeichnungen aus der Zeit nach dem Krieg, und so hat es auch Else erzählt, HG habe seine Versetzung verlangt, weil er das Unrecht, das in Dänemark geschah, nicht habe mittragen wollen. Es geschah aber kein sonderliches Unrecht in Dänemark in den ersten Jahren, sieht man mal von der Besetzung als solcher ab. Else schreibt ins Kindertagebuch nach Beginn des Rußlandfeldzuges: »Es ist ein furchtbarer Krieg. Ich bin so froh und dankbar, daß Vater in Dänemark ist und diesen Krieg nicht mitmachen muß. Vater ist natürlich traurig und versucht alles, um dort fort zu kommen, da es natürlich für einen Mann nicht schön ist, so in der Etappe zu sitzen und ein gutes Leben zu führen, während die Kameraden diese Strapazen und Schwierigkeiten durchstehen müssen.«

Ich fürchte, das ist es: Ehre! Der Mann ist 43. In dem Alter hat sein Vater Kurt sich seufzend als Kolonnenfahrer beschieden im Ersten Weltkrieg, statt mit seinen Kürassieren in vorderster Linie dabei zu sein. Hier geht jetzt die Rede, daß HG ein Bataillon (!) führen will, kämpfende Truppe, untrainiert wie er ist. In Polen hatte er begriffen, daß dies kein Job für ihn sein kann. Da wollte sein Regiment ihn zum »Stabskommandanten des Generalkommandos« machen, und HG schrieb an Else: »daß bei einer weiteren Verwendung des Rgts. im Westen andere Leute wohl ebenso gut oder besser als ich Kompagnieführer an der Front darstellen können, während es mir als älterem Krieger, der ich ja immerhin nun schon ganz reichlich im Feuer gestanden habe, und als Familienvater wohl zusteht, mal in einen hohen Stab zu rücken.«

Wieso jetzt doch wieder Front, auch noch in Rußland? Vielleicht ist es doch nicht die Ehre. Warum hat HG seine Briefe aus Dänemark durch Else vernichten lassen? Warum hat sie sogar in den Unterlagen der Kinder die Sonntagsbriefe aus Dänemark rausgezogen? Was ist in der Zwischenzeit passiert? War HGs Zusammenarbeit mit den Dänen ruchbar geworden und der Boden ihm zu heiß? Ich weiß es nicht und werde das nie erfahren. Ich habe Else nicht fragen können. Bis zu ihrem Tod wußte ich nicht, was sie aufbewahrt hatte und was nicht. Sie wollte nie, daß ich die schweren Schubladen ihres Empire-Schreibtisches aufzog, wo ihre Papiere lagen. Ich hatte ihre Privatsphäre zu respektieren.

Fünf auf einen Streich

ZWÖLF

ALS HG NACH RUSSLAND KOMMT, ist Bernhard schon passiert. Bernhard Klamroth ist HGs Vetter zweiten Grades, Sohn jenes Bankiers Walter Klamroth aus Berlin-Grunewald, dessen Kneifer mich nach dem Krieg so fasziniert hatte – wann fällt der endlich mal runter!? In anderen Familien gehen Vettern zweiten Grades vermutlich per Sie miteinander um, bei den Klamroths ist das eng verwandt. Nicht so eng, als daß Bernhard, Jahrgang 1910, sich nicht Hals über Kopf hätte verlieben können in das Küken Ursula, HGs und Elses zweite Tochter, Jahrgang 1924 – das funkt Anfang Juni 1941, zu der Zeit ist Ursula 16.

Sie ist pummelig, hat den Mund voller Zahnspangen, nichts, wirklich gar nichts deutet darauf hin, daß sie einmal zu den schönsten Frauen gehören sollte, die mir begegnet sind. Ihre Augen allerdings, riesige dunkelblaue Augen, müssen damals schon so gewesen sein, daß man nicht wegucken konnte. Blind wie ein Huhn war sie, wie wir alle, ich habe einen Vertrag gefunden zwischen ihr und Else, der ihr 30 Mark einbringen sollte Ende 1938, wenn sie bis dahin ihre Brille nur in der Schule trüge. Was für ein Quatsch, das Kind wird blauäugig im Nebel herumgetappt sein – als ob man kurzsichtige Augen trainieren könnte wie Bauchmuskeln!

Bernhard ist 30, als er und Ursula sich über den Weg laufen – die kannten sich natürlich, so wie in dieser weitläufigen Familie jeder jeden kennt. Bernhard ist für ein paar Tage in Halberstadt, und es entwickelt sich – Unsinn! Nichts entwickelt sich. Das ist ein Blitzschlag aus heiterem Himmel, der Ur-Knall, der alles ändert. Bernhard, der Karriere-Offizier, eingetreten noch in die Reichswehr als 20jähriger 1930, inzwischen

Major im Generalstab der 4. Armee, blendend aussehend in seinen »roten Hosen«, Polen-Feldzug, Frankreich-Feldzug, eine Kriegsauszeichnung nach der anderen, schwärmerisch geliebt von den Offizieren seiner 10. Panzer-Division – der und das dusselige, schusselige, mit soviel Jungtier-Flaum noch behaftete Kind. Ich fasse es bis heute nicht.

Niemand faßt es. HG im fernen Dänemark an Else (so etwas hat sie aufbewahrt!): »Du weißt, wie sehr ich Ursula liebe. Aber sag' mir doch – was will Bernhard denn mit der? Die ist doch noch nicht trocken hinter den Ohren, und das ist ihr gutes Recht. Ich möchte nicht darüber nachdenken, ob hier Alt-Herren-Allüren im Spiel sein könnten.« Bernhard ist im Rußlandfeldzug in vorderster Front, trotzdem schreibt er fast täglich an Ursula, Briefe von großer Zärtlichkeit und voller Zukunftsträume. Den Krieg in Schlamm und Strapazen spart er fast völlig aus, er schafft sich in seinem Stabsquartier eine Nische, in der nur sie beide Platz haben. Am 22. Juni 1942 klingt das so: »Meine Geliebte, heute vor einem Jahr begann der Feldzug im Osten, und dieses Jahr hat mich verändert. Ich habe Dich kennengelernt, und das hat mir die Kraft gegeben, das zu überstehen, was hier manchem über die Kräfte geht. Ich bin unbeschädigt in meinem Innern, und das verdanke ich Dir.«

Bernhard hat in der Zwischenzeit ihr gemeinsames Leben geregelt. Im November 1941 kommt er für eine Stippvisite von anderthalb Tagen nach Berlin, Ursula entwischt Gertruds großmütterlicher Aufsicht in Halberstadt – Else ist verreist –, und auf einer Parkbank gegenüber seinem Elternhaus in der Paulsborner Straße bittet Bernhard Ursula, ihn zu heiraten. Da haben die beiden sich insgesamt viereinhalb Tage gesehen! Bernhard schreibt sofort hinterher einen Entschuldigungsbrief an die empörte Gertrud. »Um Dich nicht zu hintergehen, wäre ich natürlich lieber nach Halberstadt gekommen, aber ich hatte wirklich nur 36 Stunden! Verzeih mir bitte!« Mit gleicher Feldpost geht ein Brief an HG und Else raus: »So möchte ich Euch um die Erlaubnis bitten, daß in Zukunft Ursula und ich bei jeder sich bietenden Gelegenheit (die meist unvorhergesehen, plötzlich und sehr kurz sein wird) zusammentreffen dürfen. Wenn auch alle weiter gehenden Pläne in der augenblicklichen Situation stark verfrüht erscheinen, möchte ich Euch um Euer Einverständnis bitten, daß Ursula und ich uns mit Eurem Wissen als verlobt betrachten dürfen.«

Es ist Krieg! Jede Möglichkeit muß ausgenutzt werden, es gibt nicht viele. Bernhard sitzt in den Kämpfen der sowjetischen Winteroffensive im dicksten Dreck, kann irgend etwas Eltern veranlassen, dem jungen Glück der jungen Leute im Weg zu stehen, wenn sich ein Schlupfloch fände in einen Tag voller Seligkeit? Else und HG versuchen noch, ihrer Vorstellung von einer geordneten Ausbildung für die Tochter gerecht zu werden, indem sie Ursula auf die Reichsfrauenschule Reifenstein-Eichsfeld schicken, wo die »Maiden« lernen, Hühner zu schlachten, Blumen in Vasen zu stellen und Ernährungslehre für Schwangere. Bernhard schreibt mit genußvollem Sarkasmus an die »Reichsfrauen-Maid«, Ursula stöhnt, daß sie zu Hause alles viel intensiver lernen könne, es ist lauter Hochadel von den Hohenzollerntöchtern bis zu Habsburg-Damen um sie herum, und beide Liebende betrachten die Heimarbeit als das, was sie ist: ein Psychopharmakon für elterliche Nerven.

HG ist durcheinander. Siedendheiß fällt ihm auf, daß er seine Tochter im Grunde nicht kennt – sie wurde gerade 15, als er in den Krieg ging, und in den Jahren davor war HG so vielfältig auf anderes konzentriert, daß sie für ihn nicht viel mehr gewesen sein dürfte als ein Teil des häuslichen Gewusels. Er schreibt an beide eher hilflos über die benötigte Zeit, um »aus Ursulas guten Anlagen etwas Gefestigtes, Erwachsenes zu machen«, an Bernhard: »Sie hat – wie sollte das mit knapp 17 Jahren anders sein! – noch nie Gelegenheit zu Vergleichen gehabt«, an Ursula: »Wärest Du drei Jahre älter und hättest Du mir bereits in Wort und Tat bewiesen, daß aus unserer bisher doch noch recht unfertigen, labilen kleinen Ursula eine selbstsichere, charakterfeste Persönlichkeit geworden ist«. An Else: »Ist denn Warten sinnvoll? Jeden Tag kann Bernhard etwas zustoßen und wir haben Ursulas Glück verhindert, wenigstens ein kurzes Glück!«

HG kann nicht wissen, wie recht er hat – in zweieinhalb Jahren sterben Bernhard und er am Galgen in Plötzensee.

Die Kommunikation ist schwierig, HG ist bei der Heeresgruppe Nord an der Grenze zu Estland, Bernhard in der Heeresgruppe Mitte bei Smolensk, Ursula in Reifenstein, das liegt irgendwo zwischen Fuchs und Hase in Thüringen, Else werkelt in Halberstadt, Briefe brauchen manchmal sechs Wochen. Bernhard kann sein Generalstabs-Telefon für gelegentliche Anrufe nützen, auch HG ruft er manchmal spät nachts an, der hat »ein eigenartiges Gefühl, mit diesem in meine Familie eingebrochenen Räuber zu sprechen«. Denn die kennen sich auch nicht wirklich – »höchstens als Vetter, Freund und Kameraden«, auf die familiäre Distanz. HG hat die rasanten Karriere-Sprünge des jungen Verwandten »immer mit schlecht verhülltem Neid verfolgt«, aber gesehen hat er ihn selten.

Verlobung soll doch sein, festgelegt wird der 17. Juli 1942, das ist Ursulas 18. Geburtstag. Bernhard kommt zu Pfingsten drei Wochen auf Urlaub, das ist das erste Mal, daß er und Ursula zusammenhängende Zeit miteinander haben, das schiere Glück mit Segeln auf dem Wannsee, verwunschenen Tagen im Jagdhaus der Klamroths in Britz. Ursula ist artig bei den Schwiegereltern in Grunewald, und in Halberstadt gerät Else über den Schwiegersohn ins Schwärmen: »Bernhard ist innerlich und äußerlich ein Gentleman, dazu ein ganzer Kerl und voll Leben, Humor und Jugend. Einen besseren und netteren Mann für Ursula zu finden, ist ganz undenkbar. Er ist ungeheuer anziehend, hoffentlich passiert ihm nichts, es wäre zu entsetzlich!«

Die Erlaubnis zur Veröffentlichung der Verlobung holt Bernhard bei seinem Stabschef ein, bei seinem Oberbefehlshaber und beim Chef des Stabes des Heeres – einfach so sich verloben geht nicht. Es gibt keine Probleme: Die hohen Chargen kennen entweder HG oder Bernhard persönlich und übermitteln Glückwünsche an das gnädige Fräulein Küken-Braut. Bei der Hochzeit, die ist im Januar 1943, wird die Geschichte komplizierter. Bernhard braucht von Ursula: »1. Arische Abstammung (notariell beglaubigt) 2. Eheunbedenklichkeitsbescheinigung (zuständiges Gesundheitsamt)« – ich vermute, hier geht es um den »erbkranken Nachwuchs« – »3. Polizeiliches Leumundszeugnis 4. Drei Leumundszeugen mit Anschrift 5. Erklärung über wirtschaftlich geordnete Verhältnisse«.

»Diese Papiere habe ich hier einzureichen, dann erkundigt sich Oberstleutnant v. Saldern bei den Bürgen, ob Du eine ehrenhafte junge Dame bist. Sollten die Bürgen das bejahen (?), wird von hier aus die Erlaubnis mit Einsendung Deiner Papiere beim OKH« – das ist das Oberkommando des Heeres – »beantragt, das mir dann die Heiratserlaubnis erteilt, die ein halbes Jahr Gültigkeit hat und falls notwendig auf ein Jahr verlängert werden kann. Ich konnte nicht feststellen, was Du noch für Papiere auf dem Standesamt brauchst. Ich brauche außer meinem Soldbuch und meiner Heiratserlaubnis nichts. Ich vermute, die Eheunbedenklichkeitsbescheinigung (dolles Wort!) wird am längsten dauern, aber alles ist eilig.« Bernhard schreibt dies aus der russischen Winter-Wüste Anfang Oktober 1942.

»Arier-Nachweis«, beglaubigt – sollte sich das nicht mit dem Arierparagraphen in der Satzung des Klamroth'schen Familienverbands erübrigt haben? Else muß auch so ein Ding beibringen für irgendwas und flucht in einem Brief vom Juli 1942: »Ich muß ja sagen, die Liebe und Hochachtung vor meinen sicher tüchtigen Ahnen steigt und fällt mit der Arbeit, die sie mir machen. Die vielen und langen Vornamen und der kleine Platz in der Rubrik, und dann meine Schrift, – ich war <u>nicht</u> begeistert! Und dann muß ich auch noch hin und das beglaubigen lassen!! Dabei habe ich es noch leicht mit all der Vorarbeit von Großvater, aber all die anderen armen Leute!!« Weiter denkt sie nicht. Sie denkt nicht, daß diese ihre Mühe dazu da ist, andere zu stigmatisieren. Sieht sie nicht die Menschen auf der Straße, die seit September 1941 den Judenstern tragen müssen und denen gegenüber sie mit ihrem Arier-Nachweis dokumentieren soll, daß sie »wertvoller« sei?

Sie denkt überhaupt zu kurz. Im Kindertagebuch schreibt sie, wie dankbar sie sei, daß Sabine und ich trotz Krieg so fröhlich vor uns hin leben: »Die französischen Kinder, die russischen Kinder, sie alle, auch die belgischen und holländischen, griechischen und serbischen Kinder, sie alle haben das Grauen des Krieges kennengelernt, und Ihr dürft noch so unbekümmert spielen, weil unsere Soldaten so tapfer sind und sich so für Euch einsetzen.« Faßt man das? Kommt ihr nicht in den Kopf, wer im von Deutschland überrollten Europa den anderen Kindern das Grauen des Krieges ins Land geschleppt hat?

Die Verlobung am 17. Juli 1942 findet ohne Bräutigam statt, sein Bruder kommt aus Berlin und »gibt den Stahlhelm«. Ich lerne, daß bei Ferntrauungen im Krieg ein Stahlhelm den abwesenden Ehemann symbolisiert – was für ein gemütlicher Ersatz! In Bernhards Unterlagen finde ich viel Lametta in der Gratulationspost, von Generaloberst Heinz Guderian, dem »Vater« der deutschen Panzertruppen, über den Chef des Generalstabs des Heeres Generaloberst Franz Halder, mehrfach Initiator von Umsturzplänen – nach dem 20. Juli 1944 gerät er ins KZ – bis zum Oberbefehlshaber der 6. Armee Generalfeldmarschall Friedrich Paulus. Kein halbes Jahr später wird deren Tragödie bei Stalingrad den Anfang vom Ende Nazi-Deutschlands einläuten. Nicht einer der Gratulanten übrigens unterschreibt mit Heil Hitler. Die 10. Panzerdivision überschlägt sich mit Parfum und Seidenstoffen aus Paris, HGs alte »Zwölfer«, die Offiziere seines Halberstädter Infanterie-Regiments, übermitteln per Kurier mehrere Kisten Krim-Sekt. Es ehrt die Klamroths, daß die Familienfahne hochgezogen ist und nicht das Hakenkreuz.

Bernhard schickt 50 rote Rosen durch seinen Bruder Walter, das heißt, tatsächlich sind es Nelken. Walter hat sich die Hacken abgetrabt nach Rosen, vergeblich, und ich stelle mir 50 rote Nelken in der Vase vor, oder lieber nicht. Ursula ist das ganz egal, sie rührt sich nicht vom Telefon in der Hoffnung, daß Bernhard anruft, das tut er dann auch spät in der Nacht, und jetzt fühlt sich Ursula »richtig verlobt«. So weint sie es Else an die Schulter, und Else schreibt es in den nächsten Sonntagsbrief, und HG liest an der estnischen Grenze, »daß ich eine Tochter weniger habe. Oder habe ich einen zusätzlichen Sohn?«. Eine Woche später bekommt Ursula den Quittungsabschnitt einer

Postanweisung über 250 Mark – das ist wieder ein Ritual. Diesmal geht es um Vertragserfüllung – die Kinder haben sich schriftlich verpflichtet, bis zu ihrem 18. Geburtstag nicht zu rauchen, dafür gibt es dieses Geld, das ist eine Menge zu der Zeit, HG hat es sich im Osten »mühselig abgespart«. Ab jetzt raucht Ursula wie alle anderen, nämlich heftig.

Nichtangriffspakt her oder hin, am 22. Juni 1941 greift Deutschland Stalins Sowjetunion an mit drei Millionen (!) Mann. Napoleon ist auch im Juni in Rußland einmarschiert, das war 1812, wir kennen das Ergebnis von damals, wir wissen, wie es diesmal ausgeht. Aber noch heißt es, der Krieg gegen den völlig überraschten Gegner werde in 14 Tagen gewonnen sein. Acht Monate später kommt HG an seinen neuen Dienstort, nicht bei der kämpfenden Truppe, er ist »verantwortlicher Offizier des Abwehrkommandos III« in Pleskau geworden, das liegt an der Grenze zu Estland, und dort sitzt die Heeresgruppe Nord, bei der HG direkt angebunden ist. Der Job ist offenbar eine Auszeichnung, HGs Vorgänger war ein Oberstleutnant, dem nachzufolgen für einen kleinen Hauptmann Ehre ist, wozu er von allen Seiten beglückwünscht wird. HG landet in einem Armageddon biblischer Dimension, über das der Generalstabschef des Heeres Franz Halder in seinem Tagebuch schreibt, »daß dieser Krieg zu entarten beginnt in eine Prügelei, die sich von allen bisherigen Formen des Krieges loslöst«. Hitler dazu am 3. März 1941: »Dieser Feldzug ist mehr als nur ein Kampf der Waffen. Er ist der Kampf zweier entgegengesetzter politischer Systeme, die Auseinandersetzung zweier Weltanschauungen.«

Hitler am 30. März: »Wir müssen von dem Standpunkt des soldatischen Kameradentums abrücken. Der Kommunist ist vorher kein Kamerad und nachher kein Kamerad. Es handelt sich um einen Vernichtungskampf.« Wie in Polen geht es um die Auslöschung der Eliten, der berüchtigte Kommissarbefehl vom 6. Juni 1941 gipfelt in dem Satz: »Politische Hoheitsträger und Leiter (Kommissare) sind zu beseitigen.« Das Ziel: »Die Germanisierung des Ostraums durch Hereinnahme von

Deutschen und die Ureinwohner als Indianer zu betrachten«. Es gibt Heerführer, die sich dem widersetzen.

Im Osten ist die Hölle eingezogen: Massenexekutionen, Deportationen, Aushungerung. Millionen, Kriegsgefangene wie Zivilbevölkerung, sind krepiert. Die sowjetischen Juden werden vom ersten Tag des Ostfeldzugs an ermordet, dafür sind die Einsatzgruppen der Sicherheitspolizei da, die sich Hilfsmannschaften suchen allenthalben. Ich zähle in den Aufzeichnungen über deren »Vollzugstätigkeit« im ersten halben Jahr des Rußlandkrieges etwa 600 000 »liquidierte« Juden, ab März 1942 beginnen die Deportationen aus Westeuropa.

Ich denke an die Juden in Grodno, an Kurt im Ersten Weltkrieg, an den Wettstreit der Schlitzohrigkeit gepaart mit Respekt vor dem anderen – nicht einer von denen wird überlebt haben. Kesselschlacht um Bialystok, 30 000 Juden in der Stadt, wer die Kämpfe überstanden hat, wird sein eigenes Grab geschaufelt haben, in das ein Genickschuß ihn zu den übrigen Namenlosen schickt. Massenerschießungen in Riga, in Kiew – wohin ist HG da geraten? Hat er das gewußt, als er so dringend nach Rußland wollte?

Er schreibt nichts darüber, natürlich nicht. HG schreibt auch nicht, daß in den Führungsetagen der Ostfront der Teufel los ist: Die Generalfeldmarschälle an den Spitzen der Heeresgruppen und mehrerer Armeen demissionieren oder sie werden von Hitler ausgetauscht, weil der in den schweren Kämpfen während der sowjetischen Winteroffensive keinen Fußbreit Boden preisgeben will. Wer seine Truppen zurückzieht, gilt als Hochverräter, Generalleutnant Hans von Sponeck wird deswegen zum Tode verurteilt, Generaloberst Erich Hoepner aus der Armee ausgestoßen. Der Oberbefehlshaber des Heeres, Generalfeldmarschall Walther von Brauchitsch, reicht seinen Rücktritt ein. Hitler übernimmt selbst den Job.

Nach dem Überfall der Japaner auf den amerikanischen Flottenstützpunkt Pearl Harbor am 7. Dezember 1941 treten die USA in den Krieg ein. Das hatten wir doch alles schon mal: unbeschränkter U-Bootkrieg, die »rücksichtslose Ausbeutung der besetzten Gebiete zugunsten des Reichs«, die Sammelei für alles und jedes, Gold, Geld, Abfall, die Verantwortung der Heimatfront. Ich höre Ludendorff, ich höre Hindenburg, ich höre den Kaiser. Jetzt heißen sie anders, die Barbarei ist perfektioniert, aber das Muster ist geblieben. In Deutschland wird Woll- und Winterkleidung für die Front gesammelt, alles in allem kommen 67 Millionen Stück dabei zusammen, fast vier Millionen Pelze, viereinhalb Millionen Paar Handschuhe und fast acht Millionen Paar Pulswärmer. Auch die Skier werden eingezogen, das trifft die Halberstädter hart, denn es liegt hoher Schnee unter strahlendem Sonnenschein bei grimmiger Kälte.

Auch HG meldet arktische Temperaturen bis minus 37 Grad, er erkundigt sich bei der Reichsfrauen-Schülerin Ursula, ob »Dauerwurst und Dosenfleisch Schaden nehmen, wenn sie eingefroren sind«. Die Sonntagsbriefe sind ab jetzt wieder da, und die Familie liest, wie »in diesem Lauselande die Kälte bezwungen wird. Autos sind morgens grundsätzlich eingefroren, die Männer bocken sie auf, entzünden ein offenes Holzfeuer unter dem Benzinmotor (!) und dann laufen sie wieder. Es wird mir versichert, noch nicht ein Wagen sei in die Luft geflogen. Die Motoren den ganzen Tag laufen zu lassen, damit sie warm bleiben, scheidet wegen Benzinmangels aus, also gibt es diese Feuer-Prozedur manchmal mehrfach am Tag.«

HGs Beschreibung dessen, was er tut, bleibt kryptisch. Er ist Leiter des Abwehrkommandos III, das in der riesigen Ausdehnung des Heeresgruppenbereichs überall mit Aufklärungstrupps und Agentenkolonnen den Gegner hinter und vor der Front im Visier hat. Die unorthodoxen Methoden des AK III finden wachsende Anerkennung in den Armeen und untermauern seine Unentbehrlichkeit. Wie Kurt damals in Grodno zieht HG Halberstädter Spezis in seinen Bereich nach, bald sitzen wieder die Bridgespieler vom Bismarckplatz zusammen. Ihr Geschäft ist die Partisanenbekämpfung – »diese Leute hinter der Front sind lebensgefährlich und sie vermehren sich wie die Küchenschaben!« HGs Leute versuchen sie zu fangen, sie zu unterwandern, ihre Kommandozentralen auszuheben, in

HGs Dienststelle werden sie verhört, wenn man sie lebend kriegt.

Sein Job umfaßt auch die Vernehmung von kriegsgefangenen Offizieren und Überläufern, aus deren Aussagen, neben den Berichten der eigenen Agenten, er ein Bild gewinnt über die Zustände beim Gegner. Daher hat er, denke ich, die »mehrfach belegte Information, daß im belagerten und ausgehungerten Leningrad die Menschen sich gegenseitig auffressen«. HG schreibt das kommentarlos, zwei Absätze später ist zu lesen, daß die »Kriegsgefangenen aus dem Lager, die hier auf meiner Baustelle arbeiten, sich darum reißen, hierher zu kommen, weil sie von uns verpflegt werden«. Er und seine Mitarbeiter arbeiten bis zum Umfallen. Sie stehen unter Druck, die Gefangenen müssen möglichst sofort verhört werden für den Fall, daß dabei gewonnene Erkenntnisse akut wichtig sind für die eigene Truppe. »Meine Funker sitzen Tag und Nacht an der Taste, das Schreiben sollte durch Führerbefehl verboten werden«, stöhnt er, denn wenn er auch nicht alle Berichte selbst verfaßt, die Texte müssen über HGs Tisch.

Es bekommt ihm nicht. Else ist entsetzt, als HG zu Kurts 70. Geburtstag am 22. April 1942 kurz nach Hause kommt. Er hat 20 Pfund abgenommen, irgendeine Nierengeschichte, er ist »sehr elend«. Auch Kurt geht es nicht gut. Seine alte Amöbenruhr macht ihm erneut zu schaffen, außerdem krankt seine Psyche, »es ist nicht seine Zeit«, schreibt Gertrud in ihr Tagebuch. Sie selbst hat sich 1938 kurz nach meiner Geburt den Oberschenkelhals gebrochen – deshalb heiße ich mit zweitem Namen Gertrud, das hat ihr Freude gemacht. Seitdem geht sie am Stock. Beide sind bedrückt, daß HG an die Ostfront versetzt ist, »er hätte es doch nicht nötig gehabt, sich wegzumelden«. Else versucht, ihnen klarzumachen, daß es um Deutschland gehe und jeder Opfer bringen müsse, den Schwiegereltern aber sind die drei Hurras längst vergangen. Gertrud im Tagebuch: »Hans Georg hätte sich retten können. Dieser Krieg ist ein anderer Krieg.« Ist er nicht, Großmutter. Er ist die apokalyptische Fortsetzung eures Krieges.

Kurts 70. Geburtstag wird trotzdem ein schönes Fest, fast wie in alten Zeiten. Alle vier Kinder und die dazugehörigen Schwiegerkinder sind da, Enkel jede Menge, früh morgens wird vor Kurts und Gertruds Schlafzimmertür wieder vielstimmig »Es tagt der Sonne Morgenstrahl« gesungen, bald strömen die Gratulanten, der Familienverband in starker Formation, die Geschäftspartner, die Stadt, die »Gefolgschaft«. Natürlich gibt es eine Aufführung, sie besingt den vielfachen Kurt – den Zauberer, den Bildhauer, den Kürassier, den Kaufmann, den Archivar, den Großvater. Ich darf auch schon mein Verslein sagen. Alle Instrumente sind im Einsatz, in der großen Diele prasselt ein Feuer im Kamin: »Warmer Herd – Harm er wehrt«. Gertrud glücklich ins Tagebuch: »Wir haben den Krieg tatsächlich vergessen.«

HG fährt nach ein paar Tagen zurück nach Rußland, nicht gern, die Firma macht ihm Sorgen, Kurt ist den Anforderungen des Geschäfts nicht mehr gewachsen. Zwar ist der »Privatsekretär« Hans Litten Gold wert zu Hause, der Prokurist ein zuverlässiger Mitarbeiter – trotzdem ist HG für die kaufmännische Kreativität in diesen reglementierten Zeiten unentbehrlich. Als einziger in seinem militärischen Umfeld schlägt er sich mit einer solchen Doppelbelastung herum, alle anderen sind Berufsoffiziere, »und die befinden sich im Krieg in der Erfüllung ihres Lebensberufes, die kennen nicht die Sorgen eines Reserve-Offiziers um einen Hauptberuf oder -betrieb in der Heimat, und mancher von ihnen findet es direkt verächtlich, wenn ein Reserve-Offizier von der Notwendigkeit spricht, sich nun endlich mal wieder um seine bürgerliche Existenz kümmern zu müssen«.

Anfang Mai macht sich HG etwas im estnischen Reval zu tun, das sind »400 Kilometer schwierige Straßenverhältnisse, die Landschaft von Kämpfen gezeichnet«. Er findet den Weg nach Schloß Arroküll, wo er 1918 seine Leidenschaft für Verwaltungs-Organisation austoben durfte, jetzt ist dort eine Haushaltsschule ähnlich wie Ursulas Reichsfrauen-Anstalt. HG geht in das Zimmer mit dem weiten Blick über den Park, wo er damals als Fähnrich gewohnt hat, »und wo ich glaubte, mein Leben sei zu

Ende«. Er läßt seinen begeisterten Fahrer in der Obhut der niedlichen Haushaltsschülerinnen zurück und fährt allein weiter nach Sallotak, das ist der Ort, wo HG Franz Vitt erschossen hat: »Ich ging über dieselbe Wiese, wo damals die Schüsse fielen, und stand vor dem Bauernhaus, in das wir ihn hineintrugen. Die estnischen Bauern im Sonntagsstaat, die mich verwundert beobachteten, mögen dieselben Menschen gewesen sein, die mich damals zu Hilfe riefen, oder ihre Kinder. Ich habe sie nicht gefragt, und so sahen sie mich nur verwundert an, was ich in diesem verwunschenen Walddorf wohl wollte. 24 Jahre ist das nun her, für mich ist es, als ob es gestern gewesen sei.« HG ist »ziemlich stumm« auf der Weiterfahrt nach Reval, eine Einladung des dortigen Dienststellenleiters zum Abendessen schlägt er aus. Vier Wochen später fährt er noch einmal dorthin. In einem handschriftlichen Zusatz auf dem Sonntagsbrief an Else notiert er: »Ich war noch einmal in Sallotak und habe das Grab gefunden. Vielleicht kann ich jetzt meinen Frieden mit ihm machen.«

Die Familie erfährt Schnurriges aus HGs Sonntagsbriefen: seinen Kampf um drei neue Kloschüsseln mit dem Heeres-Unterkunftsamt, daß er einen schwäbischen Zimmermann mit Urlaubsscheinen besticht, damit der ihm ein Waschhaus und die Garage für 15 Autos baut, daß er gern Radieschen-Samen geschickt haben möchte und Kunsthonig die gleiche Wirkung hat wie Rizinus-Öl. HG bekommt Mitarbeiter »mit mächtig vornehmen Namen – Baron Kleist von Budberg und Baron Stackelberg-Livenhof, Balten natürlich, die wissen deshalb alles besser. Gestern kam einer, der heißt Baron Mengden von Altenwoga, ist aber trotzdem ganz nett.« HG war fünf Stunden mit dem Auto unterwegs, um einen neuen Offizier im Generalstab »einer nördlichen Armee« vorzustellen, der dortige Major aber konnte ihn wegen »Arbeitsüberlastung« nicht empfangen. HG sei daraufhin wütend in dessen Büro eingedrungen und habe den Mann beim Sortieren von Zigarettenbildchen vorgefunden. So was schreibt einer, der aus diesem »Affenland« nicht schreiben kann, was wirklich los ist.

HG träumt auch: »Ich möchte mal wieder: an einem schönen Sommer-Sonntagmorgen früh um 6 Uhr mit meiner Frau und meinem Vater die Pferde besteigen, einen Pfundsritt bis zur Lessinghöhe machen, dort ein Glas Milch trinken, während die Pferde sich am morschen Holzstakett scheuern – wieder nach Hause kommen, mich zusammen mit meinen kleinsten Kindern rasieren und baden, Spiegeleier und Röstebrot frühstücken, DAZ lesen und gerade noch rechtzeitig mit meinen großen Kindern in die Kirche gehen, nach der Kirche aus dem Postfach 42 die Geschäftspost holen und eben mal mit ihr ins Kontor gucken, bis Else anruft ›Kommst du pünktlich zum Mittagessen?‹ und dann schnellen frohen Schrittes hutschwenkerweise nach Hause eilen – nach dem sonntäglichen Essen (›Schneidest du heute vor oder soll ich?‹) im Liegestuhl auf dem Balkon Sonne schlemmen, von Sabine oder Wibke zum Tee gerufen werden und mich dabei von Heidesand überraschen lassen, danach Briefmarken pusseln, während Frau und Kinder Exlibris einkleben – nach dem Abendessen einen friedlichen kleinen Gang mit meiner Frau durch den Garten machen (›Hier würde ich alles wegreißen und e i n großes Blumenbeet anlegen‹), auf dem Rückweg in der Veranda bei den Großeltern einkehren, oben friedlich schlafende Kinder vorfinden und dann bald selbst dankbar für soviel Glück schlafen gehen... Ja – das möchte ich mal wieder.«

Else zu Hause hätte wahrscheinlich auch gern einen so friedlichen Sonntag – hieße das doch, daß irgend jemand vor Tau und Tag die Pferde sattelt, daß eine Köchin das Frühstück macht und den Braten rechtzeitig in den Ofen schiebt, daß die Kinder abends ins Bett gebracht werden von Marylee oder Gilberte oder einer Lieblingsdänin. Statt dessen kämpft Else mit Erbsen, Johannisbeeren und dem Auswärtigen Amt, das keine Genehmigung rausrückt für Sabine und mich, die wir die Sommerferien in Dänemark verbringen sollten. Daraus wird nichts, dafür hat Else zwei Berliner Ferienkinder im Haus, die ihr die NSV, die Nationalsozialistische Volkswohlfahrt, geschickt hat, damit sie bei ihr aufgepäppelt werden – »sieben und zehn Jahre alt, die Zehnjährige kleiner als Sabine und 15 Pfund leichter. Sie erzählten gestern, daß sie nie warmes Essen bekämen, bei beiden sind die Väter im Krieg und die Mütter arbeiten.«

Else hält, wie HG, die verstreute Familie mit zahlreichen Kopien der Sonntagsbriefe zusammen: »Wie Vater es macht, so viele leserliche Durchschläge hervorzuzaubern, ist auch eines der vielen ungelösten Rätsel dieses Lebens.« Sie kommen alle dran, Barbara, die mittlerweile Chemie studiert in München: »Wie war Dein Kolloquium? Daß es nun so furchtbar aufregend sein soll, daß ein Mann aus Silber Cadmium macht, ist sowohl Kirsten« – Lieblingsdänin – »als auch Sabine, Wibke wie mir unverständlich. Umgekehrt fänden wir es aufregender, aber wir wissen auch gar nicht, was Cadmium ist. Das Beschießen der Atomkerne finde ich auch aufregend. Wann zertrümmert Ihr die Dinger nun eigentlich endlich mal, damit man mit 3 Stück Kohle von hier nach Berlin einen ganz langen Zug betreiben kann?«

An Ursula, Reichsfrauen-Maid in Reifenstein: »So einen Quatsch hat der Kreisleiter erzählt? Bei solchen Gelegenheiten bin ich immer traurig, wenn ich nicht dabei bin, dem würde ich« – was sie würde, steht da nicht. Weiter: »Ja, man sagt kulinarisch! Die Verbesserung Deiner Fehler überlasse ich Vater, dann werden sie bestimmt richtig verbessert, d. h. Sabine könnte es auch. Ward Ihr denn im Theater – kann mir mal jemand sagen wie man ›ward‹ schreibt? Ward Ihr im Theater oder wart Ihr im Theater. Das muß doch mal geklärt werden können!!« An Jochen, im Internat auf Spiekeroog: »Wie schön, daß Ihr solche Feste feiert. Feste sind eine Kunst und bestimmt eine wichtige. Wo sollten wir hin, wenn wir es nicht verstünden, einige Fest- und Feiertage in unseren schweren und grauen Alltag zu streuen, heute ist es wichtiger denn je. Wozu brauchst Du einen Koffer, was soll ich denn da rein tun, Sand? Leer kommt er doch nur zermatscht bei Dir an.«

An den Schwiegersohn in spe Bernhard vor Smolensk: »General Schmidtchen bedauert es sehr, es versäumt zu haben, Dir zu Deiner Schwiegermutter zu gratulieren.« An Mutter Dagmar Podeus, die bei Freunden in Wismar ist: »Du glaubst doch wohl nicht, daß mir Deine Indiskretionen verborgen bleiben! Jeg var virkeligt fornærmed!« – Ich war wirklich ärgerlich. An alle: »So, nun muß ich mich aber doch um das wenn auch noch so einfache Mittagessen kümmern. Wollt Ihr wissen, was es gibt? Spinatsuppe und kalten falschen Hasen mit Milchkartoffeln und Salat dazu. Wibke kommt gerade die Treppe raufgehüpft aus dem Kindergarten: ›Hallo-ho, hach, ich bin ja heute wieder so vergnügt!‹ Dann bin ich es auch! Lebt wohl, geliebte ferne Familie.«

Im fernen Pleskau macht HG jeden Morgen nach dem Frühstück um sieben Uhr einen »Gang durch die Wirtschaft« – durch die Unterkünfte und über den Hof, die Kfz-Halle, Schweinestall, Küche, Männerhaus, Frauenhaus – das sind die Gefängnisse – durch die Funkbuden und Werkstätten: »Jeder meiner Männer weiß, daß er mich bei dieser Gelegenheit ungeniert mit seinen privaten Sorgen und Kümmernissen ansprechen kann, und davon wird auch reichlich Gebrauch gemacht, so daß dieser Frührundgang manchmal mehr als eine Stunde in Anspruch nimmt.« Die Schreibtischarbeit erledigt HG nachts, der Tag ist angefüllt mit Besuchern, viel Lametta aus der Heeresgruppe und den Armeen läuft bei ihm durch, »aber nicht weniger interessant zieht eine andere lange Schar Menschen täglich an mir vorüber, wenn auch der Begriff ›Mensch‹ dem menschenverachtenden Gegner bei ihrem Einsatz nicht in den Sinn gekommen zu sein scheint. Alte und junge Männer, alte Weiber und junge Mädchen, ja Kinder werden zu diesem Weg gepreßt, an dessen Ende nach völkerrechtlichen Bestimmungen der Tod durch Erschießen steht.«

»Wie oft habe ich in letzter Zeit mit Schaudern daran gedacht, wie es wäre, wenn Barbara, Ursula und Jochen auch zu solchen Zwecken mobilisiert worden wären – sind doch viele dieser unglücklichen Gestalten, die mir im Vernehmungsraum mit ängstlichen oder gleichgültig-stumpfen Blicken gegenübertreten, nicht älter als 16, 17 oder 18 Jahre. Nur ganz wenige von ihnen sehe ich dann später, sauber gewaschen, mit geschnittenem und frisiertem Schopf, durch den Obergefreiten Birk mit westeuropäischer Kleidung versehen (auf meiner Kammer ist alles, vom Schlüpfer bis zum Büstenhalter!) und mit froherem, dankbarem Blick auf meinem Hof, im Waschhaus oder in der Küche wieder – die meisten aber gehen the way of all flesh.«

»Dabei darf man nicht weich werden, und nirgends ist wohl die Mahnung mehr angebracht: ›Landgraf werde hart!‹ Jede unangebrachte Milde, jedes falsche Mitleid kann Hunderte deutscher Soldaten das Leben kosten, und bei dieser Alternative ist es schon besser, wenn eher mehr als zu wenig von diesen Untieren ins Gras beißen. Oder sind es vielleicht doch auch Menschen? Ich will es gar nicht wissen, denn hier gilt nur die Pflicht.«

Bernhard schreibt aus der Winterschlacht um Moskau an HG: »Die Partisanen sind eine schwere Bedrohung für den Nachschub. Sie kommen aus dem nichts, oft mit nicht viel mehr bewaffnet als ein bißchen Benzin und Streichhölzern, völlig gleichgültig, so scheint es, bezüglich ihres eigenen Lebens. Sie wissen, daß sie sofort erschossen werden. Aber ihre Zahl ist offenbar unbegrenzt, genau wie bei den gegnerischen Soldaten – wir nehmen 10 000 gefangen, und ein paar Tage später sind neue 10 000 da, wieder schlecht bewaffnet, aber todesmutig, die schiere Masse macht es, ein unerschöpfliches Reservoir, dem wir Vergleichbares nicht entgegen zu setzen haben außer unserer Intelligenz.«

HG im Sonntagsbrief: »Meine Männer und mich hat eine verbissene Passion erfaßt, unseren lieben Gegenspielern drüben möglichst rasch, systematisch und gründlich ihre Trümpfe aus der Hand zu spielen. Das ist wie beim periodischen System, hat man das einmal begriffen, sind die nächsten Schritte vorhersehbar, und wir können anhand der eingegangenen Vögel feststellen, wer noch fehlt und mit Erfolg nach ihnen fahnden. Man muß sie mit Logik finden, das ist keine Entenjagd.«

»Es ist schon spannend, wenn mir der Kopfhörer gereicht wird mit dem strahlenden und gespannten Blick des Funkers:

›Da ist er, Herr Major – Nr. 763! Noch dreimal Empfang, dann haben wir ihn‹. Und wenn dann diese Nr. 763 ein paar Tage später vor mir steht, dann kann man sich befriedigt sagen: mal wieder hundert deutschen Soldaten das Leben gerettet. Die bedauerlichen menschlichen Objekte dieser großen Spielerei sind dann meistens sehr erstaunt, mit wie umfassenden Kenntnissen ihrer häuslichen Verhältnisse ich ihnen gleich beim ersten Verhör ins Gesicht springen kann. Daß es alles Menschen sind, die uns und umgekehrt wir sie vernichten wollen, das tritt dieser Sammlerpassion gegenüber ziemlich in den Hintergrund und wird nur mir am Ende jedes Spiels kurz sichtbar, wenn das bewußte Paket mit Schuhen, Anzug und Wäsche unter dem trockenen Aktenzeichen Nr.... bei mir abgegeben wird.«

Ich weiß nicht, wie ich mich dazu verhalten soll. Krieg ist keine Schönwetter-Angelegenheit. Es hat die »franctireurs«, die Kämpfer hinter den feindlichen Linien spätestens seit dem Krieg 1870/71 gegeben, die Saboteure, die Sprengkommandos, die Mörder. Kurt hat sie 1914 in Belgien erlebt, als Bauersfrauen die Quartiermacher der deutschen Truppen mit Küchenmessern massakrierten. Sie tauchen auf in jedem besetzten Land, man nennt sie Terroristen oder Freiheitskämpfer je nachdem, ob sie siegreich sind oder nicht. Die Juden in Palästina haben so gegen die Briten gekämpft, die Palästinenser gegen die Israelis, Titos Partisanen in Jugoslawien gegen die Deutschen, die Liste läßt sich beliebig verlängern.

Hier in Rußland ist das eine Kampftruppe großen Stils, das NKWD jagt die Bevölkerung ganzer Dörfer hinter den feindlichen Linien in die Schlacht. Sie werden mit Fallschirmen abgesetzt, sie sickern auf Schleichwegen hinter die Front, für ihren Kampf gibt es keine Regeln, für ihre Bekämpfung nur eine: den Tod. Sie werden gelenkt, organisiert, verheizt, die meisten sind Spielmaterial, einige sind kostbare Spezialisten. Soll ich mich empören, daß HG sie erschießen läßt? Keine Besatzungsarmee der Welt läßt sie gewähren und im Krieg schon gar nicht.

HGs Beförderung zum Major wird gefeiert wie ein Kindergeburtstag. Erwachsene Männer, mit Sternen und Affenschaukeln rausgeputzt, saufen sich die Hucke voll mitten im Krieg und »dann geht das los vom ›Rundgesang‹ über ›Schunkeln‹, deklamatorischen und Zauber-Vorführungen bis zur Hetzjagd über Stühle und Tische und dem Fangballspiel mit Tellern und Gläsern. Über dem Rest der Fête liegt ein nebelhafter Schleier, irgendwie bin ich ganz allein nach Hause gekommen und wußte natürlich die Parole nicht und sollte schon festgenommen werden, was ich aber durch gütlichen Zuspruch an den Posten verhindern konnte. Meine Landser bekamen zur Feier meiner Raupen« – das sind die Dinger für die Achselklappen – »diverse Flaschen Wodka, meine Gefangenen jeder ein Paket des ersehnten Machorka, und so herrscht wohl allgemeine Zufriedenheit«.

Ich könnte die Schilderung von Besäufnissen in Pleskau mühelos fortsetzen, Mutter Gertrud in Halberstadt notiert sorgenvoll ins Tagebuch: »Schon wieder so ein Trunkenheitsbrief von Hans Georg, er war schon früher in Litauen gefährdet, wenn ihm nur nichts passiert deswegen!« Die trinken alle, Bernhard und die Kükenbraut Ursula, wenn sie denn zusammen sind, beginnen das Frühstück mit Cointreau – ausgerechnet! Barbara, keine 20, schildert Cognac-Gelage in München, in der Bar am Bismarckplatz schütten die Front-Urlauber und die Verwundeten mit Ausgang vom Lazarett die harten Sachen wie Wasser in sich hinein. Bernhard erzählt vom Pervitin-Bedarf an der Front, Else lebt davon, ohne Schlafmittel geht gar nichts, wo sie das Zeug wohl immer her hat? Die sind alle krank, aber was soll sein, der Krieg ist krank, das Land ist krank, wieso sollten die Menschen gesund sein.

Diese Lügen dauernd! HG in seinen Briefen: »tiefe Zuversicht«, »kluge Gegenmaßnahmen«, »ruhige Gewißheit«, »großes Vertrauen, weil die Heeresführung weiß, was sie tut«, »sachlich begründeter Optimismus«. Da muß ihm doch das Farbband rausspringen, warum schreibt er das? Um die Familie zu Hause zu beruhigen, um die Zensur zu befriedigen? Warum sagt er nicht einfach nichts? Die Alliierten, jetzt auch die Amerikaner, landen in Marokko und Algerien, Rommel weicht vor dem

Großangriff der Briten bei El-Alamein zurück, Stalingrad wird eingeschlossen, an der gesamten Ostfront ist die zweite sowjetische Winter-Offensive in vollem Gange, kaum eine Nacht in Deutschland vergeht ohne schwere Luftangriffe der Briten – alles im November 1942. HG aber ist »beeindruckt von unserem intelligenten Vorgehen«. Dabei weiß er es wirklich besser.

In Halberstadt ist Jochen gemustert worden und »k.v.« geschrieben – »dieses Kind« empört sich Else, er ist 17. Ein halbes Jahr später bekommt er die »Vorsemesterbescheinigung«, ein Äquivalent zu HGs Notabitur im Ersten Weltkrieg, und soll ohne richtigen Schulabschluß an die Front. Elses Sonntagsbriefe flattern wie immer durch ihren Kosmos, dieser hier ist vom 22. November 1942: »Die Woche stand ganz im Zeichen von Afrika und Großmutti«. Wenn Rommel zurückmüsse, weil er keinen Nachschub bekäme, dann sollten die Planer im OKH mal in einem Haushalt in die Lehre gehen: »Ich fange doch auch nicht an zu kochen, wenn ich keine Zutaten habe!!« Neulich hätten sie alle, auch die Kinder, auf der Karte Marsa Matruk gesucht, das liegt an der Mittelmeerküste Ägyptens, links von Alexandria – »dieser Krieg hat doch wenigstens das Gute, daß wir alle Geographie lernen!! Aber Ordshonikidse gibt es nicht, vielleicht ist da gar kein Krieg?« In meinem Atlas gibt es sechs, dieses hier liegt am Kaukasus, und da war heftig Krieg.

Dagmar Podeus sei im Krankenhaus, schreibt Else, weil ihr immer schlecht sei, »aber sie hat nichts! Ich habe ihr gesagt, sie sei hysterisch, daraufhin hat sie sich in meinen Schoß übergeben. Also hat sie doch was, denn bösartig ist sie ja nicht. Bloß was?« Es entpuppt sich als Gehirntumor, die arme Dagmar hat scheußlich gelitten. Bei Else sitzt wieder das Haus voller Leute, Familien-Kinder aus dem Rheinland, die wegen der Bombenangriffe hier geparkt sind. Sabine, die ist jetzt neun, habe ihren Lesetag – »zur Erklärung für die Männer: Wir haben eingeführt, daß Sabine nur eine Stunde am Tag lesen darf und einmal im Monat einen ganzen Tag. Seitdem ist das Kind wie ausgewechselt, viel unternehmungslustiger und umgänglicher, während man sie früher von ihren Büchern wegprügeln mußte.«

Ein »gräßliches Pech« sei ihr mit dem Teig für die braunen Kuchen passiert, »ich habe nämlich statt Pottasche Natron genommen, ich hatte so was läuten hören, daß Bullrichsalz und Pottasche dasselbe wären, aber leider ist es Hirschhornsalz. Wozu läßt man eine Tochter für teures Geld Chemie studieren, wenn sie in so entscheidenden Augenblicken nicht da ist. Ich kann es nun auch nicht ändern – vier Pfund Mehl samt Zubehör sind zu kostbar, und wenn Ihr nun aufstoßen müßt nach den Kuchen, dann wißt Ihr wenigstens warum.«

Bei den abendlichen Weihnachtsarbeiten liest die Familie Dickens – »ich sehe nicht ein, daß wir, wenn wir auch mit den Engländern im Krieg sind, deshalb ihre Literatur vernachlässigen sollen. Dann könnte ich ja auch Barbara sagen, sie dürfe sich keinen Shakespeare ansehen im Theater, und was mache ich ohne Oscar Wilde? Es war aber nicht einfach, weil Sabine bei Oliver Twist immer so entsetzlich weinen mußte. Ich bin also zu den Weihnachtsgeschichten von Dickens übergegangen, mal sehen, wie trübsinnig die sind, ich weiß das nicht mehr.«

Die Hochzeit von Bernhard und Ursula soll am 5. Januar 1943 sein, und Else schreibt später ins Kindertagebuch: »Ursula ist ja noch so jung, es ist aber Krieg und jeder Tag kostbar, und da können wir uns nicht länger sträuben.« Das denken sich andere auch, ich finde für das nächste halbe Jahr drei »Kinder«-Hochzeiten im Freundeskreis, die Bräute frisch von der Schulbank weg, 18, wenn überhaupt. Alle drei Männer sind kein Jahr später gefallen. Else weiter: »Wie ich das alles schaffen soll, 50 Menschen drei Tage zu ernähren, das verschlägt mir manchmal den Atem, es soll ja auch noch alles hübsch und festlich werden, eine kaum zu lösende Aufgabe. Ich bin aber so froh darüber, denn es lenkt mich so herrlich ab.«

Die zunehmend schwierige Lage an der Front macht sich auch in HGs Kommando bemerkbar. Sonntagsbrief vom 1. November 1942: »298 Fälle im Oktober gegen 163 im September und 128 im August. Ich habe innerhalb von drei Tagen drei gründliche Verhöre von 12, 15 und 18 Stunden Dauer durchführen müssen – das geht nur mit viel Kaffee, kurzen Nächten und noch mehr Zigarren als sonst. Es waren aber wirklich ein paar Paradefälle, die mir da ins Haus geschneit kamen – das Interessanteste ein kleiner deutscher Leutnant, der nach einjähriger Gefangenschaft bei den Russen und Überstehen geradezu teuflischer Gemeinheiten drüben zum Dienst gegen sein Vaterland gepreßt war und nur, indem er zum Schein darauf einging, dem sicheren Tode entgangen ist. Hier Dichtung und Wahrheit säuberlich von einander zu trennen und letztere nicht nur durch seine eigenen subjektiven Aussagen, sondern objektiv durch vielerlei Parallel-Tatsachen zu beweisen, war eine schwierige, aber dankbare Aufgabe.«

HG weiter: »Der zweite Paradefall betraf ein russisches Mädchen aus Leningrad, wieder eine Studentin von einem uns nun schon sattsam bekannten Spezial-Institut, die mit ganz neuartigen Aufgaben per Fallschirm zu uns gekommen war. Sie spricht fast fließend Deutsch, Französisch, Englisch und Spanisch, kann große Stücke von Goethe, Schiller, Shakespeare, Byron usw. auswendig, ist sehr musikalisch, 22 Jahre alt, ganz appetitlich anzusehen – und stockkommunistisch. Es reizt mich zu versuchen, ob man hier nicht mal an einem vielleicht doch ganz wertvollen Objekt aus einer ›Saula‹ eine ›Paula‹ machen könnte.«

»Erschießen ist ja eine verhältnismäßig einfache und schnelle Lösung, ich bin aber überzeugt, daß wir diesen russischen Krieg nur mit Hilfe der Russen selbst, und da in erster Linie natürlich der russischen Intelligenz, gewinnen können. Da deren Vertreter dünn gesät sind, halte ich es für falsch, die vereinzelten Pflanzen dieser höher entwickelten Gattung, selbst wenn sie zur Zeit noch giftig sind, ohne weiteres auszujäten, sondern möchte versuchen, sie durch Fremdbestäubung zur ›Mutation‹ zu bringen«. Es spricht HG, der Saatzuchtfachmann. »Diese ›Züchtungsversuche‹ begegnen zwar höheren Orts vorläufig noch erheblichem Mißtrauen und skeptischer Duldung, aber ich bin entschlossen, anhand erfolgreicher Beispiele Vorschläge zu machen für gleichgerichtete Versuche in größerem Rahmen.«

»Dieser Saula ist vorläufig klar, daß sie ihr junges Leben –

ebenfalls vorläufig – mir verdankt, und reagiert auf meine ›Fremdbestäubung‹ einstweilen offensichtlich positiv. Jetzt sitzt sie jeden Tag und schreibt Aufsätze in Russisch und Deutsch über ihr von mir gestellte Themen: ›Mein erster Eindruck von den faschistischen Aggressoren‹ oder ›wie muß das Deutsche Reich auf den russischen Menschen einwirken‹. Diese Aufsätze werden dann von unserer Prop-Kompanie begutachtet und unter anderem zur Flugblatt-Propaganda verwandt. Daß sie mir nebenbei, nicht ohne erhebliche Gewissensqualen, eine stattliche Anzahl von ihrer roten Dienststelle hierher entsandter Bomben-Attentäter ans Messer lieferte, ist auch immerhin ein Plus für meine Theorie.«

Ich kann nicht sagen, daß mir HG in dieser Rolle gefällt, aber ihm gefällt der Job auch nicht. Else schreibt irgendwo im Kindertagebuch: »Vater hat eine wenig erfreuliche Arbeit bei der Abwehr in Rußland.« Der dritte ist ein sowjetischer Bataillonskommandeur, »sehr straff und ordentlich, 32 Jahre alt, der es fertig gebracht hatte, seinen Kommissar zu erschießen und dann sein ganzes Bataillon geschlossen zu den deutschen Truppen hinüberzuführen. Nach Ablieferung seiner Männer wollte er in eine deutsche Einheit zur Partisanenbekämpfung eintreten. Ich würde Euch gern erzählen, was er mir erzählte, besonders hinsichtlich der Motivation der russischen Soldaten, deren Todesmut daher kommt, daß sie nur wählen können, ob sie von uns oder von ihren eigenen Leuten erschossen werden. Ich habe dann nach Abschluß der offiziellen Vernehmung den Dolmetscher weggeschickt, und wir haben bis in die Morgenstunden zu zweit bei mehreren Flaschen Moselwein viel besprochen, mein Russisch ist inzwischen fast wieder so gut wie früher.«

HG schreibt auch Briefe an »meine liebe demütige Sabine« – das mit der Demut hat sie sich so ausgedacht –, darin schildert er, wie die drei dicken Schweine der Dienststelle Luftsprünge machen, wenn sie an die frische Luft kommen, und daß das Schwein »Budjennij« demnächst geschlachtet werden soll, weil sie alle solchen Appetit auf Wellfleisch haben, und wie gern er ihr etwas abgeben würde: »Hier in dieser Stadt sieht man überall kleine Mädchen und Jungen, nicht größer als Du, mit Schiebkarren rumlaufen, auf denen sie den deutschen Soldaten das schwere Gepäck nachkarren. Sie bekommen für eine Tour 5 Pfennig, und wir nennen sie die ›russischen Taxen‹. Oben haben sie dicke wattierte Jacken an, und unten laufen sie mit zerrissenen Hosen oder Röcken und barfuß. Sie nehmen auch gern Bonbons an und sagen zum Dank ›Geil Gitler!‹, weil die Russen nämlich kein ›H‹ aussprechen können.« Zum Schluß: »Nun lebe wohl, mein vorkleinstes Kind, und behalte noch ein Weilchen lieb Deinen hochmütigen Vater.«

Ein anderer Brief geht in der »geheimen« Kindersprache: »Liehielefibehelefe Sahalefabihilefinehelefe«. Ich kriege das Flattern, wenn ich nur eine Zeile aufschreiben soll, bei ihm ist das eine ganze Schreibmaschinen-Seite – »tauhaulefausend-hendlefend liehielefiebehelefe – Grühülefüssehelefe Deinhein-lefein Vathatlefaterherlefer«. Auch ein Gedicht bekommt sie:

> So wie ein heller Sonnenschein
> Alles hier verschönt im Leben
> Bist auch Du, mein Töchterlein
> In dem Haus der Eltern Dein
> Nur als Sonne uns gegeben
> Eine Kraft, uns zu erheben.
>
> Kannst Du dieses recht verstehn,
> Laß die Sonne immer scheinen
> An dem Himmel Deiner Jugend,
> Meide Kummer, laß das Weinen,
> Richte Deinen Blick nach oben
> Ohne Wanken, stark in Tugend;
> Trau nicht denen, die Dich loben –
> Halt Dich brav! Auf Wiedersehen!
>
> DEIN VATER

Die Anfangsbuchstaben jeder Zeile hat HG liebevoll gemalt, und daß Sabine selig ist, ein wie auch immer geartetes Gedicht aufgereiht an ihrem Namen zu bekommen, ist doch klar. Ein solcher Vater ist der Größte!

Sabine zittert zu Hause, daß Weihnachten ausfallen könnte, weil doch die Hochzeit um die Ecke lauert, aber die Wunderfrau Else schafft beides. Sie hat alle fünf Kinder beisammen, die Schwiegereltern und Dagmar Podeus sind ganz gut zuwege, es wird viel gesungen, obwohl HG nicht dabei ist. Dafür spielt Ursula Klavier, Jochen flötet, Else hat irgendwoher Kerzen aufgetrieben, und niemand beklagt sich über die braunen Kuchen mit Bullrichsalz. In Elses Weihnachtsbuch stehen 33 (!) Menschen einschließlich Kinder, denen sie gar nicht so kleine Kleinigkeiten schenkt in einer Zeit, als es nichts mehr zu kaufen gibt. Freunde, noch erstaunlich viel Personal, eine ganze Seite mit Süßigkeiten und Keksen, die auch noch hergestellt worden sind, 18 Päckchen »ins Feld« – Else ist ein Phänomen.

Wie meistens, wenn richtig Streß ist, bekommt Else ihre Trigeminus-Neuralgie, sie ist immer wieder für Stunden lahmgelegt. Erst als beide Männer, Bernhard und HG, 36 Stunden vor der Hochzeit tatsächlich durch die Haustür kommen, sind die Schmerzen weg. HG hatte festgesessen in einer Urlaubssperre, Bernhard, inzwischen versetzt ins Oberkommando des Heeres in Ostpreußen, hatte Flugzeug-Probleme, das schwierigste Stück aber war die kurze Strecke von Berlin bis Halberstadt, ein Bahngleis war am Tag zuvor zerstört worden.

Es wird ein leuchtendes Fest. Wie Elses und HGs Hochzeit damals in Ravelin Horn der strahlende Abschied von vergangener Größe war, so ist diese Hochzeit das glanzvolle Ende einer Epoche am Bismarckplatz. Wieder wissen das die Beteiligten nicht, oder sie spüren es und verweigern sich der Niederlage. Wie damals in Ravelin Horn führen sie sich ihre eigene Unverletzlichkeit vor, ein letztes Mal. 41 Gäste zweimal zum gesetzten Essen, Polterabend plus Hochzeit, acht Personen in der Küche, Elses Gesellschaftsbuch dokumentiert ihren Triumph über die Verhältnisse. Der Militär-Pfarrer kommt aus Tunis, der Koch aus Neapel, beide gehören zur 10. Panzerdivision, die den mörderischen vorigen Winter mit Bernhard vor

Moskau durchgekämpft hat, ihr Kommen ist das Hochzeits-
geschenk der Division. HG bringt seinen »Leibeigenen« mit,
Waldemar, einen 18jährigen Russen aus seinem Pleskauer
Reservoir, »ein ganz nordischer Typ«, wundert sich die unver-
besserliche Else im Kindertagebuch. HG hat ihn vor Monaten
schon zu seinem persönlichen Burschen gemacht, beider Herzen hängen aneinander.

Auf den Tafeln ist nicht nur das familieneigene Meißen aufgefahren, sondern auch Dagmars Royal Copenhagen, Silber
der Schwiegereltern, Elses eigenes, Dagmars. Hauchdünne Gläser, leinene Stoff-Servietten mit Klamroth-Monogramm, Tisch-
decken mit eingewebtem Familien-Wappen. Es sind tatsächlich
genügend Kerzen da, für die Dekoration hat Else Cox-Oran-
ge-Äpfel seit dem Herbst gesammelt, im Keller Tulpen hochgezogen, Tannenzweige und silbern lackierte Haselnüsse aus
dem Garten in Kristallschälchen verteilt – es gibt zwei unterschiedliche Dekorationen an zwei Abenden in einer Zeit ohne
Blumen. Über den Plätzen des Brautpaares hängen die Ölge-
mälde von Firmengründer Johann Gottlieb und seiner quirli-
gen Frau Johanne, die Urahnen beider Brautleute. Mit ihnen
fing alles an.

Elses Gesellschaftsbuch: »Die Gäste hatten je 100 gr. Fleisch-
und 30 gr. Margarine-Marken eingeschickt, Annie stiftete 16
Pfund Fleischmarken und sechs Hühner, 8 Brote, 15 Eier und
5 Liter Milch, Ilse Klamroth 1 Pfund Buttermarken, Erika
Zucker, desgleichen von Mutter und Champignons, Wochen
vorher zusammengetragen. Lotte Kl. schickte Eier und Milch,
2 Puten und 1 Gans kamen aus Nienhagen« – wie gut, daß so
viel Landwirtschaft in der Familie ist. Es geht seitenlang so
weiter: wer wo schläft, woher die Kohlen kommen, damit das
ganze Haus geheizt werden kann – Else liefert eine logistische
Meisterleistung ab.

Am Polterabend gibt es Hasenragout mit Rotkohl, nach der
standesamtlichen Trauung mittags »zwanglos in der Diele für
jeden, der Zeit hatte, Hühnersuppe mit Reis«, abends Suppe
à la Wandler – das ist eine dänische Tante –, Geflügelragout

mit Champignons, Roastbeef mit Erbsen, Karotten, Rosen-
kohl, Salat superb (Weißkohlsalat), Altenburg-Eis mit Gebäck,
Überraschungswindbeutel. Mitternachts noch Schnittchen mit
Frikadellen aus Sojabohnen und Gehacktem, Krabben in Gelee
und Eiern. Soll ich auch den Wein aufzählen? Es ist alles da
inklusive Champagner, Else hat ihre alten Beziehungen spielen
lassen, etwa 80 Flaschen werden getrunken, Waldemar in
einem dunklen Anzug von Jochen und weißen Handschuhen
schenkt ein und nach. Was es nicht gibt, ist Kaffee, die Gesellschaft trinkt Muckefuck, aber den aus Elses silbernem
Schwingkessel. Als die Jungvermählten um viertel vor elf das
Haus verlassen, um mit dem Zug nach Wernigerode zu fahren, werden sie statt mit Reis mit Erbsen beworfen.

Else schafft es, die Blumenkinder (einen Vetter und mich),
die Schleppenträgerinnen (Sabine und eine Kusine), die fünf
Brautjungfern und ihre Brautführer einheitlich festlich anzu-
ziehen. Das Brautkleid aus einem Stoff, den Bernhard in Paris
gekauft hatte, wird bei Suli Woolnough, Elses exotischer
Schneiderin, genäht, Salz und Geld stecken im Saum. Der
Schleier ist Familienbesitz, alle Damen erscheinen in langen
Kleidern, die Herren in Frack oder Uniform. Es gibt keine
Autos mehr, also hat Else Kutschen und Pferde (!) besorgt, zwei
der Landauer gehörten früher Kurt und fahren jetzt für das
Pferdelazarett. Es ist ein knallkalter Wintertag mit viel Schnee,
vor der Kirche liegt ein langer roter Teppich.

HG im Frack – Blumenkinder vorneweg, Schleppenmädchen
und Brautführer-Paare hinterher – führt seine Tochter, die
Küken-Braut, durch die lange Liebfrauenkirche auf den Bräutigam zu. Der wartet neben Else in Gala-Uniform mit »roten
Hosen« am Altar, die Orgel dröhnt Bach, Else: »Das ist nicht
nur für Bernhard beeindruckend«. Beim Wechseln der Ringe
spielt Kurt jr. auf seiner Geige denselben Händelsatz wie bei
HGs und Elses Hochzeit in Wismar, die sangesstarke Familie
jubiliert wieder einmal sechsstimmig »Großer Gott, wir loben
dich« in die romanischen Bögen.

Der Trauspruch: »Das Reich Gottes besteht nicht in Wor-

ten, sondern in Kraft« ist dem Bedarf des Brautpaares angemessen – niemand zu dem Zeitpunkt weiß, wie sehr. Militär-
pfarrer Sendler in Uniform »spricht gut, soldatisch und männlich« – so jedenfalls schreibt es Else in ihr Gesellschaftsbuch.
Am Bismarckplatz gibt es Salz und Brot an der Haustür, in
dem Riesen-Kamin in der Diele prasselt ein Feuer, Kurt jr. und
HGs Schwager Ulrich donnern den »Einzug der Gäste« aus
dem Tannhäuser auf zwei Klavieren. Reden natürlich und
Tischlieder, 94 Telegramme. Ich versuche, mir vorzustellen, wie
es im Innern meiner damals so kleinen Schwester aussieht. Jahre später habe ich sie gefragt. Sie wußte es nicht mehr – »ich
war nicht dabei!« Das Entsetzen über das, was kam, hatte die
Nacht des Vergessens über diese Zeit gebreitet.

Jetzt aber zwitschert sie. Auf der Hochzeitsreise ist das junge Paar zwei Wochen auf dem »Platterhof« am Obersalzberg,
Hitlers Renommier-Hotel in den Berchtesgadener Bergen.
Ursulas amüsierte Briefe über diese »Bonzenabsteige« und das
neue Leben in Berlin jauchzen ihr Glück in die Welt: »Es ist
so wunderbar, wunderbar, wunderbar, verheiratet zu sein.«

Bernhard und Ursula

DREIZEHN

BERNHARD SITZT SEIT ANFANG 1943 im OKH in Mauer-
wald/Ostpreußen, das liegt in der Nähe vom Führer-Haupt-
quartier Wolfschanze und ist nicht ganz aus der Welt, wenig
später wird er zum Oberstleutnant befördert. Er ist 32. Seine
Frau bekommt einen Job im OKW in Berlin, wo sie Feindsen-
der abhört in Englisch, Französisch, Dänisch. Else: »Was, Ursula, Du mußt auch Französisch abhören? Ich könnte mich tot-
lachen!«, und die Jungvermählte tänzelt durch ihre Briefe: »Mit
18 Jahren Frau eines Oberstleutnants und Dolmetscherin im
OKW – das soll mir erstmal jemand nachmachen.«

Bernhard kommt alle drei Wochen etwa nach Hause – Ursula: »Jedesmal wie eine neue Hochzeitsreise. Ich bin sooo glücklich!!« Er trägt seine junge Frau auf Händen, seine Briefe, vor
der Hochzeit noch geprägt von wohlerzogener Zurückhaltung
in dem Punkt, sind jetzt Dokumente zärtlicher Sinnlichkeit und
wunderbarer Phantasien über ihre gemeinsamen Nächte. Ursula beschreibt glucksend Offiziersgattinnen und Reichsleiter-
Ehefrauen, zwischen denen sie herumirrlichtert: »Ich KANN
doch die Perlen jetzt nicht in den Safe tun, Perlen müssen
GETRAGEN werden, sonst werden sie BLIND!« Das freut auch
HG, und er zitiert »Urgroßvater Vogler, der gesagt hat: ›Was
die kleinen Frauensmenschen in der Ehe doch positiver werden‹«.

Die Kapitulation von Stalingrad am 31. Januar 1943 erschüttert jeden in Deutschland. Else ist fassungslos: »Wohl nur zu
Zeiten der Hunnenüberfälle und Mongoleneinfälle ist Europa
so nahe am Abgrund gewesen wie jetzt. Es ist nur mit dem
Untergang und dem Auslöschen der Reiche des Altertums ver-

gleichbar. Das ist das eine, das andere ist das furchtbare Leiden derer, die dort drin waren, und derer, die ihre Lieben dort drin wußten. Ich erlebe all die Qual der Eltern, Frauen und Bräute in meinem Herzen mit und all die Not und Angst und Hunger der Soldaten dort. So viele unserer Freunde sind dabei, so viele Söhne von Freunden, ach Kinder, es ist zu entsetzlich.«

HG in Pleskau schreibt viel von »Rückschlägen, die wieder aufgeholt werden müssen«, von »Mobilisierung der Kräfte« und daß der »Opfertod der Kameraden in Stalingrad ganz einheitlich anfeuernd auf meine Männer wirkt«, es mache sie härter, so weit das noch möglich sei. Nachdem HG dergestalt der Zensur genügt hat, kommt doch ein zaghafter Vorbehalt: »Es ist müßig zu fragen, ob das alles nicht ein bißchen früher hätte kommen können«, und damit kann er nur die seit November 1942 immer dringlicher werdenden Versuche des Generals Paulus in Stalingrad meinen, von Hitler die Genehmigung zum Rückzug zu bekommen, »weil sonst die 6. Armee ihrer Vernichtung entgegengeht«. Hitler nach der Katastrophe am 6. Februar 1943 zu Generalfeldmarschall von Manstein: »Für Stalingrad trage ich allein die Verantwortung.« Und? 250 000 Mann waren im Kessel eingeschlossen, 34 000 Verwundete wurden ausgeflogen, 91 000 gerieten in sowjetische Gefangenschaft, von denen nur 5000 zurückkamen. Die Hälfte der deutschen Soldaten in Stalingrad war tot, in den Kämpfen umgekommen, verhungert, erfroren. Nicht gezählt wurden die sowjetischen Opfer, die Hunderttausende Soldaten, die Zivilbevölkerung der Stadt, deren Evakuierung oder Flucht Stalin verboten hatte.

An der Heimatfront werden die Hausfrauen in den Zeitungen mit Ratschlägen genervt: »Zeit und Geld sparst Du Dir ein, wenn Du entfernst den Kesselstein« oder »Wenn es an der Zeit ist, entdunkele fein, spar Strom am Tag, laß Licht herein«. Sie lesen Ermahnungen, nur noch alle fünf Wochen zu waschen, Motto: »Seife sparen – Wäsche schonen«. Else meldet erbost, daß sie sich die letzte Dauerwelle hat machen lassen, künftig sind die verboten – der Himmel mag wissen, warum, Else mit ihrem Flusehaar geht strubbeligen Zeiten entgegen. Geschäfte werden zwangsweise geschlossen, um Arbeitskräfte für die Rüstungsbetriebe zu gewinnen und weil sie sowieso nicht mehr beliefert werden können. Nach West- und Norddeutschland ist nun auch Berlin dran mit schweren Luftangriffen, die Engländer und auch die Amerikaner fliegen über Halberstadt. Alle Hausbewohner bekommen Gasmasken, Else hat Köfferchen für den Keller gepackt, Schlafstätten dort eingerichtet, das Meißner Porzellan, Silber und Wäsche nach unten geschafft, außerdem ächzt sie über einer Inventarliste des ganzen Hauses, die ein Gerichtsvollzieher beglaubigen wird und die als Unterlage dienen soll für Entschädigung, wenn der Bismarckplatz durch Bomben zerstört werden sollte.

HG wird zurückversetzt nach Berlin ins Amt Ausland/Abwehr III im OKW, das ist jetzt März 1943. Er hat ein bißchen nachgeholfen, weil er näher bei seiner Familie sein wollte, näher aber auch bei der Firma, die ihm große Sorgen macht. Es fällt HG nicht leicht, aus Pleskau wegzugehen. In dem einen Jahr hat er einen gut funktionierenden Laden dort installiert mit hoch motivierten »Männern«, er hat mit den Offiziers-Kameraden in den Stäben der Heeresgruppe nicht nur viel gesoffen, sondern sich freundschaftlich verstanden, und die Nachrichten über seinen Nachfolger klingen zweifelhaft. HG: »Hoffentlich ruiniert er nun nicht in aller Kürze, was ich hier geschaffen habe.«

Das tut der Neue gründlich. HG bekommt Besuch von einem früheren Mitarbeiter Ende Mai in Berlin, und der schildert, was HG schon aus zahlreichen Pleskauer Hilferufen kennt: »Mein Nachfolger hat eine tolle Weiberwirtschaft eingerichtet, beansprucht überall das ius primae noctis und verführt dann seine Leutnants zu ähnlichen Schweinereien. Meine Saula« – die sprachgewandte Spionin aus Leningrad – »hat sich widersetzt und wurde erschossen, mein schönes altes Zimmer haben sie im Suff mit Pistolen völlig demoliert, und das Niveau soll so sein, daß alle anständigen Leute sich wegmelden. Ich bin nur froh, daß ich Waldemar da rausgeholt habe!« Den hat HG auf einem Gut in Pommern untergebracht, weil er in Berlin keine Lebensmittelkarten für ihn bekam. HG besucht ihn dort mehrfach und nimmt sich vor, »wenn die Zeiten besser werden, hole ich ihn nach Halberstadt«. Mit HGs Tod verliert sich Waldemars Spur.

Es geht HG nicht gut in Berlin. Die äußeren Umstände sind deutlich schlechter als in Pleskau. HG ist nicht mehr »im Felde«, das heißt niemand putzt ihm die Stiefel und wäscht seine Wäsche, er hat keinen Dienstwagen, er muß privat wohnen und selbst für seine Verpflegung sorgen, was in Berlin schon sehr schwierig ist. Das OKW ist ein Ministerium wie alle anderen auch, das heißt Arbeit gibt es reichlich, und was außerhalb der Dienstzeit passiert, kümmert niemanden. Die Nähe zu Halberstadt erweist sich als zweischneidig – er ist zu weit weg, um jederzeit eingreifen zu können, und er ist nah genug dran, um die Probleme viel intensiver als in Pleskau zur Kenntnis nehmen zu müssen: die Schwierigkeiten in der Firma, die Sorgen um die schwerkranke Dagmar Podeus und den dahinschwindenden Kurt, Elses Überforderung in dem bis unters Dach gefüllten Haus. Wann immer er kann, fährt HG übers Wochenende nach Hause, doch dann hockt er die ganze Zeit im Kontor, und die Kinder und Else fühlen sich vernachlässigt.

Dazu kommt, daß ihm der Job keinen Spaß macht. HG an Tochter Barbara: »Diese Schreibtisch-Arbeit hat so gar nichts mit meiner soldatischen Passion zu tun, und es liegt nahe zu denken, daß wenn schon Schreibtisch, dann wenigstens der eigene im Büro der Firma das Gegebene für mich wäre. Hier hat man mir, ohne sich um meine völlig mangelnden Vorkenntnisse zu kümmern, gleich eine ziemliche Verantwortung mit der Leitung zweier wichtiger Abteilungen des Ministeriums aufgehalst, ich unterschreibe täglich Berge von Unterschriftenmappen ganz kühn mit ›Der Chef des Oberkommandos der Wehrmacht, i.A. Klamroth‹, wobei mir der Ausspruch des ollen schwedischen Kanzlers Oxenstierna in den Sinn kommt: ›Mein Sohn, du weißt ja gar nicht, mit wie wenig Verstand ein Volk zu regieren ist.‹« Was HG genau macht in seinem Büro in der Charlottenburger Jebensstraße, erschließt sich mir nicht. Abwehr III ist Spionage-Abwehr und Gegenspionage, und soweit ich es verstanden habe, überwacht HGs Abteilung »Z Arch Wa A« Personalien und Geheimschutz des Heereswaffenamts, das zuständig ist für moderne Waffenentwicklung von der Atomforschung bis zur Raketenrüstung – kein Wunder, daß HG keine Lust dazu hat.

Wie ein Blitz aus heiterem Himmel trifft HG allerdings etwas anderes. Else hat seine Pleskauer Koffer und Kisten ausgepackt, die Anfang April 1943 nach Halberstadt geliefert worden waren. HG ist schon in Berlin. Dabei fielen ihr Liebesbriefe einer Dame namens Hanna in die Hände, und jetzt rastet sie völlig aus. Sie schlägt um sich wie ein waidwundes Tier, alles Elend all der Jahre seit Cläreliese kocht in ihr hoch: »Hans Georg, ich kann nicht mehr!« Ich habe nur die Kopie dieses einen sehr langen, verzweifelten Briefes von Else vom 10. April 1943. Die Quälerei aber zieht sich bis in den Sommer 1944, ich kann das aus HGs Antworten ablesen. Es kostet mich Anstrengung, dies aufzuschreiben. Ich möchte beide schütteln, sie anschreien: »Großer Gott, ihr habt nicht mehr viel Zeit!« Woher sollen sie das wissen? Alle gehen wir mit unserer Zeit um, als gebe es sie unbegrenzt, wir alle behandeln unsere Zerwürfnisse, als könne man sie auch morgen noch klären.

Ich bin auf Vermutungen angewiesen, HGs Tagebücher hat die Gestapo mitgenommen. Es gab eine Hanna früher. Geschmackvollerweise und nicht zum ersten Mal ist das die Dame eines befreundeten Ehepaars. Wenn es die ist, dann ist die Geschichte wirklich »uralt«, wie HG sagt, denn diese Hanna ist noch vor dem Krieg mit Mann und vielen Kindern ins hinterste Schlesien umgezogen. Es ist schwer vorstellbar, wie die Geschichte sich hätte aufrechterhalten sollen über die große Entfernung. Warum aber schreibt Hanna an HG in Pleskau Liebesbriefe von »dieser Intimität«, wie Else sich empört? Vielleicht hat sie Sehnsucht nach ihm, vielleicht gefällt es ihr nicht

in Schlesien, und sie wünscht sich zurück in alte Halberstädter Zeiten? Da es mehrere Briefe sind, wird HG ihr entsprechend geantwortet haben.

Else erkennt die Schrift, hell lodert ihr Mißtrauen, deshalb
liest sie, was sie gefunden hat. Sie wird von dieser Affaire –
»uralt« oder nicht – erst jetzt erfahren haben und begreift, daß
sie – zum wievielten Mal? – verraten wurde von und mit einer
sogenannten Freundin. »Hannas sittlicher Maßstab ist ihr eigenes Glück«, schreibt Else und »wenn Hans« – das ist der Mann
dazu – »wenn Hans auch schwierig ist, ganz zweifellos, anständig ist er auf alle Fälle«. Daß HG die Briefe in seinem Gepäck
aus Pleskau mit nach Hause bringt, ist nicht nur dumm – er
ist Abwehrmann, nicht wahr? –, es ist unverzeihlich. Was mutet
er Else zu? Sie hält ihm den Laden zusammen mit fünf Kindern, im Krieg ein zusehends schwierigeres Geschäft. Gut, es
ist auch ihr Laden, aber daß sie ihn allein stemmen soll, war
nicht verabredet, jedenfalls nicht ohne verläßliche Solidarität:
»Daß nur Lüge, Betrug, Verrat und gebrochene Versprechen
die Basis unserer Ehe sind, Hans Georg, das halte ich nicht
aus! Daß Du mich und Dich so erniedrigst! Dabei sehne ich
mich doch nur danach, irgendwo einen Platz zu haben, wo ich
geborgen bin, wo ich hingehöre, wo ich mich mal ausruhen
kann, mal getröstet werde und ein bißchen Liebe finde.«

Else denkt über ein Verfahren vor dem Ehrengericht für Offiziere nach – das hätte, großer Gott! HGs Ausstoß aus der Wehrmacht bedeutet. Sie ventiliert den Skandal in Halberstadt, sie
überlegt, »zu Hanna zu fahren und sie so tödlich zu verwun-
den, wie Du mich verwundet hast«. Sie sagt einen Termin beim
Anwalt in letzter Minute ab, sie entwirft eine Haushaltsschule,
mit der sie ihren künftigen Lebensunterhalt verdienen will, so
etwas wie Ursulas Reichsfrauenverein Reifenstein. Sie schreibt
die finanziellen Notwendigkeiten für sich und die Kinder untereinander bei einer Scheidung, sie rechnet mögliche Verkaufs-
erlöse aus für das Meißner Geschirr, Antiquitäten, Silber, Bilder, Schmuck – wir sind im Jahr 1943, Europa brennt in einem
mörderischen Krieg.

Aber Else ist so verzweifelt, daß sie nach immer neuen Auswegen sucht und nach Antworten auf die immer gleiche Frage, »wie es möglich ist, daß ein Mann, der seinen Stolz darein setzt, im geschäftlichen Leben unbedingt zu seinem Wort zu stehen, im privaten Leben überhaupt keine sittlichen Hemmungen hat, kein Gefühl für Wahrheit, kein Verpflichtungsgefühl gegenüber einem Versprechen, keine Skrupel hat, Vertrauen zu mißbrauchen, kurz all das nicht hat, was doch für einen Kaufmann und Offizier unerläßliche Vorbedingungen sind«.

Warum jetzt? Warum geht nach so vielen durchziehenden Damen in HGs und ihrem Leben auf einmal gar nichts mehr? Weil Else kaputt ist, überlastet, fertig. Weil sie diese Demütigung nun nicht mehr erträgt. Irgendwann ist Schluß und wie immer zum am wenigsten geeigneten Zeitpunkt. Weil der Krieg an Else zehrt und das Pervitin, weil die Kinder noch so klein sind und die Zukunftsaussichten so düster, weil das Geld nicht reicht und Else nicht weiß, wie sie den ganzen Pulk am Bismarckplatz Tag für Tag ernähren soll, weil ihre Mutter stirbt und sich so quält, weil Else geliebt werden will und anerkannt. Weil sie sich gottsjämmerlich einsam fühlt, wenn HG nach Elses Meisterleistung bei Ursulas Hochzeit den Rest des Polterabends im Mädchenzimmer mit Waldemar und den Hilfsgeistern verbringt, statt seine Frau in den Arm zu nehmen.

HG versucht alles, um Else da rauszuholen – Spott, Zärtlichkeit, Wut, Resignation: »Ich kann nicht glauben, daß Du Dich und mich wegen solcher ollen Kamellen so quälst!« – »Du liebst mich doch trotz allem noch, denn anders sind diese Ausbrüche der Verzweiflung, dieses ewige Sich-im-Kreis-Drehen nicht zu erklären!« – »Ich gebe die Hoffnung nicht auf, daß wir eines Tages mal wieder wie zwei vernünftige Menschen miteinander reden können.« – »Gute Nacht, mein Liebes, wie ist die Venus heute abend schön! Möge sie Dir auch so schön leuchten – als Stern und als meine Liebe!« – »Ich bin einsam und verzweifelt.« HG erreicht Else nicht. Sie glaubt ihm kein Wort. Sie will ihn in Halberstadt nicht sehen. Wenn er kommt, ist sie weg. Sie geht in ein Sanatorium nach Dresden, der Arzt sagt, ihr fehle nichts, dabei fehlt ihr Trost für ihre Seele. Else hält die Ruhe dort nicht aus. Sie flieht nach Hause und macht – äußerlich – weiter wie bisher.

Beide spielen Alltag – Sonntagsbriefe, Kindergeburtstag, Einmachen. Sabine soll nicht alle drei Wochen ihre Schuhe ruinieren, es gibt keine neuen. Barbara, hast Du ETWA meine Reisekleiderbügel mitgenommen? Else muß die Eierkarten abgeben wegen der Zwerghühner, aber deren Eier sind so klein, also lieber die Hühner weg? Kurt halluziniert und jammert, er sei »nicht zuhause«, Jochen schreibt tapfer aus dem Arbeitsdienst, Wibke hat Keuchhusten, HG bekommt eine Steuerforderung über 27 000 Mark – wo soll er die hernehmen! Jede Nacht ist Fliegeralarm, 30 000 Tote bei Angriffen auf Hamburg, Kapitulation der deutschen und italienischen Truppen in Nordafrika, Landung der Alliierten auf Sizilien, Verhaftung Mussolinis und Waffenstillstand in Italien, Ausnahmezustand in Norwegen, Ausnahmezustand in Dänemark. HG an Else: »An unser aller Himmel ziehen Sorgen und Probleme auf, die so übermächtig sind, daß uns kaum Zeit und Kraft bleiben wird, an unsere eigenen kleinen Probleme zu denken.«

Doch, das schaffen sie. Else schafft das. HG würde lieber gestern als heute zu dem »früher« zurückkehren, als Else »ihre Krisen« bekam und sich danach wieder einfädeln ließ in das gemeinsame Leben, das HG zur Pflege der Nachbargärten nutzte. Das funktioniert nicht mehr, Elses Narben sind alle aufgebrochen. HG in seinen Antworten auf ihre Briefe: »Ich habe weder Kraft, noch Lust, noch Möglichkeit, um auch nur durch ein, geschweige denn durch ›1000 Betten zu kriechen‹, wie Du es so geschmackvoll ausdrückst.« – »Es ist so traurig, anstatt eines liebevollen Anschmiegens, nach dem ich mich so sehne, immer nur Kälte und Ablehnung bei Dir zu finden. Von daher wäre es fast nicht verwunderlich, wenn ich den Ersatz dafür wo anders suchen würde.« – »Ich kann über Deinen Brief nur traurig den Kopf schütteln, und obwohl ich, gleich Dir, schon nahezu das Gefühl habe, ›es lohnt nicht‹, so muß ich gegen diese Resignation ankämpfen, denn Du lohnst Dich, unser ›wir‹

lohnt sich, Du und die Kinder, Ihr seid alles, was gut und lebenswert ist, und das lohnt sich.«

Draußen in der Welt brennen die Scheiterhaufen. 23 000 Sinti und Roma werden 1943 nach Auschwitz deportiert, aus dem Warschauer Ghetto sind 300 000 Bewohner nach Treblinka verschleppt worden, der Aufstand der zurückgebliebenen 60 000 wird blutig niedergeschlagen, keiner überlebt. 42 000 Juden fallen einer Massen-Erschießung im Distrikt Lublin im Generalgouvernement zum Opfer – die Aktion heißt »Erntefest«. Holländische Juden, griechische Juden, die baltischen Juden werden liquidiert, in der »Aktion Reinhardt« sind mehr als 1.6 Millionen Juden in den Lagern Belzec, Sobibor und Treblinka ermordet worden. Ich muß davon ausgehen, daß HG vieles weiß, selbst wenn die Abwehr sich um Militärisches kümmert. Ich will gern glauben, daß Else das Ausmaß nicht kennt, aber sie müßten nur vor der eigenen Haustür nachsehen. Die Halberstädter Juden sind schon 1942 abgeholt worden. Weder HG noch Else haben das irgendwo erwähnt, auch nicht die Einführung des Judensterns im September 1941. Else, die unbekümmert jeden Quatsch ins Kindertagebuch schreibt, spricht noch nicht einmal nach dem Krieg darüber, als sie den Untergang Deutschlands in düsteren Farben schildert.

Ich bin unschlüssig, wie ich das einordnen soll. Eine Weile habe ich mir damit geholfen, daß HG und Else zu diesem Zeitpunkt nichts mehr aufschreiben konnten, das wäre zu gefährlich gewesen. Sie haben aber auch vorher nichts aufgeschrieben – seit HGs Nöten über den Ausschluß des »Juden Jacobsohn« aus dem Arbeitgeberverband im Jahr 1933 war der Umgang mit Juden für ihn kein Thema, jedenfalls nicht in seinen Aufzeichnungen. Den »Privatsekretär« Hans Litten erwähnt HG in der Firmenchronik 1940 und gelegentlich in Briefen, aber nie, daß Hans Littens Vater Jude war. Den alten Herrn Löwendorf aus Mattierzoll und seine furchtbare Geschichte kenne ich aus den Akten des Wiedergutmachungsverfahrens, bei HG ist das nirgends auch nur angedeutet. Else empört sich über den »Judenboykott« am 1. April 1933, über die Pogrome am 9. November 1938, sie bedauert, daß der Kinderarzt Dr. Schönfeld 1935 nach Palästina auswandert – und das ist es.

Es kann nicht sein, daß die fortschreitende Brutalisierung der Lebensumstände von Juden, daß die Zwangsarbeiter, die KZ-Häftlinge, die vielen Todesurteile – man kann darüber in den Zeitungen lesen, zur Abschreckung –, daß all dies kein Thema ist für HG, für Else, für die Freunde. Auch die schreiben nichts auf. In den Lebenserinnerungen von Menschen aus HGs und Elses Umfeld, die meisten geschrieben nach dem Krieg, ist die Rede von Hunger, Flucht, Bombennächten, Chaos vor allem – nirgendwo sind der Judenstern oder Deportationen oder KZs erwähnt. Dabei gibt es eins in der Nähe von Halberstadt, wo die Häftlinge vernichtet werden durch Arbeit für die Junkers-Werke – Langenstein-Zwieberge. Selbst wenn HG und Else, wenn die übrigen alles rechtens gefunden hätten, was um sie herum passierte, was ich nicht glauben will – nicht mal das schreiben sie auf, wo sie doch sonst alles zu Papier bringen. Ich habe keine Antwort.

Ich muß Ursula dazwischenschieben wegen der Heiterkeit der »kleinen Frau Klamroth«, wie sie sich nennt. Sie arbeitet 12-Stunden-Schichten im OKW, nachts sind die Alarme beängstigend, wenn sie nach dem Dienst durch das stockdunkle Berlin zu Fuß nach Hause geht. Bernhard ist meistens in Ostpreußen, und so hört sich das bei ihr an: »Was macht es aus, daß ich nicht weiß, wie ich es anstellen soll, daß ich mit meinem Brot reiche, was macht es aus, daß ich immer ziemlich gehetzt bin, es kommen ja Tage, die mich tausendfach für all das entschädigen, in denen der Krieg und der nervenaufreibende Dienst in den Hintergrund treten, es gibt ja sogar jeden Tag ein paar Minuten, wo alles andere weit fort ist, wenn das Telefon in der Nacht klingelt und ich mit Bernhard telefonieren kann. Ich bin unerhört glücklich, es geht mir so gut, ich bin nämlich sehr, sehr glücklich verheiratet.« Oder, an die Eltern: »Ihr habt doch auch in einer so winzigen Wohnung angefangen, was ist es bloß gemütlich, und wie bin ich glücklich, daß Bernhard sich hier auch so wohl fühlt. Er neckt mich immer, ob ich nicht noch ein bißchen Staub wischen will, und am liebsten würde ich das immerzu. Es ist sooo schön hier!« Auf einer Postkarte an Barbara: »Du, Ehe ist prima!!«

HGs Job in Berlin strengt ihn an, und er beutelt seine Psyche. Im Juli 1943 schreibt er an Else: »In diesen Tagen haben mich im Dienst wieder Probleme ausgefüllt, die meine ganze Nerven- und Seelenkraft erforderten. Es kann ja sein, daß man mit der Zeit gegen derartige Dinge abstumpft und sie dann nicht mehr so schwer erträglich findet; ob diese Gewöhnung aber im Grunde gut wäre, möchte ich bezweifeln. Nie habe ich so deutlich empfunden, daß wir in einem gewaltigen Kampf der Weltanschauungen auch im Inneren stehen, in einem Kampf, in dem Fronten und die richtige Seite nicht so klar zu erkennen sind, wie an den äußeren Kriegsfronten. Wie viele Gelegenheiten bieten sich mir jetzt, neue interessante Beziehungen anzuknüpfen, führende Männer und maßgebende Frauen kennen zu lernen, Anschluß an geistige Bewegungen zu finden, die unsere Zeit beeinflussen werden.«

Ich kann nur ahnen, was er meint, und ich glaube nicht, daß Else ihn versteht. Diese Art Austausch zwischen beiden ist abgerissen. Wenn zutrifft, was ich vermute, daß HG durch Erfahrungen im Job und durch Gespräche mit Menschen seines Vertrauens dabei ist, seine politischen Koordinaten zu überprüfen, wird er mit Else nicht darüber reden, weil er sie schützen will. Im nächsten Brief bittet er darum, sie solle der SS in Halberstadt seine »schwarzen Uniformen« aushändigen, »ich will sie aus bestimmten Gründen stiften. Sie hängen im Uniform-Schrank, gib nun aber nicht das falsche Koppel mit.« Warum tut er das? HG hält sich sonst, so schreibt er, »von den vielen neuen Strömungen« zurück. Er merke, daß er körperlich und seelisch »aus den inneren Reserven« lebe, mit denen er haushalten müsse, um weiter funktionieren zu können. Der allnächtliche Fliegeralarm zehrt an seinen Kräften, weil er nicht genug schläft, »und wenn nur nicht das ewige Hungergefühl wäre!« Auch HGs Seele friert: »Wie schön wäre es, wenn ich Dich hätte, Liebes, wieder ganz und ohne Vorbehalte«.

Anfang August 1943 wird die Berliner Bevölkerung aufgefordert, nach Möglichkeit die Stadt zu verlassen – »Kinder alle, Frauen ebenfalls, sofern nicht werktätig, Männer sollen bleiben«. HG beschreibt das Tohuwabohu in der Stadt: »Run auf die Lebensmittelkarten-Stellen, auf die Bahnhöfe, lange Schlangen mit viel Sack und Pack an den Frachtgut-Absendestellen und an den Paketannahmen der Postämter, die Kommentare der Leute entsprechend.« Ursulas und HGs Dienststellen bleiben vorläufig in Berlin, also hat HG nach Rücksprache mit Bernhard dafür gesorgt, daß Ursula ihre Wohnung in der Brückenallee in Tiergarten verläßt und zu ihm nach Schlachtensee kommt, wo er das Haus von Freunden hütet. Er verstärkt die Kellerdecke mit Baumstämmen aus dem Garten, karrt Sand vom Strand des Schlachtensees ins Haus, absolviert einen Brandschutzkurs – »man kann doch eine Menge tun!« – und hortet Lebensmittelvorräte. »So ist das ›Liebesleben‹ hier in Berlin jetzt«, schließt er den Brief und setzt einen handgeschriebenen Gruß an »Enziane Himmelblau« darunter. Wer ist das denn? Ich habe sie im Kindertagebuch gefunden: Enziane ist eins meiner »Luftkinder«, die ich dem häuslichen Trubel als Spielgefährten meiner Wahl entgegensetze.

Im November 1943 kommt HG spätabends von einer Konferenz in der Dienststelle Zossen nach Berlin zurück – »dichter Nebel, ich war schon erleichtert, weil uns deswegen wohl der übliche Luftalarm erspart bleiben würde«. Statt dessen gerät er in einen Großangriff, den er und ein Abwehr-Kollege in einem Bunker am Anhalter Bahnhof überstehen. »Mustergültig die große Menschenmenge dort, keine Panik, Totenstille, während oben die Einschläge über unseren Köpfen krachten.« Draußen empfängt ihn ein Inferno: »Brände, Brände, Brände. Jedes Durchkommen war unmöglich, die Häuser brannten zu beiden Seiten der Straße, ein gewaltiger Funkenregen ging nieder, dazwischen krachten noch dauernd Bomben mit Zeitzünder.«

Es brennt vom Askanischen Platz bis zur Friedrichstraße, die Linden, die Straßen rechts und links davon. Das Brandenburger Tor ist unversehrt, der Tiergarten, »Bäume, Rasen, Sträucher – alles brennt. Das Bendlerviertel brennt, das schöne Schloß Bellevue, das Hansaviertel, die Brückenallee – arme Ursula! Weiter Richtung Zoo zusammen mit einer merkwürdig stummen Menschenmenge, die wie wir nur ein Ziel hatte: Raus hier! Immer in der Mitte der Fahrbahn, irrsinnig heiß wegen der Feuer rechts und links. Es brennt die Gedächtniskirche, der Ufa-Palast, der Zoo, die Musikhochschule, das Oberverwaltungsgericht, last not least mein Laden in der Jebensstraße. Brennende Busse und Bahnen auf der Straße, knatternde Flammen, ein Funkenorkan – und kein Wasser!«

Sie finden ein wunderbarerweise unversehrtes Militärgebäude in der Hardenbergstraße, »leer bis auf einen alten Wachmann, mit einem prima Luftschutzkeller mit Betten, völlig unbenützt, auch hier kein Wasser«. Dort schlafen sie erst mal drei Stunden »trotz Hungers, wir hatten seit dem Morgen nichts gegessen und jetzt seit Stunden in all dem Feuer nichts getrunken«. Um vier Uhr früh laufen sie über den lichterloh brennenden Ku'damm – »kein Mensch mehr auf den Straßen, nur die Flammen taten, ohne menschliche Gegenwehr, grausig und gründlich ihr Zerstörungswerk«. An der Avus halten sie einen Lastwagen an, der sie nach Westen bringt, noch mal ein Fußmarsch von einer Stunde durch die weniger zerstörten Villenstraßen, um halb acht morgens betreten sie das Haus in Schlachtensee. Dort sind »alle Fenster kaputt, das Dach zum Teil abgedeckt, es gibt kein Gas und kein Wasser, aber wir und das Haus sind heil«. Bei fünf solchen Großangriffen in zwei Wochen haben 2212 britische Flugzeuge 8656 Tonnen Bomben auf Berlin abgeworfen, 2700 Menschen sterben, 250 000 werden obdachlos.

HG läuft ein paar Tage später zu Fuß durch die Innenstadt, um seine Dienststelle zu finden, das Telefon funktioniert noch nicht wieder. »Es ist bewundernswert, wie die Pioniere schon wenigstens die Fahrbahnen freigeräumt haben und die einsturzgefährdeten Gebäude abstützen, aber der Eindruck der zerstörten Straßen ist einfach unbeschreiblich! Und gleichzeitig kam mir siedend heiß der Zorn hoch auf diese Schweine von Tommies, die in Stunden hier die Arbeit vieler Generationen vernichtet haben! Rache – Rache – Rache!!!« Und was ist mit den deutschen Luftangriffen auf London und andere Städte, was ist mit Coventry? Vielleicht ist es zu viel verlangt, daß HG angesichts der rauchenden Trümmerwüste in Berlin darüber nachdenken soll, wo die Henne ist und wo das Ei, daß er sich an die furchtbare Zerstörung Warschaus erinnert, die ihn damals so entsetzt hat. Außerdem ist Wut eine Therapie gegen Verzweiflung.

HG braucht die auch im Umgang mit Else: »Herrgott, nun laß endlich in drei Teufels Namen diese alten Geschichten ruhen und belästige Dich und mich nicht mit etwas, das längst begraben und vergessen sein könnte, wenn es nicht immer wieder künstlich zum Leben erweckt werden würde.« – »Im übrigen müßte ich Dir wohl eigentlich beichten, daß ich, wenn ich schon an eine andere Frau als an Dich denken sollte, zur Zeit jemand ganz anderes im Auge habe, und daß Hanna bei vielen anderen weit im Hintergrunde ruht.« – »Daß ich wirklich neben meinem Dienst weder für Inge noch für Hanna oder ähnlich abwegige Themen Gedanken übrig habe«. – »Es wäre uns zu wünschen, daß wir aus diesem verächtlichen Dienstmädchen-Niveau der Eifersucht wieder herauswachsen und zu den freien und großzügigen Menschen, die wir früher waren, zurückkehren, zwischen denen von Vertrauen gar nicht so viel geredet zu werden braucht, weil es eben ganz einfach da ist.« – »Freitag früh. Etwas zerknittert aufgewacht nach höchst albernen Träumen – viele entzückende Frauen, Segelboote, Rodelbahn, nur Du immer als schrecklich drohendes Gorgonenhaupt mich am Zupacken hindernd...!«

Mir wird hundeelend, wenn ich das lese. Beide sind sie bis an die Grenzen ihrer Kräfte belastet – Else, wie alle gebeutelt von Ängsten wegen des Kriegsverlaufs, hat das Haus voller Bombenflüchtlinge, Familie und Freunde aus ganz Deutschland, das bedeutet jeden Tag 19 Menschen zum Essen. Jochen, gerade 18 geworden, ist als Soldat nach Frankreich verfrachtet worden – »ein Kind in Uniform«, empört sich Else. Bei Barbara wird ein Herzfehler festgestellt, sie muß fest liegen, und die einschlägigen Ärzte sind an der Front. Ursula stürzt in Berlin aus einem überfüllten Bus und wird mit einer schweren Gehirnerschütterung und einer Fehlgeburt von Bernhard in Halberstadt abgeliefert. Todtraurig ist sie, weil sie ihr Kind und ihre Glücks-Wohnung in der Brückenallee verloren hat. Dagmar Podeus, die unverwüstliche Dagmar, hat sich durchgelegen, sie bekommt eine Lungenentzündung und darf immer noch nicht sterben. Kurt, den kenntnisreichen Kurt, scheuchen Anfälle geistiger Umnachtung durch sein Haus, in dem er sich nicht mehr zurechtfindet. Gertrud, die sowieso am Stock geht, fällt die Treppe runter und bricht sich den Knöchel – alles hängt an Else.

Sie kann sich nicht ausruhen bei HG, und er sich nicht bei ihr. Da ist eine unüberbrückbare Kluft aufgebrochen, liegen Verletzungen im Weg, die trotz der allgemeinen Düsternis nicht relativiert werden, sondern die Unerträglichkeit noch steigern. Ein zusätzliches Schmerzzentrum – für beide. Mir steigen die Tränen auf, wenn ich sehe, daß Else nicht verzeihen kann – sie hat doch so oft verzeihen müssen! Else – bitte! – noch ein einziges Mal! Du wirst dich quälen dein Leben lang, daß du HG jetzt, ausgerechnet jetzt verlassen hast. Ich kann Else alles nachfühlen nach den hanebüchenen Eskapaden dieser Zweisamkeit, die seine waren, nicht ihre. Jetzt aber brauchen sie einander. Beide kämpfen bis zur emotionalen Erschöpfung, beide fühlen, daß der Verlust des anderen mehr ist als sie verkraften können. Doch Else ist außerstande, ihn zu verhindern. Sie kann nicht, weil sie nicht weiß, daß der Verlust endgültig und fürchterlich sein wird und das ganz bald. Sie ahnt das nicht, denn HG ist in Berlin relativ sicher. Vielleicht hätte sie anders handeln können, wäre er an der Front in täglicher Gefahr gewesen. Ich lese bei HG: »Für den Sonntag nehme ich mir Arbeit mit in den Garten, denn Du willst mich ja nicht zuhause haben« und »ich strecke die Hand aus und fühle Dich ganz nah bei mir«. Diese Sehnsucht, beider Sehnsucht, wird sich nicht mehr erfüllen.

Weil das Gebäude in der Jebensstraße ausgebrannt ist, zieht HGs Dienststelle in ein Ausweichquartier nach »Tanne«. Das ist der Deckname für eine ehemalige Unteroffiziersschule in Eiche bei Potsdam, ein ungemütliches und verwanztes Ding aus den 20er Jahren. HG muß mit der S-Bahn bis Potsdam fahren und dann durch den Park von Sanssouci eine dreiviertel Stunde zu Fuß gehen, was ihm auf die Dauer zu mühsam ist, vor allem jetzt im Winter. Also zieht er ganz nach »Tanne«, zwängt sich mit Sack und Pack in ein Kasernen-Zimmerchen, die Mannschaftsdusche – »nur kaltes Wasser!« – ist um die Ecke, und HG erinnert sich tapfer daran, daß man »im Felde« auch nicht besser wohnt.

Ein Problem ist, daß von hier aus nur dienstlich telefoniert werden kann, was die Kommunikation mit Halberstadt ungemein erschwert. Else muß, wenn sie etwas Dringliches mitzuteilen hat, über den Standortkommandanten in Halberstadt gehen, der dann über die militärische Leitung »OKW-Vermittlung Adele App 125« HG Bescheid sagt. »Das ging in Pleskau auch nicht anders«, versucht HG sie zu beruhigen, ohnehin brauchen Ferngespräche von Privat-Telefonen inzwischen zehn und mehr Stunden Voranmeldung. Auch innerhalb Berlins kann HG nicht eben mal bei Freunden oder beim Zahnarzt anrufen, das ist ein deutlicher Verlust an Lebensqualität. Die Versorgungslage ist katastrophal, die Lebensmittelrationen für die Bevölkerung sind wieder gekürzt worden, und das Essen in Tanne verschlingt einen Haufen Marken bei »unterirdischer Qualität«. In jedem Brief schreibt HG, daß er Hunger hat.

Er ist zum Gruppenleiter befördert worden im Dezember 1943, »noch dazu mit Vollmachten, wie sie kein anderer der alten Grulei's hat – ich, der nahezu jüngste Major unter lauter alten Stabshengsten! Ich bin mir darüber im Klaren, daß ich damit meinen Kopf in eine Schlinge gesteckt habe, aus der ich ihn mit ebenso großer Vorsicht wie Energie wieder herausziehen muß – andererseits ist es natürlich eine Auszeichnung, um die mich alle beneiden und zu der ich von allen Seiten mehr oder weniger gleißnerisch beglückwünscht werde. Bisher war ich ein recht im Verborgenen blühendes Veilchen, das sich wohlweislich hütete, unnötigerweise aufzufallen. Jetzt werden mich bald aus allen möglichen Richtungen Scheinwerfer erfassen, ich muß aufpassen, daß ich in ihrem Licht nicht abgeschossen werde.«

In der Tat hat HG ein Himmelfahrtskommando übernommen, die Gruppe III W 2, verantwortlich für den vorbeugenden Geheimschutz militärischer Forschungsprojekte, vor allem der Raketenversuchsanstalt des Heeres in Peenemünde, wo die sogenannte V 2 entsteht. Das ist die erste Mittelstrecken-Rakete, entwickelt in zehn Jahren von Wernher von Braun und anderen. Eigentlich heißt sie Aggregat 4 = A4, aber Goebbels hat sie hurtig in »Vergeltungswaffe 2« umgetauft. «V2 – die Blitzrakete«, dröhnt die Propaganda, »die furchtbare Wirkung von V 2« – »der lange Arm unserer Offensive«, die geheime Wunderwaffe, die Unbesiegbarkeit, Rettung in letzter Sekunde verspricht.

Es gibt auch eine V 1, eigentlich Fi 103, das ist eine strahlgetriebene »Flugbombe«, ein unbemanntes Flugzeug mit 1000 Kilogramm Sprengstoff an Bord, das von der Luftwaffe in nur einem Jahr aus dem Boden gestampft wurde und viel weniger kostet. Die V 1 wird abgeschossen, weil sie so langsam ist, die Flüssigkeitsrakete V 2 fliegt mit 5000 Stundenkilometern, das heißt: wenn sie fliegt. Weniger als die Hälfte der etwa 6000 gefertigten Raketen tut, was sie soll.

Militärisch erweisen sich beide Waffensysteme als irrelevant, das weiß die Öffentlichkeit aber nicht. Um so größer ist ihr Propagandawert, um so explosiver ist auch das Minenfeld, auf dem HG und seine ihm zugeteilten sechs Offiziere sich bewegen. Nicht nur sind die deutschen Fernwaffen ein bevorzugtes Ziel für feindliche Spione und Saboteure. Bei Tausenden und Abertausenden von technischen und zivilen Mitarbeitern in der Versuchsanstalt selbst und bei den vielen

Zulieferern wird die wasserdichte Geheimhaltung, HGs Job, zur Sisyphus-Aufgabe.

Zudem sind sich, wie in allen Armeen dieser Welt, die einzelnen Waffengattungen nicht grün: Die Luftwaffe für die V 1 und das Heer für die V 2 konkurrieren erbittert um die Priorität bei Hitler, das heißt um Geld, Rohstoffe, Arbeitskräfte. Gefährlicher noch ist der Machtkampf zwischen dem Reichsführer SS Heinrich Himmler und dem Rüstungsminister Albert Speer. Himmler hat sich in den Kopf gesetzt, die deutsche Rüstungsindustrie unter dem Dach der SS anzusiedeln, dazu gehört auch und vor allem die Kontrolle über die Raketen-Anlagen in Peenemünde.

Dazu mußten der einflußreiche Wernher von Braun und zwei seiner führenden Mitarbeiter beseitigt werden, die alle drei an ihrer Vorliebe für das Heer keinen Zweifel gelassen hatten. Nicht weil sie besonders loyal waren, sondern weil sie sich beim Heer größere Handlungsfreiheit ausrechneten als bei der SS. Daß von Braun seit 1940 Mitglied der SS war, spielte dabei keine Rolle. Die Raketenversuchsanstalt war eine Einrichtung des Heeres, und hier hatte er seine Arbeitsmöglichkeiten. Ob Himmlers Coup gelingen würde, war nicht abzusehen, und von Braun war stets gern auf der sicheren Seite. Diesmal gelingt das nicht: Am frühen Morgen des 15. März 1944 werden die drei Wissenschaftler von der Gestapo verhaftet und unter dem Vorwurf des Hochverrats in das Stettiner Gestapo-Gefängnis gebracht. Sie hätten sich »vor Zeugen« defaitistisch über den Kriegsausgang geäußert und lauthals über ihren dringenden Wunsch diskutiert, »ein Weltraumschiff zu bauen und kein Mordinstrument«.

Das hätte schiefgehen können, Wernher von Braun und Kollegen wären nicht die ersten gewesen, die »auf der Flucht erschossen« werden. Dem Kommandeur der Raketenversuchsanstalt, General Walter Dornberger, gelingt es weder bei Himmler, noch bei Generalfeldmarschall Keitel, Chef des OKW, seine wichtigsten Mitarbeiter freizubekommen. Da ist HG gefordert. Er gehört zum Heer, und er klemmt sich hinter den seit Monaten mit einer Knieverletzung krankliegenden Albert Speer, der begreift, daß dies zum wiederholten Mal ein Angriff Himmlers auf seine Person ist. Die SS agiert gegen den Rüstungsminister.

Speer interveniert bei Hitler, und gemeinsam erwirken Rüstungsminister und Abwehr-Offizier die Freilassung der drei Inhaftierten nach 14 Tagen. So steht es in einschlägigen Quellen, so steht es auch – kryptisch – bei HG am 7. April 1944: »Ich habe sogar gelernt, das bei Behörden und Dienststellen wohl unvermeidliche Intrigenspiel in personalibus mitzumachen und gerade kürzlich mal auf diesem Instrument eine geradezu virtuose Arie gespielt, die mir den ungeteilten Beifall aller Beteiligten einbrachte.«

Die SS hatte längst ihren Fuß in der Tür von Peenemünde. Seit Juni 1943 gab es dort ein Konzentrationslager mit Häftlingen aus Buchenwald, die zunächst zum Bau der Sicherungszäune um die Fertigungsanlage für die V 2 eingesetzt wurden. In der Nacht vom 17. auf den 18. August 1943 bombardierten die Engländer Peenemünde, mehr als 700 Menschen starben, vorwiegend Zwangsarbeiter. Daraufhin wurde beschlossen, die Produktion unter Tage zu verlegen und zwar in den Südharz in die Nähe von Nordhausen. Dort gab es ein Gipsmassiv, in das die BASF schon im Ersten Weltkrieg zwei Stollen vorgetrieben hatte, und mit der Ankunft der ersten 107 Häftlinge aus Buchenwald am 28. August 1943 begann, was unter der Bezeichnung »Mittelbau-Dora« zum Synonym für ein Inferno werden sollte.

In Tag- und Nachtarbeit wurden in den licht- und luftlosen Stollen die ersten Produktionsstätten für die V 2, das sogenannte »Mittelwerk«, von Häftlingen und Zwangsarbeitern gebaut, eine perfekte Fabrik, die – so Rüstungsminister Speer – »selbst für amerikanische Verhältnisse unübertroffen dasteht«. Überlebende berichteten nach der Befreiung: »Der Stollenvortrieb erfolgte mit Hilfe schwerer Preßluftbohrer, der Abtransport auch massiver Steinbrocken mußte mit Händen und Schaufeln bewältigt werden. Ständig wurden Gesteinsstaub und Gase aufgewirbelt, Ventilationsanlagen existierten nicht. In den Stollen gab es weder Wasch- noch Trinkwasser, die Männer urinierten aus Verzweiflung in die Hände, um sich den Kalkstaub wenigstens aus dem Gesicht zu waschen.« Die Schlafstollen waren drangvoll überfüllte Verliese voller Fäkalien, Ungeziefer, verwesender Leichen. Der Umzug in das im Bau befindliche Barackenlager zog sich schrittweise bis zum Juni 1944 hin, manche Häftlinge waren demnach neun Monate in dieser Unterwelt, wenn sie so lange überlebten.

Wer nicht in der Fertigung der V 2 eingesetzt war, landete in Baukolonnen. Die Häftlinge wurden für Erweiterungsarbeiten, neue Untertage-Vorhaben benutzt, die Konstruktionen der neu entstehenden Industrieanlagen waren gewaltig. Viele der Gefangenen hatten keine Schuhe und mußten barfuß im Geröll laufen, sie arbeiteten bei Minus-Temperaturen im Wasser beim Ausschachten von Gräben, sie hatten kaum Werkzeug außer ihren Händen, sie hungerten und litten an Entkräftung. Wer zusammenbrach, den prügelte das SS-Wachpersonal erbarmungslos wieder hoch. Die Sterblichkeitsrate war höher als in jedem anderen KZ in Deutschland. Schwerkranke und Invaliden wurden in Liquidationstransporten nach Auschwitz, Majdanek und Bergen-Belsen abgeschoben. Vorsichtige Schätzungen sprechen von 16 000 bis 20 000 Toten zwischen September 1943 und April 1945, das sind wenig mehr als anderthalb Jahre. Vernichtung durch Arbeit.

Warum erzähle ich das? Weil man es nicht oft genug erzählen kann. Hier erzähle ich es, weil HG dort mehrfach hinfährt, die V 2 ist sein Job. Ich möchte wissen, wie er sich dazu verhält. Selbst wenn er sie nicht gesehen haben sollte – schwer vorstellbar! –, die durch »Einkleidung« in Zebra-Uniform als KZ-Sklaven kenntlich gemachten Arbeiter, kann es nicht sein, daß der verantwortliche Abwehr-Offizier nicht weiß, wer die Wunderwaffe unter welchen Umständen baut. Es kann nicht sein, daß er nicht wenigstens einmal unter Tage auf der Galeeren-Baustelle im Mittelwerk gewesen ist, um sich anzusehen, was er da geheimdienstlich schützen soll.

Das KZ Dora liegt unmittelbar daneben und ist nicht zu übersehen mit seinem elektrischen Zaun und den hölzernen Wachttürmen. Natürlich schreibt er darüber nichts, ich finde in HGs Briefen auch nur den »Harz« als Zielort seiner Reisen, bis er sich einmal verplappert und »Nordhausen« nennt, was ich hinter dem »Harz« vermutet hatte. Er wird auch mit niemandem darüber geredet haben außer mit den Offizieren seiner Abwehr-Gruppe, und die müssen, wie HG, die vielen ausländischen Zwangsarbeiter – Franzosen, Polen, Russen – zunächst als ein geheimdienstliches Risiko betrachten. Keiner, auch HG nicht, kann sein Entsetzen artikulieren, wenn es denn eins gab.

HG fährt von Nordhausen auf dem Weg zurück nach »Tanne« in Halberstadt vorbei, das liegt um die Ecke. Er hat inzwischen einen Dienst-BMW »mit Fahrer und Benzin«, was ihn von den chaotischen Zugverbindungen entlastet. Wie soll ich mir das vorstellen? Da kommt er aus der Hölle, trinkt einen Tee mit Else, Wibke und Enziane Himmelblau, läßt sich endlich mal wieder die Haare schneiden, geht auf einen Sprung in die Firma, wo Hans Litten ihm einen konstruktiven Vorschlag macht, die nächste Katastrophe abzuwenden. Wieder am Bismarckplatz beruhigt er den desolaten Kurt, freut sich, daß Sabine früh genug von einer Jungmädel-Veranstaltung zurückkommt, so daß er mit ihr noch eine Runde Stadt-Land-Fluß spielen kann, und fährt rechtzeitig ab, bevor all die vielen Hausgäste eintrudeln, er will vor dem Alarm in »Tanne« sein. Und die ganze Zeit ist die Hölle ausgeblendet? Das Grauen schnürt ihm nicht die Kehle zu? Ich habe keine Antwort.

Dagmar Podeus stirbt, drei Tage vor Weihnachten 1943, ein Segen für sie, ein Segen für Else und trotzdem für alle sehr traurig. »Zum erstes Mal meines Lebens bin ich krank gewesen und habe Else zur Last gelegt«, schreibt sie bereits ein Jahr zuvor ins Gästebuch, und zwei Monate später »schon wieder als Patient, das ist ein ungehöriges Umgang, das ich nicht wiedervorkommen will!!« Dagmar mußte es »wiedervorkommen«, sie konnte nicht mehr allein in ihrer Wohnung sein, und dabei war sie so sicher gewesen, ihre Kinder zu überleben. Ihre Eltern wurden steinalt, und alle ihre älteren Geschwister laufen noch kerngesund herum – »was mache ich, wenn ihr alle versssswunden seid?« Dagmar wurde 72. Für Else ist ihr Tod bei aller Erleichterung eine große Trauer, sie fühlt sich ohnehin heimatlos durch das Zerwürfnis mit HG. »Ich bin ein Waisenkind«, schreibt sie ins Kindertagebuch, »jetzt habe ich nichts mehr, das mir die Illusion gibt, ich sei nicht allein.« Sie korrigiert sich sofort: »Natürlich bin ich nicht allein, weil ich Euch habe«, aber manchmal wären auch erwachsene Frauen gern wieder Kind, das Schutz findet unter der mütterlichen Schürze.

Else und HG finden keinen Weg zueinander. HG malt rote Herzchen in einen Brief – »ich hätte am Ende ein kleines bißchen K a f f e e für Dich – was meinst Du dazu?« Er klebt dänische Zeitungsausschnitte auf, wo es sich um Liebe und Ehe dreht: »Sag nicht in einer Ehe, ›er liebt mich nicht mehr‹, weil er nicht mehr in der ersten heißen Sturm- und Drang-Periode ist, das bedeutet nicht, daß seine Liebe tot ist, sie hat sich gewandelt in die Zusammengehörigkeit, die einem Wärme bringt für die Sinne und die Seele«. – »Die Ehe ist ein Prüfstein für den eigenen Charakter, nicht für den des anderen. Das ist nur etwas, womit man sich selbst entschuldigt.« HG schreibt darunter: »Ich sehne mich so danach, Dich in meine Arme zu nehmen – ich bin sehr einsam und sehr unglücklich.«

Aber Else gönnt beiden keine Pause. HG am 27. Januar 1944: »Dein Brief, der erste seit langer Zeit, war wieder ein so scheußlicher Schuß kalten Wassers in meine ohnehin nicht sehr rosige Stimmung. Ich muß mich wohl darein finden, daß die Scheu und das Angstgefühl, mit dem ich seit einiger Zeit jeden Deiner Briefe vor dem Öffnen dreimal rumdrehe, offensichtlich keine törichte Idiosynkrasie, sondern leider berechtigt sind, denn eigentlich steht jedesmal etwas in Deinen Briefen, was besser ungeschrieben geblieben wäre, weil es nur verletzt, ohne zu heilen.« Warum hat Else diese Briefe aufgehoben, wo sie doch so gut wie alles, was mit HG zu tun hat seit ihrer Verlobungszeit, vernichtet hat? Ich hoffe inständig, sie hat sie nicht noch mal gelesen nach HGs Tod. Das sind Zeugnisse tiefer Trauer und wechselseitiger Hilflosigkeit, für mich nur mit Mühe zu ertragen.

Vor dem Volksgerichtshof

HALBERSTADT HAT INZWISCHEN einen ersten Luftangriff hinter sich – HG im Frühjahr 1944 voller Sorge: »Es tut mir so leid, daß ich bei diesem nun auch für Euch eingetretenen Ernstfall nicht bei Dir war.« Das häuft sich jetzt, vor mir liegen die Luftlagekarten, auf Pappe aufgezogen mit eingezeichneten Einflugschneisen in Rot. Else schreibt ins Kindertagebuch, daß sie die Labilität ihrer Nerven spürt: »Es sind so viele Menschen im Haus, und ich scheuche sie sicher zu oft in den Keller, aber ich muß sie beieinander haben.« Sie selbst bleibt meistens oben am Radio, die Ziele liegen, noch, am Rande der Stadt – die Junkers-Werke, der Flugplatz, der Güterbahnhof, die Kasernen.

Daneben läuft das Leben weiter mit beglückender Banalität. Die vielen geparkten Kinder im Haus, alle so in Sabines Alter, die ist jetzt zehn, haben den Sport für sich entdeckt und gehen bevorzugt auf Händen. Ich nicht, ich bin zu klein und wußte damals schon, daß Sport gesundheitsschädlich ist. Sie lesen im Luftschutzkeller »Tom Sawyer« vor und »Huckleberry Finn«, Ursula tut das, und da können draußen die Bomberverbände dröhnen, erst müssen Tom und Becky heil wieder aus der Höhle rauskommen. Einer dieser abgelegten Schützlinge, aus Nürnberg kommt er, hat zum Staunen aller anderen Kinder einen Bandwurm, Else: »Jetzt weiß ich, wo unsere Lebensmittel-Marken geblieben sind!« Ursula erwartet ein Baby und strahlt, es wird immerzu gesungen, ich vermute, das sind auch jetzt noch Hitler-Lieder.

In der deutschen Welt brechen die Fronten ein. Italien hat dem Reich den Krieg erklärt, am 6. Juni 1944 landen die Alliierten in der Normandie, 438 000 Juden aus Ungarn werden nach Auschwitz deportiert. Die 60-Stunden-Woche bei völliger Urlaubssperre ist die neue Umsetzung des von Goebbels vor Jahresfrist verkündeten »totalen Kriegs«. In Frankreich liquidiert die Waffen-SS-Division »Das Reich« das Dorf Oradour-sur-Glane, alle Bewohner werden ermordet als Vergeltung für verstärkte Aktivitäten der französischen Résistance.

HG fährt Anfang Februar 1944 dienstlich nach Mauerwald in Ostpreußen, wo sich das OKH aufhält, wenn Hitler in der benachbarten Wolfschanze residiert. Da trifft er die vier Männer, in deren Kielwasser er ein halbes Jahr später vor den Volksgerichtshof gerät: Generalmajor Hellmuth Stieff ist Chef der Organisationsabteilung im Generalstab des Heeres. Bernhard ist sein Gruppenleiter II, Nachfolger von Claus Graf Stauffenberg auf diesem Posten. Dann sind da noch Bernhards Mitarbeiter Major Joachim Kuhn und Bernhards enger Freund Oberleutnant Albrecht von Hagen.

Die vier sind gemeinschaftlich mit der Sprengstoffbeschaffung für das Attentat auf Hitler befaßt, und ich kann nicht beurteilen, ob sie schon – oder erst – an diesem Abend in Ostpreußen mit HG darüber reden. Daß es keine Unterlagen gibt, versteht sich von selbst – das Wesen der Konspiration ist Geheimhaltung. Im Urteil des Volksgerichtshofs gegen HG und Bernhard steht, HG sei erst am 10. Juli in Berchtesgaden eingeweiht worden, aber das sagt gar nichts. Im Urteil steht eine Menge dummes Zeug. Viel spricht dafür, daß HG über die seit etwa zwei Jahren laufenden Attentatsplanungen informiert ist – Versuche hatte es schon 1938 und früher gegeben. Die Liste der im Zusammenhang mit dem 20. Juli hingerichteten Männer liest sich wie ein Auszug aus HGs Adreßbuch. Informiert-Sein heißt aber nicht Beteiligt-Sein. HG hat, so weit bin ich mir sicher, an keiner Planung teilgenommen, er war Mit-Wisser, nicht Mit-Täter. Anders die vier Männer, mit denen er an diesem Abend in Mauerwald zusammensitzt, die sind aktiv und praktisch beteiligt.

Ich möchte nicht die Verschwörung des 20. Juli beschreiben,

nicht ihre militärischen und ihre zivilen Aspekte, nicht die Planungen und die Versäumnisse, die das Scheitern bewirkten. Das ist vielfach und kompetent geschehen. Ich möchte auch nicht über die politischen Vorstellungen der Opposition für »die Zeit danach« diskutieren, über ihr rudimentäres Demokratie-Verständnis etwa und ihre Rückwendung zu monarchischen Strukturen. Ich erinnere mich statt dessen an meine Ungeduld in früheren Jahren, als ich mich immer wieder fragte: Warum so spät? Es war nicht spät. Es war erfolglos. Schon 1939 haben Männer wie Henning von Tresckow und Fabian von Schlabrendorff sich dazu bekannt, »daß Pflicht und Ehre von uns fordern, alles zu tun, um Hitler und den Nationalsozialismus zu Fall zu bringen und damit Deutschland und Europa vor der Gefahr der Barbarei zu retten«. Beide haben später in der Heeresgruppe Mitte, wo auch Bernhard war, die Umsturzplanungen intensiv betrieben.

Ihr Widerstand und der vieler anderer Offiziere hat sich fortgesetzt selbst in Zeiten von Hitlers größten militärischen Erfolgen, als die allgemeine Bewunderung für ihn keine Grenzen kannte. Er wurde immer dringlicher, seit die Einsatzgruppen der SS im Windschatten der deutschen Truppen zuerst in Polen, dann überall in Europa ihre Schneisen von Hölle und Vernichtung zogen und Millionen Juden in den Gaskammern starben. Widerstand war eine nahezu unlösbare Aufgabe in einem totalen Staat mit seiner übermächtigen Gestapo, den Sicherheitsdiensten, der SS, mit einer Bevölkerung, die Hitler noch immer anbetete, mit Millionen von Soldaten, die einen Eid auf ihn geschworen hatten.

Um sie von diesem Eid zu entbinden, mußte Hitler beseitigt werden. Um das Regime zu stürzen, brauchte es den Militärputsch mit der eingespielten Befehlsleiter von oben nach unten, mit der Übernahme der vollziehenden Gewalt durch die Wehrmacht, dem Ausnahmezustand. So wollten die Verschwörer den Bürgerkrieg verhindern. Danach sollte eine zivile Regierung das Land zurückführen in die Gemeinschaft zivilisierter Völker. Ob das geklappt hätte, wer weiß es denn. Hitler war nicht tot, der Putsch brach zusammen, die Revolution fand nicht statt.

Es waren zwar viele, die sich der Verschwörung angeschlossen hatten – etwa 600 wurden verhaftet, und das mögen nicht alle gewesen sein. Aber es waren unter Millionen verschwindend wenige, die ihr Gewissen über ihr Leben stellten. Wären sie nicht gewesen, sie oder die Mitglieder der »Weißen Rose« oder der tapfere Georg Elser, der am 8. November 1939 den Münchner Bürgerbräu-Keller in die Luft jagte – viele müßte ich noch aufzählen, die jeweils an ihrem Platz sich verweigert haben – ohne sie wäre für uns, die Nachkommenden, in der moralischen Trümmerwüste nach dem Krieg nichts zu finden gewesen, woran wir uns hätten halten können.

Ich weiß nicht, ob es Bernhard ist, der HG in die Umsturzpläne einweiht. Ich glaube das eher nicht. Auf jeden Fall vermute ich, daß wer immer ihn ins Bild gesetzt hat, bei HG offene Türen einrannte. Er ist in Dänemark nicht vor Landesverrat zurückgeschreckt, als er die Gegenseite mehrfach vor Aktionen der Deutschen warnte. HG schreibt im Sommer 1943 über den »gewaltigen Kampf der Weltanschauungen auch im Innern«, über die »geistigen Bewegungen, die unsere Zeit beeinflussen werden«, er gibt seine SS-Uniformen weg. Ich denke, daß er sich spätestens zu diesem Zeitpunkt neu orientiert, daß auch der Umsturz – also Hochverrat – in sein Blickfeld geriet. In den Vernehmungen bei der Gestapo nennt er Stalingrad als Auslöser, es wird eine schleichende Entwicklung gewesen sein.

Daß HG nicht aktiv beteiligt ist an den Umsturzplänen, macht Sinn. Er sitzt auf seinem Abwehrposten fernab einer Position, wo er sich hätte »nützlich« machen können. Was aber geht in ihm vor? Wie löst er für sich die Konflikte um den »Tyrannenmord«, den »Dolchstoß«-Vorwurf, seinen Eid? Wie geht er mit seiner Sorge um, der Sorge aller Konspiranten, daß Deutschland in einem Bürgerkrieg versinkt, während an den Fronten die Kriegsgegner den Druck erhöhen? Hofft er, das Attentat möge gelingen um Deutschlands Selbstachtung willen, ist auch er überzeugt, daß es »vor der Geschichte« unumgänglich sei, sich selbst zu reinigen, »côute que côute«, koste es, was es wolle, wie Henning von Tresckow Graf Stauffenberg wissen ließ? Das war einige Tage nach der Invasion der Alliierten in der Normandie, und Stauffenberg hatte die Frage aufgeworfen, ob ein Anschlag jetzt noch sinnvoll sei.

HG weiß, was das Regime aus Deutschen gemacht hat. Wenn er in Polen nichts von den Massenmorden gesehen hat, weil sein Regiment so schnell abgezogen ist, wenn Dänemark zu HGs Zeiten vergleichsweise noch eine Sommerfrische war, Rußland war es nicht. Spätestens dort müssen ihm die Augen aufgegangen sein. Daß er nie darüber geschrieben hat, heißt nichts. Er schreibt auch nicht über das KZ Mittelbau-Dora in Nordhausen. Er spricht nicht mit Else darüber. Sie hätte sich daran erinnert, als sie nach dem Krieg ins Kindertagebuch schrieb, wie es war, als HG am 21. Juli 1944 ein letztes Mal nach Halberstadt kam: »Ich weiß noch, wie einleuchtend mir Vaters Darstellung von der Notwendigkeit des Attentats war, aber er sagte nur so wenig, so wenig. Alles, was ich erfuhr, habe ich so mühsam aus ihm rausgezogen. Er wollte nicht, daß ich durch Wissen bei einem etwaigen Verhör durch die Gestapo belastet wäre, er kannte ja ihre Methoden.«

HG ist ein Mann der Abwehr. Nichts zu sagen, ist ihm zur zweiten Natur geworden. An Else schreibt er im April 1944: »Seit länger als vier Jahren lebe ich jetzt eine Art Doppelleben, und ich empfinde es gerade in letzter Zeit als schmerzlich, nicht mit Dir darüber reden zu können, was in der anderen Hälfte vorgeht. Gerade weil Du nicht ins Amt gehörst, würde eine Zwiesprache mit Dir mir manches klarer werden lassen, und wenn es wie jetzt so überhand nimmt, bin ich davon so beansprucht, daß die andere Hälfte, in der Du vorkommst, davon zugedeckt zu werden droht, und ich weiß nicht mehr, wie ich der Entfremdung vorbeugen soll.« Mit wem spricht HG statt dessen? Ich denke, mit niemandem. Alle diese Männer, es sei denn sie sitzen im Auge des Taifuns, sind zur Sprachlosigkeit verdammt. Sie tun ihre Pflicht, ihre Aufgabe ist die Lösung anstehender Probleme, nicht die Beschäftigung mit eigenen

Ängsten. Es hat seinen Grund, daß HGs Briefe aus dem Jahr 1944 fast alle enden mit »Dein einsamer Mann«.

Bernhard schreibt natürlich auch nichts über die Turbulenzen im OKH an Ursula, obwohl sie fast täglich Post von ihm bekommt. Das sind Briefe voller Poesie und Zärtlichkeit, Seiten detaillierter Zukunftspläne für die Zeit nach dem Krieg, Vorfreude auf das Kind, das Ursula erwartet, Zweisamkeit: »Weißt Du, ich glaube, daß die meisten Ehen verflachen durch gedankenlose Gewöhnung. Das kann bei uns schon gar nicht sein, denn Du bist jedesmal für mich ein neues Wunder, das ich noch nicht kannte, und das mir trotzdem so vertraut erscheint, weil Du es bist. Aber ich staune immer wieder, ich entdecke Dich in tausend Variationen, und immer wieder liebe ich Dich neu!«

Ich finde einen Brief Bernhards an seinen Vater, den Respekt einflößenden Berliner Bankier mit dem Kneifer. Bernhard schreibt ihm am 13. Juli 1944 – eine Woche vor dem Attentat– im Flugzeug nach Budapest: »Der Gedanke, bald Vater zu sein, ist mir im Augenblick ebenso fremd wie der Gedanke, verheiratet zu sein, es vor meiner Hochzeit war. Wenn ich mich aber an das Vater-Sein ebenso schnell gewöhne und es mich ebenso glücklich macht wie das Zusammenleben mit Ursula, dann werde ich mich wohl <u>sehr schnell</u> dran gewöhnen und es wird mich <u>sehr</u> glücklich machen. Lieber Papa, wes das Herz voll ist, des läuft der Mund über: immer wieder muß ich sagen, daß die Ehe mit Ursula ein so großes Glück für mich ist, wie ich es nie auf dieser Welt bisher kennen gelernt und auch nicht erwartet habe. Ich bin sicher, daß Ursula genau so fühlt wie ich.«

Gelegentlich erwähnt Bernhard Leute aus seinem militärischen Umfeld, mehrfach finde ich seine Bewunderung für Oberstleutnant, später Generalmajor Hellmuth Stieff. Er hat Bernhard 1942 in den Generalstab des Oberkommandos der 4. Armee und 1943 auf Stauffenbergs früheren Posten in die Organisationsabteilung im Generalstab des Heeres geholt. Stieff ist ein kleingewachsener, umtriebiger, charismatischer

Mann, dessen empörte Briefe über Hitler verblüffend offen-
herzig sind. »Ich bin von einem abgrundtiefen Haß erfüllt!«
schreibt er an seine Frau und, wegen der Aushungerung Lenin-
grads, »wenn ein wahrer Teufel in Menschengestalt so etwas
erfindet, wovor ein Dschingis Khan vor Neid erblassen würde«. Stieff hatte um sich eine Gruppe junger Offiziere geschart,
die sich spätestens seit dem Fall von Stalingrad in der Ablehnung des Regimes einig waren. Sie sind es, die an jenem Febru-
arabend in Mauerwald mit HG zusammensitzen.

Das OKH residierte stets in der Nachbarschaft des Führer-
hauptquartiers, mal bei der Wolfschanze, mal am Obersalzberg, in Zossen bei Berlin oder wo immer Hitler seine Zelte
aufschlug. Stieff hatte Zugang zu Hitler – hätte er sich bereit
gefunden, das Attentat durchzuführen, wie Stauffenberg noch
bis Anfang Juli zu hoffen schien, vielleicht wäre manches
anders gekommen. Aber Stieff konnte nicht, wollte nicht, be-
kannte sich zu einer »Tötungshemmung«, wer wollte es ihm
verdenken. Stauffenberg, durch seine Kriegsverletzung schwer
behindert – ihm fehlten ein Auge, eine Hand und an der anderen Hand die beiden letzten Finger – flog für das Attentat von
Berlin in die Wolfschanze, nach dem Anschlag brauchte er kostbare dreieinhalb Stunden zurück nach Berlin, ehe er die Leitung des Staatsstreichs übernehmen konnte. Auch hierin liegt
ein Grund für das Scheitern der Verschwörung.

Bernhard erzählt Ursula nichts von den wiederholten Bemü-
hungen, den Sprengstoff für den Anschlag zu besorgen. Sie
weiß nichts von seiner Reise nach Berlin zusammen mit ihrem
gemeinsamen Freund Albrecht von Hagen am 24. Mai, als beide Männer die Bombe zu Stauffenberg in den Bendlerblock
bringen. Ursula ist tapfer und schickt Bernhard »Quatsch-Brie-
fe«, wie sie das nennt, aber er spürt ihre Angst vor der Geburt
des Kindes ohne ihn, sie fühlt sich einsam trotz des Trubels im
Haus. »Du bestehst nur aus Sehnsucht, meine Geliebte«,
schreibt Bernhard und stellt sich ihr an die Seite: »Ich auch,
meine zauberhafte Frau. Und ich bin bei Dir, bei Dir, bei Dir!«
Am 1. Juli kommen er und HG auf eine Stippvisite nach Hal-

berstadt, Bernhard muß am nächsten Morgen wieder weg. Es ist das letzte Mal, daß sie ihn sehen.

Ich kann mich noch ein bißchen festhalten an dem Alltag am Bismarckplatz. Es wird wieder einmal umgeräumt im Haus, weil nun zu der zahlreichen Verwandtschaft auch fremde Bomben-Geschädigte eingewiesen werden. Einer ist dabei, ein Schauspieler namens Fischer-Colbri, der die Kinder fasziniert, weil er seine Rollen – welche Rollen und wofür? – laut deklamiert, auch den »Kleinen Hey«, die »Kunst des Sprechens«, damals Standard-Übung für alle lautstarken Hamlets: »Da pfeift es und geigt es und klinget und klirrt, da ringelt und schleift es und rauschet und wirrt, da pispert's und knistert's und flüstert's und schwirrt, nun dappelt's und rappelt's und klappert's verirrt« – das mach mal! Die lauschenden Kinder vor der Zimmertür lernen mit, und ich stelle mir vor, wie die Jung-Artisten mit diesen Texten die Treppen rauf und runter turnen auf Händen, neueste Schwierigkeitsstufe sind zwei Stufen auf einmal. Sie können auch Goethe im Chor: »Oh gib vom weichen Pfühle träumend ein halb Gehör bei meinem Saitenspiele – schlafe! Was willst du mehr?« Alle sind traurig, als Herr Fischer-Colbri woanders eine Bleibe findet.

In Goebbels' Tagebüchern entdecke ich HG in einem Eintrag vom 29. Juni 1944: »Major Klamroth von der Abwehr, dessen Aufgabe es ist, über eine Geheimhaltung unserer neuen Vergeltungswaffen zu wachen, hält mir einen ausführlichen Vortrag über die augenblickliche Lage unseres Vergeltungsprogramms. Diese ist ungefähr folgende« – und dann berichtet HG dem Propagandaminister über V 2 und V 1, und daß keine von beiden den hochgesteckten Erwartungen entspricht. Er wird sich nicht beliebt gemacht haben mit Sätzen wie »bei den letzten Versuchen hat sich ergeben, daß das Geschoß sich meist in 2000 m Höhe selbst aufgelöst hat« oder »zwei Projektile sind versehentlich in Schweden und ein weiteres dicht beim Jagdschloß des Reichsverwesers Horthy gelandet« – der Mann saß in Ungarn.

Else hat schon vor einiger Zeit über HG ein russisches Hausmädchen bekommen, eine von den Fallschirmspringerinnen in Pleskau, die hierdurch der Erschießung entgeht. Schenja heißt sie, alle nennen sie Jenny, und sie weint sich anfangs die Augen aus dem Kopf vor Heimweh. Else grübelt im Sonntagsbrief: »Mit ihr ist es mir ein bißchen sehr wie ›leibeigen‹. Wenn ich nun scheußlich zu dem Kind wäre, was wollte sie dann machen? Eigentlich ganz gräßlich. Ich kann mich aber damit trösten, daß sie es bestimmt noch nie so gut gehabt hat wie jetzt.« Jenny fühlt sich bald so wohl, daß sie von einem Urlaub in Rußland tatsächlich zurückkommt und Else gelegentlich Mamutschka nennt. Auch ihre Spur hat sich nach dem Krieg verloren.

Allmählich bringt Else abgelegte Bombenschützlinge bei der Verwandtschaft unter, sie nötigt Freunde und familiäre Dauergäste, sich anderswo eine Schlafstatt zu suchen, sie will keine durchreisenden Hamsterfahrer mehr bei sich sehen – sie will das Haus leer haben, jedenfalls den Teil, für den sie verantwortlich ist. Es soll Ruhe sein, wenn Ursula ihr Kind bekommt. »Ich war sehr nervös wegen der dauernden Alarme und betete, daß wir verschont bleiben würden, wenn es so weit war«, schreibt Else nach dem Krieg ins Kindertagebuch. »Ursula war sehr tapfer und vermißte Bernhard so sehr, aber sie tröstete mich, indem sie mir erzählte, daß sie nur eine von Hunderttausenden werdender Mütter sei und alle sich so verhalten müßten wie ihre Männer an der Front. Ach Ursula, wie gut, daß sie nicht wußte, was sie auszuhalten haben würde.«

Am 17. Juli wird Ursula 20, sie bekommt sieben Geburtstagsbriefe von Bernhard, die ersten sind schon vom 8. Juli – er neckt sie damit, daß seine »Vorliebe für blutjunge Mädchen« mit dem zweiten Jahrzehnt einen »ernsthaften Knacks« bekäme. Er schwärmt von der schönsten Frau Oberstleutnant unter der Sonne, er wünscht sich »mindestens zehn Jahrzehnte« mit ihr und er träumt von »Deinem Kopf an meiner Schulter, Deinen Brüsten, Deinen zärtlichen Händen, Deinem Atem, Deinen Lippen, von Dir ganz, Geliebte – ich liebe Dich so unendlich, mein Liebling«. Das ist Bernhards letzter Brief, geschrieben am 19. Juli 1944.

HG ist oft in Halberstadt, da schreibt er nicht so häufig. Im Mai gibt es noch einen Zornesausbruch: »Versuche doch mal wieder, mir zu zeigen, was für ein Glück es ist, Dein Mann zu sein – ein Glück, das ich mir in der letzten Zeit fast nur mit spärlichen Erinnerungen an die Vergangenheit und in vager Hoffnung auf die Zukunft suggerieren muß!!« Aber Anfang Juni schreibt er: »Du Arme hast es besonders schwer, weil Du unter den Eindruck gekommen bist, daß ich mich nicht nur auf Dich und meinen Beruf, sondern außer Dir noch auf andere Frauen aufteile; daß ich diese Auffassung für falsch und ungerecht halte, macht mich doch nicht blind für die Tatsache, daß Du sie hast – und daß ich schuld daran bin, daß Du zu ihr kamst. Es tut mir so leid, daß Du Dich deshalb doppelt einsam fühlst, und ich suche nach allen möglichen Wegen, um Dir das Gefühl der Vereinsamung zu nehmen. Ich wünschte, wir könnten mal einen langen Urlaub zusammen auswärts verbringen, ganz allein, nur wir beide; vielleicht würdest Du dann merken, wie lieb ich Dich habe!« Zwei Zettel finde ich noch vom Juli 1944, offenbar mitgeschickt in Paketen: »Ich habe Dich sooooo lieb!« und »Ich denke so gern an Dich!«

Am 20. Juli um 12 Uhr 42 explodiert Stauffenbergs Bombe im Führerhauptquartier Wolfschanze. Else erfährt das erst nachts, als Hitler eine kurze Ansprache im Radio hält. Sie wird wach, weil Bernhard anruft, der nach Ursula und dem Baby fragt. Else im Kindertagebuch: »Bernhard war so kurz und so entsetzlich ernst in dem Gespräch. Er wollte aber Ursula nicht wecken.« Es ist Bernhards letzter Anruf in Halberstadt. Else macht danach das Radio an wegen der Feindflüge, hört Hitler sagen, daß Offiziere den Mordanschlag versucht hätten, und weiß »im selben Augenblick, daß Bernhard beteiligt ist. Wie soll ich Euch meine Sorge und Angst beschreiben, wie kann ich das? Worte reichen nicht aus.«

Else erzählt niemandem davon. Ursula, ahnungslos, macht mit ihr einen »Wehen-Spaziergang« am nächsten Abend, das ist jetzt der 21. Juli, und als sie zurückkommen, wartet HG auf die beiden im Tempelchen. Immer, wenn ich dieses Tempelchen sehe im Garten am Bismarckplatz, habe ich HG vor Augen, wie er da sitzt auf einer der wuchtigen Sandsteinmauern rechts und links der Treppe, er sitzt da in Uniform, und ein stummer Blick zwischen ihm und Else bündelt die Angst, die sie beide umtreibt. Ursula geht in ihr Zimmer, HG erzählt Else nur das Nötigste, Bernhard sei »beteiligt« und er selbst habe davon gewußt – und um kurz nach elf Uhr nachts setzt die Geburt ein.

Else schreibt Bernhard einen Brief, während sein Kind auf die Welt kommt, sie fängt schon ein paar Tage vorher damit an, da sieht es so aus, als wäre es jetzt so weit. Sie schreibt in Fortsetzungen: »16. Juli 22 Uhr – Ursula hat noch keine Schmerzen, nur so unbestimmte Gefühle. Sie geht jetzt nach oben und will baden. Sie ist ganz ruhig und heiter und gar nicht nervös. Das Letztere kann ich von mir nicht behaupten. Ich habe ein sehr unangenehmes Gefühl von Hohlheit in der Magengegend, ich habe geradezu märchenhafte Angst. Vorhin ging unser Telefon nicht, das hätte mir wohl gerade noch gefehlt. Ich denke in diesen Stunden sehr an Dich, Bernhard, ich bin sehr glücklich, daß Du Ursulas Mann bist und der Vater unseres nun hoffentlich bald schreienden kleinen Enkelkindes. Ursula hat sich in diesen anderthalb Ehejahren sehr entwickelt, und daran hast Du eben den wesentlichsten Anteil.«

»17. Juli 20 Uhr – Leider alles ruhig, dabei würde es so gut passen, heute an Ursulas Geburtstag und jetzt ist die Luftlage so günstig. Ich habe Hans Georg in Verdacht, daß er erst kommen will, wenn das Baby da ist, er hat auch Angst! Puha, ich wollte, es wäre erst so weit.«

»18. Juli. 17 Uhr – Wir warten weiter. Eben ist Ursula oben auf dem Balkon mit dem Liegestuhl zusammengebrochen, vielleicht nimmt das Baby dies als Aufforderung. Seit ein paar Tagen geht es Schwiegervater wesentlich schlechter« – das ist Kurt, der wunderbare Kurt! – »ein alter Ast wird morsch und brüchig, ein neues junges Zweiglein ist schon angesetzt am Klamroth-Baum. Es ist sehr eigenartig, dieses gleichzeitige Erleben von Werden und Vergehen in nächster Nähe. Der arme

Großvater ist geistig kaum noch klar und fühlt sich verfolgt. Gestern abend spät erschien er auf dem Balkon vorm Wohnzimmer, da die andere Tür <u>bewacht</u> würde!! Und dann kam plötzlich ein lichter Moment: ›Else, ich werde verrückt, es ist schrecklich, aber ich werde verrückt!‹ Grenzenloses Mitleid packt mich mit dem so liebevollen alten Mann.«

»19. Juli abends – Wir warten weiter. Es wäre ja nicht so schlimm, wenn die verfluchten Alarme nicht wären!«

»21. Juli, kurz nach Mitternacht – Nun ist es also so weit. Die Wehen kommen schon in ziemlich kurzen Abständen, um halb 12 rief ich die Hebamme an, jetzt viertel nach 12 kam sie. Der Rundfunk meldet Störflugzeuge im Anflug auf Mark Brandenburg und Kampfverbände über Westdeutschland. Ob wir wohl ohne Alarm davonkommen? Gestern nacht, als Du anriefst, Bernhard, fand ich Dich so sehr, sehr ernst am Telefon. Ich mochte nicht fragen. Das Attentat auf den Führer bewegt uns natürlich alle sehr. Ich hörte mir nachts die Ansprache des Führers an, und wenn Du ja auch mit der Sache nichts zu tun hast, so wird doch nach dieser Ansprache der ganze Generalstab mehr oder weniger mit hineingezogen, und das ist natürlich Anlaß zur Sorge. Ich sagte Ursula nichts davon, aber heute im Verlauf des Tages hat sie es natürlich gehört. Dramatischer kann wohl kaum ein Zeitpunkt sein, um auf diese aus den Fugen geratene Welt zu kommen. Ursula kam so gegen halb elf rauf zu mir, unglücklich und in Tränen. Natürlich hat sie Angst, und Du bist so weit, Bernhard, und die Nachrichten sind so beunruhigend und die Sorge ist so groß. Dann rief aber um elf Uhr Albrecht von Hagen an und bestellte Grüße von Dir, und das half.«

»22. Juli, 1 Uhr morgens – Eben bekommen wir Vollalarm« – Else nimmt offenbar die Schreibmaschine mit in den Luftschutzkeller –, »die Wehen werden heftiger. Die Feindmaschinen sind über Berlin, auf dem Rückflug werden sie wohl hier vorbeikommen, meint der Drahtfunk aus Dessau. Die Wehen kommen in kurzen Abständen. Meine feige, kleine Ursula, die beim leisesten Schmerz ein solches Theater machte, ist so tapfer, ich bin wirklich sehr stolz. Hans Georg, der heute abend gekommen ist, läßt sich nicht sehen. Ich bin überzeugt, die Angst, Ursula in Schmerzen zu sehen, ist größer als seine Angst vor den Engländern. Es ist ja auch nicht schön!! Und dazu die schweren und drückenden Sorgen! Aber Ursula ist nur mit ihrem elementaren Naturereignis beschäftigt, und das ist gut. Es verlangt ja auch den ganzen Menschen!«

»Ursula mußte heute abend Rizinusöl einnehmen, sie beschloß, daß Du das nächste Mal wenigstens das mit ihr teilen solltest, Bernhard! Freu Dich drauf. Das Öl beginnt zu wirken, und dadurch werden auch die Wehen heftiger. Diese Eröffnungswehen sind bei weitem die schlimmsten und unangenehmsten. Ach, wenn Ursula doch so leicht gebären könnte wie ich. Aber beim ersten Kind dauert es eben, das war bei Barbara auch so. Hans Georg lief eben oben verzweifelt rum ›Ich bin aber nicht schuld! Ich bin aber nicht schuld!!‹ Ich habe ihn etwas zu trösten versucht, er will nun zu schlafen versuchen, er kann ja doch nichts machen. Alles ist in Ordnung und normal – hart und schwer und schmerzhaft ist es ja nun mal, nicht leicht mit anzusehen. Lieber selber!! Eben gab es Entwarnung. Wenigstens das hätten wir geschafft.«

»1/2 4 – wir sind immer noch nicht weiter. Ursula muß sich sehr quälen, sie stöhnt und wimmert leise vor sich hin. Sie schlummert jetzt mal so ein bißchen zwischen den Wehen, aber das sind ja immer nur ein paar Minuten. Ob wohl der arme alte Großvater noch richtig erfaßt, daß heute die vierte Generation in sein Haus einzieht, sein Urenkelkind? Mir fällt beiläufig ein, ich glaube, es war bislang auch nicht üblich, daß eine Großmutter in langen dunkelgrauen Hosen und mit einer blauen Jacke und Händen in den Hosentaschen die Geburt des Enkelkindes miterlebt. Ich habe eben noch mal wieder Kaffee gekocht.«

»4 Uhr 10 – Inzwischen ist sie wieder auf und wandert ruhelos umher. ›Ach, Mutti, wie gut, daß Bernhard nicht hier ist! Ach Mutti, Mutti, wie tut das weh!‹ Das ist der Refrain. Eben will die Hebamme ihr einen Einlauf machen. Es ist eine blöde

Schinderei, aber es hilft, es treibt es vorwärts. Sie hat ja jetzt fünf Stunden lang mit den kurzen Pausen die Wehen. Es ist wirklich erstaunlich, daß sich die Mütter drei-, vier-, fünfmal und mehr immer wieder dazu hergeben, diese Schmerzen auf sich zu nehmen. Sie sind so schnell vergessen, das ist das Gute, und man weiß, wofür.«

»Es ist 5 Uhr. Ursula hat eben ein Belladonnazäpfchen bekommen, das soll lockern und beruhigen. Der Muttermund hat sich erst talergroß geöffnet. So fing ich immer an, und bei Ursula ist es das Ergebnis von sechs Stunden Schmerzen. Wenn ich ihr doch helfen könnte! Und vielleicht haben wir neuen Alarm, ehe das Kind geboren wird!«

»7 Uhr – Ursula hat ganz heiß gebadet, das schaffte ihr etwas Erleichterung. Der Muttermund hätte sich weit geöffnet, sagt die Hebamme. Aber was wird sie geschunden, das arme Kind! Noch immer ist die Blase nicht geplatzt! Wenn wir bloß nun nicht bald Alarm bekommen. Ich habe solche Angst! Es ist bald neun Uhr! Noch immer muß sie sich schinden. Sie liegt jetzt wieder. Jetzt muß sie arbeiten und selber mit pressen, damit die Blase endlich platzt.«

»8.55 Uhr – die Blase ist geplatzt, endlich! Das Schlimmste ist überstanden!«

»9 Uhr 48 – Bernhard, ein Junge!! Ein gesunder, kräftiger Junge! Und Ursula ist so strahlend und so glücklich! Sie hat so gearbeitet die letzte 3/4 Stunde – und nun ist er da und schrie gleich, und alles ist vergessen, nur eine schrecklich große Freude und ein ganz großes Schöpfergefühl. Sie hat ihn sich aber auch erarbeitet und erkauft heute Nacht. Es ist aber auch ein Mordsbengel! Ich bin ja so froh und so dankbar!«

»Der Vollständigkeit halber will ich noch nachtragen, daß drei Nadeln gelegt werden mußten, eine sehr schmerzhaft, aber auch hierbei war Ursula sehr tapfer. Der Junge wiegt 8 Pfund und ist 56 cm lang, Kopfumfang 37 cm. Die große Freude und das strahlende Glück von Ursula, als der Junge endlich da war und seinen ersten gleich sehr kräftigen Schrei ausstieß, hätte auch Dich mit der elfstündigen Quälerei ausgesöhnt. Ich freue mich, daß sie so tapfer durchgehalten hat und diesen Moment des ersten Schreis bei vollem Bewußtsein erleben konnte. Es ist bestimmt das stärkste Erlebnis im Leben einer Frau, mit nichts zu vergleichen an Eindrucksvollem und an Glücksgefühl. Du warst natürlich doch die lange schwere Nacht bei uns. Jetzt wartet sie auf Dein Kommen, um Dir Deinen Sohn zu übergeben. Hoffentlich ist das bald möglich.«

Ich will nicht darüber nachdenken, ob eine Frau sich elf Stunden lang quälen soll, um dem Vater »seinen Sohn zu übergeben«, auch nicht über die archaischen Umstände, unter denen Frauen damals ihren Nachwuchs zur Welt brachten, zu Hause mit dem aberwitzigen Risiko für Mutter und Kind. Ich halte Elses Brief an Bernhard in der Hand, auf Durchschlagpapier geschriebene fünf Seiten, und ich sehe: Das ist das Original. Sie hat ihn nicht abgeschickt, nicht mehr – es war zu spät. HG telefoniert mit Berlin am Vormittag und erfährt, daß Bernhard »fort« ist – das ist jetzt am 22. Juli. HG muß nachmittags kurz nach Nordhausen und bringt von dort die – falsche – Nachricht mit, Bernhard sei am Abend des 20. Juli in der Bendlerstraße mit Stauffenberg und den anderen erschossen worden. Else im Kindertagebuch: »Ursula wunderte sich langsam, daß sie nichts von ihm hörte, denn Bernhard fand immer Mittel und Wege, sich mit ihr in Verbindung zu setzen. Wir erzählten ihr, daß Bernhard plötzlich dienstlich hätte nach Budapest fahren müssen. Ich wollte ihr nichts sagen, bevor ich nicht Gewißheit hatte.«

Immer noch Else im Kindertagebuch: »Wie war es schwer, die nagende Angst vor ihr zu verbergen! Dazwischen wie ein Gespenst geisterte Großvater, der ganz irre war in diesen Tagen. Vater hatte ihn noch nie so erlebt, er war so entsetzt! Und dann dieses neue kleine Leben, wie hat Vater, der doch Babys so liebt, sich gefreut und was für Hoffnungen, wider alle Vernunft, hat er auf dieses Kind auch für sich und die Firma gesetzt. Vater reist am 25. Juli ganz früh nach Berlin, wir sollten ihn nie wiedersehen. Am selben Abend spät kommt die Gestapo zu einer vierstündigen Haussuchung, mit Mühe halte ich sie davon ab, zu Ursula, die schon sehr unruhig ist, aber noch nichts weiß, ins Zimmer zu gehen.« – Großer Gott, das konnte Else! Das hat sie später mit den Russen auch so gemacht, an ihr kam niemand vorbei. Sie hat eine Kraft und eine Bestimmtheit ausgestrahlt, ich sehe sie noch da stehen, als die marodierenden Fremdarbeiter ins Haus drängten und sie mit Pistolen bedrohten. Sie hat sie ausgelacht, und sie gingen!

Während die Gestapo im Haus ist, ruft HG an aus Berlin: Bernhard ist in Zossen verhaftet worden. Else: »Als die Leute gingen, kam Alarm, Ursula war wach und fragte so voller Sorge nach Bernhard, ich mußte es ihr sagen. Ursulas Kummer zerriß mir das Herz, und sie bemühte sich so sehr, tapfer zu sein. Was für ein Wochenbett! Wie kann es sein mit einem Mann, der seine Frau vergöttert und mit einem so süßen und gesunden Jungen! Und wie war es – Ursula, wehrlos ihren Gedanken und ihrer Angst preisgegeben, es war grauenhaft.« Ich möchte mich jetzt am liebsten verabschieden aus dieser Geschichte, einfach aufhören und sie unvollständig lassen. Ich möchte so tun, als hätte ich es in der Hand, ob sie weitergeht oder nicht. Ich habe es nicht in der Hand, und nirgendwo steht geschrieben, daß ich mich wohl fühlen soll mit dem, was ich erzählen muß. Die anderen, damals, haben es sich auch nicht aussuchen können.

Am 1. August 1944 wird Bernhards Mutter Marta in ein »Arbeitserziehungslager für Frauen« nach Magdeburg verschleppt, sie ist 62. Das Lager ist der Sackfabrik Förster angegliedert in der Schillstraße 2, die 12-Stunden-Tage Schwerstarbeit, die Prügelorgien, die Wassersuppen und die fürchterlichen hygienischen Verhältnisse bringen Marta Klamroth beinahe um. Am Tag drauf kommt Bernhards Vater Walter, der ist 72, ins Zuchthaus nach Potsdam, wo er fast erblindet. Bernhards Bruder Walter jun., er ist 27, landet im Zuchthaus in Berlin, der andere Bruder Jürgen, Medizinstudent und 25, wird in eine Strafkompanie gesteckt. Das alles passiert Anfang August, zwei Wochen vor dem Prozeß. Heinrich Himmler in seiner berüchtigten Rede am 3. August 1944 vor Gauleitern in Posen: Nach dem Vorbild der »germanischen Sagas« solle es eine »absolute Sippenhaftung« geben, »dieser Mann hat Verrat geübt, das Blut ist schlecht, da ist Verräterblut drin, das wird ausgerottet«. Ursula bleibt unbehelligt, die Regeln für die Sippenhaftung werden nie festgelegt, so daß nicht nur Willkür, sondern auch Glück im Spiel sein kann. Ende Oktober kommt Bernhards Familie wieder frei, seine Eltern erfahren erst jetzt, was dem Sohn widerfahren ist.

Bis zum 29. Juli telefoniert Else noch jede Nacht mit HG, am nächsten Tag erreicht sie ihn nicht mehr. Worüber werden sie geredet haben in diesen Gesprächen, von denen sie nicht wußten, daß es ihre letzten sein würden? Was kann einer reden von einem Diensttelefon mit dem Fräulein vom Amt in der Leitung? Vor lauter Sorge um Bernhard haben sie HGs eigene Gefährdung nicht realisiert, Else jedenfalls nicht. Als HG das letzte Mal in Halberstadt war, hatte er ihr nur erzählt, er habe sich am 10. Juli mit Stauffenberg, Stieff, Bernhard und Erich Fellgiebel, General der Nachrichtentruppen, in Berchtesgaden getroffen – Fellgiebel sollte die Kommunikation vom Führerhauptquartier zu den Wehrmachtsspitzen nach dem Anschlag unterbinden. Sie hätten über die Attentatspläne gesprochen, und er habe anschließend noch die halbe Nacht mit Bernhard diskutiert. Else: »Ich war noch so naiv anzunehmen, daß die Selbstverständlichkeit, daß man doch seinen eigenen Schwiegersohn nicht an den Galgen bringen könnte, auch von anderer Seite berücksichtigt werden würde.«

Hat HG geahnt, daß die Gestapo ihm auf der Spur ist? Diese Zusammenkunft am 10. Juli war nicht zu übersehen, sie saßen an Stieffs Tisch im Kasino von »Frankenstrub«, das ist der Deckname für das OKH bei Berchtesgaden. Was wußte die Gestapo? HG war häufig in »Mauerwald« oder in Zossen, in Berliner Stabsstellen, wo er bei jeder Gelegenheit auf Männer traf, die zum 20. Juli-Kreis gehörten. Wußte HG das? Waren das rein dienstliche oder konspirative Treffen? Wie verdächtig sind gelegentliche Verabredungen von HG mit Generalquartiermeister Eduard Wagner, der sich am 23. Juli erschossen hat, oder mit dem General der Artillerie Fritz Lindemann, der auf der Flucht ist? Beide kennt HG seit den 20er Jahren, Lindemann, denke ich, aus dessen Heimatstadt Hamburg. Wenn er sich die Liste derer anguckt, die jetzt schon verhaftet sind, dann muß der Netzwerker HG sich gefragt haben, in wie vielen Adreßbüchern von an der Verschwörung beteiligten Freunden und Bekannten sein Name steht.

Auch seine Adreßbücher hat die Gestapo eingesammelt, und Else hat HG nichts erzählt, sicher um sie nicht zu gefährden, aber auch weil die Verschwiegenheit des Abwehrmannes ihm zur zweiten Natur geworden war. Die originalen Vernehmungsprotokolle der Gestapo sind verschwunden, vermutlich sind sie verbrannt. Die einzige Quelle sind die Kaltenbrunner-Berichte, und dort taucht nur das Treffen in Berchtesgaden vom 10. Juli auf. Ernst Kaltenbrunner war Nachfolger des ermordeten Reinhard Heydrich und Chef der Sicherheitspolizei, des SD und des Reichssicherheitshauptamtes, wo sofort nach dem Attentat eine »Sonderkommission 20. Juli« mit Hunderten von Gestapo-Beamten zusammentrat. In Kaltenbrunners Namen schickte diese Sonderkommission täglich Dossiers über den Fortgang der Ermittlungen an Hitlers rechte Hand, den Reichsleiter Martin Bormann. Historisch sind diese Berichte höchst fragwürdig, weil sie zurechtgestrickt sind für Hitlers und Bormanns Ohren und häufig mehr subjektive Interpretation der Gestapo als Aussagen der Verhörten enthalten. Aber es gibt nichts anderes.

Nach dem, was in den Kaltenbrunner-Berichten zu lesen ist, halten sich sowohl HG als auch Bernhard strikt an das, was nicht bestritten werden kann. HG spricht im Verhör von seinen »Zweifeln, und zwar erstmalig nach dem Verlust von Stalingrad, an einem für uns glückhaften Ausgang des Krieges«, er erzählt, immer ohne Namen, von der »fast fatalistisch zu nennenden Gesamtatmosphäre« in den Stäben des OKH: »Ohne daß ich hierfür einzelne Quellen angeben kann, war die allgemeine Stimmung etwa so wie ›nach uns die Sintflut‹. Ich hatte und habe keine Beurteilungsmöglichkeit dafür, woher dieser Fatalismus kommt und wie ihm abzuhelfen sei«.

Ich merke, wie HG in den Verhören seine jahrelange Erfahrung als Abwehrmann einsetzt. Er entwickelt eine fast kollegiale Situation mit den Vernehmern, die sich über andere Gefangene häufig sarkastisch oder empört auslassen. Über HG stehen in den Kaltenbrunner-Berichten Sätze wie »daß selbst Offiziere, die sich anfangs in einer nicht negativen Weise ehrliche Sorgen um den Krieg und das Schicksal des Volkes gemacht haben, nach und nach in den Strudel der Verschwörung hineingezogen worden sind«. Oder: »die von Klamroth in ehrlicher Sorge gestellten Fragen zur Gesamtkriegslage« oder »am ehrlichsten antwortet Major Klamroth«. Dabei sind seine Aussagen nichts als heiße Luft.

Irgend etwas Konkretes muß aber sein. Da ist die Unterhaltung an Stieffs Tisch im Kasino in Frankenstrub, wo im Zuge allgemeiner Niedergeschlagenheit über die Kriegslage Hellmuth Stieff mit der Hand auf den Tisch geschlagen und an HG den Satz gerichtet habe: »Sie, Herr Klamroth, haben ja diese trübe Erfahrung schon einmal gemacht. Ich bin damals nicht dabei gewesen. Aber das eine will ich Ihnen versichern: So, wie das vorige Mal verlieren wir diesen Krieg nicht, ob mit oder gegen diese Führung.«

Dann beschäftigen sich die Berichte mit dem Gespräch von HG und Bernhard im Hotel über Inhalt und Ausmaß der Verschwörung. Mehrfach wird der Satz zitiert: »Wenn es nicht anders geht, muß eine Gelegenheit abgewartet werden, bei der sich alle ›Nickesel‹ mit dem Führer auf einem Haufen befinden, und dann werden eben alle auf einmal erledigt.« HG kann Stieff und Bernhard zu diesem Zeitpunkt durch seine Aussage nicht mehr zusätzlich belasten – das Material gegen sie ist ohnehin erdrückend. Sonst fallen keine Namen, HG spricht über sich selbst – auf die Frage, warum er »Stieff nicht sofort entgegengetreten sei«, antwortet er, daß ihm Stieffs Äußerung »zwar peinlich gewesen sei, daß ihn seine militärische Erziehung aber daran gehindert habe, den General korrigieren zu wollen«.

Das wird es nicht allein gewesen sein. HG, erzogen im

Ehrenkodex eines Kavallerie-Regiments, hält sich an die Standesgesetze der alten Eliten in der Wehrmacht, in Sonderheit im Heer, wo vielfach preußische Tradition und vom Vater auf den Sohn vererbte Wertvorstellungen die Führungsebene prägten. Kommandeure und ihre Generalstäbler – nicht alle – wollten mit der Partei nichts zu tun haben, vor allem nicht mit dem Pöbel der SS, die sich Gleichberechtigung anmaßte und deren infernalische Mordlust Deutschland besudelte.

In zahlreichen Stäben an der Front und in den Chefetagen des Ersatzheeres, das ist die Truppe zu Hause, war gezielt Personalpolitik in diesem Sinne betrieben worden – »keine braunen Leute«. Man war unter sich, und die Vernehmer in der »Sonderkommission 20. Juli« äußern in den Kaltenbrunner-Berichten immer wieder ihr Erstaunen, mit welcher Offenheit in den einschlägigen Offizierskreisen über Umsturzpläne geredet worden sei, ohne daß davon irgend etwas nach außen drang. HG ist verurteilt worden, weil er Bernhard nicht denunziert hat. Er hätte niemanden denunziert.

HG bedient die Gestapo mit Floskeln: »Im Zusammenhang damit steht die von mir jetzt als verderblich erkannte mangelnde politische Ausrichtung des Offizierskorps. Die Mehrzahl der Offiziere – und zu dieser Mehrzahl muß ich mich selbst rechnen – ist hilflos gegenüber plötzlich auftretenden außerhalb des eigenen Dienstbereichs liegenden Problemen und geneigt, zu deren Lösung nur auf den sogenannten Befehlsweg zu verweisen. Was der nächste Vorgesetzte befiehlt, wird gemacht, und was er nicht befiehlt, geht mich nichts an.«

Das sind nichts als Sprechblasen, aber die Sonderkommission benutzt Äußerungen dieser Art, um Themenfelder abzudecken für Bormann und Hitler – »Defaitismus«, »Einstellung zum Attentat«, »Auslandsbeziehungen der Verschwörer«, der »unpolitische Offizier«. Es werden keine kompletten Verhör-Protokolle weitergegeben, sondern Auszüge aus verschiedenen Vernehmungen, die gebündelt Zusammenhänge erhellen sollen. Die Verhörten machen alle dasselbe, sie belasten möglichst Tote oder sich selbst. Bernhard wird mit Aussagen zur Sache zitiert, an seiner Beteiligung bei der Sprengstoff-Beschaffung ist nicht zu deuten. Sein Pflichtverteidiger Arno Weimann sagte nach dem Krieg, er habe sofort gestanden. Was sollte er auch machen.

Am 7. August 1944 beginnen die Prozesse im Berliner Kammergericht. Gegen Bernhard, HG und vier weitere Angeklagte wird am 15. August verhandelt. Niemand weiß, wo sie in den knapp drei Wochen bis zum Verfahren gefangengehalten wurden. Daß Bernhard nach seiner Verhaftung am 21. Juli zunächst in das Zellengefängnis Lehrter Straße kam, ist belegt. Danach verliert sich die Spur bis zur Hinrichtung in Plötzensee. Die Unterlagen dieser sechs Männer sind verschwunden. Die Vernehmungen fanden in der Regel im Keller des Reichssicherheitshauptamtes in der Prinz-Albrecht-Straße statt. Ob HG und Bernhard dort im Gestapo-Gefängnis gewesen sind – ich weiß nicht, wo ich sie suchen soll.

Ich weiß nicht, ob sie gefoltert wurden, Bernhard wahrscheinlich nicht, weil er offenbar nichts verheimlicht hat. Ich bete, daß auch HG unversehrt geblieben ist. Elf Tage noch nach dem Todesurteil haben sie ihn aufgespart, wozu, wenn sie nicht Informationen erhofften oder erzwingen wollten? Aus dem Verfahren ist bruchstückhaft die Anklageschrift des Oberreichsanwalts Ernst Lautz erhalten. Darin heißt es, man habe mit HG die meisten Schwierigkeiten gehabt – was ist das, wenn nicht Wut darüber, daß HG nichts gesagt hat. Was hätte er sagen sollen?

Ich habe eine Sperre im Kopf und in meiner Seele. Ich stehe ohnmächtig vor einer schwarzen Wand, die mich nicht durchläßt zu HG in seine Zelle. Ich möchte mir nicht vorstellen, was ich gelesen habe über die Verhörmethoden, mir die Fesseln nicht denken, die den Gefangenen die Gelenke wundscheuern, nicht die Schreie der Mißhandelten, die HGs sein könnten. Ich weiß, daß ich mich nicht wegdrehen darf. Aber ich will nicht wissen, wie es zuging bei den »verschärften Vernehmungen« – Schlafentzug, Ermüdungsübungen, Stockhiebe. Fabian von Schlabrendorff hat die Folter beschrieben – ich kann das nicht umsetzen auf HG.

Ich zwinge mich hinzusehen. Ich will weder Bernhard noch HG reduzieren auf die Helden, »die aufrecht in männlicher Haltung in den Tod gehen, ungebeugt, ihre Henker mit Verachtung strafend« – das wird wohl so gewesen sein. Aber das ist nicht alles. Ich sehe Bernhard weinen vor Sehnsucht nach seiner Frau, die ihren gemeinsamen Sohn geboren hat – das hat er noch erfahren, durch wen, wann – ich weiß es nicht. Ich sehe ihn sich zermartern in Zweifeln darüber, ob er das Kükenkind hätte heiraten dürfen und gleichzeitig den Sturz des Hitler-Regimes betreiben mit allem Risiko des Scheiterns. Er wird krank sein vor Sorge, daß Ursula etwas zustößt – selbst in der Isolation seiner Zelle oder bei den Verhören muß er begreifen, wie die Gestapo um sich schlägt. Haben sie ihm mit Ursulas Verschleppung gedroht, und er hat deshalb sofort alles zugegeben?

Ich sehe HG in unendlicher Einsamkeit, weit weg von seiner Frau, deren Vertrauen er verspielt hat. Jetzt, in dieser Zelle ist sie vermutlich an seiner Seite, aber weiß er das? Er muß sich fragen, wie er tatsächlich hat glauben können, daß Else unbegrenzt belastbar, daß ihr Vorrat an Gemeinsamkeit unerschöpflich sei, den er verschwendet hat in immer neuen Eskapaden. Im Urteil steht, HGs »Verrat am Führer« sei weder zu entschuldigen durch »schwere Familienverhältnisse, unter denen er damals litt, noch daß der eigene Schwiegersohn genannt werden mußte«. Was hat HG bewogen, seinen Konflikt mit Else vor Gericht zur Sprache zu bringen? Zu welchem Ende? Hat er seine »Treulosigkeit« gegenüber dem Führer zu erklären versucht mit seiner seelischen Überlastung wegen Else? Oder hat ihn einfach die Kraft verlassen angesichts der Aussichtslosigkeit zu Hause und im Gericht? Ich kann diesen Satz im Urteil nicht lesen ohne Tränen, und ich danke dem Schicksal, daß Else den Text nie gesehen hat.

HGs Seele hat noch mehr zu kämpfen: Er wird seine vielen Kinder nicht mehr an die Hand nehmen können auf dem Weg, den er für richtig hält. Er sieht sein Lebenswerk zertrümmert, seins und das der Generationen vor ihm. Sein umnachteter

Vater kann das Vermächtnis der Vorfahren nicht fortführen, und wer weiß, ob sein Sohn den Krieg übersteht. Denkt HG darüber nach, daß auch er dem Regime, das ihn jetzt töten wird, die Steigbügel gehalten hat, daß er teilhat an dem Verhängnis, das ihn nun ereilt? Großer Gott, ich will ihn nicht überfordern. Ich würde ihn gern trösten, wenn es denn einen Trost gäbe irgendwo. Ich wünschte, ich könnte beiden erleichtern, was vor ihnen liegt – HG und Bernhard müssen zurechtkommen mit ihrer Angst vor dem Tod, schlimmer: mit der Angst vor dem entsetzlichen Sterben.

Sie werden verurteilt am 15. August 1944 zum Tod durch den Strang. Es ist der dritte Schauprozeß gegen die Attentäter vom 20. Juli, der Große Saal im Berliner Kammergericht ist gerammelt voll mit handverlesenen Zuschauern in allen möglichen Uniformen. Altkanzler Helmut Schmidt hat mir erzählt, er sei dort hinkommandiert worden als junger Oberleutnant. Goebbels hatte verfügt, daß »Soldaten aller Dienstgrade, deren nationalsozialistische Einstellung einer Aufbesserung bedarf, an den Volksgerichtshof-Verhandlungen teilnehmen sollen, damit sie wissen, wie es Verrätern ergeht«.

Vor der Verhandlung hat ein von Hitler eingesetzter »Ehrenhof« des Heeres unter Vorsitz von Generalfeldmarschall von Rundstedt die Angeklagten »mit Schande« aus der Wehrmacht ausgestoßen, damit sie der Zivilgerichtsbarkeit überantwortet werden können – Hitler: »Diese Verbrecher sollen nicht vor ein Kriegsgericht, wo ihre Helfershelfer sitzen und wo man die Prozesse verschleppt!« Nicht einer der Beschuldigten hat sich vor den Ehrenmännern dieses »Ehrenhofs« persönlich rechtfertigen dürfen, und der Vorsitzende Rundstedt hätte ebenfalls als Mitwisser vor dessen Schranken gehört. Er hat seit Jahren von den Umsturzplänen gewußt und niemanden denunziert.

Die Handschellen werden den Angeklagten erst am Eingang des Gerichtssaals abgenommen, sie tragen Zivil ohne Schlips und Hosenträger, zwei Polizeibeamte flankieren sie rechts und links und zerren sie nahezu an den Ärmeln zu ihren Plätzen. Der Saal mit seinen Rosenquarz-Rechtecken an der Wand und der Kaiserloge über dem riesigen Kamin ist dekoriert mit Hakenkreuzfahnen, hinter denen die Kameras versteckt sind. Hitlers Anweisung: »Blitzschnell muß ihnen der Prozeß gemacht werden, sie dürfen gar nicht groß zu Wort kommen«, wird vom Präsidenten des Volksgerichtshofes Roland Freisler gründlich umgesetzt. In seiner blutroten Robe gebärdet er sich wie ein Berserker, er brüllt und keift und fällt den Angeklagten ins Wort, sobald sie zu einer Antwort ansetzen. Es ist ein ekelhaftes Schauspiel, und sogar Justizminister Thierack beschwert sich bei Martin Bormann über Freisler: »Er sprach von den Angeklagten als Würstchen. Darunter litt der Ernst dieser gewichtigen Versammlung erheblich.«

In HGs und Bernhards Verhandlung verbeißt sich Freisler besonders in den Mit-Angeklagten Adam von Trott zu Solz, Legationsrat im Auswärtigen Amt und außenpolitischer Sprecher der Verschwörer: »Eine Jammergestalt an Körper, Geist und körperlicher wie geistiger Haltung, der Typ des geistreichelnden, entwurzelten, charakterlosen Intellektualisten vom Romanischen Café, eine Kurfürstendamm-Erscheinung.« Nicht immer kann Freisler verhindern, daß die Angeklagten sich eindeutig äußern. Hans-Bernd von Haeften, Vortragender Legationsrat im Auswärtigen Amt und Bruder von Stauffenbergs Adjutant Werner von Haeften, gelingt in derselben Verhandlung der Satz: »Nach der Auffassung, die ich von der weltgeschichtlichen Rolle des Führers habe, nämlich daß er ein großer Vollstrecker des Bösen ist ...« Weiter kommt er nicht, Freisler brüllt dazwischen. Doch die Haeften-Worte sind zu Recht berühmt geworden.

Im Urteil steht, alle Angeklagten hätten ihre Geständnisse vor Gericht bestätigt, »Hans Georg Klamroth wiederholte sie freilich erst, als er sah, daß seine Versuche, sie wegzudiskutieren, an inneren Widersprüchen scheiterten.« Was hat er versucht? Hat er das nächtliche Gespräch mit Bernhard in Berchtesgaden bagatellisiert, um sich und den Schwiegersohn zu entlasten? In den Filmaufnahmen vom Prozeß sehe ich beide in derselben Reihe sitzen, getrennt durch zwei wuchtige Polizeibeamte, sie müßten sich weit vorbeugen, wenn sie einander ansehen wollten. Hat es einen Blick der Gemeinsamkeit geben können auf dem Weg in den Gerichtssaal? Was haben sie gesagt? Das Protokoll der Verhandlung ist verschollen, die Filme sind unvollständig, Bernhard kommt gar nicht vor.

HG, sehr abgemagert, sehr elend, wird von Freisler gefragt, ob er sich darüber im klaren sei, daß »nichts weiter tun Verrat sei«? HG denkt nach, senkt den Kopf, hebt ihn schließlich mit einer trotzig ablehnenden Gebärde. »Nein!« sagt er laut und deutlich und schüttelt den Kopf. Freislers Tiraden sind nicht zu verstehen, »abartig« schreit er mehrmals, »Versteckspiel« höre ich raus, »Volksgemeinschaft«. Das ist es. Roland Freisler übrigens ist am 3. Februar 1945 im Luftschutzkeller des Volksgerichtshofs von einem herabstürzenden Balken erschlagen worden – es geschieht ihm recht.

Bernhard wird wegen der Sprengstoff-Beschaffung für schuldig befunden, HG, weil er Bernhard und die anderen nicht verriet. Neben Adam von Trott zu Solz und Hans-Bernd von Haeften sind an diesem Tag noch angeklagt Wolf-Heinrich Graf Helldorf, Polizeipräsident von Berlin, und Egbert Hayessen, Major im Stab des Allgemeines Heeresamtes im OKH. Allen zusammen gilt Freislers Urteil im Namen des Deutschen Volkes: »Eidbrüchige, ehrlose Ehrgeizlinge verrieten, statt mannhaft wie das ganze Volk, dem Führer folgend, den Sieg zu erkämpfen, so wie noch niemand in unserer ganzen Geschichte das Opfer unserer Krieger, Volk, Führer und Reich. Den Meuchelmord an unserem Führer setzten sie ins Werk. Feige dachten sie, dem Feinde unser Volk auf Gnade und Ungnade auszuliefern, es selbst in dunkler Reaktion zu knechten. Verräter an allem, wofür wir leben und kämpfen, werden sie alle mit dem Tode bestraft. Ihr Vermögen verfällt dem Reich.«

In einer Lagebesprechung kurz nach dem 20. Juli hatte Hitler auch die Todesart festgelegt: »Die sollen nicht die ehrliche Kugel bekommen. Die sollen hängen wie gemeine Verräter. Und innerhalb von zwei Stunden nach der Verkündung des Urteils muß es vollstreckt sein. Die müssen sofort hängen, ohne jedes Erbarmen.« Hitler läßt Freisler und den verantwortlichen Scharfrichter zu sich kommen und verfügt ausdrücklich, daß geistlicher Beistand zu versagen sei und den Verurteilten nicht die kleinste Milderung gewährt werden dürfe: »Sie sollen hängen wie Schlachtvieh«. So geschieht es. Bernhards Sterbe-Urkunde im Bezirksamt Charlottenburg nennt als Todeszeit 20 Uhr 14 am 15. August 1944, Todesursache: Erhängen, Anzeigender ist jener Hilfsaufseher Paul Dürrhauer, wohnhaft Manteuffelstraße 10, dem ich schon vor Jahren auf der Spur war. Er lebt lange nicht mehr, und auch hier hat er damals erklärt, »er sei vom Tode aus eigener Wissenschaft unterrichtet«.

Else berichtet im Februar 1947 im Kindertagebuch – so lange hat sie nicht geschrieben: »Wir wissen nichts. Der erste Prozeß vom 7. und 8. August wird veröffentlicht in der widerlichsten Form, Stieff ist dabei und Albrecht von Hagen, Bernhard nicht, wir nehmen das als ein gutes Zeichen. Am 7. August holt ein Soldat Zivilzeug für Bernhard, wir schöpfen auch hieraus Hoffnung in unserer Naivität. Heute wissen wir, daß sie ausgestoßen wurden aus der Wehrmacht und deshalb in Zivil vor Gericht erscheinen mußten. Vater hatte ja Zivil in Berlin. Die Nächte sind besonders schlimm, keine Arbeit, die ablenkt, und die schweren Nachtangriffe auf Berlin, und wir wissen, daß unsere Männer wehrlos in ihren Zellen sitzen.«

»Die Nachrichten aus dem Westen sind auch so schlecht, schwere Kämpfe um St. Nazaire, und Jochen ist dort eingeschlossen. Barbara kommt, jetzt habe ich wenigstens meine vier Töchter um mich, aber in was für einer furchtbaren Verfassung ist Ursula. Und dann am 17. August morgens, ich lag noch im Bett, ich war ja immer so erschöpft, kamen Tante Annie« – HGs Schwester – »und Onkel Adolf, und Annie sagt: ›Else, jetzt seid ihr allein!‹ Ach Kinder, nichts habe ich vergessen von der Qual, nichts! Und dann Ursula, wie sollte das Kind das tragen!« Kurt jun., das ist HGs Bruder, hatte über dessen Pflichtverteidiger von der Verhandlung am 15. August erfahren und daß die Hinrichtungen gleich danach vollstreckt worden seien. Else erhält unter dem Datum vom 29. September eine DIN-A-5-Nachricht vom Oberreichsanwalt beim Volksgerichtshof: »Der ehemalige Major Hans Georg Klamroth ist durch Urteil des Volksgerichtshofes des Großdeutschen Reiches wegen Hoch- und Landesverrats zum Tode verurteilt worden. Das Urteil ist vollstreckt. Im Auftrag« – unleserlich. Kein Todesdatum.

Ende Oktober schafft HGs Pflichtverteidiger schließlich Gewißheit: HG starb am 26. August. Else bekommt zwei Briefe, die er noch geschrieben hat – einen am Tag nach dem Urteil, den anderen unmittelbar vor seinem Tod. Den ersten erhält sie kurz vor Weihnachten, den zweiten im Februar 1945. Else im Kindertagebuch: »Zehn endlose Tage und zehn endlose Nächte hat er sterben müssen, das kann ich nie verwinden. Wie gern hätte Vater noch mit uns gelebt! Er hatte sehr viel Gottvertrauen und war tief religiös, gebe Gott, daß ihm das Kraft gab. Er schreibt mir: ›Lehre die Kinder beten, jetzt weiß ich, was das heißt.‹ Ich kann Euch nicht beten lehren, ich kann nur hoffen, daß diese Gnade Euch geschenkt ist. Mir ist sie nicht gegeben. Ursula hat von Bernhard keine Zeile, und das ist wahrscheinlich gut so. Bernhard wird gewußt haben, daß das zu viel gewesen wäre für das Kind.«

Niemand weiß, was HG in der Zeit zwischen Urteil und Hinrichtung widerfuhr. Es gibt keine Spur von ihm in diesen zehn Tagen, keine neue Aussage, die Aufschluß gäbe über eine weitere Vernehmung. Ich will nicht darüber nachdenken, ob und wie sich die SD-Leute die Zähne ausgebissen haben an ihm, bis sie schließlich begriffen, es bringt nichts. HG wird hingerichtet zusammen mit Adam von Trott zu Solz, mit Ludwig Freiherr von Leonrod und Otto Carl Kiep. Ich muß mich konzentrieren auf die Art, wie diese vier Männer sterben am 26. August 1944 zwischen 12 und ein Uhr mittags an einem strahlenden Sommertag.

Tod durch den Strang bedeutet nicht Genickbruch, jedenfalls nicht hier. Helmuth Graf Moltke hat seinen Mitgefangenen beim Rundgang zugeraunt: »Macht euch darauf gefaßt, es dauert 20 Minuten.« Vorschrift war, die Verurteilten 20 Minuten lang hängen zu lassen, um sicherzugehen, daß sie tot waren. Anweisung war auch: langsam erdrosseln. Ich lese bei Joachim Fest, bei Peter Hoffmann, bei Ian Kershaw, daß die Verurteilten in Sträflingskleidung zur Hinrichtung kamen, daß die Scharfrichter ihnen die schmale Schlinge um den Hals legten, sie bis zur Hüfte entkleideten, sie hochhoben und in den Haken hängten. Dann ließen sie die Männer fallen, nicht sonderlich heftig offenbar, und zerrten ihnen, während sie mit dem Tode kämpften, die Hosen herunter. Auf Fotos, die bei Hitler auf dem Kartentisch lagen, waren die Gehenkten nackt. Nach jeder Exekution, die noch nicht den Tod bedeutete, wurde ein schmaler schwarzer Vorhang vor den Erhängten gezogen, dann war der nächste an der Reihe. HG war nach Adam von Trott zu Solz der zweite.

Doch, ich will hinsehen. Ich will dabei sein, wenn HG stirbt. 20 Minuten sind länger als die Hölle. Ich will ihm sagen, er ist nicht allein, auch nach 60 Jahren nicht. Hier bin ich, die ihn begleitet hat durch sein ganzes Leben, und ich lasse ihn nicht los. Ich hätte gern mit dir gelacht, HG, deinen Witz genossen und deine Wärme, die jeden betörten. Ich wünsche mir eine lebendige Erinnerung an dich: Wie hast du gerochen, und hat dein Bart schlimm gekratzt? Ich hätte gern die Chance gehabt, dich zu lieben. Ich habe dich bestaunt in deiner Verschrobenheit als junger Mann, ich finde dich wunderbar wegen der guten Jahre mit Else, ich kann nicht verstehen, wie du den Nazis hast anheimfallen können. Es war nicht meine Zeit. Ich bin wütend auf dich wegen der Demütigungen, die du Else zugefügt hast, und ich finde dich, den Mann, deswegen lächerlich. Vielleicht sollte ich weniger anmaßend sein. Ich bin verstört über das, was ich als deine Gleichgültigkeit verstehen muß gegenüber dem Schicksal der Juden, der Zwangsarbeiter, der Geisteskranken, der Häftlinge in den KZs, Himmlers »Untermenschen« in den besetzten Gebieten. Habe ich dich mißverstanden, weil du nie etwas gesagt hast? Jetzt stirbst du als »Untermensch«. Sie haben dir den geistlichen Beistand versagt, um den du gebeten hast. Doch du hast deinen Ölberg hinter dir und du bist ein Held in deinem Tod. Dein Leben lag in einer fürchterlichen Zeit, und wenn es denn für die Kinder besser werden sollte, das ist gelungen. Du hast den Blutzoll bezahlt, den ich nicht mehr entrichten muß. Ich habe von dir gelernt, wovor ich mich zu hüten habe. Dafür ist ein Vater da, nicht wahr? Ich danke dir.

EPILOG

NOCH EINMAL MUSS ICH ZURÜCK NACH HALBERSTADT. Else bekommt einen Berg Kondolenzbriefe – viele davon anonym. Nicht alle Freunde sind noch da, Teile der Familie verhalten. Else wird aus der Partei und der NS-Frauenschaft ausgeschlossen, Ursula, die frühere Ringführerin, auch. Am 2. Dezember 1944, dem Vorabend des 1. Advent, taufen sie Bernhards und Ursulas Sohn, ein letztes Mal im Haus mit den Familien-Preziosen und dem kostbaren Taufkleid von Dagmar Podeus – der Junge heißt Jörn Günter, ein kleiner I. G. Klamroth, trotzige Hoffnung inmitten von Hoffnungslosigkeit. Jörns Taufspruch ist der Trauspruch seiner Eltern: »Das Reich Gottes besteht nicht in Worten, sondern in Kraft«.

Von Jochen erfährt die Familie, als er 1946 endlich wieder zuhause ist, daß er im August 1944 in Frankreich aus der Wehrmacht ausgestoßen und in die Strafeinheit 666 gesteckt worden war, eine bunt gewürfelte Ansammlung von Kriminellen und Deserteuren, die zu Einsätzen mißbraucht wurden, über die der Bruder bis heute nicht reden kann. Damals war er 19. Die 21jährige Barbara wird in Wien von der Universität verwiesen und zwangsverpflichtet in eine chemische Fabrik in Goslar. HGs Bruder Kurt jun., Jahrgang 1904, bisher uk gestellt als Oberregierungsrat im Reichserziehungsministerium, erhält am 27. August 1944, einen Tag nach HGs Tod, seine Einberufung in eine Flak-Einheit an der Ostfront. Am 27. Oktober folgt die Versetzung in die berüchtigte Kompanie Dirlewanger, eine »Bewährungseinheit« der Waffen-SS, in der ursprünglich nur Schwerverbrecher als Kanonenfutter verwandt wurden. Ab 1944 waren es zu 90 Prozent KZ-Insassen, politische Häftlinge, die auf diese Weise liquidiert werden sollten. Unbehelligt bleiben HGs Eltern, Else, Ursula und die beiden kleinen Kinder Sabine und ich.

Jenny, das russische Zwangsarbeitermädchen, wird in eine Munitionsfabrik gesteckt, bei jeder Gelegenheit sucht sie Trost am Bismarckplatz. Hans Litten, HGs »Privatsekretär« und Sohn eines jüdischen Vaters, landet in einem Zwangsarbeiterlager bei Magdeburg, eine Katastrophe auch für die Firma. Das Haus ist bis zum Dachboden voll mit Bombenflüchtlingen, Familie, Freunden, Fremden, vielen unbekümmerten Kindern. Kopfläuse, schwere Frostbeulen bei fast jedem, keine Kohlen, Tag und Nacht Alarm, Gertrud in ihrem Tagebuch: »Wir sind mehr als 50 Personen im Keller.« Sie lesen »Wallenstein« mit verteilten Rollen, die Kinder lernen »Die Glocke« und den »Zauberlehrling« auswendig – »geistiges Eigentum« für die Verschleppung nach Sibirien. Else nach dem Krieg: »Ich war wie versteinert in all dem Wirbel, den ich zu dirigieren hatte. Aber es ging. Natürlich ging es.«

Die Polizei kommt noch ein paarmal ins Haus, am 6. September 1944 beschlagnahmt sie das Vermögen – nicht nur das der Männer, sondern Elses und Ursulas und das von uns Kindern. Was heißt Vermögen – jede Teetasse und jedes Paar Strümpfe werden registriert, ich finde lange Verzeichnisse, die den Hausrat, die Bücher, die Bilder, selbst mein Spielzeug auflisten. Möchte man sich vorstellen, was für trübe Arbeit das gemacht hat, und niemand gibt Auskunft, wozu? Sollen die Sachen aus dem Haus geschafft werden und wohin? Als Else HGs Uniformen, seine Reitausrüstung, die Garderobe für seine Sportwagen-Fahrten an die Sammlung des »Deutschen Volksopfers« geben will, braucht sie dafür eine Genehmigung. Eine nicht enden wollende Korrespondenz mit dem Vorsteher des Finanzamts dreht sich um die Bezahlung von Rechnungen aus der Zeit vor der Beschlagnahme – Telefon, Handwerker, Feuerkasse, 40.60 RM für die Hebamme. Weder Else noch Herr Danneberg auf dem Finanzamt übrigens unterschreiben mit »Heil Hitler« oder dem »deutschen Gruß«. Vermutlich kannte der Mann HG über Jahre als guten Steuerzahler.

Die Familie lebt in der Zwischenzeit von Geld, das HGs Schwester Annie und ihr Mann zuschießen, Kurt und Gertrud sind auch noch da, und Mitte Dezember wird Elses und Ursulas Vermögen wieder freigegeben, auch mein Spielzeug gehört wieder mir. Das hat SS-Obergruppenführer und General der Waffen-SS Franz Breithaupt geregelt, eine absurde Erscheinung in einer absurden Zeit. Hitler und Himmler höchstselbst verfügten am 14. August 1944 (!), daß die Hinterbliebenen der wegen des 20. Juli Hingerichteten durch die SS versorgt werden sollen, und Franz Breithaupt hatte sich auf diesem Gebiet schon bewährt. 1934 »betreute« er die Angehörigen der im sogenannten Röhm-Putsch Ermordeten.

Das muß man zu Ende denken: Da werden die Männer gehenkt, und anschließend kommen Briefe des Herrn Breithaupt: »Sehr geehrte gnädige Frau! Die Beschlagnahme Ihres persönlichen Vermögens ist ein Versehen, das umgehend korrigiert werden wird. Heil Hitler«. Breithaupt setzt für Else, Ursula und die minderjährigen Kinder eine Rente aus, zahlbar ab 1. Mai 1945 (!), »Ausgleichzahlung« für die Monate September bis April, zusammen 6300 Mark. Ich weiß nicht, ob das Geld noch eingegangen ist. Breithaupt ist es auch, der Else HGs Briefe zukommen läßt: »Sehr geehrte gnädige Frau! Anbei erlaube ich mir, Ihnen noch einen Brief Ihres Gatten zu übersenden. Heil Hitler!« Wie monströs kann eine Zeit sein?

HGs Vermögen steckt neben Kurts Geld in der Firma, es dort rauszulösen, hätte den Konkurs bedeutet. Es laufen viele Schriftsätze von Anwälten hin und her, die zum Inhalt haben, Kurt sei nicht verurteilt und könne folglich nicht bestraft werden – es zieht sich hin, jeder zieht es, weder Polizei noch Finanzamt haben Lust, sich kurz vor Schluß auf derart komplizierte Abwicklungen einzulassen. Im Großangriff auf Halberstadt am 8. April 1945 verbrennt die Woort und mit ihr 155 Jahre Firmentradition. Die Kapitulation einen Monat später beendet das Satyrspiel.

Eine meiner ersten Erinnerungen an die neue Zeit: Ich habe mir eine gewaltige Ohrfeige eingefangen. Ich weiß nicht mehr, wer zuschlug, ob Else oder Barbara, ich weiß nur, daß ich durch die Küche flog. Ich mußte erwachsen werden, um zu begreifen, warum. Dreikäsehoch, wie ich war, hatte ich dem Sinn nach gefragt: Wo ist denn die Liebe zum Führer geblieben, warum sagt keiner mehr Heil Hitler? Vielleicht hätte ich fragen sollen: Warum hat es je irgend jemand gesagt?

Kurt und Gertrud heiraten 1897

Kurt, der Familienarchivar

HG, das Milchgesicht

HG und Wolf Yorck von Wartenburg

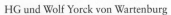

1914–1918: Vater und Sohn

… ziehen in den Krieg

Else Podeus 1917

Elses Eltern: Dagmar

... und Paul Podeus

HG und Else heiraten 1922

Gertrud und Kurt feiern Silberhochzeit

Nachwuchs: Else mit Barbara und Ursula 1925

Großvater Kurt auf Juist

Familientag am Wannsee

Ein starkes Paar:
Else und HG

HG im Kontor von I.G. Klamroth

Der Hahn im Korb

Segelspaß in Dänemark

Dagmar Podeus mag nicht fotografiert werden

Else mondän   … und mit Stammhalter

HG auf Normandie

Wibke im Taufkleid

Die Familie ist komplett

Männerspiele: Kurt jun. und HG

1942, Kurts 70. Geburtstag

Else und ein Familienfreund

Die Belegschaft der Firma mit Kurt und HG

HG hat einen Bock geschossen

Der 1. Tag des 2. Weltkriegs: HG mit Kompanie

Wibke mit Bernhard

Der Schwiegersohn

Bernhard und Ursula frisch verlobt

Glücklich auf dem Wannsee

Auf dem Weg zum Standesamt

Januar 1943 – Hochzeit in der Liebfrauenkirche

Bernhard, der Bräutigam

Die Jungvermählten

Waldemar aus Pleskau und Wibke mit dem Koch aus Tunis

Das Tempelchen im Garten am Bismarckplatz

Vor dem Volksgerichtshof: Bernhard

... und HG mit Pflichtverteidiger

Danksagung

Dank gebührt natürlich den Vorfahren, die so viel aufgeschrieben und aufbewahrt haben – eine solche Materialfülle, fürchte ich, ist in Zeiten von Telefon und E-Mail nicht mehr zu finden. Die Familie heute hat in Kisten und Kasten gekramt und mich mit unschätzbaren Dokumenten versorgt. Innigen Dank schulde ich der »Lieblingsdänin« Pelse Sonne, die HG noch gekannt hat und die mich durch seine dänische Zeit führte. Danken möchte ich meinem geschätzten Kollegen Heinz Höhne, dessen Sachkenntnis mir den Weg wies im Dickicht der Abwehr. Den Mitarbeitern des Verlages, allen voran Margit Ketterle und Bettina Eltner, sei gesagt, daß ich mich aufgehoben fühle in ihrer Sorgfalt und in ihrem Einsatz – danke. Für Barbara Wenner, die Agentin und Lektorin, hätte ich gern ein neues Wort. Ihre Freundschaft, ihr Gespür für den Text und ihre empörende Hartnäckigkeit haben das Buch über die Jahre getragen. Ein solches Glück ist ein Geschenk.

Besuchen Sie uns im Internet:
www.ullstein-taschenbuch.de

Umwelthinweis:
Dieses Buch wurde auf chlor- und säurefreiem Papier gedruckt.

Ungekürzte, mit erweitertem Bildteil versehene Ausgabe
im Ullstein Taschenbuch
1. Auflage September 2005
4. Auflage 2006
© Ullstein Buchverlage GmbH, Berlin 2004/Econ Verlag
Umschlaggestaltung: Büro Hamburg
Titelabbildung: privat (die Autorin mit ihrem Vater)
Satz: Franzis print & media GmbH, München
Gesetzt aus der Sabon
Druck und Bindearbeiten: Ebner & Spiegel, Ulm
Printed in Germany
ISBN-13: 978-3-548-36748-4
ISBN-10: 3-548-36748-8

»Zutiefst berührende Schilderungen«
dpa

Sie waren noch Kinder und die Schrecken des Krieges waren ihr Alltag. Mit großem Einfühlungsvermögen schildert Hilke Lorenz, die zahlreiche Zeitzeugen befragt hat, das Aufwachsen inmitten von Flucht, Vertreibung, Bombennächten, Hunger und Tod.

»Ungeheuerliche und tieftraurige Geschichten, als einfühlsame Reportagen glänzend zu Papier gebracht«
Stuttgarter Zeitung

»Dieses Buch vermag etwas ganz Besonderes: Es ermutigt zum Erzählen und zum Zuhören.«
Brigitte

Hilke Lorenz
Kriegskinder
Das Schicksal einer Generation

List Taschenbuch

L177

»Ein großartiger Erzähler«
Brigitte

Manfred Krugs Kindheits-
erinnerungen – witzig und
warmherzig, plastisch und
schnörkellos. Ein Lese-
vergnügen der besonderen Art
– und ein bemerkenswertes
Zeugnis über das Deutschland
der Nachkriegszeit.

»Eine Hommage an die
kleinen Leute und ihren
Daseinskampf, ein Plädoyer
für Mitmenschlichkeit«
Focus

»Wunderbar«
Süddeutsche Zeitung

Manfred Krug
Mein schönes Leben

ULLSTEIN TASCHENBUCH

US160